# 공작 부인은
# 오늘만 산다

# 공작 부인은 오늘만 산다 II

초판 1쇄 인쇄일 2023년 03월 03일
초판 1쇄 발행일 2023년 03월 16일

지은이 | 개스켈
펴낸이 | 김기선

편집부 | 박신혜, 김수린, 한혜정, 강연정, 이아림, 강지원, 김수정, 황신애, 김은희
표지디자인 | 우물
내지디자인 | 한주희

펴낸곳 | 주식회사 와이엠북스(YMBOOKS)
출판등록 | 2021년 5월 27일 (제2021-000014호)
주소 | 서울특별시 중랑구 신내역로3길 40-36 B동 710호 (신내동)
전화 | 02)906-7768 / 팩스 | 02)906-7769
E-mail | ymbooks@nate.com

ISBN 979-11-322-6936-6 (04810)
ISBN 979-11-322-6934-2 (set)

값 13,000원

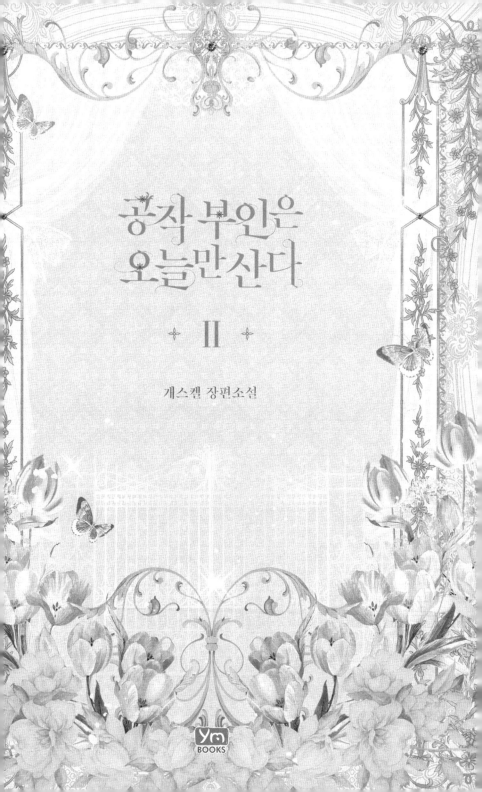

# 공작 부인은
# 오늘만 산다

## ❖ II ❖

개스켈 장편소설

BOOKS

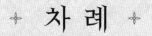

# ✦ 차 례 ✦

## 6. 별 헤는 밤

겉으로 보기엔 뮌하임 성이 생긴 이래 가장 활기차고 바쁜 나날의 연속이었다. 황제 폐하와 그의 수행원들이 머물게 될 브라반트 홀의 묵은 먼지를 털어 내고, 복도를 쓸고, 거미줄을 걷어 내고. 성에 머무는 자라면 모두, 용병단은 물론이고 새로 들인 하인들, 심지어 임산부인 보일드 남작 부인까지 성안 정비에 여념이 없었다.

해가 지고도 한참 더 서류를 살피던 슈테판은 방으로 돌아가기 전 주방으로 걸음을 틀었다. 당장 침대로 엎어져 쓰러지고 싶은 마음이 굴뚝같았으나 오늘은 꼭 그것이 필요했다.

주방장 아델이 허브로 만들었다는 그 괴상한 맛이 나는 술. 그거라도 한잔해야 잠이 올 것 같았다. 문을 열고 들어가 보니 주방 안에 그보다 먼저 자리를 잡은 이가 있었다.

"어?"

어제 오후, 하늘이 붉은 석양으로 물들기 전. 정확히 닷새하고 반나절 만에 바이마르에서 돌아온 도미닉이 술잔을 기울이다 슈테판과 눈이 마주쳤다. 그와 함께 도착한 수레가 자그마치 열다섯 대. 오늘 한낮에 추가로 다섯 대가 앞뜰에 나타났다. 그 외에도 바이마르에서 준비가 늦어지는 것 일부, 오다 바퀴가 고장 난 수레 몇 대까지. 이래저래 앞으로도 열 대가 넘는 수레가 더 도착할 예정이란다.

이로써 우선 급한 불은 끄게 됐다. 안드레아 공작이 무슨 약점을 잡혔는지는 몰라도 믿을 수 없는 규모와 속도다. 도미닉의 능력에 새삼 감탄하던 슈테판은 자신이 그에게 고생 많았다는 으레 하는 인사도 건네지 못했음을 깨달았다.

"밤이 깊었는데 여긴 웬일인가? 고생 많았을 텐데 일찍 쉴 것이지."

시큰둥하게 슈테판을 바라보던 도미닉은 대답 전에 술잔부터 비웠다.

"후발대의 보고를 기다리는 중이었습니다. 이제 자러 갈 겁니다."

아침 일찍, 뒤처진 일행을 호위하러 떠난 용병단으로부터 연락이 온 모양이다.

"남작님이야말로 여긴 어쩐 일이십니까?"

선반 위에서 능숙하게 술잔을 꺼내 든 슈테판이 도미닉의 건너편에 앉았다. 그는 도미닉 앞에 놓인 연한 초록빛 병 앞으로 술잔을 들이밀었다.

"아델이 만든 술이 생각나서. 한 잔 주겠나?"

물끄러미 슈테판을 바라보던 도미닉이 이내 그의 잔을 채웠다.

"남작님이 드시기엔 맛이 꽤 거칠 텐데요."

"슬슬 익숙해지고 있네. 이 이상한 술에도, 술맛만큼 거친 이 땅의 사람들에게도."

평소라면 농담을 건네거나 빈정대고도 남았을 도미닉이지만 그의 입술은 이후로도 오랫동안 닫혀 있었다. 슈테판도 말없이 술잔만 기울였다. 도미닉의 입맛에 맞춰 희석된 술은 슈테판이 마시기엔 좀 진했으나 불평을 늘어놓을 만한 기분이 아닌 탓에 그냥 마셨다. 뮌하임 성을 감싼 무거운 분위기가 두 남자에게도 전해지고 있었다. 술잔을 들던 도미닉이 갑자기 잔을 내려놓으며 잔뜩 인상을 찌푸렸다.

"젠장. 조용히 마시고 갈랬더니."

슈테판이 무슨 말이냐고 이유를 묻기도 전, 주방 문이 벌컥 열렸다. 주방 안으로 들어서던 하인리히가 두 사람을 발견하곤 '어럽쇼?' 하는 표정을 지었다.

"뭐야. 다들 여기 모여 있었어?"

성큼성큼 들어온 그 역시 헤매지 않고 바로 선반에서 잔을 찾아 들고 와 도미닉 옆에 앉았다.

"그거, 아델이 만든 허브 술이지? 나도 한 잔 줘."

이 양반들이 진짜. 슈테판에 이어 하인리히까지. 대뜸 술잔을 찾아 꺼내 오는 모습에 어이가 없어진 도미닉이 짜증스럽게 머리를 쓸어 넘겼다.

"대체 귀하신 귀족 나리들이 왜 이딴 술을 마시러 모여드는 겁니까? 술 잔이 놓인 곳은 또 어떻게 알고?"

도미닉의 말을 듣는 둥 마는 둥 술병을 끌고 온 하인리히가 제 잔을 가득 채웠다.

"이딴 술이라니! 아델 들으면 섭섭하게. 아델이 언제든 와서 마시라고 했다고. 치즈는 저 뒤편 팬트리 안에, 훈제 고기는 두 번째 칸에 넣어 둘 테니 맘껏 가져다 먹으라던데. 우리 아델은 참 인심도 좋아."

꿀꺽 한 모금을 들이켠 슈테판이 심드렁한 말투로 하인리히의 오류를 지적해 주었다.

"훈제 고기가 있는 곳은 세 번째 칸입니다."

하인리히는 언제나처럼 남이 하는 말엔 신경도 쓰지 않은 채 꿀꺽 술을 들이켰다.

"캬아. 이 맛이야 이 맛. 처음엔 뭐 이런 시큼털털한 거지 같은 맛이 있나 했는데 묘하게 자꾸 떠오른다니까. 그렇지 않아, 보일드 남작?"

일견 동의하는 부분이 있어 슈테판은 천천히 고개를 끄덕였다. 술을 그다지 즐기지 않는 편인데도, 그 또한 자려고 누우면 가끔 이 오묘한 맛이 생각나곤 했었으니까. 하인리히의 답이 마음에 들지 않았는지 도미닉의 눈가가 더 심하게 일그러졌다.

"아무리 그렇다고 귀족씩이나 되시는 분들이 하인들이 드나드는 주방에 직접 술을 찾으러 오는 게 말이 됩니까?"

"말 안 되지. 캬아! 죽인다."

온몸을 부르르 떨며 인상을 쓰면서도 하인리히는 술잔을 쥔 손을 놓지 않고 떠들어 댔다.

"처음엔 신기해서 왔는데 한번 와 보니 자꾸 오게 되네."

"주방이 주방이지 신기할 게 뭐가 있다고."

부루퉁하게 대꾸하는 도미닉의 말에 하인리히가 낄낄대며 '맞아, 맞아' 맞장구를 쳤다.

"주방이야 신기할 게 없지. 하지만 공작 부인이 주방에서 하인들하고 같이 식사하는 건 신기한 일 맞잖아. 난 뭐 특이한 거라도 있나 했다고. 아무튼 영주의 아내가 부끄러운 줄도 모⋯⋯."

하인리히가 공작 부인을 입에 담는 순간, 잠시 들떴던 주방 안의 온도가 다시 무겁게 가라앉았다. 남의 눈치를 볼 줄 모르는 하인리히조차 그 무게에 눌려 더는 입을 열지 못할 만큼.

공작 부인이 앓아누운 지 꼬박 일주일. 다니엘마저 아내의 방에 틀어박혀 나오지 않은 채 시간만 흘렀다. 별다른 말 없이 조용히 잔을 내려놓은 하인리히가 삐딱하게 턱을 괸 채 중얼거렸다.

"그래도⋯⋯ 저 정도면 하크본치곤 오래 산 편이지."

하인리히의 말이 끝나자 도미닉이 술잔을 내려놓으며 씁쓸하게 입꼬리를 비틀었다.

"맞아요. 오래 살았죠."

부정할 수 없는 사실인 건 맞으니까. 도미닉의 말을 끝으로 긴 침묵이 이어졌다. 빈 잔이 계속 채워지고 비워지는데도 아무도 취하지 않는 이상한 밤이었다.

　이른 아침. 잠을 잊은 새가 날개를 퍼덕이며 창문을 치는 작은 기척에 다니엘이 퍼뜩 눈을 떴다. 뜬눈으로 밤을 새우는 날이 길어지자 점점 예민해진 신경이 미세한 소리에도 반응을 이끌어 냈다. 선잠에서 깨어난 다니엘의 흐린 시선이 언제나처럼 정면을 향했다. 초점이 잡히자 침대에 얌전히 누워 있는 프리다가 보였다.

　지난 일주일, 프리다가 열에 취해 뜻 모를 소리를 하지 않는 동안에만 다니엘도 잠깐씩 눈을 붙였다. 그나마도 길어야 하루에 네다섯 시간 정도가 다였다.

　깜박…… 깜박…….

　느리게 두어 번 눈을 감았다 뜬 그는 천천히 의자에서 일어났다. 일주일 동안 다니엘이 붙박인 듯 앉아 있던 의자가 뒤로 밀리며 바닥을 긁는 소리가 났다. 침대 옆에 선 그는 손가락을 들어 프리다의 코끝으로 가져갔다. 프리다는 열이 떨어지면 쌔근쌔근 곤한 숨소리를 냈다. 어제보다 한결 고른 숨결이 그의 손가락 주름 사이를 뜨끈하게 채웠다. 그윽한 눈으로 아내를 내려다보던 다니엘이 천천히 입을 열어 그녀를 불렀다.

　"프리다……."

　당장이라도 '왜요, 다니엘?'이라고 대답할 것만 같은 입술은 꾹 닫혀 끝내 열리지 않았다. 잠든 프리다의 콧등을 쓸어내리던 다니엘이 새삼 기막혀하며 느슨하게 입술을 끌어 올렸다.

　"고집스럽게 버틸 때 알아봤지."

　아픈 아내가 걱정되고 마음이 쓰였다. 하지만……. 코끝을 지나 인중을 스친 손끝이 여전히 열이 내리지 않은 입술에 닿았다.

　"당신이 아픈 거 싫은데…… 꼭 싫지만은 않다고 하면 되레 기막혀하려나."

　뜨거운 기운이 식긴 했지만 프리다에게선 여전히 열감이 느껴졌다. 바

11

싹 마른 입술은 힘주어 쥐지 않아도 바스러지는 가을의 나뭇잎처럼 건조했다. 다니엘은 의사가 시킨 대로 그녀의 입술 위에 물에 적신 천을 톡톡 대었다 떼며 열기를 식혀 주었다.

잠시 촉촉해진다 싶던 입술이 금세 마르자 다니엘이 다시 젖은 천을 가져다 댔다. 대꾸해 주는 사람도 없건만, 평소 즐기지도 않는 혼잣말이 중얼중얼 흘러나왔다.

"내 말이 들린다면 섭섭하다고 하겠지? 하지만 진심이야. 난 지금이 썩 나쁘지 않아."

딱딱하게 굳어 있던 아랫입술 살갗 일부가 허물처럼 벗겨져 떨어졌다. 살갗이 떨어진 자리가 발갛게 부어오르자 다니엘이 눈살을 찌푸렸다. 허리를 숙여 얼굴을 가까이 가져간 그는 물기가 남은 천으로 입술을 꾹꾹 눌렀다.

"내 마음을 확실하게 알게 됐거든. 모든 게 명쾌해졌다고 하면, 이기적이라고 화를 낼 건가?"

잠시 프리다가 '너무해요'라고 토라져 눈을 흘기는 상상을 했다. 피식 웃음이 터져 나왔다.

"이렇게 혼자 당신을 독점하고 있는 점이 특히 마음에 들어."

기가 막히지 않는가. 몸져누운 아내를 앞에 두고 소유욕을 드러내는 미친놈이 저였다. 펄펄 열이 끓는 프리다를 발견한 것이 일주일 전. 그날 이후 의사 외엔 누구도 이 방에 들지 않고, 저 혼자 아내를 돌봤다. 그녀의 병세에 대한 의사의 진단은 수긍이 되는 것과 되지 않는 것 두 가지로 나뉘었다.

"싱 밖 출입이 느분 분이 말을 오래 타셨으니 우선 몸이 지치셨을 테고요. 무엇보다 긴장이 풀리신 듯합니다."

"긴장?"

말을 탄 건 그렇다 치고, 긴장이 풀려 사람이 이토록 열이 펄펄 끓는다는

12

게 말이 돼? 웬 개소리냐고 윽박질렀더니 의사는 더 모를 소리를 해 댔다.

"그런 경험 없으십니까? 당장 급하니까 어찌어찌 버텼는데 막상 일이 끝나고 나면 맥이 탁 풀릴 때가 있지 않습니까? 전쟁을 끝낸 다음 영주님의 상태가 어땠는지 떠올려 보십시오."

빌어먹을 전쟁이 끝나서 속이 다 시원했지. 맥이 풀려? 대체 왜? 다니엘이 전혀 공감을 못 하자 의사는 고심 끝에 더욱더 모를 소리를 내뱉었다.

"보통 사람은 엄청난 책임감과 부담감에 시달리던 일이 해결되면 며칠씩 몸져눕곤 합니다. 경황이 없어 아픈 것도 모르고 지나쳤던 몸이 뒤늦게 신호를 보내는 거지요."

"신호?"

"더 무리하면 안 된다는 신호 말입니다. 영주님께서 깨어나시기 전까지 마님은 아마 본인에게 계속 '아프면 안 돼, 버텨야 해.' 이렇게 최면을 걸며 지내 오셨을 겁니다. 영주님도 안 계신 마당에 자신까지 무너지면 안 된다고 여기셨을 테니까요."

여전히 이해할 순 없었지만 한 가지는 알아들을 수 있었다.

"내 아내가 아픈 원인이 나란 거군. 내가 깨어났으니 더는 본인이 공작령을 책임지지 않아도 된다는 안도감에 긴장이 풀렸다. 맞나?"

아주 엇나간 결론은 아니었던지 알아먹지 못할 말을 길게 늘어놓던 의사가 입을 다물었다. 말이 되는 소리를 하라며 의사를 비난하지도, 특별히 이해하려 노력하지도 않았다. 원인이 뭐든 당장 중요한 건 프리다가 나아질 수 있느냐였다.

"회복시켜."

그녀의 웃음소리가 들리지 않게 되고서야 깨달았다. 자신이 봄 햇살을 닮은 청량한 그녀의 미소를 꽤 좋아했었다는걸. 가끔 당돌하게 치켜 올라가던 건방진 눈꼬리와 벌새의 날갯짓처럼 쉴 새 없이 깜박이던 속눈썹. 그 아래서 빛나던 보랏빛 맑은 눈동자를 이미 심장에 새겨 버렸음을. 얼떨결에 그의 삶 속으로 날아든 이 하얀 여자의 존재를 무의식중에 인정해 버린 듯하다. 내 사람이라고.

"일어나, 프리다."

다니엘은 힘없이 늘어진 프리다의 작은 손을 꼭 쥐며 나지막이 읊조렸다.

"아무리 아파도 소용없어. 당신은…… 이제 날 못 떠나."

솔직히 프리다를 볼 때마다 내내 혼란스러웠다. 그녀를 향한 감정은 가끔 느닷없고 지나치게 강렬해 이유를 찾지 못할 때가 많았으니까. 하지만 이젠 비가 갠 뒤 구름 한 점 없는 하늘처럼 머리가 맑아졌다. 그녀는 리카르도와 도미닉, 이 두 명에 이어 다니엘 리하르트에게 속한 세 번째 사람이 되었다.

프리다가 깨어나면 말해 줘야겠다. 오래전 어느 날, 열네 살 소년의 기억 한 귀퉁이에 그대가 있었노라고. 어쩌면 우린 처음부터 이리될 운명이었는지도 모르겠다고.

다니엘이 계속해서 물수건으로 입술을 적셔 주자, 어느 순간 프리다가 빼끔 입을 벌렸다. 그 안으로 스며들어 간 작은 물방울을 목 안으로 꿀꺽 넘기는 소리가 들렸다. 물수건을 내려놓은 다니엘이 아주 조심히, 손대면 터져 버릴 이슬방울을 만지듯 프리다의 정수리를 쓰다듬었다.

"프리다. 정신이 듭니까?"

대꾸는 없었지만, 눈꺼풀이 미세하게 떨렸다. 조심스럽게 프리다의 뺨을 감싸 안은 다니엘이 그녀의 눈 밑을 매만졌다.

"내 목소리 들려요?"

조개가 입을 벌리듯 탁 열린 눈꺼풀이 느리게 올라갔다. 하나로 뭉쳐 있던 새하얀 속눈썹이 위아래로 나뉘더니, 보랏빛 동공을 가운데 두고 멀찌감치 떨어졌다.

다니엘은 그녀가 의식을 차리는 장면 하나하나를 모두 다 빼놓지 않고 눈에 담았다. 초점 없는 보라색 눈동자가 다니엘을 응시하며 힘없이 깜겼다 떠지는 장면에서 기시감을 느꼈다. 브라반트 홀의 서고에서 잠든 그녀를 찾아냈던 날과 같은 모습이었다. 그날처럼 느리게 떠진 눈꺼풀이 버티지 못하고 힘없이 감기더니 뒤이어 입술이 열렸다.

"다니엘⋯⋯."

고작 이름 한 마디였다. 심지가 다한 촛불처럼 금방이라도 꺼질 듯 아슬아슬하고 미약한 목소리로 부르는 이름 한 번. 그런데도 프리다가 저를 부르는 순간, 의식이 돌아온 그녀가 처음으로 찾는 사람이 저라는 사실에 모골이 송연할 정도로 짜릿한 희열이 그를 찾아왔다. 다니엘은 가슴 위에 곱게 올려진 프리다의 손을 감싸며 귓가에 작게 속삭였다.

"말해요. 나, 여기 있어요."

천천히 눈을 뜬 프리다가 마른침을 넘기며 말했다.

"모, 목말라요."

협탁 위에 올려 둔 잔에 물을 따른 다니엘이 프리다의 목뒤를 받치며 물었다.

"일어날 수 있겠어요?"

제 딴엔 고개를 끄덕이려 애쓰는 듯한데 목에 힘이 들어가지 않았다.

"잠깐만요."

잔을 들어 물을 머금은 그가 망설임 없이 프리다의 입술을 벌리고 그 사이로 물을 흘려보냈다. 꿀꺽꿀꺽. 프리다는 다니엘이 건네는 물을 거부감 없이 연이어 목 안으로 삼켰다. 더 달라며 그의 입술을 놔주지 않기에 오래오래 기꺼이 붙들려 주었다. 제가 머금었던 것을 모두 건넨 다니엘이 프리다의 이마에 맺힌 땀을 닦아 주며 다정히 물었다.

"물, 더 줄까요?"

목마름이 해결되자 기력이 돌아왔는지 프리다가 고개를 저었다. 차츰 초점을 잡아 가는 프리다의 눈을 보며 다니엘이 계속 말을 걸었다.

"좀 더 잘래요?"

프리다는 좀 더 분명하게 고개를 양옆으로 가로젓고 난 후 그와 눈을 맞췄다. 갈래갈래 실핏줄이 터져 붉은 기가 남은 눈을 보사 가슴이 먹먹해졌다. 불현듯 이 상황을 나쁘지 않다고 여겼던 자신이 부끄러웠다. 이토록 힘들게 버

15

티는 사람을 두고 그딴 생각을 했다니. 프리다가 떠듬떠듬 입을 열었다.

"나…… 많이 아팠어요?"

많이 아팠지. 이러다 영영 일어나지 못하면 어쩌나 걱정하며 그다음을 고민할 만큼. 다니엘은 힘겹게 입꼬리를 끌어 올리며 프리다의 입가에 남은 물기를 닦아 냈다.

"일어났으니까 됐어요."

그녀가 눈을 떴다는 게 믿기지 않아 살짝 부은 눈가를 자꾸 어루만졌다. 다신 감기지 말라는 경고를 몰래 손끝에 담았다.

"내가 또 뭘 해 줄까, 프리다?"

당신이 아픈 이유가 의사의 말대로 긴장이 풀려서라면, 영원히 긴장을 풀지 못하게 하면 어떨까 생각했다. 매일 긴장을 늦추지 못하도록 내가 도로 잠들어 줄까도 싶었지만 그건 이제 못 한다. 이렇게 그대를 봐야 하니까. 하지만 다른 거라면 뭐든. 그대가 원하는 것은 뭐가 됐든 들어줄 테니 내게 말해.

"말해 봐요. 작은 거라도 좋으니까, 아무거나."

미칠 것 같은 이 불안을 떨쳐 낼 수 있게. 내가 돌아 버리지 않게. 연약한 당신이 말을 타고 나가는 건 무리라고 말리지 않은 로시발트를. 그대의 열을 일주일이 지나도록 내리지 못한 무능한 의사 자식을. 아니, 그 누구보다 무턱대고 당신을 데리고 나간 제 목을 가장 비틀어 버리고 싶었다.

프리다가 의식을 차리지 못하는 지난 일주일간 불쑥불쑥 살의를 느낄 때마다, 오직 이 순간만을 생각하며 버텼다. 당신이 눈을 뜨고, 나를 보고, 내게 말하는 순간을. 그러니 어서 무슨 말이라도 해. 제발.

"다니엘……."

프리나가 그를 부르자 주체할 수 없이 치밀어 오르던 화가 목 끝에서 겨우 멈춰 섰다. 꼴깍. 목소리를 가다듬은 다니엘이 빙긋이 웃으며 말했다.

"말해요."

"나, 답답해요."

미처 열이 식지 않은 발그레한 얼굴로 프리다가 힘없이 마주 웃었다.

"나…… 거기에 데려다줘요. 테라스가 있는 방."

가뜩이나 작은 얼굴이 며칠 새 더 말라 눈만 퀭한데 그래도 미치도록 예뻤다.

"별을…… 보고 싶어요."

다니엘은 바로 고개를 끄덕였다.


구름 한 점 없는 밤하늘에 동그란 보름달이 떴다. 밤이 되면 세상이 온통 암흑으로 변하는 프리다의 눈에도 보일 정도로 밝은 보름달이었다. 공작 부인의 새 침실로 단장 중인 5층 방으로 올라온 두 사람은 테라스에 자리를 잡았다. 여름이 지척이라 바람이 차진 않았으나, 알타스 산맥을 지나오는 바람엔 간간이 서늘한 기운이 섞여 있었다. 이불로 꽁꽁 싸고도 마음이 놓이지 않는지 다니엘은 제 로브로 프리다를 한 번 더 감쌌다.

"춥진 않아요?"

"시원해서 좋아요. 살 것 같아."

프리다가 턱 아래까지 올라온 이불을 끌어 내리자, 다니엘이 이불을 다시 위로 올렸다.

"산바람이라 아직 차가워요. 덮고 있어요."

"답답한데……."

다니엘이 테라스에 가져다 놓은 카우치 위로 다리를 쭉 뻗은 프리다는 입을 삐죽이며 그의 가슴에 눕듯이 푹 기댔다. 프리다에겐 충분히 긴 길이의 카우치였지만 다니엘에겐 턱없이 짧았다. 두 다리를 세운 채 앉은 다니엘은 그녀가 편히 눕도록 자세를 잡아 주었다.

이마와 목에 손을 대어 보니 열이 많이 내렸다. 5층까지 올라오는 동안 의식도 완전히 돌아와 낯빛도 확연히 밝아졌다. 무엇보다 보름달 때문에 밤하늘이 잘 보여서인지 프리다는 기분이 꽤 좋아 보였다. 이불 밖으로 손을 꺼낸 그녀가 검은 하늘 어딘가를 가리켰다.

"다니엘, 저기에 별이 있나요?"

정확히 보이진 않았지만, 환한 빛이 새까만 하늘에서 어렴풋이 어른거렸다. 다니엘이 그녀의 손을 꼭 쥔 채 살짝 오른쪽으로 옮겼다.

"거기가 아니라 여기요. 당신의 손끝이 향하는 지점. 리카르도는 저걸 독수리 별이라고 불렀어요."

"독수리 별이요? 왜요?"

프리다가 고개를 돌리자 그녀의 머리칼이 다니엘의 턱 밑을 간지럽혔다. 다니엘은 땀에 젖어 축축한 머리에 얼굴을 묻었다. 살아 숨 쉬는 프리다의 체취가 마냥 좋았다.

"고대 신들의 왕이 하늘로 올라가 저 별이 되었는데, 마음에 드는 아가씨를 발견하면 가끔 독수리로 변해 땅으로 내려와 여자를 채 간다고 하더군요."

"어머. 진짜요?"

회복되지 못한 목소리가 가늘게 떨리며 갈라졌지만 상관없었다. 전과 같이 또랑또랑하진 않았으나 갈라진 목소리라도 다시 들을 수 있는 게 어딘가. 만약 이 목소리를 영영 들을 수 없게 됐다면…….

프리다를 꼭 끌어안은 다니엘이 그녀의 어깨 위로 푹 고개를 숙였다. 가슴이 뻐근하고 온몸의 피가 아래로 쏟아져 내리는 기분이다. 얼음이 깨진 호수 밑으로 빨려 내려가는 것처럼 모든 감각이 아득해졌다.

'긴장이 풀린다는 기분이 이런 거였나.'

새삼 찾아온 깨달음이 우습기도, 두렵기도 해 프리다를 안은 팔에 힘이 들어갔다.

"하늘 보시 말아요, 프리다."

다니엘은 프리다의 고개를 돌려 저를 보게 만들었다.

"독수리가 당신을 채 갈지도 모르니까."

신들의 왕과 싸우는 게 겁나서가 아니다. 그녀가 제 곁에 없는 날들이…… 이젠 진심으로 두려웠다. 다니엘의 눈빛이 진한 습기를 먹은 공기처럼 진득하게 달라붙었다. 담담하고 진중한 표정은 여느 때와 마찬가지인데 얼핏얼핏 뜻 모를 슬픔이 느껴졌다. 아니…… 두려워 보인다고 해야 하나. 프리다는 다니엘의 깊은 눈빛에 담긴 까닭을 알 수 없는 두려움이 이해되지 않았다. 대체 무엇이 이 남자를 두렵게 할 수 있다는 거지?

"왜…… 그렇게 봐요?"

"내가 어떻게 보는데요?"

"마치 그런 일이……."

실제로 일어날까 봐 두려워하는 듯 굴잖아요. 끝맺지 못한 말을 짐작했는지 지그시 굽어보던 그의 입술이 열리며 가벼운 바람 소리가 났다.

"그러게요. 독수리가 채 간 당신을 찾아오려면 고생깨나 하겠다 싶어 좀 두려워지려 하네요."

분명 장난스러운데 왜 장난 같지 않은 걸까. 실없는 농담을 즐기는 사람이 아닌데 왜 이러지?

"그건 그냥 전설일 뿐이잖아요."

"맞아요. 전설이죠."

다니엘이 바람이 흩트려 놓은 그녀의 머리칼을 넘겨 주며 빙긋이 웃었다.

"하지만 혹시 모르니까 독수리가 보이면 꼭 피해 다녀요. 내 뒤에 숨어도 좋고."

다니엘이 이런 사람이었던가? 새롭게 발견한 장난기 어린 남편의 모습이 흥미로웠다. 다만 쓸쓸해 보이는 눈동자가 마음에 걸렸다.

"다니엘, 당신 괜찮아요?"

며칠이나 앓아누웠던 건 그녀인데 다니엘이 더 위태로워 보였다. 프리다의 질문을 들은 다니엘의 눈꼬리가 휘어졌다.

"지금 나한테 괜찮냐고 묻는 겁니까?"

피식 웃으며 '이런 몰골로?'라고 묻는 듯 다니엘이 핼쑥해진 그녀의 뺨을 어루만졌다. 웃으니 한결 나아 보여 긴장이 누그러졌다. 남편과 함께하는 시간이 늘어날수록 참 알 수 없는 사람이라는 걸 깨닫게 된다. 예의 바르고 친절하다가도 가끔은 냉랭하게 굴고, 차갑다 싶어 한 발 물러서려 하면 다시 뜨겁게 그녀를 몰아붙인다. 종잡을 수 없는 사람. 아무리 머리를 굴려 봐도 다니엘을 잘 모르겠다.

상상력이 빈약하다고 느껴 본 적이 없는데 제 남편은 알 듯 모를 듯 너무나 다채로운 빛깔을 지녔다. 처음 봤을 때 그는 굳건하게 뿌리내린 단단한 나무 같았다. 베어 낼지언정 누구도 흔들 수 없는. 의식 없이 침대에 누워 있던 지난 삼 년조차 그랬다.

그러나 지금 그녀의 눈앞에 있는 다니엘은 그때와 사뭇 달랐다. 분명 프리다는 죽어도 가질 수 없는 강한 체력을 가진 남자인데 어째서 이토록 약해 보이는 걸까.

"아……."

갑자기 어지럼증이 일었다.

"힘들면 나한테 기대요."

프리다가 미간을 찌푸리자 다니엘이 그녀를 안아 제 가슴 위에 눕혔다. 갓난아이처럼 그의 품에 폭 안기고 말았지만, 등을 쓸어 주는 손이 따뜻해 떨어지기가 싫었다. 안락한 그의 품에서 이대로 잠들고 싶었다.

"힘들면 방으로 돌아갈까요?"

"아니요. 여기 있을래요. 방은 답답해서 싫어요."

죽기 직전까지 아프고, 구사일생으로 회복되는 일에 익숙한 프리다였지만 이번에는 좀 지쳤다. 프리다는 다니엘의 품 안으로 더 깊이 몸을 묻었다. 이 남자의 넓고 따뜻한 가슴에 안겨 쉬고 싶다는 생각뿐이었다. 따뜻한 체온을 찾아 뺨을 바짝 붙였다. 그녀를 쓸어 주던 크고 따뜻한 손이 멈칫 목 아래서 멈췄다. 부스스 헝클어진 프리다의 머리칼이 셔츠 위로 드러난 다니엘의 맨살을 간지럽혔다.

"프, 프리다."

그녀에 대한 걱정 때문인지 안 그래도 낮은 목소리가 꽉 잠겨 있었다.

"아이, 참. 나 이제 괜찮다니까요."

그의 가슴에 맞닿은 뺨 위로 쿵쿵쿵 힘차게 요동치는 심장의 진동이 느껴졌다. 맥박이 어찌나 강한지 맞닿은 뺨이 들썩거릴 정도였다. 이 남자는 정말…… 나와 다르구나. 새삼 감탄하고 있는데 다니엘이 그녀의 머리를 쓸어내리며 조용히 속삭였다.

"내가 안 괜찮아요."

별이 촘촘하게 박힌 하늘로 고개를 들어 올린 다니엘은 소리 없이 눈에 보이는 별이란 별은 족족 셌다.

'하나, 둘, 셋…… 열다섯, 열여섯…….'

그것만으론 부족해 숨도 한 번 크게 들이마셨다 내뱉었다.

"후우."

청량한 밤공기가 뜨끈뜨끈 달궈지고 있는 몸과 머리를 식혀 주리라 믿었건만. 유감스럽게도 오히려 프리다의 체취를 같이 들이마시는 바람에 그녀 아래 깔린 허벅지가 더 단단해지는 결과만 가져왔다. 망할 놈의 달빛마저 빌어먹게도 밝고 난리다. 죄 없는 보름달에 애꿎은 화풀이를 하며 호흡을 가다듬었다.

'인제 그만 가라앉으라고, 이 망할 자식아.'

적어도 아픈 아내에게 흥분하는 미친놈은 되지 말아야지. 다니엘은 주인을 닮아 반항기가 철철 넘쳐흐르는 녀석을 필사적으로 무자비하게 내리눌렀다. 그가 몸을 뒤척이자 뺨을 다니엘의 가슴에 대고 있던 프리다가 살포시 고개를 들었다.

"왜 그래요, 다니엘? 힘들어요?"

힘드냐고? 당연히. 그것도 죽을 만큼. 다니엘은 입 안의 속살을 지그시 깨물며 억지 미소를 지었다.

"아니요. 그만 방으로 돌아가는 게 어때요?"

졸린 듯 반쯤 감긴 눈을 깜박이며 프리다가 고개를 저었다.

"으으응. 싫어요. 여기 있을래."

프리다가 칭얼거리며 그의 가슴에 얼굴을 비벼 댔다.

'돌겠네.'

귀엽게 굴 거면 배시시 웃지나 말든가. 다니엘의 타는 속을 알 리 없는 아내의 천진함이 오늘만은 영 별로였다.

"얼른 이 방으로 옮겨 왔으면 좋겠어요. 밤마다 당신이랑 별을 보고 싶어요."

밤마다…… 별만 봐야 하는 건가. 뭐라 설명할 수 없는 복잡한 기분에 빠진 다니엘은 저도 모르게 긴 한숨을 쉬고 말았다.

"후……."

금세 울상이 된 프리다가 걱정스레 그를 살폈다.

"다니엘, 왜요? 나 때문에 그래요?"

아니라고 바로 답을 주기가 어려웠다. 사실 그녀 때문인 건 맞으니까.

"결혼식과 동시에 장례식 치르고 싶지 않으면, 아예 손끝도 대지 않는 게 상책이겠소. 주군의 덩치로 덮쳤다간 그날로 죽지, 죽어."

망할 리카르도. 왜 하필 그딴 소리를 지껄여서는. 다니엘이 힘없이 웃으며 바람에 날리는 프리다의 머리칼을 다정히 쓸어내렸다.

"알면 걱정 좀 그만 시키지."

힘든 일은 죄다 도미닉에게 던져 주고 쉬게 하면 건강해지려나? 잘 먹고 푹 쉬면 늦게까지 키가 큰다던데 고기를 잔뜩 먹이면 살이 붙을까? 한 손으로 감싸지는 작은 머리가 어이없어 상념에 빠진 중에도 헛웃음이 나왔다.

새삼 느끼는 거지만, 자신의 아내는 정말 작다. 그런데도 보고 있으면 넓고, 크고, 깊은 바다를 마주한 기분이다. 한 발만 내밀면 여지없이 그 안에 빠져 가라앉고 말 듯한 거대한 바다. 눈을 떼지 못하고 바라보자 프리다가 그녀를 내려다보는 다니엘의 뺨을 손으로 감쌌다.

"당신, 많이 놀랐군요?"

하긴 다니엘은 프리다가 오래 앓아눕는 걸 처음 봤을 테니까 이러는 것도 당연하다. 보통 때보다 심하게 앓기도 했다. 몸에 영 힘이 들어가지 않아 팔을 들고 있기도 버거운 걸 보면. 프리다는 다니엘을 안심시키기 위해 자꾸 갈라져 나오는 목소리를 가다듬으며 해맑게 웃었다.

"내가 오래 누워 있었죠? 하지만 다니엘. 그렇게 놀랄 것 없어요. 전엔 한 달 내내 아팠던 적도 있었는걸요. 공작령에 오고 나선 건강해진 편이에요. 사흘쯤은 거뜬……."

"일주일입니다."

이, 일주일? 깜짝 놀란 프리다가 몸을 일으키려 하자 다니엘이 그녀의 어깨를 당겨 움직이지 못하게 붙들었다. 병치레를 대단치 않게 여기는 프리다의 무심한 반응이 마뜩잖았던지 다니엘의 목소리에 날이 섰다.

"아내가 일주일 내내 열에 취해 밤낮으로 알아듣지도 못할 말만 했습니다. 그러니 놀랄 수밖에요."

길어야 사나흘 누워 있었겠지 예상했던 프리다는 예기치 않은 답에 머리가 멍해졌다.

"지, 진짜요?"

가만, 일주일? 곧 황제께서 공작령을 방문한다고 하셨는데.

"다니엘, 설마 황제께서 벌써 도착하신 건 아니겠죠? 아, 바이마르에서 와야 할 물건은 제때 도착했어요?"

리하르트 공작 부인으로 처음 맞이하는 귀빈이다. 심지어 황제의 방문. 결코 소홀히 할 수 없는 큰 행사를 앞두고 일주일이나 누워 있었다니. 핏기라곤 없는 창백한 얼굴로 안절부절못하는 프리다를 바라보던 다니엘이 찡그려진 그녀의 눈매를 꾹 눌러 펴 주었다.

"놀랄 것 없어요. 황제는 사흘 뒤에나 도착할 겁니다."

프리다가 앓아누워 있는 동안 귓가를 윙윙거리는 날파리같이 귀찮은 존재들의 일정이 다소 늦어진다는 연락이 왔었다. 산사태라도 일으켜 황제의 일행이 오는 길목을 아예 막아 버릴까 잠깐 고민했었다. 남편이 어떤 생각을 했었는지 모르는 프리다는 안심하며 풀썩 다니엘의 가슴 위로 쓰러졌다.

"휴우. 다행이다."

흘러내린 이불을 프리다의 어깨 위로 덮은 다니엘이 그녀의 머리를 꾹꾹 누르듯 쓰다듬었다. 프리다는 갓 태어난 강아지가 어미를 찾듯 다니엘의 가슴으로 파고들었다.

"깜짝 놀랐단 말이에요. 황제 폐하께서 도착하셨는데 그 자리에 안주인이 없어 봐요. 두고두고 입방아에 올랐을 거라고요."

예민한 사람이 아니라면 눈치채지 못할 정도로 온도가 낮아진 다니엘의 음성이 프리다의 정수리 위로 차분히 내려앉았다.

"황제가 오는 게 싫진 않습니까?"

"전혀요. 내가 이 순간을 얼마나 고대했는데요."

그녀의 머리를 쓰다듬던 손길이 찰나지만 잠시 멈추었다 다시 움직였다. 기대감에 들뜬 프리다를 안고 있는 다니엘의 눈빛이 평소처럼 감정을 지우며 싸늘히 식어 갔다.

"당신이 황제와의 만남을 그토록 고대하고 있는 줄은 몰랐네요."

지나치게 정중하고 차분한 목소리에 냉기가 서렸지만, 몽롱한 상태의 프리다에겐 그저 잠을 부르는 자장가였다. 따뜻한 온기가 느껴지는 다니엘의 품에 안긴 프리다의 눈꺼풀이 점점 무거워졌다.

"기대돼요. 우리 성에 오시는 첫 손님이잖아요."

두근두근. 다니엘의 심장 소리에 맞춰 솔솔 졸음이 몰려왔다. 프리다는 끔뻑끔뻑 졸며 중얼거렸다.

"첫 손님을 당신과 함께 맞을 수 있게 돼서 기뻐요."

당신도 깨어났고, 나도 괜찮아졌으니.

"우리 중 누구도 그 자리에 홀로 서 있지 않아도 되잖아요. 너무…… 다행이야."

심장을 파고드는 나지막한 중얼거림에 다니엘의 맥박이 다시 요동쳤다. 다시 한번 별을 세야 할 시간이다.

'서른셋, 서른넷, 서른다섯…….'

오늘따라 하늘에 별이 많아 다행스러운 다니엘의 별 헤는 밤이었다.

허브밭을 살피고 내려오던 리카르도는 아침 이슬을 맞은 싱그러운 보라색 제비꽃 무리를 발견하고 허리를 숙였다.

"흠. 괜찮은데."

고심하며 턱을 만지작대던 그는 유난히 꽃잎이 크고 싱싱한 제비꽃으로 손을 뻗었다. 리카르도는 조심조심 꽃잎이 떨어지지 않게 뿌리까지 파낸 한 무리의 꽃을 소중히 안고 내성으로 들어섰다. 성에 들어가기 전 바닥에 깔린 카펫이 더럽혀지지 않도록 계단 아래서 탁탁 부츠를 털었다.

며칠 새 몰라볼 정도로 탈바꿈된 성 여기저기엔 보랏빛 태피스트리가 걸려 있었다. 반질반질 광이 나게 닦은 색유리 창으로 들어온 다양한 빛깔의 햇살이 단조롭던 성안에 색을 입혔다. 잔뜩 상기된 표정의 하인들을 지나쳐 계단을 오른 리카르도는 3층 복도로 들어서다 문득 발을 멈췄다.

"아차. 이놈의 정신머리."

공작 부인의 세간이 어제 오후 5층으로 옮겨졌다는 걸 기억해 낸 그는 계단 쪽으로 다시 발길을 돌렸다. 그때, 등 뒤에서 문이 열리는 소리가 들렸다.

"어, 아버지. 어디 갔다 이제야 나타나신 거예요?"

말끔하게 예복을 갖춰 입은 다니엘의 뒤를 따라 나오던 도미닉이 리카르도를 보며 물었다. 여느 때와 달리 매끈하게 기름을 발라 머리를 넘긴 아들이 영 낯설어 리카르도의 얼굴이 절로 구겨졌다.

'저 혼자 손님 맞나? 유난은.'

하긴 갑옷을 입으나 예복을 입으나, 심지어 찢어진 거적때기를 입어도 타고난 분위기 그대로일 다니엘하고야 처지가 다르긴 하지. 다니엘의 옆을 지나쳐 앞으로 나오던 도미닉이 리카르도의 손을 보더니 눈썹을 치켜떴다.

"그거 풀입니까? 다들 넋이 나가게 바쁜 이 와중에 풀때기를 뽑고 계셨어요?"

섬세함이라곤 약에 쓸래도 없는 아들의 손에서 꽃을 보호하기 위해 리카르도는 조심히 몸을 반대 방향으로 틀었다.

"어허. 말조심해. 풀때기라니. 우리 공작 부인 드릴 제비꽃이다, 이놈아."

도미닉을 노려본 그의 시선이 다니엘에게로 돌아갔다.

"뷔테인 남작 부인인지 뭔지 하는 황제의 정부가 따라온다며? 보나 마나 주렁주렁 보석을 달고 나타날 텐데 우리 부인께서도 치장할 것이 있어야지."

"하!"

크게 헛웃음을 내지른 도미닉이 어이없어하며 팔짱을 꼈다.

"주렁주렁 보석을 달고 오는 여자 앞에 그깟 꽃이 가당키나 합니까? 없는 게 더 낫지."

"무슨 소리."

이번엔 리카르도가 코웃음을 쳤다.

"우리 공작 부인 자체가 반짝반짝 빛나는 보석인데 다른 보석이 왜 필요해? 그냥 서 계시기만 해도 황제의 정부보다 만 배는 아름다우신 분이라고."

"네네. 어련하시겠습니까."

콩깍지가 쓰인 아버지 눈에 공작 부인보다 예쁜 여자가 있을 리가 없지요. 중얼중얼하며 혀를 차던 도미닉의 앞으로 다니엘이 말없이 걸음을 옮겼다. 리카르도도 그 뒤를 따랐다.

"그나저나 부인께서 그만하시니 정말 다행입니다. 이번엔 정말 어찌 되시나 싶어 마음 졸인 걸 생각하면……."

"아버지가 마음만 졸였습니까? 몸도 졸였지. 명색이 단장이라는 분이 눈물이나 보이시고. 참나."

부친을 타박하는 도미닉의 목소리는 날이 바짝 서 있던 며칠 전보다 한결 부드러웠다. 도미닉뿐만이 아니었다. 리하르트 공작 부인이 깨어났다는 소식이 들려온 후 이 성의 모든 것에서 무거운 긴장감이 사라졌다. 아들의 어깨를 툭 치며 리카르도가 빙긋빙긋 웃었다.

"그러는 네놈도 매일 밤 속상하다고 술 퍼마셨잖아."

"내가 언제……. 나야 이 판국에 미친 꽃사슴까지 날뛰면 정신없겠다 싶어서 술 상대 해 주느라 그런 거죠."

투덕거리며 계단을 오르다 보니 어느새 5층에 다다랐다. 리카르도는 자신들이 올라온 계단을 돌아보며 걱정스레 턱을 만지작댔다.

"아무리 봐도 부인께서 다니시기엔 너무 높아요. 호위를 세우기에 이만한 곳이 없는 건 아는데 드나드시기가 너무 힘듭니다, 주군."

몰리 부자의 수다에도 입을 꾹 다물고 있던 다니엘이 프리다가 있는 침실 문을 바라보다 복도의 창가로 몸을 돌렸다.

"드나드는 일이 많지 않을 테니 상관없어."

활짝 열린 창문 밖으로 구름 한 점 없이 맑은 하늘이 펼쳐졌다. 불청객이라도 손님을 맞이하기엔 더할 나위 없는, 아니, 과하게 좋은 날씨였다. 리카르도의 걱정도 날씨만큼 과하긴 마찬가지였다.

"하지만 주군, 공작 부인을 성안에만 가둬 두려 하시면 안 됩니다. 그분은……."

"애써 꺾어 온 꽃이 시들기 전에 들어가 보는 게 어때?"

투박한 리카르도의 손과 어울리진 않지만, 꽃 자체는 꽤 예뻤다. 이 시끄러운 인간들을 예까지 끌고 온 이유도 그래서였다. 프리다에게 잘 어울릴 것 같아서. 뭔가 말하고 싶어 망설이던 리카르도는 이내 체념하고 돌아섰다. 리카르도가 문을 두드리고, 보일드 남작 부인이 그를 맞아 안으로 들였다.

다니엘은 등 뒤에서 나는 그 소리를 들으며 나른한 기분에 빠졌다. 조금 뒤면, 황제 레오폴드가 수행원에 정부까지 대동하고 이 땅에 나타난다. 영악하기가 바이첸급인 챔벌린 백작도 같이 온다고 한다. 귀찮고 거슬리는 인간들로 성이 들썩거리게 될 텐데, 머리가 이상하리만큼 평온했다.

프리다의 몸은 점점 회복되고 있었고, 계획대로 그가 원하는 공간에 그녀를 데려다 놓았다. 그러니 일단은 안심이다. 여름이 다가옴을 알리는 진한 풀 냄새를 만끽하는 다니엘의 입매가 부드럽게 풀어졌다. 평화롭고 단조로운 시간이 느리게 흘러갔다.

덜커덕.

오래 기름칠하지 않은 문은 바닥에 진동을 만들어 내며 열렸다. 천천히 뒤를 돌아선 다니엘은 때마침 복도에 뿌려진 햇살을 피하려 살짝 눈을 찌푸렸다.

"다니엘, 오래 기다렸어요?"

서서히 밝아진 시야 한가운데 프리다가 서 있었다. 다니엘은 잠시 조용히 서서 눈 안에 가득히 채워지는 아내를 마주 보았다.

"다니엘?"

그녀의 입술이 열리고 뒤늦게 소리가 들렸다. 몽롱한 꿈을 꾸듯 시간이 미세한 간격을 두고 조금씩 뒤처지며 지나갔다. 그동안 다니엘이 꾸던 그다지 아름답지 않았던 꿈들은 현실보다 나을 것이 없었다.

그런데 이 순간에 어울릴 만한 단어가 그거 말곤 떠오르지 않았다. 꿈을 꾸는 것만 같다. 아주 기분 좋은 꿈을. 길지 않은 시간을 차분히 흘려보낸 그는 햇살 속에 선 아내에게 손을 뻗었다.

"가실까요, 부인."

훌쩍 다가와 그의 팔을 잡은 프리다에게선 은은한 꽃향기가 났다. 우아하게 땋아 올린 새하얀 머리칼 사이사이에 자리 잡은 보랏빛 제비꽃이 예상대로 잘 어울렸다. 몇 초쯤 그곳에 눈을 두었더니 프리다가 그를 보며 싱긋 웃었다.

"리카르도 님이 가져다주신 거예요. 마틸다가 이렇게 꾸미면 예쁠 것 같다고 해서. 괜찮아 보여요?"

"네. 잘 어울립니다."

신경 쓰이는 이름에 표정이 굳은 도미닉과 달리 다니엘은 심상한 얼굴로 고개를 끄덕였다. 다니엘이 프리다의 허리에 손을 얹으며 말했다.

"안겨요."

서슴없는 태도에 무심코 안길 뻔하던 프리다가 급히 주변을 살폈다. 껄껄 웃는 리카르도, 이상하리만큼 굳어 있는 도미닉, 어느새 곁에 와 있던 남작 부인 마틸다까지. 흥미진진한 눈초리들에 어색한 미소를 지어 보인 프리다가 수줍게 볼을 붉혔다.

"다, 다니엘. 나 걸어갈 수 있어요."

"계단이 많습니다. 회복된 지 얼마 안 돼 내려가기가 힘들 겁니다. 고집 피우지 말고 안겨요."

"하지만……."

우물쭈물하는데 옆에 선 마틸다가 그러라며 미간을 꿈틀꿈틀 마구 눈짓을 보냈다. 더 망설일 틈을 주지 않고, 다니엘이 그녀를 부드럽게 안아 올렸다. 애써 장식한 꽃이 떨어질까 걱정된 프리다가 양손으로 머리를 붙들며 다니엘의 가슴에 기댔다.

"그럼 천천히 가 주세요. 머리가 흐트러지면 안 된단 말이에요."

마틸다가 얼마나 신경을 써 줬는데. 온 신경이 머리에 가 있는 프리다를 내려다보며 다니엘은 조심히 다리를 뻗었다. 프리다가 며칠 새 원래대로 기운을 차린 똘망똘망한 눈동자를 깜박이며 그에게 질문을 건넸다.

"그런데요, 다니엘. 황제 폐하는 어떤 분이세요?"

진즉 묻고 싶었는데 아픈 바람에 경황이 없었다. 그녀가 황제 레오폴드 볼슈타크 2세에 대해 아는 거라곤 다니엘과 아버지가 같고, 그보다 두 살 어리다는 것이 전부다.

"내가 특별히 조심해야 할 부분이 있을까요?"

조심이라……. 레오폴드 앞에서는 모든 걸 조심해야 한다. 하지만 한편으로는 아무것도 조심할 필요가 없기도 했다. 그는 흥미를 불러일으키지 않는 일엔 사람이든 물건이든 작은 관심도 두지 않으니까. 같은 아버지를 둔 두 형제의 공통점을 굳이 찾자면 그 정도. 오히려 레오폴드는 어느 면을 보더라도 뼛속까지 바이첸에 가까웠다.

"적절한 예만 갖추면 됩니다. 어차피 오래 머물지도 않을 겁니다."

아니라 해도, 그렇게 만들 작정이고.

"그렇지만 황제께선 다니엘의 가족이기도 하잖아요."

자신의 아내가 어이없도록 순진한 여자라는 사실을 새삼 깨달았다. 레오폴드와 다니엘이 가족으로 묶였다는 얘기를 듣는다면, 황태후가 당장 이 산골로 달려올지도 모르겠다.

어느새 1층에 도착한 다니엘이 프리다를 조심히 카펫 위로 내려 주었다. 다행히 그녀가 걱정하던 일은 벌어지지 않아, 보랏빛 제비꽃은 다니엘이 처음 봤던 그 자리에 아주 잘 꽂혀 있었다. 매무새를 다듬는 프리다의 뺨에 달라붙은 머리칼을 떼어 주며 다니엘이 고요히 말했다.

"황세는 단 한순간도 내 가족이었던 적 없습니다."

머리칼을 제자리로 돌려보낸 그는 이번엔 손등을 프리다의 이마에 댔다. 열이 없음을 확인한 다니엘이 그녀를 부축하기 위해 팔을 내밀었다. 붉은 실로 장식된 예복의 소매 위로 우물쭈물 작은 손이 올라왔다. 그 손을 꾹 눌러 덮으며 다니엘이 지그시 아내를 굽어보았다.

"당신이 내 가족입니다."

색유리를 지나쳐 온 붉은 햇살이 선선히 웃는 다니엘의 눈을 파고들었다.

공작령 유트레히트로 가는 길은 짐작했던 것보다 더 엉망이었다. 페트리샤는 이제 불평을 늘어놓는 일에도 지쳐 버렸다.

"세상에나. 레오폴드, 여긴 정말 시골이네요."

이쯤 되면 그냥 시골도 아니고 깡촌이다, 깡촌. 황실 마차를 타고도 이 정돈데 일반 마차를 타고 왔다간 엉덩이가 벌집이 됐을 것이다. 오죽하면 뒤따르는 마차에 탄 얄미운 챔벌린 백작의 생사를 걱정했을까.

"당신 어머니, 너무한 거 아니에요? 리하르트 공작이 황실을 위해 세운 공이 얼만데 이딴 걸 영지라고 내려 주다니."

주변에 보이는 거라곤 온통 산, 나무, 또 산. 가끔 더 멀리에 흰 눈이 쌓인 높은 산. 인가라고 부를 만한 집이 있는 곳도 조금 전에 지나쳐 온 작은 마을이 전부였다. 유트레히트에 비교하니 페트리샤의 별 볼 일 없는 영지가 엄청 대단해 보일 지경이다.

"이 정도인 줄 알았으면 안 따라왔을 거야. 뤤하임 성, 거기 사람이 살 수 있는 곳은 맞아요? 내 하녀가 그러는데 그 성에 사는 사람은 죄다 미치광이가 된대요."

페트리샤가 떠들든 말든 반응을 보이지 않던 레오폴드의 눈이 그제야 정부를 향했다.

"미치광이?"

사흘이 넘게 마차를 탔음에도 그의 반듯한 자세는 좀처럼 흐트러지는 법이 없었다. 레오폴드가 대꾸해 주자 신이 난 페트리샤는 부채를 파닥파닥 흔들며 떠들었다.

"네. 뮌하임 성의 옛 주인이던 뮌하임 후작이요. 사랑하는 아내가 죽자 죽은 아내를 그리워하며 반미치광이로 살았다는데, 이 일대에선 유명한 얘기래요. 그런데 진짜 무서운 얘기는 따로 있어요."

단둘이 있는 마차 안의 얘기를 누가 듣는다고 페트리샤는 부채로 입까지 가리고 속삭였다.

"하녀 아이의 아버지의 아버지의 아버지 때부터 전해져 내려온 이야긴데…… 실은 그 아내를 죽게 만든 사람이 후작이었대요. 방에 가둬 놓고 한 발짝도 못 나가게 했다던가? 아무튼 견디다 못한 후작 부인이 창밖으로 몸을 휙."

두 손을 쭉 뻗은 페트리샤가 마차 창문으로 빠져나가는 시늉을 해 보였다. 시큰둥하던 레오폴드의 입가가 바람 소리를 내며 들썩였다. 상대가 크게 호응하지 않아도 혼자 어찌나 잘 노는지. 쉴 새 없이 떠들 때면 짜증이 나긴 하지만, 성녀처럼 구는 고고한 황후보다 백배 나았다.

가끔은 페트리샤의 이런 면이 그리웠다. 딱히 뭘 하지 않아도 저를 웃게 만드는 그녀의 천진함, 철없음, 무지 같은 소소하고 평범한 것들이. 팔짱을 끼며 자세를 흐트러트린 레오폴드는 마차 벽에 등을 기대고 '뮌하임 후작 부인'에 대한 다음 이야기를 기다렸다.

"아내가 죽자 정신을 놓은 후작이 밤마다 성 곳곳을 돌아다녔대요. 아내의 이름을 부르면서 방문을 하나씩 하나씩……."

딜컹!

"꺄악!"

어깨와 목소리를 낮추고 문을 여는 시늉을 하던 페트리샤가 마차 흔들림에 맞춰 레오폴드에게 안기며 소리를 질렀다. 누가 봐도 일부러 안길 순간을 노린 것이 분명해 보이는 어색한 동작으로.

"하하하."

그럼에도 웃음이 터진 레오폴드는 정부의 깜찍한 짓을 눈감아 주기로 마음먹었다. 나름 재미있었으니까.

"이리 와, 페트리샤."

가슴에 안겨 떨어질 줄 모르던 영악한 그의 정부는 기다렸다는 듯 냉큼 허벅지 위로 앉았다. 레오폴드는 정부의 가슴을 감싼 천을 이로 물어 끌어내리며 물었다.

"그래서? 미치광이 후작은 어떻게 됐는데?"

"하녀 말로는 유령이 됐대요. 지금도 밤이 되면 성안을 돌아다닌다고. 아⋯⋯."

레오폴드는 천 위로 삐져나온 맨살에 입술을 대고 낄낄 웃었다. 산과 나무로 둘러싸인 쓸모없는 영지. 언제 죽을지 모르는 병약한 아내. 미치광이 유령이 나온다는 성. 하나하나가 다 시건방진 다니엘 리하르트와 찰떡같이 어울려 자꾸만 웃음이 나왔다.

앞서 도착한 황실 근위대의 기사들이 공작 성을 에워쌌다. 파란 노르딕 십자가 깃발을 단 마차 행렬을 보고 있던 다니엘의 시선이 날카롭게 좌우를 넓게 훑었다. 그와 마찬가지로 말쑥한 예복을 갖춰 입은 하인리히가 신경질이 가득한 얼굴로 다니엘의 옆에 섰다.

"이 와중에 팔자 좋게 여행이라니. 대범한 건지, 생각이 없는 건지."

슈테판이 성의 사용인들을 일렬로 세우는 모습을 보던 다니엘이 심드렁히 입을 열었다.

"나도 궁금하군. 이 와중에 여행이나 다니는 변경백의 장남은 대범한 건지, 아니면 아예 머리가 없는 건지."

하인리히가 어금니를 꽉 깨물며 으르렁댔다.

"이 냉정한 친구 보게. 너 살아났다는 소식에 반가워서 한달음에 달려와 내내 불청객 취급이나 받는 나한테 그게 할 소리냐?"

"불청객인 건 아는 걸 보니 머리가 아예 없는 건 아니군."

"그래. 내가 너한테 뭘 바라냐."

허탈하게 웃던 하인리히의 눈빛이 이내 차가워졌다.

"농담 아니고, 국경 상황이 점점 심각해지는 것 같아. 솔론족의 움직임이 예사롭지 않다더라."

"알면 그만 돌아가. 네가 있어야 할 곳은 여기가 아니야."

"간다고. 갈 거야. 네가 안 쫓아내도 내가 알아서 갈 거라고. 으이구."

투덜투덜 구시렁대던 하인리히가 목을 낮추고 다니엘만 들을 수 있도록 속삭였다.

"황제 앞에서 멀쩡한 척하지 말고, 다 죽어 가는 시늉이라도 해. 너 회복된 거 알면 조만간 바로 국경행이야. 네가 오면 나야 좋지만, 넌…… 오기 싫을 거잖아."

하인리히는 그들과 몇 발자국 떨어진 나무 그늘 아래, 볕이 들지 않는 자리에 다소곳이 선 여인에게로 시선을 돌렸다. 프리다가 기대감에 들뜬 눈으로 보일드 남작 부인과 대화를 나누고 있었다. 이제 확실히 알겠다. 심하게 앓고 난 탓에 전보다 더 작아 보이는 저 여자가 이 공작 성에서 어떤 위치를 차지하고 있는지.

'모르기가 더 어렵지. 다들 있는 대로 티를 팍팍 내는데.'

저 조그만 여자는 공작 성의 지배자다. 그녀의 손과 연결된 보이지 않는 실이 온 공작 성에 뻗어 있다. 공작 부인이 작은 손을 까딱거리면 실에 묶여 연결된 자들이 이리저리 그녀의 뜻에 따라 움직였다. 웃긴 건 보이지 않는 실에 묶인 이들이 그들을 조율하고 관리하는 그녀에게 기꺼이 자신을 던지고 있다는 거고. 심지어 그의 영웅인 다니엘 리하르트마저.

어이가 없어 배알이 뒤틀린다. 나의 다니엘이 저 조그만 여자에게 휘둘리고 있다니. 건강하게 오래오래 살면서 그의 아이를 수도 없이 낳아 줄 여자가 줄을 섰는데. 하필 비리비리 다 죽어 가는 여자한테 마음을 줘? 아무튼 실속 없는 자식.

"쳇."

불만스러워야 하는데 또 딱히 그렇지만도 않은 묘한 기분에 빠진 하인리히가 목소리를 더 낮췄다.

"명심해, 다니엘. 난 언제든 준비가 되어 있어. 네가 하자고만 하면 나와 아버지는……."

"하인리히."

다니엘이 왼손을 들어 그의 얼굴을 툭 옆으로 밀어냈다.

"말했을 텐데. 난 업다이크 사내들이 싫다고."

쓸데없이 충직하고 지나치게 정열적인 인간들.

"그리고 일을 꾸미고 싶으면 다른 곳을 찾아. 어디가 됐든 여기보다는 나을 테니."

황제가 타고 있는 마차를 버젓이 눈앞에 두고 일을 도모하다니. 이래서 도미닉이 하인리히를 '미친 꽃사슴'이라고 부르는 걸지도. 수십 개의 파란 깃발을 단 거대하고 화려한 마차가 멈췄다. 다니엘은 긴 다리로 성큼성큼 걸어 마차로 다가갔다.

하인들이 문을 열자 다니엘과 닮은 듯 달라 보이는 금발의 사내가 유려한 자세로 마차에서 내려 땅을 밟았다. 오래 마차를 탔음에도 머리카락 한 올 흐트러지지 않은 단정한 모습의 레오폴드가 눈꼬리를 올리며 환하게 웃었다.

"여어. 리하르트 공작."

"황제 폐하."

다니엘이 예를 갖춰 몸을 숙이려 하자 레오폴드가 그의 어깨를 양손으로 쥐었다.

"세상에나. 형님!"

감격스럽다는 듯 쥔 어깨를 툭툭 다독이던 그가 갑자기 다니엘을 끌어안았다.

"다니엘 형님. 정말 깨어나셨군요! 하하하."

몸을 떼어 낸 레오폴드가 큰 소리로 웃으며 다니엘의 팔을 마저 두드렸다.

"소식을 듣고도 믿을 수가 없어 직접 보러 왔습니다. 저 때문에 그리된 것이 항상 마음에 걸렸는데 이리 건강한 형님을 보니 매우 기쁩니다. 하하."

"제 소임을 했을 뿐입니다. 대단치 않은 일이니, 폐하께선 더는 마음 쓰지 마십시오."

삼 년 만에 만난 다니엘은 전과 같이 자로 잰 듯 깍듯하고 당당했으며, 여전히 건방졌다.

'훗. 이래야 다니엘이지.'

레오폴드는 피식 웃으며 팔을 거둬들였다.

"공작 성에 오신 걸 환영합니다. 폐하. 부족한 것이 많은 곳이라 계시는 동안 불편을 드리게 된 점 미리 사과드립니다."

정중하다. 정중해. 새삼 감탄하고 있는데 마차 안에서 헛기침 소리가 들렸다. 자신이 거기에 있음을 잊지 말라는 페트리샤의 신호에 레오폴드가 마차로 몸을 돌리려던 순간.

"프리디. 이리 와요."

낯선 이름을 들은 레오폴드는 다니엘의 시선을 따라 눈을 옮겼다. 시원스레 흔들리는 나뭇가지가 여기저기로 쳐 내는 햇살에 문득 눈이 부셨다. 레오폴드가 살짝 찡그렸던 눈을 다시 뜬 순간, 그녀가…… 보였다.

휘익.

돌연 날아든 봄바람이 레오폴드의 심장을 쳤다.

도미닉은 집무실 창문을 양쪽으로 활짝 열어젖혔다.

"후우. 이제 좀 살 것 같네."

맑은 공기를 실컷 들이마신 도미닉이 안팎으로 시선을 주었다. 창밖으로 앞뜰을 돌아다니는 파란 십자 무늬 망토의 황실 근위대를 한 번. 집무실 안으로 해가 뜬 이후 줄곧 종이 넘기는 소리가 멈추지 않는 책상을 한 번. 번갈아 시선을 돌리다 팔짱을 낀 채 삐딱한 자세로 창틀에 기댔다.

요 며칠 리하르트 공작이 하루 대부분을 보내는 집무실의 풍경은 항상 똑같았다. 수십 장의 서류를 휙휙 빠르게 넘기다 서걱거리는 펜으로 종이 위에 끄적끄적. 밀랍을 녹이는 메케한 냄새와 잉크 냄새가 매일 방 안을 가득 채웠다. 환기라도 해야 살 것 같은 이 극한 상황에서도 이 방 안에 머무는 다른 두 남자는 한 치의 흐트러짐도 없이 제 할 일에만 빠져 계셨다.

'독한 인간들. 아무튼 묘하게 잘 어울린다니까.'

그때, 두꺼운 서류의 마지막 장 끝 단락을 꼼꼼히 훑은 다니엘이 특유의 군더더기 없는 필체로 서명을 휘갈겨 쓴 후 말했다.

"다음."

그가 막 검토를 마친 서류를 왼편으로 밀어내자 책상 위에 빈자리가 생겼다. 그러자 슈테판이 족히 스무 장은 될 법한 두꺼운 종이 뭉치를 번개 같은 속도로 내려놓았다.

"이번에 바이마르와 거래한 물품 내역서입니다. 사용이 불가한 불량품과 크고 작은 하자품, 상태가 양호한 물품 사이에 각각의 차등을 두어 가격을 정리했습니다. 승인하시면 바로 금액을 지급하겠습니다."

"대금 지급은 뭐로 할 거지?"

"두카트보다는 플로린이 좋을 것 같습니다. 베네토의 금화가 한 번에 풀리면 출처를 의심받을 수도 있습니다."

같은 생각이었는지 다니엘은 까닥 고개를 끄덕인 후 별말 없이 서류를 살폈다. 그가 앞장부터 신중하게 읽어 내려가는 사이 슈테판은 심지에 불을 붙여 갈색 밀랍을 녹인 다음 다니엘의 서명 옆자리에 부었다.

꾸덕꾸덕하게 굳어 가는 밀랍 위에 방패와 창이 겹쳐진 리하르트 가문의 인장이 새겨졌다. 마치 수년은 맞춰 온 듯 손발이 착착 맞아떨어지는 것도 그렇지만, 미세한 것 하나하나까지 따지는 변태스러운 성향이 의외로 닮은 두 사람이었다.

황제가 공작령에 도착한 지 오늘로 사흘. 연일 같은 일이 이 집무실에서 벌어지는 중이다. 슈테판 남작은 동이 트면 다니엘의 방문 앞에 서서 일부러 들으라고 하는 게 뻔히 보이는 헛기침을 해 댔다. 이젠 일하러 갈 시간이니 그만 퍼질러 자고 일어나시죠, 이런 의미려나?

침실을 나온 다니엘이 집무실로 향하면, 서류 뭉치를 들고 따라가 보고하고 승인을 받았다. 황제의 방문으로 집사장이 챙겨야 할 일이 몇 배는 늘었을 텐데, 그 많은 서류를 언제 작성한 건지 신기할 뿐이다.

그 와중에 자기가 언제부터 성실의 표본이었다고, 덩달아 열심인 다니엘 자식도 웃기긴 마찬가지다. 기막혀하며 어느새 눈에 익어 버린 광경을 보고 있는데, 서류를 넘기던 다니엘이 슈테판에게 질문을 건넸다.

"주문한 물건은 다 도착한 건가?"

"대부분 도착했습니다만, 만일을 대비해 몇 가지는 사전에 추가 주문을 해 놓는 게 좋을 것 같습니다. 관련 서류는 내일까지 작성해 보고드리겠습니다."

이번에도 말없이 고개를 끄덕인 다니엘이 서류에 눈을 고정한 채 다시 물었다.

"이 서류엔 왜 식자재에 대한 비용이 없지? 자체적으로 조달하는 데는 한계가 있을 텐데."

"식자재 관련 비용은 황제 폐하께서 떠나시고, 모든 거래가 완료된 후에 지급할 예정입니다. 미리 돈을 지급하면 질이 떨어지는 물건을 가져올 수도 있어서요. 날씨가 따뜻해지고 있으니 물품이 상하지 않도록 더 신경 쓰라고 해 두었습니다."

성에 머무는 인원이 배로 늘어난 탓에 식자재를 조달하는 것이 가장 큰 문제였다. 그냥 손님도 아니고 황제께서 오셨으니, 들판에 뛰어다니는 사슴이나 멧돼지를 잡아다 바칠 수도 없는 노릇이고. 이래저래 바이마르에 계속 손을 벌릴 수밖에 없게 되었는데 슈테판은 돈줄을 틀어쥐는 것으로 관리를 할 모양이다. 보면 새 집사장은 은근 여우다.

"수송로 확보는?"

이번에는 슈테판이 답할 수 없는 질문, 즉 도미닉의 차례였다. 도미닉은 자세를 바로 세웠다.

"바이마르에서 오는 길목마다 빠짐없이 용병들이 호위를 서고 있으니 산적에게 털릴 걱정은 안 하셔도 됩니다. 역참에도 튼튼한 말을 잔뜩 배치해 두었고요."

"바이마르엔 누가 가 있지?"

"테오를 보냈습니다. 눈치 빠르고 성질 더러운 놈이라 안드레아 공작이 진땀 좀 빼고 있을 겁니다."

말하다 말고 우스운 생각이라도 떠올랐는지 도미닉이 별안간 실소를 터트렸다.

"그나저나 꼴을 보아하니 챔벌린 백작, 곧 터지겠던데요."

그러다 이내 심각한 표정이 되었다.

"그 노인네 단단히 벼르고 있더라고요. 조금 전에도 우리 집사장님 붙들고, 공작 부부가 모두 병환 중이라 편하게 돈 벌겠다고 겁나 비꼬던데."

서류에 고정되어 있던 다니엘의 시선이 처음으로 슈테판을 향했다. 도미닉의 말이 사실이냐고 묻는 듯한 표정에 슈테판이 머리를 살짝 끄덕였다.

"맞습니다. 솔직히 말씀드리면 저도 염려가 되긴 합니다. 이건 누가 봐도 명백한……."

"푸대접이죠."

슈테판의 말을 냅다 가로챈 도미닉이 양손을 책상 위로 뻗어 짚으며 몸을 숙였다.

"대체 어쩌려고 이러십니까, 주군? 그래도 전에는 대놓고 티를 내진 않았잖아요."

황제가 도착한 날 딱 한 차례 저녁 만찬을 같이했을 뿐. 다니엘은 황제를 없는 사람 취급하고 있었다. 공식적으로 내세운 핑계는 건강 악화. 공작은 물론 공작 부인까지 병세에 차도가 없다며 성안에 틀어박혀 있는 중이다.

의식 불명 상태로 삼 년을 누워 있던 공작과 온 제국이 다 아는 병약한 공작 부인. 변명이 워낙 그럴싸해 반론의 여지가 없었기 망정이지. 아니었다면 챔벌린 백작이 진즉 황실 모독죄를 들먹였을지도 모른다.

"며칠쯤은 속겠죠. 하지만 이렇게 멀쩡한 주군이 아프다는 말을 누가 믿겠냐고요."

오늘만큼은 도미닉과 같은 생각인 슈테판이 조용히 길고 깊은 탄식을 내뱉었다. 이런 식으로 대체 얼마나 더 황제를 능멸할 참인지. 황제도 황제지만 눈에 불을 켜고 다니엘의 흠을 잡으려 드는 챔벌린 백작이 걱정이다. 중간에서 뭐라고 이간질을 할지…….

'지친다, 지쳐.'

머리에 든 거라곤 도박과 여자뿐인 철없는 귀족 도련님들을 가르치는 일이 차라리 쉬웠다. 도미닉의 말이 끝나자마자 막 검토를 마친 서류가 다니엘의 손에서 슈테판의 가슴으로 날아들었다.

"그래서 얌전히 처박혀 이따위 종이 쪼가리나 보고 있는 거 안 보여?"

슈테판의 감탄을 자아내던 완벽한 예법 교본 같은 행동과 다르게 리하르트 공작은 말버릇이 매우 거칠었다. 다만 험악한 내용을 차분하고 싸늘한 말투로 하는 편이라 상스럽게 들리지는 않으니 다행이랄 수밖에. 평소엔 과묵한 편이라 크게 눈에 띄진 않는 단점이었으나 도미닉이 화를 돋우는 경우는 예외다.

"공작 부인께서는 반나절, 아니지. 몇 시간도 안 걸려 끝내셨을 일입니다. 대체 왜 그걸 주군께서 보고 계십니까? 효율성 떨어지게."

"너. 내가 다시는 프리다 부려 먹을 생각 하지 말랬지. 내 눈에 띄기만 해. 손모가지를 바스르트려 버릴 테니까."

다니엘이 벌건 눈으로 노려보자 도미닉이 어깨를 으쓱하며 딴청을 피웠다. 슈테판은 공작이 진짜 경고를 건네는 사람은 자신이라는 걸 눈치챘다. 그런데 이 경고가 무슨 의미가 있는 건지는 모르겠다.

공작 부인이 새로 옮겨 간 침실은 드나드는 입구가 마리안 홀의 중앙 계단 한 곳뿐이다. 거기를 통하지 않고는, 외벽을 타고 오르는 것 말고는 아예 길이 없다. 그곳에 친히 고른 호위들을 세워 놓고 출입 인원을 엄격히 통제한 사람이 바로 공작 본인이다. 공작 부인을 뵐 수만 있었다면 이 서류들은 어제쯤 승인 인장이 찍혀 제 손을 훌훌 떠나고도 남았다.

"더 볼일이 남았나?"

"네. 공작 부인께서 진행하시던 영지 내 시장 조성 관련……."

"오후에 다시 하지. 남작은 나가 봐. 도미닉은 남고."

아직 봐야 할 서류가 다섯 개는 더 남았건만, 다니엘은 일어나 등을 돌리더니 창가로 가 버렸다. 공작은 한 번 본 내용을 외우는 능력은 뛰어났지만, 성안의 살림을 모조리 꿰고 있는 공작 부인과 비교하면 속도가 현저히 느렸다. 대신 체력이 받쳐 주니 길게, 늦은 밤까지 업무를 볼 수 있어 도미닉의 주장대로 효율성이 많이 떨어지는 건 아니다.

슈테판은 시간이 빈 참에 마틸다를 구하러 가야지 생각하며 주섬주섬 서류를 챙겼다. 황제가 업다이크 후작 영식과 사냥을 나갔으니, 아마도 뷔테인 남작 부인에게 시달리고 있을 것이다.

"점심 식사가 끝나실 때쯤 다시 오겠습니다."

시간 맞춰 늦지 않게 오라는 은근한 경고를 날린 슈테판이 방을 나갔다. 걸치고 있던 재킷을 벗어 창틀에 걸친 다니엘이 엄지와 중지로 양쪽 관자놀이를 꾹꾹 누르며 물었다.

"그 하녀는?"

"동생들이 있는 집에 데려다줬습니다. 가족들에겐 산에서 굴러 다리가 부러진 것으로 해 두었습니다."

책상 앞에 있을 땐 몰랐는데 맑은 공기를 마시니 무수히 찍어 댄 밀랍 인장 냄새가 확 밀려왔다. 속이 역겨워 머리가 더 아팠다.

"여기 남겠대?"

"네. 입 꼭 다물고 살 테니 공작령에 머물게만 해 달랍니다. 둘째 동생이 머리가 꽤 좋은지 공부를 시키고 싶대요. 검은 줄무늬 자작나무 집 둘째하고 맞먹을 정도로 영특하답니다."

"누구?"

눈을 찡그리며 목을 돌리자 도미닉이 어깨를 으쓱하는 모습이 보였다.

"공작 부인께서 그 집 둘째가 의술을 배울 수 있게 내년 여름에 첼리노 대학에 보내 주겠다고 하셨거든요. 지금은 의사 안톤이 데리고 다니며 가르치고 있고요. 마틸다 동생도 그 집 둘째처럼 의술을 배우고 싶어 한답니다."

세 아내는 도대체 어디까지 손을 뻗치고 있는 건지 원. 그녀를 대신해 서류를 살필 때면 온종일 감탄하다, 이제 더는 놀랄 일이 없겠지 하며 하루를 끝낸다. 하지만 다음 날이 되면 어김없이 놀라움의 연속이다.

프리다를 떠올리자 신선한 바람만으로는 해결되지 않는 갈증이 찾아왔다. 다니엘은 재킷을 들고 빠른 걸음으로 도미닉을 지나쳤다.

"그 하녀가 허튼짓 못 하게 잘 지켜."

숨 쉴 곳을 찾아 움직이는 그의 발걸음이 점점 빨라졌다. 다니엘이 지나가자 계단에 선 경비들이 차례차례 고개를 숙였다. 성큼성큼 단숨에 계단을 오른 그는 방문을 열기 전, 길게 숨을 내쉰 후 문고리를 잡았다.

똑, 똑.

느리게 두 번 문을 두드리자 안에서 후다닥 달려오는 기척이 느껴졌다. 기척이 문 앞에 닿았다 싶을 때쯤 다니엘이 양쪽 문고리를 잡아 제 쪽으로 힘주어 당겼다.

"어머!"

느닷없이 열린 문으로 눈부신 햇살이 쏟아졌다. 다니엘은 햇살과 섞여 제게 달려든 프리다를 힘껏 품에 안았다. 목에 입술을 묻자 은은한 꽃향기가 섞인 익숙한 체취가 코끝으로 밀려들었다. 입술에 닿는 보드라운 살결과 따스한 온기에 몸이 촛농처럼 녹아내리는 것 같았다.

"다니엘. 갑자기 문을 열면 어떡해요. 깜짝 놀랐잖아요."

투정을 부리며 꼼지락대는 작은 몸짓에 무심히 뛰던 심장이 속도를 냈다. 다니엘은 뺨을 간지럽히는 머리칼 속으로 손을 넣어 아내의 목을 감쌌다. 손끝이 간질거리는 보드라운 감촉에 명치끝이 저렸다. 다니엘이 입술을 목에서 떼지 않은 채로 웅얼거렸다.

"놀라게 해서 미안해요. 기다리기가 힘들었어요."

살짝 떨어진 입술에서 흘러나온 제 입김에 프리다가 간지럽다는 듯 목을 움츠리며 뒤로 어깨를 물렸다. 멀어지지 못하게 붙들고 싶었지만, 어차피 잠시뿐이니 참기로 마음먹었다. 프리다의 목을 감싼 채 고개를 든 다니엘은 저를 담고 있는 맑은 눈동자를 진득하게 내려다보다 싱긋 웃었다.

"보고 싶어서."

아내는 다니엘이 좋아하는 수줍은 미소를 터트리며 웃었다.

"아침에도 봤으면서."

봤지. 어젯밤에도 봤고 새벽에도 봤다. 불이 꺼지지 않는 프리다의 방에선 눈을 뜨면 언제든 그녀가 보였다. 테라스가 있어서 좋다고 기뻐하는 프리다. 그 테라스에서 턱을 괴고 앉아 신기한 듯 밖을 내려다보는 프리다. 이젠 다 나았으니 밖에 나가고 싶다고 툴툴대는 프리다.

아마 오늘도 본인의 회복을 주장하기 위한 합리적 근거들을 여러 개 준비하고 기다렸겠지. 공작 부인으로서 더는 손님 접대에 소홀할 순 없다는 귀여운 책임감을 드러낼 수도 있고. 안 내보내 주면 벽을 타고 내려가겠다는 깜찍한 협박을 할지도.

그 모든 말을 듣고도 다니엘이 단호히 고개를 저으면, 토라져선 성난 고양이처럼 가르릉거릴 거라는 데 그가 소유한 금광 모두를 걸 수도 있다. 집요한 시선에 어쩔 줄 몰라 하던 프리다가 눈을 좁히며 물었다.

"왜 자꾸…… 그렇게 봐요?"

"입 맞추고 싶어서."

붉게 물들어 가는 뺨을 붙든 다니엘이 프리다의 입술을 삼켰다. 이내 몸이 돌려진다 싶더니 등 뒤로 '쿵' 하고 문이 닫히는 소리가 들렸다. 그제야 프리다는 자신이 활짝 방문을 연 채로 다니엘과 입을 맞추고 있었다는 사실을 깨달았다. 경비병들이 분명 두 사람을 봤을 텐데 큰일이다. 민망한 장면을 들켰으니 공작 부부의 체면이 땅에 떨어지게 생겼다.

더 심각한 건 이런 모습을 들킨 게 오늘뿐만이 아니라는 거다. 다니엘은 요즘 들어 불쑥불쑥 예고도 없이 들이닥쳐 누가 보거나 말거나 시도 때도 없이 입을 맞추려 들었다.

그러지 말라고 주의를 줄 생각으로 어깨를 밀었는데 되레 그에게 손이 붙들렸다. 스르르 손가락 사이를 파고든 그가 깍지를 끼며 문으로 그녀를 밀었다. 손, 허리, 그리고 마지막으로 등이 문에 닿았다. 다니엘은 거침없이 그녀와 입술을 포개고, 입 안을 헤집으며 계속 밀려들었다.

도저히 다른 생각을 할 수가 없었다. 할 말이 엄청나게 많은데 하나도 떠오르지 않았다. 입술이 떨어지면 다음은 귓불, 그러다 목. 말할 틈도 주지 않고 달려드는 통에 숨을 쉬는 것조차 힘들었다.

그의 팔에 잡혀 붕 뜬 몸이 문과 다니엘 사이에 끼었다. 아래로 떨어질까 봐 겁이 나야 맞는데 그보다 더한 감각이 두려움을 잊게 만들었다.

언제부턴가 다니엘이 그녀를 만지고 몸을 맞부딪혀 올 때마다 이상하게 몸이 저린다. 정확히 어떻게 표현해야 할지 모르겠는데, 몸 안 깊은 곳에서 자꾸 뭔가가 끓어올랐다. 일순간 아득해지기도 하고 두드러기가 난 것처럼 온몸이 근질거려 몸부림을 치고 싶을 때도 있다.

거기에 열기까지 더해지면 그대로 탁 숨이 멎을 것만 같다. 턱 끝까지 꾹꾹 볼썽사나운 소리가 차올랐지만 입을 열 수가 없었다. 그랬다간 정말 귀족의 품위를 잊고 상스러운 소리를 내게 될 것만 같아서. 가정 교사와 어머니 모두, 정숙한 여인은 남편이 무슨 짓을 해도 품위를 갖추고 단정한 자세로 받아들여야 한다고 했었다.

그렇지만 이 상황에서 어떻게 품위를 갖추냐고. 이쯤에서 그만해 줬으면 좋겠는데 다니엘이 눈치도 없이 목 아래로 입술을 가져다 댔다. 그러곤 옷 사이로 드러난 살을 덥석 물었다.

"하읏."

결국 괴상망측한 신음을 입 밖으로 터트리고 말았다. 프리다는 격렬하게 몸을 뒤틀며 한쪽 팔로 다니엘의 어깨를 밀었다. 창피함이 워낙 크다 보니 무지막지한 괴력이 생겨난 모양이다. 놀랍게도 다니엘이 그녀의 힘을 이기지 못하고 밀려났다.

자신이 품위를 잊었다는 것과 그가 밀려난 것 중 어느 것이 더 그녀를 놀랍게 했는지는 모르겠다. 햇볕에 익어 버린 건 아닌가 싶을 만큼 얼굴이 뜨거웠다. 프리다는 거친 숨을 몰아쉬는 다니엘을 원망스럽게 노려보며 눈을 흘겼다.

"다, 다니엘! 그, 그렇게 구는 건 귀족답지 못해요. 푸, 품위를 갖춰야죠."

나무라는 표정이 은근 매서웠다. 촉촉이 젖어 번들거리는 입술을 픽 터트린 다니엘이 안고 있던 프리다를 땅으로 내려놓았다. 갈무리되지 않은 숨소리가 제가 듣기에도 퍽 사나웠다.

'돌겠네.'

다니엘은 프리다를 품 안에 넣은 채 이마를 문에 가져다 댔다. 차가운 나무 문이 머리를 식혀 주길 기다리는데 프리다가 그 아래서 자꾸 꿈틀댔다.

"다, 다니엘. 갑갑해요."

프리다 앞에서만큼은 점잖게 굴자고 다짐했던 사실을 잠시 잊어버렸다.

"가만히 있어요. 귀족이고 나발이고, 품위란 게 아예 없는 인간의 모습을 보고 싶지 않으면."

하, 인간은 무슨. 겉가죽만 벗기면 짐승과 다를 바가 없는데. 자조가 섞인 헛웃음이 나와 실없이 히죽대고 말았다.

다소 거친 언사가 아내를 놀라게 했을지도 모른다는 걱정은 하지 않았다. 리카르도가 나쁜 물을 들여 놓은 게 틀림없는 제 아내 역시, 간혹 험한 말을 깜찍하게 하는 재주가 있었으니까.

"그러면 안 돼요. 부부란 의무를 할 때도 언제나 상대방에게 품위를 갖추고 예의 있게 대해야 하는 법이라고 했어요."

"누가요?"

"하크본 가문의 가정 교사가요."

대단한 비밀이라도 말하듯 프리다가 귓속말을 속삭였다.

"게다가 아직 해도 지지 않았는데 벌써 이러시는 건 곤란해요."

'하……. 대체 뭐부터 가르치지?'

시작도 끝도 보이지 않아 허탈하면서도, 묘하게 앞으로가 기대되어 입꼬리가 올라갔다. 다니엘은 그의 가슴 아래서 찰랑이는 귀여운 뒤통수를 다정히 어루만졌다.

"분명히 말하는데 프리다. 우린 당신이 상상하는 것보다 더한 걸 하게 될 겁니다. 부부란 원래 그런 거니까."

도미닉이 들었다면 '웃기시네. 네가 부부 관계에 대해 뭘 안다고.' 하며 콧방귀를 뀌었을지도. 그러나 아무것도 모르는 건 도미닉이다. 다니엘의 결혼이 결정된 이후 리카르도는 그의 옆에 딱 달라붙어 부부 사이의 일에 대해 몇 날 며칠을 귀가 닳도록 주절댔다.

조언이 영 쓸모없었던 건 아니지만, 워낙 실전에 강한 편이다 보니 저절로 알게 되는 것들이 더 많았다. 적어도 곧 그녀와 입맞춤을 하는 것 말고 더한 걸 하게 될 거란 것도. 그의 인내심에 점점 금이 가다 완전히 산산조각이 나기 일보 직전이었으니까.

하지만 아무리 급해도 회복을 해야 뭘 해도 하지. 아쉬운 대로 프리다의 팔을 당겨 손등에 입을 맞췄다.

"기다려요. 몸만 나으면, 당신이 입에 달고 살던 그 '아내의 의무'만큼은 확실히 다하게 해 주겠습니다."

그의 말이 끝나자 다니엘과 문 사이에 갇혀 있던 프리다가 좁은 틈새로 휙 고개를 들어 올렸다. 안 그래도 이 말을 하려고 계속 별러 왔다. 그런데 다니엘은 새벽같이 일찍 나가 버리지, 계단을 지키고 선 경비병들은 몇 번이나 조르고 또 졸라도 나갈 수 없다고만 하지. 도통 기회를 잡을 수가 없어 안달하던 참이었다.

"나 다 나았어요, 다니엘. 봐요. 열도 없고 이젠 멀쩡하다고요."

울상을 짓는 것만으로는 부족하다고 느꼈는지 프리다는 자그마한 발까지 동동 굴러 댔다. 다니엘의 손을 잡아 이마에 올린 프리다는 이것 보라며 눈을 반짝였다.

"어때요? 열 없죠? 분명히 다 나았어요. 확실하다니까요."

며칠 전, 그녀는 다니엘 옆에서 아주 우아하게 황제와 그의 일행을 맞이했다. 그동안 어디에도 쓸데가 없던 역사와 전통을 자랑하는 하크본 가문 가정 교사의 가르침대로, 실수 하나 없이. 하지만 그걸로 끝. 그날 이후 이 방에 갇혀 한 발짝도 나가지 못하고 있다.

바빠진 뮤리엘은 고작 하루에 한 번 들르는 게 전부. 프리다를 보러 아침마다 찾아오는 보일드 남작 부인은 황제의 정부에게 시달리느라 없던 입덧이 시작됐다며 하소연을 하고 갔다. 모두가 제 할 일을 하는데 저만 빈둥거리고 있다. 이건 말이 안 된다. 리하르트 공작 부인으로서 이리 무책임하고 나태한 모습을 보일 수는 없다.

"뷔테인 남작 부인이 이런 후미진 곳에 왜 왔는지 모르겠다고 매일 투덜거린대요. 홀몸도 아닌 마틸다 혼자서는 힘들어서 안 돼요. 다니엘, 그만 나가게 해 줘요. 네?"

다니엘의 입가에 의미를 짐작하기 힘든 진한 미소가 드리워졌다. 내 말에 동의한다는 뜻인가? 프리다는 고개를 갸우뚱 기울인 채로 그를 올려다보았다. 물끄러미 프리다를 내려다보던 다니엘의 입술이 고심하듯 천천히 열렸다.

"난 아직 못 믿겠는데요."

"진짜예요. 정말 괜찮아졌어요. 식사도 얼마나 열심히 했는데요. 뮤리엘도 살이 붙었다고 했단 말이에요."

그의 입꼬리가 슬그머니 위로 올라가는 듯도 했다.

"그럼 확인을 해 봐야겠네요. 당신이 진짜 다 나았는지 아닌지."

"확인이요?"

"네."

더 가까워질 것도 없는 거리를 더 좁힌 다니엘이 프리다의 허리와 목을 단숨에 감싸 안았다.

"내가 지금부터 아주 긴 입맞춤을 할 겁니다."

"네에? 또요?"

휘둥그레 커지는 눈을 보던 다니엘이 엄지로 슬며시 프리다의 목을 쓸었다.

"당신이 정말 다 나았다면, 입맞춤 정도는 거뜬히 버텨 내겠죠. 안 그래요?"

"그, 그렇죠……."

품위 있고 단정한 자세를 취해 보려 했지만, 그가 만지고 지나가는 곳마다 볕을 쪼인 듯 뜨끈뜨끈 달아올라 몸에서 힘이 쭉 빠져나갔다. 다니엘의 눈이 원래 붉은 건지, 아니면 발개졌을 자신 때문에 붉게 보이는 건지 감을 잡을 수가 없다.

"그렇지만 다니엘, 우리 입맞춤은 많이 했잖아요. 굳이 그걸로 확인할 까닭이 있을까요?"

"그럼……."

능글맞게 웃으며 입술을 내린 다니엘이 프리다의 허리끈을 만지작대다 꼭 쥐었다.

"우리, 다른 거 할까?"

품위, 체면, 예의. 끔찍하게 유혹적인 남편의 미소 한 번에 머릿속에 꽉 뭉쳐 있던 단어 세 개가 순식간에 흩어져 형체도 없이 사라졌다.

공작 성에서 멀지 않은 들판에 모인 몰이꾼들이 숲속으로 내달리며 요란한 소리를 내질렀다.

휘익. 퍽!

하인리히의 화살이 몰이꾼들의 소리에 놀라 뛰던 사슴의 머리를 정확히 관통했다. 짝짝. 황제가 가볍게 손뼉을 쳤다.

"대단하군, 하인리히. 벌써 다섯 마리째 명중이야."

당연하지. 저 사슴을 빌어먹을 다니엘 놈이라고 생각하고 쐈으니까. 나쁜 자식. 의리 없는 놈! 나한테 황제를 떠맡기고 저는 성안에 처박혀 안 나와? 이 개자식. 망할 자식!

'죽여 버리고 말 테다!'

분노를 실은 화살은 큰 포물선을 그리며 날아가 아무도 보지 못했던 꿩의 몸통에 또 한 번 정확히 박혔다. 뭐든 걸리는 족족 다 꿰뚫어 버리고 말겠다는 서슬 퍼런 살기가 뿜어져 나왔다. 이번에는 레오폴드가 쏜 화살이 숲을 향해 날아갔다. 딱히 뭔가를 맞힐 뜻은 없었던 것 같았다. 황제의 화살이 가는 방향엔 어떤 움직임도 없었으니까. 아침부터 지금까지 황제는 숲 사이로 실없이 화살을 날려 댔다.

'사냥엔 관심도 없으면서 대체 왜 나오자고 한 거야?'

하인리히는 챔벌린 백작이 봤다면 불충하다, 무엄하다 난리를 치고도 남았을 퉁명한 눈빛을 번득이며 황제를 보았다. 사실 오늘뿐만이 아니다. 황제는 공작 성에 온 이후 계속 저랬다.

"이토록 야만적이고 후진 곳은 처음이에요!"

그 유난스러운 정부가 대놓고 불평을 쏟아 낼 때도 그저 무덤덤. 활과 화살을 시종에게 넘긴 황제는 끝내주게 파란 하늘을 물끄러미 바라보다 뒷짐을 졌다. 저럴 때는 넋이 빠진 사람 같기도 하고……. 그가 사냥에 뜻이 없어 보이자 하인리히도 뒤편에 선 시종에게 휙 활을 집어 던졌다.

"형님이 빨리 나아지셔야 자네가 귀찮은 일을 덜 텐데 말이야."

그래도 눈치는 있으니 다행이다. 드러낼 수 없는 본심을 꾸역꾸역 숨긴 하인리히는 어금니를 꽉 깨물며 잔뜩 구겨졌던 눈가의 주름을 폈다.

"하하. 귀찮다니요, 폐하. 모실 기회를 주셔서 영광입니다."

입에 발린 소리나 지껄이며 웃고 있자니 소름이 돋았다. 당장이라도 옷 속에 손을 넣어 벅벅 긁고 싶었다. 울창한 숲에 눈을 두고 있던 황제가 돌연 하인리히를 돌아봤다. 그러고도 한참 뒤에야 열린 황제의 입에서 예상치 못한 말이 흘러나왔다.

"……그녀도 건강이 많이 안 좋아 보이던데."

그녀? 눈을 찡그리던 하인리히는 이내 황제의 말뜻을 알아들었다.

"아, 리하르트 공작 부인 말씀이시군요. 네. 폐하께서 도착하시기 전에 거의 열흘 가까이 앓았습니다."

"열흘?"

바람에 휘날리는 황제의 금발 사이로 드러난 파란 눈에서 오늘 처음으로 감정이 느껴졌다. 황제는 남의 아내가 아프다는 소식을 들은 것치곤 과하게 놀랐다.

"네. 제법 오래 의식을 차리지 못했습니다. 공작 성 사람들도 이번엔 정말 잘못되시는 거 아니냐며 걱정이 컸을 정도니까요."

"이번엔?"

앵무새처럼 같은 말을 반복하는 황제의 뒤로 검은 먹구름이 짙어졌다.

"평소에도 자주 몸져누웠다고 하더군요. 하크본가의 딸들이 어떤지는 폐하께서도 잘 아시지 않습니까? 멀쩡하다면 오히려 더 놀랄 일이죠."

하인리히가 멀찍이 떨어져 있던 시종을 불렀다.

"거기 너. 폐하의 말을 가지고 와라."

황제를 뒤따르고 있던 기사들이 그제야 어두워진 하늘을 보았는지 분주히 움직였다.

"그만 성으로 돌아가시는 게 좋겠습니다, 폐하. 곧 소나기가 쏟아질 것 같습니다."

다시 고개를 돌린 하인리히의 눈앞엔 조금 생소한 얼굴의 황제가 서 있었다. 레오폴드 볼슈타크 2세. 리하르트와 바이첸이라는 완벽한 혈통을 갖춘 인물. 삼백 년을 숨죽이고 있던 두 가문이 뜻을 모아 황위에 올린 사내.

들리는 풍문으로는 황태후 마그리트가 진정으로 노린 것은 황후 자리였다고 한다. 그녀가 왜 남편이 아닌 아들을 황제로 만들었는지는 모르겠지만, 대충 짐작은 간다.

아무튼 대대로 악랄하고 냉철하기로 유명한 바이첸가의 핏줄을 물려받은 황제답게 그는 제 손에 직접 피를 묻히지 않았다. 쉔달 성에 편안히 앉아 더럽고 끔찍한 일은 죄다 다니엘에게 시켰다. 사람들은 제국 곳곳에 첩자와 자객을 보내 경쟁자가 될 법한 가문의 씨를 말리는 악독한 짓거리의 배후가 황태후라 떠들지만, 글쎄…….

직관력을 조금만 갖추면 보이는 것들이 있다. 하인리히가 보기엔 모든 화살은 모친과 다니엘이 맞게 하고, 뒤로 물러나 비열하게 이 상황을 즐기는 자가 바로 저 인간. 황제 레오폴드 볼슈타크 2세다.

그 피도 눈물도 없는 황제의 눈동자가 방향을 잃고 갈팡질팡 흔들리고 있었다. 조만간 들이닥칠 변덕 심한 소나기처럼.

여름이 다가오며 눈에 보이는 모든 것이 짙은 초록색으로 변해 가고 있었다. 하지만 알타스 산맥의 가장 높은 봉우리, 윔터 호른의 정상만은 꿋꿋하게 흰색을 지켰다. 그 고집스러움이 기특해 보기 좋았는데……. 갑자기 생긴 먹구름이 윔터 호른을 반이나 넘게 가려 버렸다.

다니엘의 가슴에 안겨 윔터 호른이 사라지는 광경을 보고 있던 프리다가 숨을 길게 들이마셨다.

"비가 내리니 나무 향기가 더 진해졌어요. 다니엘도 얼른 숨을 들이마셔 봐요."

프리다의 등에 닿은 그의 가슴이 크게 들썩이더니 이내 뭔가가 프리다의 목을 잘근거리는 게 느껴졌다.

"다니엘!"

난데없이 목을 물린 프리다가 씩씩거리며 일어나려 하자, 다니엘이 쿡 웃으며 그녀를 당겨 제 가슴에 바짝 붙였다.

"알았어요. 이제 안 할게요."

"자꾸 이러면 쫓아낼 거예요. 앞으로는 복도나 기타 등등 사람들이 보는 곳에선 절대 이상한 짓 하지 말아요."

조금 전엔 밝은 대낮에 민망한 짓은 금지라더니. 안 되는 장소와 시간이 계속 늘어나는 건 불만이었지만, 일단 알았다고 고개를 끄덕여 주었다. 바닥에 몸을 포개고 앉아 비 오는 모습을 감상하는 평화로운 시간이 무척 즐거워 쫓겨나고 싶지 않았으므로.

그동안 다니엘에게 비 오는 날이란, 바닥이 진창이 되어 무거운 갑옷을 걸치기 힘든 날. 혹은 말들이 속도를 낼 수 없으니 기병을 활용할 수 없는 날일 뿐이었다.

이젠 비가 오면 테라스의 장식을 맞고 튕겨 나가는 물방울을 보며 깔깔 웃는 프리다를 떠올리게 될 것 같다. 산등성이를 가리는 자욱한 안개를 보며 감탄하는 일 또한 해 본 적이 없었지만, 앞으로 종종 하게 될지도 모르는 이 일이 싫지 않았다.

"다니엘."

프리다가 그녀의 손을 가볍게 주무르고 있는 다니엘의 손등을 톡톡 건드려 그의 상념을 깨웠다.

"맑은 공기를 계속 들이켜 봐요. 머리가 좀 맑아질 거예요. 오늘도 계속 집무실에서 일한 거죠? 당신한테서 심지 타는 냄새가 나요."

타는 냄새? 인지하지 못했던 냄새의 존재를 확인하기 위해 다니엘은 제 옷에 코를 가져갔다. 휙 돌아앉은 프리다가 근심 가득한 눈으로 그를 마주 보았다.

"제가 해 봐서 아는데 환기를 하지 않은 채로 밀랍 녹이는 냄새를 오래 맡으면 머리가 지끈거린다고요."

하얗고 작은 손이 다니엘의 귀 옆으로 올라와 움푹 팬 곳을 부드럽게 눌렀다.

"당신, 요즘 여기를 자주 만지는 것도 아파서 그런 거죠? 안톤이 그러는데, 어딘가에 머리를 세게 부딪히면 후유증이 남을 수 있대요."

한참 더 뭐라 재잘거렸지만, 다니엘에겐 프리다의 머리가 지끈거렸다는 말만 들렸다. 그가 프리다의 손을 꼭 쥐며 단호하게 말했다.

"앞으로 집무실엔 되도록 가지 말아요. 밀랍을 녹일 땐 옆에 있지도 말고. 한 번만 더 머리가 아플 때까지 일하는 모습을 보게 되면 인장 사용을 아예 금지할 겁니다."

"다니엘!"

프리다가 남편에게 잡힌 손을 꿈틀대며 눈을 흘겼다. 다니엘은 프리다의 얼굴에 드러나는 표정이라면 뭐든 다 맘에 들었다. 특히 옅은 보랏빛 눈동자가 미간을 좁히고 저를 뚫어져라 응시할 때가 가장 좋았다. 프리다의 눈 안에 그 말고는 아무것도 자리 잡지 못하는 그 순간이.

"난 머리 좀 아픈 걸로 안 죽어요. 하지만 당신은……."

말끝을 흐린 다니엘은 프리다의 손이 빠져나가지 못하게 더 꽉 붙들었다. 꺼내지 않는 게 좋은 주제라는 건 안다. 그렇다고 사과할 생각은 없었다. 다만 확실히 짚고 넘어갈 것이 하나 있었다.

"프리다, 당신은 이미 많은 걸 해냈고, 누구도 당신만큼 하지 못해요."

난 당신이 다른 하크본의 여자들처럼 되게 둘 마음이 전혀 없다는 거.

"공작령을 제국에서 가장 부유한 곳으로 만들고, 도로를 깔고, 영지의 아이들을 대학에 보내요. 모두 당신 뜻대로 해요. 그 누구도 당신을 방해하지 못하게 내가 든든한 지원군이 되어 줄 겁니다."

쉔달 성의 방해 따위 이젠 두렵지 않다. 애초에 두려워서 그들의 말을 들었던 것도 아니다.

"하지만 당신의 건강을 지키는 건 나 혼자 힘으론 못 해요. 당신 스스로 자신을 아끼고 돌봐야 합니다."

이제 내가 두려운 건 당신이 내 곁에 없는 것이다.

"리하르트 공작 부인으로 사는 게 좋다고 했었죠? 나도 그래요. 당신이 오래오래 내 아내로 곁에 있어 줬으면 좋겠어요."

담담하고 솔직한 고백에 다니엘을 담은 프리다의 보라색 눈동자 옆에 투명한 방울이 맺혔다. 천천히 크기를 더한 물방울이 좁은 공간을 버텨 내지 못하고 떨어질 즈음. 다니엘의 입술이 그것을 머금었다.

"울지 마. 프리다."

이 모습도 충분히 예쁘지만, 울면 당신이 힘드니까.

"다니엘……."

프리다가 남아 있는 눈물 자국을 조심히 닦아 내는 그를 불렀다. 희미한 미소를 지으며 다니엘이 프리다를 응시했다.

"말해요."

머뭇대며 달싹이던 입술은 마른침을 한 번 삼킨 후에야 열렸다.

"나…… 올해 스무 살이 되었어요."

설레며 맞이했던 그 나이가 가끔은 무겁고, 종종 무서웠다. 일부러 생각하지 않으려 애썼지만 다니엘이 마음을 열어 준 이후 더 그랬던 것 같다. 그와 여느 부부처럼 지낼 수 있다는 것에 흥분해 다른 때라면 거절했을 외출을 아무 생각 없이 따라나섰다.

아름다웠던 그 하루의 결과로 열흘 가까이 앓아누웠다. 겨우 열이 내려 눈을 떴을 때, 제 곁을 지키고 있는 다니엘을 보며 잠시 생각했다. 할 수만 있다면, 이 남자 곁에서 긴 시간을 보내고 싶다고. 그리고 후회했다. 어쩌면 오랫동안 정을 주고받은 적 없어서 더 정이 고팠을지도 모를 이 남자에게 상처를 줄까 봐 무서워서.

"하크본 가문에서 스무 살을 맞은 여자는 극히 드물어요."

당신을 좋아한다고 말하지 말았어야 했던 건 아닐까. 지금도 그때도, 오늘의 난 그저 오늘의 당신이 좋을 뿐인데. 그 고백이 내일의 당신을 힘들게 하면 어쩌나.

"있잖아요, 다니엘. 나는요……."

"생일이 언제입니까?"

프리다의 말을 막은 다니엘이 태연히 그녀의 생일을 물어 왔다. 그동안 아무도 축하해 주지 않았던 그녀가 태어난 날을. 프리다는 엉겁결에 대답을 내놓았다.

"겨, 겨울이에요. 한 해가 끝나는 달의 첫날."

오른쪽 눈썹을 찡그리며 뭔가를 고민하던 그가 손으로 프리다의 머리를 감쌌다. 마치 제 말을 이 머리에 새겨 놓으라는 듯.

"라파스 산맥에 내 소유의 금광이 열 개가 있어요."

"여, 열 개요?"

풀이 죽어 움츠러들던 어깨가 단번에 펴졌다. 마주한 눈동자가 소나기가 멈춘 하늘처럼 또렷해졌다. 사실 정확한 금광의 수는 열네 개다. 그 외에도 철광석이 나는 산, 보석이 발견되는 산도 서너 개 더 있지만, 그건 나중에 말해 줄 예정이다. 그래야 두고두고 이 반짝반짝 흥분에 떨리는 눈을 감상할 수 있을 테니.

"스물한 번째 생일이 되면 선물로 금광 하나를 줄게요. 스물두 번째 생일에 또 하나. 생일마다 하나씩 당신에게 선물하겠습니다."

하크본 가문의 여자들이 어땠는지, 프리다의 언니들이 얼마나 살았는지는 관심 없다. 애조에 피부색이나 머리칼 색이 독특한 것뿐인데 성녀라는 낭설이나, 단명한다는 저주가 있다는 것 자체가 웃긴 얘기다. 그녀의 조상이 어떻게 살았든 프리다는 프리다의 삶을 살면 된다. 저와 함께, 오래도록 행복하게.

대낮에는 민망한 짓은 안 된다는 경고를 되새긴 다니엘이 프리다의 얼굴을 당겼다. 그녀의 체취가 맹수의 야성을 솜털 하나까지 모조리 깨웠지만 조금만 더 참을 생각이다. 아주 조금만 더. 다니엘이 프리다의 이마 위로 입술을 내렸다.

"전부 다 가져가."

쉔달 성에서 보낸 서신이 슈테판에게 전해진 건 점심시간이 지난 후였다. 때마침 소나기를 만난 황제의 일행이 몽땅 젖어서 들어오는 바람에 방마다 벽난로를 피우게 하느라 정신없이 바쁠 때. 황실의 인장을 본 순간, 누가 볼까 싶어 얼른 챙겨 놓고 호시탐탐 읽을 기회만 노렸다.

오후가 될 때까지 집무실에 오지 않는 공작을 기다리며 슬쩍 볼까도 했었지만, 하필이면 챔벌린 백작이 나타났다. 리하르트 공작을 만나야겠다고 주장하던 백작은 끝내 나타나지 않는 다니엘을 기다리다 지쳐 돌아갔다.

슈테판은 방에서 혼자 식사하고 싶다는 황제에게 가는 저녁 식사를 확인하고, 불편한 것은 없는지 또 확인하고 나오다 이번엔 뷔테인 남작 부인을 만났다.

"보일드 남작 부인은 몸이 안 좋다며 일찍 돌아갔어요. 아무래도 뭰하임 성에는 음울한 기운이 퍼져 있는 것 같아요!"

스카디 홀에서 쉬고 있을 마틸다를 걱정하며, 그런 무가치한 소리도 잠시 들어 주었다. 슈테판은 해가 컴컴해지자 아델의 술을 한잔하고 방으로 돌아왔다. 이젠 그 술을 하루라도 마시지 않으면 아쉬워 잠이 오지 않았다.

일찍 잠든 마틸다의 이마에 입을 맞추고 나서야 온종일 입고 있던 재킷을 벗을 수 있었다. 벗은 재킷을 대충 던진 그는 책상에 털썩 주저앉았다.

'지친다, 지쳐.'

이제 내일 추가로 공작에게 승인받을 문서를 작성해야 할 시간이다. 잠시 의자 등받이에 몸을 기대니 절로 한숨이 흘러나왔다.

"후우, 대체 공작 부인은 이 많은 일을 어떻게 혼자 해낸 거야?"

도미닉 몰리가 도와줬다지만, 결국 모든 일을 검토하고 승인하는 건 그 일의 결과를 책임지는 최종 결정권자가 하는 일. 웬만한 사내들에게도 중노동인 일을 그 약한 몸으로 삼 년이나 하고 있었다니. 놀랍다는 말로도 부족하다.

"그러니 몸이 축나지."

아내에게 일을 가져가지 말라는 공작의 경고가 납득이 되었다. 아마 공작 부인은 자신의 생명을 갈아 넣으며 일에 임했을 것이다. 공작 성에 도착한 지 두 달여. 갈수록 고민이 깊어진다. 낮에 집무실로 찾아왔던 챔벌린 백작이 이것저것 물어 왔을 때, 썩 시원하게 대답해 주지 못한 것도 아직 머리가 정리되지 않아서였다.

"리하르트 공작에게 딱히 수상한 점은 없나? 주기적으로 외출한다든가."

외출이고 뭐고, 공작은 기본적으로 만나기가 힘든 사람이었다. 성안에 있는지, 있으면 어디에 있는지 도통 보여야 알지. 공작을 찾아다니는 일로 허송세월했다간 도무지 일이 진척되지 않는다. 그래서 만날 기회가 있을 때 최대한 많이 보고를 올리고 승인을 얻으려 애썼다.

"숨겨 둔 여자는?"

그나마 이 질문 하나에만 분명히 대답할 수 있었다.

"없습니다. 공작에게 여자는 공작 부인뿐입니다."

백작은 그의 대답이 마음에 들지 않는 눈치였지만 사실인 걸 어쩌라고. 자신 역시 아내 때문에 마음고생을 해 봐서 아는데, 리하르트 공작은 현재 지독한 사랑의 열병을 앓고 있었다. 공작 부인이 심하게 앓고 난 이후엔 아예 대놓고 낭떠러지까지 몰려 더는 물러날 곳이 없는 사내처럼 굴었다.

'쯧쯧. 경험이 없으니 뭘 알아야 말이지.'

여인을 많이 겪어 본 사내라면 절대 공작처럼 속에 있는 걸 다 드러내 보이지 않는 법이다. 앞뒤 가릴 것 없이 저돌적으로 행동하는 건 더더욱 안 되고. 나이가 몇인데, 여인과 잘 지내려면 재고 따지며 영악하게 굴어야 한다는 기본도 여태껏 모르다니.

"과해. 하나같이 너무 과해."

걱정이다. 대책 없이 솔직하고 꾀부릴 줄 모르는 공작 부부에게 점점 호감이 생기는 자신이.

'다른 건 몰라도 연회장은 손을 봐야 해. 손님이 또 올지도 모르고. 그러면 이번 기회에 샹들리에를 주문하고…… 침대도 아예 몇 개 더…….'

머릿속으로 하나하나 목록을 정리하며 이마를 문지르던 손이 스르르 아래로 툭 떨어졌다. 슈테판의 긴 하루가 이렇게 끝나고 있었다.

구름 한 점 없는 화창한 아침이었다. 가벼운 산책 정도는 해도 좋다는 허가를 받은 프리다의 기분도 하늘만큼이나 화창하게 개었다. 마틸다가 머리를 만져 주는 동안 프리다에게선 콧노래가 흘러나왔다. 그런 프리다를 보며 마틸다가 당부를 건넸다.

"오랜만에 햇볕을 보시면 어지러울 수 있으니 절대 오래 나가 계시면 안 돼요."

"네네. 알았어요, 마틸다. 걱정 말아요. 하루라도 빨리 자유로워지고 싶어서라도 절대 무리 안 해요. 그때가 되면 나랑 같이 성 밖으로 외출해요. 전에 말했었죠? 마틸다와 이름이 같은 하녀가 있었다고."

뮤리엘이 말해 준 마틸다의 소식을 떠올리자 들떠 있던 프리다의 어깨가 푹 내려앉았다.

"글쎄, 그 아이의 다리가 부러졌다지 뭐예요. 평생 절게 될지도 모른대요."

한숨을 쉬며 치마를 만지작거리는데 마틸다의 빗질이 느려졌다. 왜 그러나 싶어 뒤를 돌아보던 프리다는 마틸다의 눈에 눈물이 맺혀 있는 걸 보곤 화들짝 놀라 몸을 돌려 앉았다.

"왜 그래요, 마틸다? 무슨 일 있어요? 설마……."

프리다의 시선이 봉긋이 솟은 그녀의 배에 닿았다.

"아이 때문에 그래요? 몸이 안 좋은 거예요?"

마틸다가 눈물을 훔치며 고개를 저었다.

"아니에요. 죄송해요, 부인. 제가 못나게 굴었네요. 이러려던 게 아닌데 나도 모르게……."

"뭔데요. 왜 그래요? 우선 앉아요, 마틸다. 앉아서 얘기해요."

마틸다의 손을 잡은 프리다가 그녀를 테라스 근처 카우치로 이끌었다. 다니엘과 프리다가 자주 앉아 경치를 감상하는 곳이었다. 그사이 마틸다의 눈물방울이 더 커졌다.

"마틸다. 대체 왜……."

프리다의 말이 끝나기도 전. 마틸다가 그녀의 어깨에 이마를 대고 펑펑 눈물을 쏟았다.

"흑흑. 부인, 전 어떡해야 좋을지 모르겠어요."

마틸나는 프리다가 건넨 손수건으로 눈물을 닦으며 고민을 털어놓았다.

"새벽에 일어나 보니 슈테판이 의자에 앉은 채로 자고 있었어요. 너무 곤하게 자고 있어 못 깨우겠너라고요. 그래서 옷이라도 치워 주려고 하다…… 그 편지를 보게 됐어요."

쉔달 성의 인장이 찍힌 편지였다. 열어 봐선 안 된다는 걸 알았지만 호기심을 누를 수가 없었다. 시녀 생활을 오래 한 덕에 마틸다는 밀랍 인장을 깨지 않고도 봉투를 여는 방법을 체득하고 있었다. 들켜도 슈테판에게 궁금해서 그랬다고 사정을 설명하면 그만이지, 쉽게 생각했다. 한데 종이칼로 조심조심 열어 본 그 서신은 놀랍게도 황실 법원의 출석 통지서였다.

"보일드 가문의 영지에 대한 소유권을 주장하는 사람이 나타났대요. 그들이 제시한 서류는 합법적으로 작성되었으며 충분한 근거가 있으니 황실 법원으로 와서 소명하라는 통지였어요."

"네에? 아니, 어떻게 그런 일이 있을 수 있죠? 보일드 남작께선 정식으로 작위를 물려받으셨으니 소유권 증명 서류는 남작님께 있을 거잖아요."

마틸다는 손수건으로 눈가의 물기를 찍으며 고개를 끄덕였다. 원래 이렇게 감정적으로 구는 성격이 아니었는데, 아이를 가지고 나선 종종 눈물이 쏟아져 당혹스러웠다.

"네. 그이는 대대로 물려받은 완벽한 문서를 가지고 있어요. 하지만 황실에서 귀족 간의 영토 분쟁을 해결하는 데는 꼭 문서가 전부인 건 아니랍니다."

"그게 무슨 말이에요, 마틸다? 그럼 확실한 문서를 두고 다른 걸 판단 기준으로 삼는 경우도 있다는 거예요?"

문서란 권력이 있는 귀족에겐 힘이지만, 그렇지 못한 귀족에겐 그저 종이 쪼가리에 불과하다. 챔벌린 백작 부인의 시녀로 지낼 때, 더럽고 추악한 귀족의 세계를 직접 겪은 마틸다는 그 사실을 누구보다 잘 알았다. 한쪽에 치우치지 않는 평등한 법 적용이란 쉔달 성의 높은 자리에 똬리 틀고 있는 몇몇 귀족에게만 해당하는 얘기. 그 지저분한 세계가 싫어 순수한 슈테판이 더 좋았는지도 모른다.

그런데 하필 이제 와 대단치도 않은 보일드 가문의 영지에 대한 소유권을 주장하는 이가 나타난 까닭이 뭘까? 과연 리하르트 공작과 무관할까?

아마 그녀의 짐작대로 이건 황태후가 보내는 경고일 것이다. 의자에 기대 불편하게 잠든 남편을 보며 수많은 상념이 스치고 지나갔다.

매일 지쳐 잠이 들면서도, 어느 때보다 더 열정적으로 일에 임하는 남편. 처음에는 남작 부부를 못마땅한 눈으로 봤지만, 어느새 정을 주며 따듯하게 챙겨 주는 공작 성의 사람들. 마틸다가 꿈꿔 왔던 소박하고 단출한 시골 생활이었다. 이곳에서 아이를 낳고, 영원히 살고 싶다고 바랄 만큼. 잠시 환상에 취해 그들이 이곳에 온 이유를 잊어버리고 있었던 것 같다. 아니, 진짜 잊고 싶었을 수도.

최악의 경우, 마틸다야 첼리노에 두고 온 것들을 버리고 잊으면 그만이지만 남편은 아니었다. 남들 눈엔 별 볼 일 없다 해도 그에겐 아버지로서 태어날 자식에게 남겨 주고픈 자랑스러운 가문의 역사가 있었다.

한데 그것을 지키려면 이곳에 사는 내내 배신자가 되어야 한다. 새삼 남편의 어깨에 올려진 짐이 무거워 보여서, 그녀는 입을 막고 아침 해가 밝도록 울었다.

하지만 세상엔 눈물로 해결될 일 같은 건 없다. 어서 슈테판과 이 편지에 대한 이야기를 나누고, 입장을 결정해야 한다. 마틸다는 저를 걱정하는 프리다의 손을 꼭 쥐며 힘겹게 웃어 보였다.

"제가 쓸데없는 말을 길게 했네요. 저는 괜찮으니 그리 염려하실 것 없어요. 좀 놀라서…… 감정이 격해졌나 봐요. 아이를 가지면 보통 이렇다고들 하더군요."

저도 모르게 편지를 숨겼으니 지금쯤 슈테판이 이 편지를 찾고 있을 것이다. 마틸다는 몸을 일으키며 프리다의 팔을 당겼다.

"오늘은 오랜만에 산책하시는 날이잖아요. 어서 일어나세요. 마저 준비를 도와드릴게요."

"아니요, 마틸다. 지금 산책이 중요한 게 아니잖아요. 방법을 찾아야 해요. 방법을……. 황실이 절대 다른 판단을 내릴 수 없게 할 확고한 증거."

벌떡 자리에서 일어난 프리다가 방을 오가며 분주히 움직였다. 턱을 만지작대다 고개를 끄덕거리기도 하고, 입술을 삐죽이며 골똘히 생각에 빠지길 몇 분. 프리다가 작은 주먹을 불끈 쥐었다.

"아무래도 난…… 그곳에 가 봐야겠어요."

다니엘이 외출해도 좋다고 한 건 겨우 반나절. 그곳까지 후딱 다녀오려면 서둘러야 했다.

레오폴드는 자신이 꺼낸 책을 제자리에 꽂는 대신 바닥에 아무렇게나 툭 집어 던졌다. 이미 읽은 책 아니면 하나같이 더럽게 재미없고 시시한 것들뿐이다. 먼지 가득한 이 서고에서 눈이 가는 거라곤 창을 장식한 화려한 스테인드글라스 정도? 광이 나도록 닦으면 볼만할 것 같은데도 저리 방치된 이유는 아마 돈이 없어서일 거다.

"구질구질하기는."

벽에 등을 기대고 앉은 레오폴드는 양손을 머리 뒤로 넘겨 깍지를 꼈다. 이 구석진 자리는 빛이 잘 들어온다는 장점이 있었다. 그 외에도 오른편에 설치된 거대한 책장이 외부로부터 완벽하게 시야를 차단한다는 점이 맘에 들었다. 아무도 얼씬하지 말라고 했지만, 혹 누가 들어오더라도 책장이 그를 가려 주고 있으니 들키지 않을 것 같아 선택한 장소였다.

지금은 기분이 몹시 거지 같고 싱숭생숭한 터라 누구도 만나고 싶지 않았다. 특히 페트리샤는 더욱더. 그녀가 이 먼지 구덩이로 저를 찾으러 올 일도 없지만, 온다 한들 없는 척하면 그만이다. 유감스럽게도 현재 그에겐 정부에게 보여 줄 너그러움이 조금도 없었다. 레오폴드는 무너지듯 책장 쪽으로 머리를 기댔다.

이 땅에 오는 게 아니었다. 전처럼 강하지 못한 다니엘을 보게 되면 통쾌할 것 같았는데……. 결과는 반대였다. 다니엘은 변한 것이 없었고, 여전히 강해 보였다. 번번이 레오폴드에게 자괴감을 느끼게 하던 과거 모습 그대로였다. 완벽한 혈통, 넘쳐 나는 부. 어느 것 하나 빠지지 않고 다 가지고 태어난 레오폴드다. 리하르트였을 때도 그랬고, 볼슈타크 2세가 된 지금이야 말할 것도 없지.

그런데도 다니엘은 구름이 태양을 가리듯 레오폴드를 가렸다. 냉철한 이성을 자랑하는 어머니마저 매 순간 그를 경계하고 긴장을 놓지 않을 만큼 존재감이 컸다. 가진 거라곤 고작 짐승 같은 체력, 좀 봐 줄 만한 검 실력뿐인데.

두 가지를 모두 잃은 다니엘이 얼마나 보잘것없을지, 그 꼴을 꼭 제 눈으로 보고 싶었다. 첼리노의 여인들을 설레게 하던 그 잘난 얼굴에 완연한 병색이 드리워져 있는 꼴은 얼마나 우스울까 궁금했다.

쉔달 성이 지긋지긋했던 것도 맞고, 그곳에 있는 자들과는 결이 다른 우직한 다니엘을 보고 싶은 마음도 일부 있었던 건 사실이다. 그러나 뭐니 뭐니 해도, 가진 걸 다 잃고 힘이 빠져 있을 다니엘을 확인하고 싶었다. 감히 이 레오폴드를 두고도 주변의 이목을 모으던 배다른 형의 무너진 모습을.

삼 년을 앓아누웠으니 꾀죄죄한 몰골이 되어 있으리라 여겼다. 페트리샤를 굳이 데려온 까닭도 같았다. 봐라. 다 죽어 가는 저 인간이 너와 수많은 귀족 여인들의 밤잠을 설치게 했던 그 리하르트 공작이다.

실컷 비웃어 주다 자비를 베풀듯 돈이나 몇 푼 던져 주고 가려고 했는데. 아파서 코빼기도 비추기 힘들다는 변명을 들을 때면, 되레 제가 조롱을 당한 기분이었다.

"누가 천한 피 아니랄까 봐 목숨도 질기긴."

노팅겐과의 전투에서 확 죽어 버렸더라면 좋았잖아. 그러면 성대한 장례식을 열어 주고, 다니엘을 핍박하던 어머니를 원망하며 기쁜 마음으로 그 죽음을 애도했을 것을.

"왜 도로 살아나서 사람을 피곤하게 만드냐고."

단순하게 생각 없이 사는 인간들은 모른다. 가장 높은 곳에서 타인의 관심을 한 몸에 받으며 가면을 쓰고 살아야 하는 인간의 고뇌를. 특히 그 가면이 잘 꾸며진, 값비싸고 견고한 가면일수록 더 그렇다. 가끔은 어떤 것이 진정한 내 모습인지 헷갈리기도 하니 중심을 잘 잡아야 한다. 너무 비열하게 굴어 본 모습을 드러내서도 안 되고, 그렇다고 자애로움이 지나쳐 가식처럼 보여서도 안 된다.

"진짜 나나 되니까 휘둘리지 않고 멀쩡하게 제정신으로 사는 줄 아십시오, 어머니."

혼잣말이나 중얼대는 자신이 어이없어 헛웃음이 나왔다. 불현듯 모든 것이 공허하게 느껴졌다. 솔직히 산다는 것 자체가…… 그리 대단히 의미가 있는 일은 아니다.

"죽지 못해 사는 거지. 의미는 무슨."

넋 빠진 인간처럼 멍하니 있는데 어제 내린 소나기 탓인지 먼지가 닦인 창밖이 아주 잘 보였다. 특히 색유리가 없는 창으로 지나가는 흰 구름이. 하얗고, 아주 하얗고……. 몹시 하얀 것이 그녀를 닮았다. 정신 나간 노인네처럼 또 중얼중얼 혼잣말이 흘러나왔다.

"프리다…… 하크본."

미들네임은 모르겠다. 실은 다니엘이 부르기 전까진 이름도 몰랐다. 다니엘이 어디 가서 자식이라도 만들어 올까 봐 걱정한 어머니가 서둘러 정한 하자 많은 혼처 따위에 관심이 있었을 리가. 그 일로 어머니의 명성에 치명적인 금이 갔다는 사실에 만족했을 뿐이다.

공작 부인이 아직까지 살아 있을 줄도 몰랐다. 침대에 누워 오늘내일하며 죽을 날만을 기다리지 않고, 두 발로 서서 걸어 다닐 거란 것도. 제 심장을 주저앉힐 거란 건…… 아예 상상도 못 했다.

"젠장, 정신 차려. 이 미친 자식아."

레오폴드는 쿵 소리가 나도록 세게 책장에 머리를 박았다.

끼이익.

그 순간, 누군가 굳게 닫힌 서고의 문을 밀고 들어왔다.

"망할. 어떤 개자식이야? 내가 아무도 들이지 말라고……!"

"꺄악!"

벌떡 일어나 집어 던진 책이 아슬아슬하게 하얀 머리칼을 스치고 바닥으로 떨어졌다.

도미닉과 함께 들어와야 할 얼굴이 보이지 않자 다니엘이 목을 옆으로 쭉 뻗었다.

"왜 혼자 와?"

"공작 부인께선 이미 보일드 남작 부인과 함께 나가셨다고 하던데요."

"그래?"

같이 산책하러 가자고 하려 했더니 벌써 내뺀 모양이다. 어지간히도 갑갑했었나 보군. 서둘러 일을 마친 게 뻘쭘해 다니엘은 피식 웃고 말았다. 하려던 일이 없어졌으니, 남은 일이나 당겨서 미리 해 두자 싶어 슈테판이 두고 간 서류 뭉치를 집어 들었다. 그때, 도미닉의 목소리가 들렸다.

"황태후가 보일드 남작을 압박하기 시작했습니다."

예상했던 일이라 다니엘은 놀라지도 않고 태연스레 서류를 넘겼다.

"예상대로 소유권 분쟁인가?"

"네. 어제 황실 법원으로부터 서신이 도착했습니다."

"앞장세운 사람은?"

"홀베크 자작이라고, 황태후의 보좌관인 클리마 백작의 사촌과 사돈입니다."

지난번 실수 이후 도미닉은 더 꼼꼼하게 남작에게 오가는 편지를 살폈다. 지금까지는 그중에 황실의 구미를 당길 만한 내용이 단 한 글자도 없었다고 한다. 즉, 보일드 남작이 황태후의 뜻대로 움직여 주고 있지 않다는 뜻이다.

"어쩌실 겁니까?"

"내가 나설 필요가 있나? 선택은 남작이 하겠지."

도미닉이 답답한 소리 말라며 가슴을 쳤다.

"지금 보고 계시는 그 문서, 남작이 어제도 밤을 새우며 작성했을 겁니다. 온종일 뮌하임 성에서 일어나는 오만 일을 다 돌보고도 그 많은 양의 자료를 뚝딱 만들어 내는 사람이라고요!"

나이도 많은 인간이 체력이 좋은 건지 오기를 부리는 건지. 하긴, 그 나이에 늦둥이를 가진 걸 보면 체력이 강인한 쪽이겠네. 도미닉은 책상 끄트머리에 쌓아 놓은 서류를 탁탁 손으로 내리쳤다.

"우리 집사장 나리 귀하게 여기세요. 보일드 남작이 아니었다면 그 일 전부 공작 부인께서 하고 계셨을 거라고요."

"도미닉 네가 했겠지. 수준이 좀 떨어지긴 했겠지만."

맞는 말이다. 인정한다. 그러니 더 보고만 있으면 안 되지.

"아직은 내색 안 하시지만 당장 내일이라도 수도로 돌아간다고 하면 큰 일입니다. 황제가 언제 떠날지도 모르고, 저도 우기가 오기 전에 도로 공사에 필요한 숙소라도 지어 놓으려면 눈코 뜰 새 없다고요."

황제 때문에 경계를 서느라 도미닉이 자유롭게 움직이지 못하게 되자, 뮤리엘이 며칠째 대신 성 밖 마을을 오가고 있었다.

"소처럼 일하는 꼬락서니를 보니 딱 여기에 어울리는 사람입니다. 황실에 정보 좀 빼돌리면 어때요? 사람이 그럴 수도 있지. 무조건 잡으세요! 잡아서 오래오래 부려 먹자고요."

대꾸 없이 묵묵히 도미닉의 황당한 소리를 듣고 있던 다니엘이 보던 서류를 덮고 자리에서 일어났다. 그가 성큼성큼 책장으로 향하자 도미닉이 졸졸 그의 뒤를 따랐다.

"얘기하다 말고 어디 가세요?"

비밀 통로로 들어가는 책장 모서리를 밀기 전, 다니엘이 도미닉을 돌아봤다.

"홀베크 자작이 가지고 있다는 서류, 찾아서 싹 다 태워 버려."

"알겠습니다. 그런데 어디 가시냐고요."

책장의 왼쪽 모서리를 밀던 다니엘이 대답 없이 질문을 건넸다.

"브라반트 홀 서고 쪽은 아직 단장 전이지?"

"네. 우선 손님을 맞을 동쪽 지역만 수리하고 나머지는 손도 못 댄 거로 알고 있습니다. 시간이 없었잖아요."

묻는 말에 대답은 안 하고 질문만 해 대는 다니엘에게 도미닉이 빽 소리 쳤다.

"아, 진짜 왜 계속 딴소리예요! 어디 가시냐니까?"

"무조건 잡으라며?"

짧게 대답한 다니엘이 빠르게 어둠 속으로 사라졌다.

곤하게 잠들었던 슈테판의 어깨가 얼음물을 뒤집어쓴 개구리처럼 발딱 튀어 올랐다.

"헉!"

소스라치게 놀라는 슈테판의 얼굴 위로 쨍쨍한 아침 햇살이 쏟아졌다. 늦잠을 잤다는 것보다 공작에게 보고할 서류를 미처 작성하지 못했다는 사실에 더 놀랐다. 부리나케 일어난 그는 가장 먼저 주방으로 달려갔다.

브라반트 홀로 향하는 황제의 아침 식사를 점검하는 일이 가장 시급했다. 아무 문제 없이 식사가 시작되는 걸 확인한 슈테판은 서둘러 방으로 돌아와 문서를 만들었다. 다행히 사전에 정리를 끝내 두었던 터라 긴 시간을 들이지 않고 작성을 마쳤다.

불현듯 재킷에 넣어 두었던 편지가 생각난 건 집무실에서 공작에게 막 문서를 건네고 난 후였다. 몇 번의 뒤적거림 끝에 편지가 없다는 걸 알게 됐을 땐 공작이 앞에 있음에도 당황스러움을 감출 수가 없었다. 양해를 구하고 집무실을 나오자마자 기억을 더듬어 편지가 있을 만한 곳을 몽땅 뒤졌다. 어제 점심시간 이후 자신이 지나쳤던 동선을 따라 걷던 슈테판은 종착지인 제 방에 이르렀다.

"하아, 대체 이걸 어디에다 흘린 거야?"

성안 어디에서도 편지는 발견되지 않았다. 난감해진 그는 지난밤 잠들었던 의자에 도로 털썩 주저앉았다.

"이럴 줄 알았으면 미리 읽어 볼걸."

편지에 적힌 내용이 뭔지 모르니 점점 더 불안해졌다. 혹시 몰라 이미 수차례나 뒤진 재킷을 탈탈 터는데 마틸다가 방으로 들어왔다.

"슈테판, 이 시간에 어쩐 일이에요?"

하도 탈탈 털었더니 재킷에선 이제 먼지조차 나오지 않았다.

"내가 뭘 좀 잃어버려서 말이야."

결국 아무것도 없다는 사실만 다시 확인한 슈테판은 짜증스럽게 재킷을 던졌다.

"마틸다, 혹시 어제……."

그 순간, 마틸다가 슬며시 편지를 내밀었다.

"이거 찾아요?"

"마틸다! 그거 당신이 가지고 있었어?"

긴장이 풀리자 힘이 쭉 빠졌다. 아내가 건네는 편지를 받아 든 슈테판은 침대에 털썩 앉아 긴 한숨을 내쉬었다.

"내가 어리석었군. 당신에게 가장 먼저 물어봤어야 했는데. 난 당신이 가지고 있는 줄도 모르고, 오전 내내 이걸 찾으러 다녔지 뭐야."

허탈하게 웃으며 편지를 만지작대는데 심상치 않은 마틸다의 낯빛이 눈에 들어왔다. 평소에도 종종 제게 오는 편지를 몰래 읽어 보곤 안 그런 척 능청을 떠는 아내였다. 아마 이번에도 미리 읽어 본 모양이다. 그나저나 저리 티를 낼 정도라면, 적어도 좋은 소식은 아니라는 뜻이겠지.

슈테판은 사면의 각이 살아 있는 질 좋은 종이를 사용한 편지와 아내를 번갈아 살폈다. 달갑지 않은 소식이 분명한 황실에서 온 편지. 읽지 않아도 감지되는 불길함에 그는 선뜻 편지를 열지 못하고 계속 만지작거렸다. 한참을 책상 위로 편지 끄트머리만 콕콕 내려찍던 슈테판이 마침내 인장을 깨고 종이를 펼쳤다. 각오했던 것보다 더 기가 막히고 어이없는 소식이었다.

'그래. 이 정도는 되어야 천하의 마그리트 바이첸이지.'

짧은 시간 동안 참 꼼꼼하게도 준비했다 싶어 한편으로 감탄스러웠다. 슈테판이 편지를 다 읽을 때까지 기다리던 마틸다가 천천히 입을 뗐다.

"미안해요, 슈테판. 황실 인장이 찍힌 걸 본 순간 궁금해서 참을 수가 없어서 당신 몰래 제가 먼저 읽어 봤어요."

흙빛이 된 얼굴을 하고도 슈테판은 애써 미소를 지으며 아무렇지도 않은 척 굴었다.

"괜찮아. 언젠 우리 사이에 비밀이 있었던가? 어차피 당신도 알게 될 일이었어."

편지를 책상 위로 툭 내던진 슈테판은 마틸다를 향해 손을 뻗으며 다정히 아내를 불렀다.

"이리 와, 마틸다."

냉큼 다가온 아내의 손이 차가웠다. 몰래 울었는지 눈가에도 드문드문 붉은 자국이 보였다. 슈테판이 마틸다의 손을 꽉 쥐며 또 한 번 흐릿하게 미소 지었다.

"당신, 많이 놀랐나 보군."

때가 오고 있다는 건 알았다. 황태후가 그리 길게 인내심을 발휘하지 않을 거란 것도. 무어라도 대충 끄적거려 황태후의 호기심을 만족시켜 줬어야 했는데, 그러지 못한 제 잘못이 가장 크다는 것도 안다. 어려운 일도 아닌데 왜 그러지 못했는지는 잘 모르겠다. 무엇보다 바빴고, 딱히 쓸 만한 내용이 없었다고 핑계를 댈 수도 있었지만…….

따지고 보면 다 변명이다. 첼리노에 있는 황태후가 무슨 자세한 사정을 알겠는가? 두루뭉술하게 곧 뭔가를 알게 되시리라 기별만 보냈어도 충분했다. 그러지 못한 제 고지식함을 탓하는 수밖에.

아마 황태후가 저를 선택한 것도 같은 이유일 것이다. 꽉 막히고 고지식한 슈테판이 대충 구색이나 맞춘 서신을 보내진 않을 거란 걸 미리 눈치채서일 수도. 슈테판은 아내의 손을 꼭 쥐어 제 온기를 나누어 주었다.

"그런데 마틸다. 이 일은 날 믿고 맡겨 줬으면 좋겠어. 내가 영 못 미더운 남편이 아니라면 말이야. 당신과 우리 아이를 위해서라도 꼭 해결 방법을 찾아볼게."

힘차게 고개를 끄덕인 마틸다는 잡힌 손을 빼내 빙긋 웃는 남편의 뺨을 감쌌다.

"슈테판. 난 항상 당신을 믿어요. 다만……."

겨우 식혀 놓은 눈가가 다시 뜨거워졌다. 마틸다의 음성이 촉촉해졌다.

"나는요, 당신이 정말 원하는 일을 했으면 좋겠어요. 나나 아이 때문에 내키지 않는 일을 하는 건 싫어요. 알죠? 난 당신이 귀족이 아니었더라도 결혼했을 거란 거."

보일드 남작 부인이 아니라 평민 보일드 부인이 되어도 상관없다. 그녀가 사랑한 건 보일드 남작이 아니라 슈테판이라는 한 남자니까.

"우리 아이도 나와 같은 마음일 거예요. 아버지가 남작이 아니라 해도, 물려받을 영지가 없어도…… 이 아이는 당신을 사랑할 거예요. 그러니 스스로에게도, 부모로서도 부끄러운 짓은 하지 말아요, 슈테판."

마틸다의 허리를 안은 슈테판이 봉긋 솟은 그녀의 배를 부드럽게 매만졌다.

"걱정하지 마, 마틸다. 내가 잘 해결할게."

피곤하고 지친 남편을 달래는 데 신경 쓰느라 마틸다는 남편에게 다른 할 말이 있었음을 깜박 잊고 말았다. 마틸다의 고민을 듣고 뭔가 확인할 게 있다며 씩씩하게 복도를 내달려 브라반트 홀로 향하던 공작 부인. 그녀를 끝내 말리지 못하고 돌아왔다는 걸.

레오폴드가 던진 책은 아슬아슬하게 프리다의 정수리를 스치고 지나가 바닥에 떨어졌다.

"꺄악!"

너무 놀란 나머지 프리다는 비명을 지르며 털썩 바닥으로 주저앉고 말았다. 심장이 벌떡벌떡 살갗을 뚫고 나오는 건 아닌가 걱정될 만큼 크게 뛰었다.

"하아, 하아."

급한 마음에 복도를 거의 뛰듯이 빠르게 걸어왔던 터라 이미 숨이 턱 끝까지 치오른 상태였다. 그녀는 쿵쾅거리는 심장을 꼭 부여잡았다. 안 그랬다간 정말 살갗을 뚫고 튀어나올 것만 같았다.

우당탕!

책이 바닥으로 밀려 떨어지는 시끄러운 소리와 함께 레오폴드가 그녀에게 달려왔다.

"괘, 괜찮으십니까? 어디 다치신 데라도……."

놀란 것으로만 치면 레오폴드도 만만치 않았다. 프리다가 서고 안으로 들어올 거라고는 단 한순간도, 상상조차 못 해 본 터라 그녀를 앞에 두고도 믿을 수가 없었다. 몸을 웅크린 채 가냘픈 숨을 헐떡이는 프리다는 금방이라도 정신을 잃을 것처럼 보였다.

"의사를 부를까요? 아, 일단 물이라도 가져오라고 하겠습니다."

밖으로 나가려던 레오폴드는 팔을 당기는 힘에 주춤 동작을 멈췄다.

"후우, 후우."

계속 호흡을 내쉬던 프리다가 그에게 빽 소리를 질렀다.

"가, 가만히…… 있어요! 정신 사나우니까 떠들지…… 말고, 제발 좀 가만히."

프리다는 제 곁에 있는 사람이 누군지 인식조차 못 하고 있었다. 그도 그럴 것이 서고 안으로 들어오자마자 봉변을 당한 터라 얼굴도 제대로 못 봤고, 들리는 목소리도 낯설었다. 다만 다니엘이 아닌 건 확실했기에 생면부지의 남자를 오래 붙들고 있을 순 없어 재빨리 손을 뗐다.

깨진 항아리 밖으로 콸콸 새어 나오는 물처럼 몸에서 기력이 완전히 빠져나갔다. 앉아 있는 것도 힘들어 아예 무릎을 꿇었다. 한 손으론 바닥을 짚어 몸을 지탱하고, 나머지 손으론 심장을 꼭 눌렀다. 쪼그려 앉아 웅크리고 있을 때보다 숨쉬기가 조금 편해졌다. 여유가 생기자 프리다는 즉각 저를 놀라게 한 자에게 속으로 저주를 퍼부었다.

'무례한 인간 같으니라고.'

누군지 확인도 안 하고 사람에게 책을 던져? 책이 얼마나 비싼 물건인데 찢어지기라도 하면 어쩌려고. 게다가 이 서고엔 어떻게 들어온 거야? 당장 다니엘에게 일러 혼쭐을 내 주라고 할 테다. 제가 당한 것처럼 똑같이 머리 위로 책을…… 아니지, 책은 비싸니까 다른 걸 날려 주라고 하고 말겠다.

소리 없이 으르렁대며 화풀이를 하다 보니 심장이 간신히 속도를 늦췄다. 이제야 좀 살 것 같았다.

"후우……."

제대로 숨을 쉴 수 있게 된 프리다는 화가 머리끝까지 솟은 채로 휙 고개를 들어 올렸다.

"이봐요. 당신 뭐야? 대체 눈을 어디에다 두고……. 어?"

이마를 가리는 섬세한 금발 사이에 자리 잡은 선명한 파란 눈동자가 그녀를 응시하고 있었다. 전혀 다른 외양의 남자에게서 닮은 듯 아닌 듯 묘하게 다니엘과 비슷한 분위기가 느껴졌다. 사내의 정체를 깨달은 프리다의 심장이 다시 쿵쿵 세차게 뛰었다.

"화, 황제 폐하."

갑자기 벌떡 일어나느라 중심을 잃은 몸이 크게 휘청거렸다.

"어맛!"

"괜찮으십니까?"

레오폴드가 그녀의 팔을 잡아 제 쪽으로 당겼다. 엉겁결에 그의 품에 안기게 된 프리다는 후다닥 뒤로 물러서며 흐트러진 몸을 바로잡았다.

"괜찮습니다. 저는 아주 괜찮습니다, 폐하."

프리다는 어정쩡한 자세로 예를 갖추며 서둘러 사과의 말을 꺼냈다.

"폐하께서 여기 계실 거라곤 예상 못 했습니다. 갑자기 들이닥쳐 많이 놀라신 건 아닌지 모르겠습니다. 정말 사죄드립니다, 폐하."

문득 자신이 그에게 고함을 쳤다는 사실도 떠올랐다.

"제, 제가 저지른 무례에 대해서도 사과드립니다. 저는 황제 폐하이신 줄도 모르고 웬 무뢰한이……."

그녀는 저도 모르게 입 밖으로 튀어나온, 결코 황제에게 써선 안 되는 단어에 놀라 마구 손을 휘저었다.

"아니, 아니요. 그렇다고 폐하께서 무뢰한이라는 뜻은 아니고요."

벌새의 날갯짓처럼 쉼 없이 파닥거리던 손으로 입을 가린 프리다가 어쩔 줄 몰라 하며 고개를 푹 숙였다.

"죄송합니다, 폐하……."

거의 울기 직전인 프리다를 빤히 바라보던 레오폴드가 보일 듯 말 듯 연한 미소를 지었다.

"따지고 보면 제가 무뢰한처럼 군 건 맞으니 개의치 마세요. 하지만 황제에게 쓰기엔 다소 과격한 언사긴 하네요."

바닥을 보다가도 레오폴드를 흘끔흘끔. 정신 사납게 오락가락하던 프리다의 새하얀 속눈썹이 금세 풀이 죽어 아래로 처져 내렸다. 처량한 모양새가 꼭 비 맞은 새의 깃털 같았다.

'정말 솔직한 눈이네.'

레오폴드의 입꼬리가 프리다의 속눈썹과 반대 방향으로 기분 좋게 휘어져 올라갔다. 처음 봤을 때도 그랬다. 프리다는 황제를 보는 게 신기해 죽겠다는 듯 그에게서 눈을 떼지 못했다. 흰 대리석으로 만든 조각상이 아닌가 싶을 만큼 하얀 얼굴에 아메티스를 닮은 보라색 눈동자를 반짝이며.

그녀가 사람이라는 게 믿어지지 않아 보고 또 봤다. 눈꺼풀이 깜박이고, 입술이 열리고, 소리가 말이 되어 입술 밖으로 흘러나왔음에도.

"뵙게 되어 영광입니다. 폐하. 프리다 클라우드 리하르트입니다."

햇살 아래 서 있는, 녹지 않는 눈사람을 보는 기분이었다. 소년 레오폴드가 정성스레 흰 눈을 뭉치고 도닥여 만들었던 눈사람의 잔상이 그녀에게 겹쳐졌다. 그다지 추억하고 싶지 않은 과거의 어느 날들이 가는 실타래가 되어 질척질척 머리에 엉겨 붙었다. 잠시 첫 만남의 순간을 떠올리던 레오폴드는 뒷짐을 지며 선선히 웃었다.

"건강이 많이 안 좋다고 들었는데. 몸은 이제 회복된 겁니까?"

"네? 아, 네……. 걱정해 주신 덕분에 많이 나아졌습니다. 감사합니다, 폐하."

프리다는 몹시 서툴렀던 조금 전보다 훨씬 나아진 예법으로 감사 인사를 건넸다. 레오폴드가 보기엔 약간 우스꽝스러웠던 처음이 더 나았다.

"다행이네요. 제가 보기에도 전보다 안색이 훨씬 좋아 보이십니다."

"신경 써 주셔서 감사합니다, 폐하."

"많이 놀란 것 같던데 좀 안정이 되셨습니까?"

프리다는 아무렇지도 않다며 연신 고개를 끄덕였다. 선선하던 레오폴드의 미소가 살짝 짙어졌다.

"그럼 이렇게 하는 건 어떨까요?"

"네?"

갸우뚱하며 바라보는데 레오폴드가 그녀에게 팔을 내밀었다.

"일단 지금, 제가 사과의 의미로 먼저 차 한잔을 대접하죠."

프리다가 얼떨결에 그의 팔 위로 손을 올리자 레오폴드가 문을 향해 방향을 틀었다.

"차를 마시고 나면, 그대가 내게 사과하는 의미로 같이 산책을 하고."

그가 아주 정중히 프리다를 에스코트하며 문고리를 잡았다.

"저녁엔 우리 둘 다 서로를 용서했다는 뜻으로 함께 저녁 만찬을 하는 겁니다. 어때요?"

실룩 눈웃음을 친 그는 답할 틈도 주지 않고 문을 열었다. 그때였다.

쾅.

프리다가 한쪽 팔로 문을 밀어 닫으며 세차게 고개를 저었다.

"그건 안 되겠는데요, 폐하."

감히 황제의 제안을 거절하는 무엄하기 짝이 없는 작고 붉은 입술이 무척 다부졌다.

"죄송하지만 오늘은 제가 급한 일이 있습니다, 폐하. 저녁 만찬은 고려해 보겠지만 티타임이나 산책은 다음으로 미뤄 주시면 안 될까요?"

슬쩍 건드리기만 해도 꺾일 듯한 가는 팔로 꿋꿋하게 문을 지탱하고 있는 걸 보고 있자니 어이가 없어 웃음만 나왔다. 프리다는 레오폴드가 상상했던 하크본 가문의 여자들과는 완전히 달랐다.

'눈 색깔 때문인가?'

그가 기억하는 그림 속의 성녀 제르투르 하크본은 엄숙해 보이는 하얗고 긴 머리에 으스스한 빨간 눈을 지녔었다. 지금 자신이 마주 보고 있는 이 신비롭고 순수한 보랏빛 눈동자가 아니라. 프리다의 눈은 가공되지 않은 천연 그대로의 보석 같기도 하고, 솜씨 좋은 세공사가 공들여 만든 작품 같기도 했다. 뭐가 됐든 확실한 건 계속 시선을 두고 싶게 만든다는 거다.

"황제와의 티타임보다 급한 일이 뭔지 물어도 되겠습니까?"

"어…… 그게……. 실은 제가 급하게 찾아야 할 책들이 있어서요."

고작 책 몇 권 때문에 저를 거절했다는 답에도 전혀 기분이 나쁘지 않았다. 오히려 크게 웃음을 터트리고 싶을 만큼 유쾌했다. 레오폴드는 점잖게 뒤로 한 발 물러나 프리다에게 길을 내주었다. 까닭을 몰라 어리둥절해진 여자에게 절로 상냥한 미소가 지어졌다.

"그럼 책을 찾는 걸 도와드리겠습니다. 제 사과는 그걸로 대신하죠."

고민스럽긴 했지만, 여기서 더 거절하는 건 황제께 예의가 아닐 듯해 프리다는 그의 호의를 받아들였다.

"감사합니다, 폐하. 폐를 끼치게 되어 송구합니다."

"폐라니 당치 않으십니다. 부인을 도와드리게 되어 무한한 영광입니다."

다소 과장된 레오폴드의 인사가 불편한지 어정쩡하게 웃는 것도 귀여웠다. 미소가 떠나지 않는 레오폴드를 스쳐 지나간 프리다는 이내 목을 한껏 젖히고 심각한 표정으로 천천히 책장 앞을 걸었다. 그러곤 무섭게 집중하며 책장을 살폈다.

레오폴드는 창을 타고 들어오는 햇살 속을 부유하는 먼지와 그 사이를 산책하듯 걷고 있는 프리다에게 눈을 고정한 채 한 발짝 떨어져 뒤를 따랐다. 프리다가 걸음을 멈추면 그도 걸음을 멈췄다. 가끔 프리다는 거의 뒤로 넘어갈 듯 고개를 꺾곤 했는데 저러다 나동그라지는 거 아닌가 걱정이 될 정도였다.

레오폴드는 조심히 그녀와 거리를 좁히며 만약의 경우를 대비했다. 그러다 서고 위쪽을 향해 들어 올려진 가녀린 하얀 목과 진지하게 턱을 콕콕 찍는 손끝에 차례차례 눈길을 주며 또 빙긋 웃었다. 까닭 모를 흐뭇한 감정이 들어서 한참을 바라보고 있는데 프리다가 손을 위쪽으로 쭉 뻗었다.

"저거요! 폐하, 저 책을 꺼내 주실 수 있나요?"

책장 앞에 선 레오폴드는 어렵지 않게 그녀가 가리키는 책을 꺼내 들었다. 무게가 묵직한 책의 제목은 『스베르겐 제국의 귀족 연감』. 프리다가 책을 건네받기 위해 손을 내밀었지만, 레오폴드는 자신의 반도 안 되어 보이는 가는 손목을 가볍게 무시하고 지나쳤다. 그는 자신이 한 손으로 들기에도 무게감이 있는 책을 책상 위에 내려놓았다.

"또 있습니까?"

고개를 끄덕인 프리다는 다시 책장 앞을 돌아다녔고, 레오폴드는 이번에도 그 뒤를 따랐다.

"저기요. 아, 저것도요, 폐하. 위에서 세 번째 줄, 갈색 표지. 아니, 그 옆이요. 네네, 그거⋯⋯."

프리다가 고른 책들은 해마다 발행되는 귀족 연감, 아니면 그것과 비슷한 귀족 인명록 같은 것들이었다. 그것도 최소 20년 전에 발행된 것들.

'대체 이걸 왜 보려고 하는 거지?'

어느새 열 권이 넘는 책들이 차곡차곡 쌓인 책상 앞에 선 프리다는 제일 맨 위에 놓인 책부터 내려 책장을 넘겼다. 풀풀 날리는 먼지를 연신 손으로 치워 가며 신중하게 내용을 읽는 프리다는 레오폴드가 옆에 있다는 걸 아예 잊은 눈치였다. 처음엔 별생각 없이 기다리던 레오폴드도 시간이 지나며 점점 오기가 생겼다. 언제까지 저를 잊고 있나, 두고 보자 싶어 팔짱을 낀 채 느긋하게 책장에 기대고 섰다.

"콜록콜록. 보일드⋯⋯. 음, 보일드⋯⋯."

그러던 중 프리다가 중얼거리는 이름이 낯익어 어디서 들었는지 곰곰이 기억을 더듬었다.

'아! 슈테판 보일드 남작?'

모친이 다니엘을 감시하려 보낸 자였지. 그의 이름을 제 손으로 종이에 썼던 기억이 났다. 뮌하임 성에 도착해 거의 매일 얼굴을 보고도 그 사실을 떠올리지 못할 만큼 잊어버리고 있었다. 레오폴드는 보통 남의 일에 큰 관심을 두지 않는 편이었다.

지금만 해도 프리다가 그 이름을 찾는 이유보다 그녀의 모습 자체에 더 호기심이 일었다. 가만히 책을 읽고 있을 때면 동작이 크지 않아 그런지 새하얀 솜뭉치가 서 있는 것 같았다. 아니, 아무리 생각해도 '녹지 않는 눈사람' 같다는 표현이 가장 잘 어울린다. 첫날 그녀를 보며 떠올렸던 이미지가 꽤 그럴싸해 또 웃음이 났다.

문득 아주 오래전, 일곱 살이 되던 해 겨울의 기억이 찾아왔다. 다니엘에겐 있고, 제겐 없는 것이 있다는 걸 깨달았던 나이. 별것 아니라 치부하며 대수롭지 않게 여기던 사생아 다니엘에게 처음 질투라는 감정을 가졌던 계절. 그때와 비슷한 빛깔의 묘한 감정이 그의 마음 깊은 곳에서부터 올라왔다.

'리하르트 공작 부인이라. 프리다…… 리하르트. 리하…… 르트.'

황제가 된 레오폴드에겐 필요 없는 부친의 이름. 그렇게 적선하듯 다니엘에게 던져 준 이름이 그녀에게 퍽 잘 어울려 짜증이 났다. 프리다를 보며 내내 부드러운 선을 그리고 있던 레오폴드의 입가가 싸늘하게 비틀렸다.

연무장 옆에는 용병들이 훈련을 준비하거나 잠시 휴식을 취할 때 사용하는 건물이 있었다. 서임식을 앞두고 매일 반복되는 예법 교육과 기마 연습. 게다가 틈나는 대로 밭일까지 거드느라 모두가 바쁜 지금. 텅텅 비어 있어야 할 그 건물 안으로 들어선 다니엘은 구석에 누워 있는 남자의 허벅지를 발로 퍽 걷어찼다.

"아야! 감히 어떤 새…….'

"일어나, 하인리히.'

"어? 다니엘, 너야?'

평소 유난스레 깔끔을 떠는 하인리히답지 않게 부스스한 모습으로 일어난 그가 머리에 묻은 지푸라기를 털어 냈다.

"꼭꼭 숨어 있었는데 어떻게 찾은 거야?'

"설마 못 찾을 줄 알고 여기 널브러져 있었나?'

다니엘이 구태여 귀찮게 찾지 않아도, 영주인 그에게 필요한 정보를 알려다 주는 인간들이 성안에 널렸다.

"일부러 제일 안 찾을 것 같은 데를 골랐더니. 에이.'

바닥에 대가리를 파묻어서 제 눈을 가리면 사냥꾼도 저를 못 보는 줄 아는 멍청한 새가 있다더니. 눈에 확 띄는 금발 머리에 딱 봐도 용병같이 보이지 않는 인간이. 용병들이나 들락거리는 이곳에 있으면서 눈에 안 띌 거라고 여겼다니 좀 놀랍다.

가끔 이 귀족 도련님의 통찰력에 감탄할 때도 있지만, 이럴 때 보면 그냥 모자란 반편이였다. 정체를 종잡을 수 없으니 호기심이 일 만한데도, 묘하게 이 도련님에 대해선 더 파 보고 싶은 마음이 안 든다. 알면 알수록 피곤해질 것이 너무 빤히 보여서.

손가락을 튕겨 셔츠 여기저기에 묻은 지푸라기를 떼어 내고 있는 하인리히를 무심한 눈으로 바라보던 다니엘이 입을 열었다.

"업다이크 후작가에서 황실 법원에 심어 놓은 사람 있지?'

"황실 법원? 당연히 있지. 귀족 간의 모든 분쟁이 해결되는 곳인데, 거기부터 휘어잡는 건 기본이잖아.”

“몇이나 돼?”

손가락 끝으로 턱을 긁으며 골똘히 고민하던 하인리히가 말똥말똥해진 큰 눈으로 다니엘을 올려다봤다.

“열두 명 중 여덟 정도.”

“그중 확실한 편이 돼 줄 사람은?”

하인리히는 일 초의 머뭇거림도 없이 단박에 답을 내놓았다.

“여섯.”

여섯이면 열두 명 중 절반. 바이첸이 제국 내 모든 권력을 장악하다시피 한 이 마당에 그렇게나 많은 사람을 심어 뒀다고? 생각보다 나쁘지 않은 숫자에 놀라움보다는 의아함이 컸다. 자리에서 일어난 하인리히는 벽에 걸쳐 둔 재킷을 걸친 다음 소매 끝을 쭉 힘 있게 당겨 주름을 폈다.

“놀랐냐? 새삼 업다이크가 대단하다 싶지?”

다니엘의 어깨를 툭툭 도닥거린 하인리히가 양손으로 머리에 묻은 먼지를 마저 털어 냈다.

“위대한 바이첸들께서야 제국이 온통 자기들 건 줄 알겠지. 하지만 다니엘, 너도 잘 알아 둬. 세상이 그리 호락호락하지만은 않단다.”

손가락으로 쓱쓱 몇 번 머리를 빗어 넘기자 겉으론 누가 봐도 멀쩡한, 훤칠하게 잘생긴 외모가 드러났다.

“솔직히 바이첸에 불만 있는 귀족들이 한둘이냐? 네놈이 떡하니 버티고 있지만 않았어도 진즉에 들고 일어났어.”

겉으로는 꼼꼼하고 빈틈없는 바이첸의 치세 아래 평화로운 나날이 계속될 것 같지만, 천만의 말씀. 상대를 찍어 누르는 재주는 뛰어나도 포용할 줄 모르는 바이첸들의 한계가 갈수록 드러나고 있었다. 손이 귀한 제 가문 사람으로만 제국을 운영하는 건 애초에 불가능한 일이었기에 여기저기서 삐걱대는 소리가 들려오는 중이기도 했다.

"우리 리하르트 공작께서 뒤처리를 잘해 두신 덕에 지난 삼 년간 계속 쭈 그러져 있었으니, 아마 다들 독이 오를 대로 올라 있을걸."

정통성을 가졌다는 구실로 제국의 황위를 나눠 갖던 십이 공작들도 거의 다 죽어 없어진 이때. 막말로 황제 레오폴드가 후손을 보지 못하면 다음 보위가 어디로 향할지는 아무도 모른다.

본능적으로 알아서 살길을 도모하는 귀족들이 가장 먼저 연을 대는 가문은 당연히 병력을 틀어쥐고 있는 업다이크 후작가. 황실조차 함부로 건드리지 못하는 변경백 가문의 세력이 커지는 거야 지극히 당연한 일이었다. 소매에 이어 재킷의 주름까지 쫙 당겨 옷 선을 바로잡은 하인리히가 다니엘을 보며 씩 웃었다.

"그런데 갑자기 황실 법원은 왜? 드디어 마음 정한 거야?"

은근한 기대가 담긴 질문에 다니엘은 한심하다는 감정이 여실히 담긴 조소를 지어 보였다.

"하인리히, 분명히 말하지만 난 구역질 나는 너희 귀족들 다툼에 낄 마음 없어."

하인리히가 장난스럽게 눈을 깜박이며 다니엘을 놀렸다.

"이런, 다니엘. 너도 귀족이잖아. 설마 우리 리하르트 공작 전하께선 여태 본인이 누구인지 기억하지 못하는 거야?"

"약삭빠르고 의리 없는 기회주의자들의 다른 이름이 '귀족'이라는 건 똑똑히 기억나."

하인리히가 큭큭 웃으며 다니엘의 어깨를 쳤다.

"진짜 난 네놈이 까칠하게 굴 때면 좋아 미칠 것 같아. 우리 처음 만났을 때 기억나냐? 내가 나무에 대롱대롱……."

"거꾸로 매달려 있었지."

결코 재밌는 얘기일 리가 없건만 하인리히는 배를 부여잡고 깔깔댔다.

"네놈이 막무가내로 다 쓸어버리는 바람에 놀란 솔론족 우두머리가 내

목에 칼을 대고 막 소리쳤잖아. 가까이 오면 베어 버린다고. 그때 네가 피 묻은 입술을 이렇게 닦으며 말했지."

하인리히가 다니엘을 흉내 내듯 왼손 엄지로 아랫입술을 문대며 말했다.

"목은 베도 좋은데 얼굴은 건드리지 마. 곱상하니 볼만한데 아깝잖아."

말을 마치자마자 숨이 넘어가게 웃던 하인리히가 끝내 기둥에 허리를 기대며 킥킥댔다.

"하하하! 난 그래서 네가 내 얼굴에 관심 있는 줄 알았다니까?"

만약의 경우, 아들 장례를 치를 변경백을 위해 얼굴이라도 멀쩡히 보전해 주려고 한 말일 뿐이었다. 저리 두고두고 재밌어하며 어림도 없는 의미를 부여할 줄 알았으면, 솔론족 대장이 뭔 짓을 하건 내버려 둘 걸 그랬다.

"너 그때, 진짜 엄청 멋졌어. 내가 목에 칼이 들어오고, 얼굴로 피가 쏠린 와중에도 감탄을 금치 못했다고."

더 길게 말 섞지 말자 싶어 다니엘은 본론을 꺼냈다.

"황실 법원에 보일드 남작 가문의 영지 소유권 분쟁을 해결해 달라는 요청이 들어갔을 거야. 넌 최대한 시간을 끌라고 연락만 해 놔."

"누구? 보일드 남작? 우리 집사장님 땅이 왜?"

할 말을 마친 다니엘이 뒤를 돌아 나오자 하인리히가 그를 따라와 옆에 바짝 붙었다.

"뜬금없이 그게 뭔 소리야? 그 볼 것도 없는 영지에 무슨 소유권 분쟁이야? 남작 작위 물려받은 지도 한참 되지 않았나?"

"황태후가 남작에게 딴생각하지 말라고 경고하고 싶나 보지."

눈꼬리와 입술을 동시에 찡그리던 하인리히가 '아하' 하고 소리쳤다.

"그렇군. 하긴, 널 감시하라고 보냈는데 소처럼 일만 하느라 바쁘신 우리 집사장께선 본분을 잠시 잊으신 듯하더라고. 근데 시간만 끄는 걸로 되겠어?"

"그거만 해. 나머진 우리가 알아서 할 테니까."

어려운 일도 아니니 바로 처리할 수 있었다. 한데 의문이 들긴 했다. 하인리히는 보폭이 넓은 다니엘의 걸음을 따라가며 계속 종알거렸다.

"그나저나, 넌 남작을 왜 돕는 건데?"

"없으면 아쉬우니까."

"아쉬워? 아…… 남작이 없으면 우리 공작 부인께서 다시 바빠질 테고, 그럼 너랑 안 놀아 줄까 봐?"

완벽하게 이해됐다며 하인리히가 연신 고개를 끄덕였다.

"그렇지. 예쁜 부인 밤이고 낮이고 물고 빨아야 할 텐데. 우리 공작 부인께서 다시 바빠지시면 안 되지. 암, 안 되고말고. 큭큭큭."

걸음을 멈춘 다니엘이 살벌하게 인상을 쓰며 하인리히를 돌아봤다.

"입 좀 닥쳐, 하인리히."

적당히 입을 다무는 법이라곤 모르는 시끄러운 자식. 한 번 더 강하게 주의를 주려던 찰나, 하인리히가 그의 어깨 너머로 까치발을 들며 손을 흔들었다.

"아이고, 우리 집사장님! 부인과 산책 나오셨나 보네. 사랑이 꽃피는 공작성. 좋네, 좋아."

보일드 남작 부부를 발견한 다니엘은 가늘게 눈을 좁히곤 성큼성큼 남작 부부가 있는 방향으로 걸어갔다. 다니엘을 발견한 두 사람이 미처 예를 갖추기도 전, 그가 대뜸 마틸다에게 질문부터 건넸다.

"프리다는 어디에 있습니까?"

"지루해."

페트리샤 뷔테인이 겪고 있는 펜하임 성의 나날들에 대한 감상은 이 한

마디로 모든 것이 표현되었다. 오늘도 그녀를 초대해 주는 이도, 상대해 주는 사람도 없는 따분한 하루였다. 황제는 성에 도착하자마자 페트리샤를 나 몰라라 하며 툭하면 어디론가 사라지지. 그나마 얘기라도 나누던 보일드 남작 부인도 입덧이 심해졌다는 핑계로 금세 돌아가 버리기 일쑤였다.

상대할 귀족이라곤 늙은 챔벌린 백작뿐인데……. 그 인간과 체스를 두는 일은 이제 죽어도 더는 못 하겠다. 정말 지루해 미칠 지경이다.

"이럴 줄 알았으면 오지 말 걸 그랬어, 엠마."

페트리샤는 바구니를 들고 그녀를 뒤따르는 하녀에게 툴툴댔다.

"그러게요. 저도 이렇게까지 아무것도 없는 시골일 거라곤 상상도 못 했어요, 마님."

"죄다 엉망이야, 엉망. 이리 후진 곳은 정말 처음이야."

성이 제대로 정비되지 않았으니 수행원을 최소한으로 해 달라는 요청이 도착했을 때 눈치챘어야 했는데. 다니엘 리하르트를 만나러 간다는 설렘이 앞서 이성을 잃었는지도 모르겠다.

'정작 그 인간은 코빼기도 안 비추는데. 난 여기 왜 온 거냐고!'

첫날 공작 성에 도착해 다니엘을 봤을 땐 심장이 털썩 내려앉았더랬다. 삼 년이나 의식을 잃고 있었다는 게 믿어지지 않을 만큼, 그는 여전히 멋졌다. 야성적인 검은 머리칼도 그대로고, 세상을 발아래에 두고 보는 듯한 무심하고 도도한 얼굴도 전과 같았다. 아니, 전보다 더 근사해 보였다.

저녁 만찬을 함께할 땐 제 심장 소리가 그에게 들리는 게 아닌가 걱정이 될 정도였으니. 다른 남자의 아내가 되고, 황제의 정부가 되었어도 페트리샤에게 다니엘은 풋풋한 소녀 시절 가졌던 첫정이었다.

아마 그 시절 쉔달 성에 드나들던 귀족 여인이라면, 아가씨든 결혼한 여자든 대부분 그랬을 것이다. 부와 명성을 가진 스베르겐의 이름 있는 귀족들 사이에서도, 그는 단연 눈에 띄는 남자였으니까.

비교적 한미한 귀족의 딸이었던 페트리샤는 물론, 높은 작위의 대단한 가문 아가씨들까지 모두 다니엘을 탐냈다. 그는 금단의 열매였기에 더 욕심나고 끌리는 남자였다. 귀족 신분의 여인들이 사생아인 그와 할 수 있는 일이라곤 잠깐의 불장난뿐. 그걸 다 알면서도 몸이 단 여인들은 기꺼이 불 속으로 뛰어들고 싶어 했다.

다니엘에게 작위가 내려진 후엔 누가 그를 차지할 것인가를 두고, 혼기가 찬 아가씨들 사이에서 나름 치열한 공방전이 벌어졌었다. 그중 가장 적극적이던 샤이데만 백작 영애가 성급히 나섰다 대차게 거절당했다는 소문이 돌기도 했다. 진실 여부를 떠나 당시에 다들 얼마나 통쾌해했는지 모른다.

"후후."

"왜 그러세요, 마님?"

페트리샤가 참지 못하고 웃음을 흘리자 하녀 엠마가 걱정스레 눈을 찌푸리며 다가왔다.

"아니야. 그저 우스운 일이 생각나서."

"이리 즐겁게 웃으시는 거 오랜만에 봐요."

"그러게. 그동안 도통 웃을 일이 없었네."

하릴없이 터덜터덜 성 주변을 산책하던 그녀는 은은하게 퍼지는 허브 향기에 취해 걸음을 멈췄다. 크기만 하고 볼 것 하나 없는 투박한 성과 어울리지 않게, 곳곳마다 향기로운 허브 향기가 났다. 그리고 보니 보일드 남작 부인이 분명 성벽 안에 아주 큰 허브밭이 있다고 했는데.

"엠마, 보일드 남작 부인이 말한 허브밭 말이야. 혹시 이 근처……."

"마, 마님. 저기 좀 보세요."

하녀가 가리키는 곳으로 시선을 돌린 페트리샤는 숨을 크게 들이마셨다. 아직 몸이 회복되지 않아 바깥출입을 못 한다던 다니엘이 그녀를 향해 걸어오고 있었다. 과거 쉔달 성에서 보았던 늠름한 모습 그대로, 긴 다리로 성큼성큼.

'맙소사. 진짜 리하르트 공작이잖아.'

페트리샤는 얼떨결에 양손을 꼭 마주 잡았다. 그에게 인사를 건네야 하는데 머릿속이 멍해졌다.

'혹시 나를 기억하려나?'

뷔테인 남작 부인이 아닌 페트리샤인 저를 알아봐 주지 않을까 싶어 가슴이 뛰었다. 결혼 전 그녀는 다니엘이 참석하는 파티란 파티는 다 참석했고, 가끔 그와 가벼운 눈인사도 나눴다. 그의 짙은 적갈색 눈동자가 제게 닿았던 순간이 하나하나 다 생생하게 기억났다.

할 말을 준비하지 못하고 엉거주춤하는 사이, 다니엘과의 거리가 점점 좁혀졌다. 두 걸음쯤 떨어진 곳에서 멈춰 선 그가 페트리샤를 향해 말없이 까딱 고개를 숙였다. 과거 쉔달 성 여인들의 심장을 설레게 만들던 정중하고 깍듯한 인사였다. 페트리샤 역시 인사를 건네기 위해 서둘러 무릎을 꺾었다.

"아, 안녕하세요. 리하르트 공……."

하지만 인사를 마친 다니엘은 아는 체는커녕 단 한마디 말도 없이 바람처럼 가볍고 빠르게 그녀의 곁을 지나쳐 가 버렸다. 끝맺지 못한 페트리샤의 인사가 이미 떠나 버린 그의 빈자리에 쓸쓸히 내려앉았다.

언제부터 바닥에 주저앉아 있었는지 모르겠다. 레오폴드는 오른쪽 무릎을 세워 대충 아무렇게나 툭 팔을 걸쳤다. 시간이 흘러가며 자세는 점점 더 삐딱해졌다.

창을 지나, 서고 안으로 들어온 햇살이 문에 닿아 꺾였을 땐 분명 꼿꼿하게 허리를 세운 채 서 있었다. 햇볕이 서고 안 책장을 가로질러 한가운데 도착했을 때쯤에는 다리가 풀려 책장에 기댔던 것 같다. 그 후 저도 모르게 어느새 바닥에 주저앉았고.

이제 햇살은 슬금슬금 프리다가 있는 책상으로 다가가는 중이다. 잠시도 딴청을 피우지 않는 성실 그 자체인 여자를 향해 조금씩, 조금씩.

부지런히 책장을 넘기다 어딘가에 표시를 하는 손이 바쁘다. 그러다 또 뭔가를 옮겨 적는 일에 푹 빠진 프리다는 레오폴드가 같은 장소에 있다는 건 아예 잊은 눈치였다.

자신이 이토록 존재감이 없는 인간인 줄 미처 몰랐다. 문득 국정을 살필 때면 온종일 책상 앞에 앉아 식사도 잊고 열중하는 어머니가 떠올랐다. 갑자기 우스운 생각이 든 레오폴드가 싱겁게 입술을 터트렸다.

'누가 보면 하크본이 아니라 바이첸 가문 딸인 줄 알겠네.'

뭘 그리 열심히 보냐고 물을까 싶다가도, 진중한 눈빛과 결연히 다문 입매를 보고 있자니 쉬이 입이 떨어지지 않았다. 솔직히 무방비한 그녀를 보는 일은 나름 흥미로웠다. 황제 앞에서 긴장하지 않는 사람을 보는 건 흔치 않은 일이라. 그러나 전에도 느껴 본 기분임을 상기하는 순간, 입가가 씁쓸하게 비틀렸다.

엄연한 적통 후계자인 레오폴드 앞에서 기가 죽기는커녕 마치 제 자리를 빼앗긴 것처럼 적반하장으로 굴던 다니엘도 저랬었다. 레오폴드가 있든 말든 상관없이 제 할 일만 하곤 했었다.

'다니엘의 그 당당함에 혹했던 철없는 시절도 있긴 했지.'

점점 무너지는 머리를 아예 무릎에 올린 팔에 기댄 채 보고 있는데, 드디어 기울어진 햇살이 책상에 도착했다. 빨간 색유리를 지난 햇살이 프리다의 머리칼을 붉은 석양빛으로 물들였다.

'붉은 머리도…… 잘 어울리네.'

불쾌한 상념 따윈 지워 버린 흐뭇한 표정으로 형체가 없는 불꽃에 서서히 타들어 가는 그녀를 바라보았다. 붉은빛이 얼굴까지 닿자 그제야 햇살을 느낀 프리다가 손으로 볕을 가리며 눈살을 찌푸렸다. 그러다 마침내 레오폴드와 눈이 마주쳤다.

"어머, 폐하!"

놀라는 모습을 보아하니 진짜 그가 여기 있음을 까맣게 잊어버린 모양이다. 왜인지 살짝 속상했다.

"여태 여기 계셨던 거예요?"

이어지는 질문은 황당했고. 픽, 웃음을 터트린 레오폴드가 고개를 들었다.

"몰랐는데, 제가 존재감이 희미한 편인가 봅니다."

책상을 양손으로 짚으며 일어난 프리다가 아니라며 마구 고개를 저었다.

"아니요. 아닙니다. 그저……. 제가 워낙 마음이 급하다 보니 경황이 없어 결례를 범했습니다. 정말 죄송합니다, 폐하."

프리다는 정중하게 사과를 전하면서도, 변명인지 아닌지 모를 깜찍한 소리를 함께 늘어놓았다.

"그런데 왜 계속…… 여기에 계셨을까요? 그냥 나가셨어도 되는데. 아니면 있다고 기척이라도 하시지……."

나름 억울하다는 감정이 얼굴에 그대로 드러났다. 있으라고 하지도 않았는데 왜 네 맘대로 기다려 놓고 시비냐. 뭐, 이런 느낌이랄까. 억울하고 황당한데 어쩐지 유쾌해 자꾸 웃음이 났다.

"오기가 생겨서요."

책장을 잡고 일어난 레오폴드가 먼지 묻은 옷을 툭툭 털고는 프리다에게로 걸어왔다.

"뭘 보고 계셨기에 한 시간도 넘게 제 존재를 잊으신 건지 궁금하기도 하고"

허세로 가득한 귀족들의 기나긴 이름과 그들의 역사가 담긴 재미없는 책들이다. 그런데 뭐가 그리 흥미로워 이 여자의 시선을 붙들었을까. 레오폴드가 책으로 손을 뻗는 찰나.

"하, 한 시간이요?"

뒤로 물러서던 프리다가 무심코 건드리는 바람에 등받이가 있는 의자가 꽈당 바닥으로 넘어갔다.

"큰일이다. 다니엘이 기다릴 텐데……."

프리다가 허둥지둥 잉크가 채 마르지 않은 서류를 챙겨 들 때였다.

덜컥.

또 기척 없이 서고의 문이 열렸다. 깜짝 놀라 몸을 틀던 프리다가 방으로 들어서는 사내를 향해 함박웃음을 지으며 뛰어갔다.

"다니엘! 나 여기 있는 거 어떻게 알았어요?"

갑자기 나타난 남편이 반가운 듯 들뜬 목소리에 애정을 가득 담고.

'아……. 그랬던가?'

'라우라 차르도'에 이어 '프리다 하크본'까지. 다니엘에겐 어울리지 않는 과분한 것들이 자꾸 그의 것이 된다. 돼지 목에 진주 목걸이를 거는 게 낫지. 제가 가진 것의 소중함을 알지도 못하는 다니엘에게 그런 예쁜 것들이 가당키나 하냔 말이다.

'이러니 내가 신경질이 안 나겠냐고.'

갈수록 짜증이 짙게 배어 나왔다. 레오폴드는 저를 바라보는 다니엘 앞에서 보란 듯이 웃음기를 거둬들였다. 억지로 웃는 것도 이젠 신물이 난다.

마리안 홀까지 이어지는 긴 복도를 걸어가는 동안 다니엘은 내내 말이 없었다. 화가 난 것 같긴 한데 아닌 듯도 하고. 기분이 안 좋아 보이기도 하고, 생각이 많은 것 같기도 했다. 프리다의 보폭에 맞춰 느릿느릿 걸어서인지 더 그래 보였다.

남편을 흘끔거리던 프리다는 스카디 홀을 지나갈 때 즈음 슬쩍 다니엘의 소매를 잡아당겼다. 그러자 다니엘이 눈을 마주쳐 왔다. 프리다가 먼저 배시시 웃자, 그녀를 내려다보던 다니엘도 피식 따라 웃었다.

"힘들면 안아 줄까요?"

걸음을 멈춘 프리다는 주변을 두리번거렸다. 손님이 늘고 사용인들도 늘어난 터라 간간이 복도를 지나가는 사람들이 눈에 들어왔다. 프리다는 조금은 장난스럽게, 위엄을 갖춘 귀족 부인들을 흉내 내며 목에 바짝 힘을 주었다.

"아니요, 공작님. 저 혼자 충분히 걸어갈 수 있답니다. 주변에 보는 눈이 많으니 품위를 갖춰 주시겠어요?"

"내가 품위 없이 굴어서 싫습니까?"

"아니요, 다니엘! 그럴 리가 없잖아요."

의외의 말에 깜짝 놀란 프리다가 다니엘의 소매를 붙든 채 동동거리며 물었다.

"왜 그래요? 혹시 내일 황제 폐하와 산책하겠다고 해서 화난 거예요? 말했잖아요. 내가 오늘 폐하께 여러 번 무례를 저질러서, 거절할 수가 없어 그런 거라고……."

프리다를 데리러 왔다는 다니엘에게 황제는 저녁 식사를 함께하자고 제안했다. 하지만 다니엘은 정중히 제안을 거절했다.

"심하게 앓은 이후 오늘이 아내의 첫 외출입니다. 양해해 주신다면 좀 더 몸이 회복된 다음 격식을 갖춰 모시겠습니다. 폐하."

"아하, 그랬던가요? 하면 어쩔 수 없지요. 대신 내일 부인과 함께 가벼운 산책이나 할까 싶은데 어떠십니까? 아픈 형수님을 오래 붙잡진 않을 테니 그쯤은 양보해 주시지요. 형님."

"네, 폐하. 저는 좋습니다. 그럼 내일 뵙겠습니다."

한 번 더 거절하는 건 안 되겠다 싶어 프리다가 먼저 그러자며 선수를 쳤다. 다니엘은 그 결정이 아주 못마땅한 모양이었다.

"아주 잠깐만 나갔다 빨리 들어올게요. 나도 이제 전처럼 대책 없이 돌아다니진 않을 거라고요."

프리다는 주먹을 꽉 움켜쥐고 있는 다니엘의 손을 슬그머니 붙들었다. 이젠 남편의 버릇을 좀 알 것 같다. 낯빛을 일그러트리는 법이 거의 없는 다니엘은 대신 종종 주먹을 움켜쥔다는 걸.

프리다는 꼭 다물린 손가락 사이를 꾸역꾸역 비집고 들어가 그 안에 제 손을 밀어 넣었다. 겨우겨우 깍지를 끼는 데 성공한 게 기뻐 그의 손을 잡고 흔들흔들 흔들었다.

"나, 당신 옆에 오래오래 있어야 하잖아요. 내 몸을 세상에서 가장 귀하게 다룰 거라고요."

장난스럽게 몸을 배배 꼬며 싱글싱글 웃자 다니엘이 그녀의 허리를 잡아당겼다.

"이런 건 대체 누가 가르쳐 준 거야?"

발끝이 들리고, 엉겁결에 벌어진 입술 사이로 그가 밀려들었다.

프리다의 허리를 번쩍 들어 안은 다니엘은 손에 잡히는 대로 복도의 아무 방문이나 열어젖힌 후 그 안으로 들어갔다.

쾅!

문이 닫히자마자 프리다의 입술을 재차 머금었다. 그녀가 레오폴드와 함께 있는 모습을 본 순간 수많은 감정이 밀려들었다. 의심, 분노, 두려움……. 그리고 이따위 감정을 가지는 못나 빠진 자신에 대한 자괴감.

다니엘은 천천히 입술을 떼고 아내를 바라보았다. 그녀의 눈동자 안에 갇혀 옴짝달싹 못 하는 사내가 보였다.

'당신을 어째야 좋을까, 프리다.'

네가 나의 약점이 될 걸 알면서도 점점 더 네게 빠져드는 나를 멈출 수가 없어. 어느 것 하나 명쾌하지 않은, 혼란스럽고 복잡한 일투성이건만. 프리다를 눈앞에 두면 세상이 단순해졌다.

'이 여자와 오래오래 함께이고 싶다.'

오직 그 바람 단 하나만 남는다. 뭉근히 달궈지는 마음을 어쩌지 못해 지그시 바라보자 프리다가 안절부절못하며 그의 가슴을 밀었다.

"저기요, 다니엘. 여긴 손님방인데……."

"대체 서고엔 왜 간 겁니까?"

그는 프리다가 브라반트 홀에 갔다는 보일드 남작 부인의 말을 듣고 상상했던 가장 최악의 상황을 맞닥트렸다.

레오폴드에게 그녀에 대해 무엇 하나 알리거나 들키고 싶지 않았다. 그래서 일부러 피할 수 있는 한 피하려고 노력했는데. 왜 당신이 그 자식과 함께 있는 거냐고. 프리다의 잘못이 아닌 걸 알기에 화를 낼 수도 없는데, 얽히고 설킨 머릿속은 금방이라도 터지기 일보 직전이었다.

"보일드 남작에게 문제가 생겨서요……."

예상치 못했던 인물이 언급되자 다니엘이 눈썹을 치켜올리며 되물었다.

"보일드 남작?"

"네. 누군가가 남작의 영지에 대한 소유권을 주장한다고 황실 법원에서 통보가 왔대요."

이 정보가 어떻게 프리다의 귀에 들어간 거지?

"마틸다가 아침부터 걱정이 많더라고요. 내가 도와줄 수 있는 게 없을까 해서 서고의 귀족 연감을 뒤지고 있었어요."

정보의 출처를 확인한 그는 옅은 한숨을 내쉬었다. 마틸다. 이 이름만은 죽는 날까지 잊지 못할 것 같다.

"연감은 왜요?"

"작위의 상속 과정에 문제가 없었는지 확인하려고요. 만약 문제가 없는 게 확실하다면 황실 법원에 도착한 서류는 명백한 가짜라는 말이잖아요. 그것부터 정확히 확인해야 제대로 도울 수 있을 것 같아서요."

진실을 더 확실하게 드러내어 거짓을 무력화한다. 거짓을 깨부술 다른 변칙적인 방법을 알지 못하는 프리다가 쓸 수 있는, 지극히 그녀다운 정직한 대처 방법이다.

같은 문제를 두고 두 사람이 각자의 방식대로 고민하고 있었다니. 다니엘은 이 상황이 신기하고 기특해 프리다의 머리를 쓰다듬었다.

"그건 내가 해결하는 중이니 당신은 신경 쓰지 않아도 돼요."

"어머. 다니엘도 알고 있었어요?"

언제, 어떻게 알았냐고 물으면 답하기가 곤란해질 것 같아 서둘러 말을 바꿨다.

"이제 들었으니 내가 해결하겠다는 뜻입니다. 그 일 때문에 더는 브라반트 홀에 갈 필요 없어요."

"그 방법이 뭔지는 안 알려 줄 거예요?"

"나중에. 다 해결되고 나면."

의혹을 담은 눈빛을 보내면서도 프리다는 착한 아이처럼 알았다며 고개를 끄덕였다. 그다음 물끄러미 그를 바라보며 머뭇거리다 조용히 물었다.

"저…… 다니엘. 아직도 황제 폐하가 많이 불편해요? 그 일…… 때문에?"

불편하다. 그 단순한 표현 안에 함축된 의미가 너무도 명확히 제 속내를 반영하고 있어 헛웃음이 나왔다.

본질을 흐리는 군더더기를 거두고 나면 답은 언제나 명료해진다. 어쩌면 레오폴드와 자신이 함께해 온 세월의 시작부터 지금까지 두 사람 사이는 '불편한 관계.' 이 한마디로 정의할 수 있을지도.

"꼭 그 일 때문만은 아닙니다."

허탈하도록 간단한 답이 우스워 뭔가를 덧붙여야만 할 것 같았다. 돌연 머리가 지끈거렸다. 다니엘이 눈을 찡그리자 프리다가 그의 눈 옆 움푹 파인 관자놀이로 손을 뻗어 그곳을 꾹꾹 눌렀다.

"봐요. 고민이 많아지니 또 여기가 아프잖아요."

프리다가 눈을 찌푸리며 엄한 가정 교사처럼 그를 노려봤다.

"약속해요, 다니엘. 아프면 꼭 나한테 말하는 거예요. 혼자 참으면 절대 안 돼요."

누가 누구 몸을 걱정하는 건지 원. 다니엘이 제 머리를 누르고 있는 프리다의 작은 손을 꼭 쥐며 말했다.

"당신도 약속해요."

프리다의 천진한 손길과 순수한 눈길이 닿을 때마다 몸이 울렸다.

"날 떠나지 않겠다고."

"그게 무슨 소리예요? 내가 왜 당신을 떠나요?"

이유야 수도 없이 많다. 그의 어두운 면을 알고 나니 도저히 참을 수가 없어서. 본성을 드러낸 그가 몸서리치게 싫어져서. 언젠가는, 어쩌면 예상보다 빨리 닥칠지도 모르는 일이다.

"나한테 실망하는 일이 생기더라도 날 버리지 않겠다고 약속해, 프리다."

"다, 다니엘. 그게 무슨……."

얼른 그러겠다고 고개를 끄덕여. 제발. 그러나 그녀가 원하는 답을 빨리 들려주지 않자 불안해졌다. 다니엘은 프리다의 팔을 꽉 움켜쥐었다.

"만약 그런 마음을 먹었다 해도 절대 들키지 마."

나는 그런 상황을 이해하지도 않을 거고, 당신을 놔주는 일 같은 건 죽어도 없을 테니.

"대답해. 프리다."

덜컥.

그 순간 난데없이 문이 열리자 깜짝 놀란 프리다가 '꺄악!' 소리를 지르며 다니엘의 품으로 뛰어들었다.

"뭐, 뭐야? 왜 댁들이 여기 있어?"

그녀를 꼭 안은 다니엘이 방으로 들어오는 남자를 살벌하게 노려보며 외쳤다.

"당장 나가, 하인리히!"

제 방으로 들어오다 놀란 하인리히가 질겁하며 뒤로 물러섰다.

"내가? 야, 여긴 내 방이야. 아니. 넓고 좋은 자기들 침실 놔두고 왜 여기서 이러는 건데?"

그러곤 저를 죽일 듯이 노려보는 다니엘을 한심한 눈으로 바라보았다.

"이봐요. 리하르트 공작 전하, 지금 노려봐야 할 사람은 나거든?"

기껏 도와 달라기에 전서구를 띄우고, 그것도 모자라 급히 전령까지 보냈다. 이제야 좀 편히 쉴까 하고 들어왔더니 왜 남의 방에서 애정 행각이냐고!

결국 하인리히는 짜증이 치밀어 꽥 소리를 질렀다.

"당장 안 나가? 사랑 타령은 네 방에 가서 하라고, 이 미친놈아!"

살다 살다 정말 별꼴을 다 당한다, 내가. 하인리히는 벌컥 연 방문을 붙든 채 다니엘에게 눈을 부라렸다.

## 7. 날 가져. 영원히

공작 성에 도착한 이후 레오폴드는 처음으로 페트리샤의 방을 찾았다. 거친 밤이었다. 자신을 통제하는 능력이 특출 난 황제가 웬일인지 감정을 주체하지 못하고 폭주했다. 페트리샤는 결국 눈물을 터트렸다.

"흑, 흑."

훌쩍거리는 페트리샤 옆으로 벌러덩 누운 레오폴드가 팔로 눈을 가렸다.

"망할."

하나같이 죄다 엉망진창인 심경을 설명할 단어가 이것밖에 생각나지 않았다. 길게 심호흡을 내쉰 그는 다시 침착하고 냉철한 황제 레오폴드 볼슈타크 2세로 돌아왔다.

"이리 와. 페트리샤."

페트리샤가 울음을 머금은 채 그의 가슴으로 파고들었다. 너그러이 팔을 내준 레오폴드는 조금 전과는 전혀 다른 부드러운 손길로 그녀의 머리를 쓰다듬었다.

"심하게 굴어서 미안."

토라졌는지 답이 없는 페트리샤의 어깨를 다정히 쓸어내렸다. 그는 정부에게 큰 불만이 없었다. 애초에 불만이 생길 만큼 뭔가를 기대한 적이 없었다. 페트리샤는 자신이 가지고 싶은 것보다 가질 수 있는 것에 집중하는 여자였다.

지독했던 소녀의 첫정을 가슴에 품고도 뷔테인 남작과 결혼했고, 끝내는 황제의 품에 안긴 여자. 레오폴드는 제 분수를 알고 행동하는 그녀의 영악함과 솔직함이 좋았다. 사랑이라는 헛된 꿈에 매몰되지 않고, 눈앞의 행복을 거머쥐는 현명함을 가진 것도 괜찮았다.

지난번 임신 소동도 그렇지만, 대체로 속이 빤히 보여 귀찮을 일이 없었고. 그래서 페트리샤와 있으면 솔직해졌다. 주절대며 속내를 풀어 내기에 그녀만큼 좋은 이야기 상대는 흔치 않았다.

"내 아버지는 격식에 얽매이지 않는 자유로움과 타고난 품격을 갖춘 진정한 리하르트라고 불렸어."

돌아가신 부친 '브루노 리하르트' 공작에 대한 세간의 평은 그랬다. 그는 십이 공작이면서도, 중앙 정계에 진출하지 않고 기꺼이 곁가지로 살았다. 하지만 십이 공작의 피를 물려받은 그에게 황위 다툼은 피할 수 없는 운명. 리하르트는 바이첸이 제안한 결혼 동맹을 거부하지 못했다. 우선은 살아남아야 하니까.

"한데 유일한 적통 후계자인 나는 언제나 '바이첸스럽다'는 말을 들었지."

뒷구멍으로 일이나 꾸미는 바이첸. 피도 눈물도 없는 잔인한 바이첸. 몸에 붉은색이 아닌 시퍼런 피가 흐른다는 냉혈한 바이첸.

"어렸을 때는 그 말이 진짜 듣기 싫더라고. 다들 사생아인 다니엘에겐 리하르트답다고 하면서 나에겐 어머니를 빼닮았다는 거야."

레오폴드는 실소를 흘리며 페트리샤를 당겨 이마에 입을 맞췄다.

"인간들이 참 대단해. 나도 모르는 나를 어쩜 그리 잘 아는지. 내가 그 사실을 언제 깨달았는지 알아?"

페트리샤가 벌거벗은 그의 가슴에 뺨을 비비며 코맹맹이 소리로 물었다.

"언젠데요?"

"일곱 살이 되던 해."

"일곱 살이요? 너무 어릴 때잖아요."

"바이첸의 피가 어디 가나? 나이답지 않게 조숙했지. 그 계기는 더 기가 막히고."

다시 떠올려 봐도 퍽 우습다. 레오폴드는 페트리샤의 머리에 얼굴을 파묻고 킥킥 웃어 댔다.

"눈사람을 만들다 알았다니까. 아, 난 빼도 박도 못하고 바이첸이구나. 다른 것도 아니고 눈사람을 만들다 알았어. 하하."

그해 겨울, 첼리노 근방에 자리 잡은 리하르트 공작의 영지엔 흔하게 눈이 내렸다. 리하르트 공작가의 앞마당이 펑펑 내리는 눈으로 하얗게 뒤덮인 날이었다. 눈밭을 뒹굴고 싶었던 레오폴드는 어머니 마그리트의 눈을 피해 아버지의 정부 라우라가 사는 별채로 달려갔다.

원래 다른 저택에 살던 라우라와 다니엘 모자는 그해 공작 성의 별채로 들어왔다. 저보다 두 해 먼저 태어난 다니엘의 머리가 제법 좋아 아버지가 공부를 더 시키고 싶어 한다고 들었다. 그러거나 말거나 큰 관심을 두진 않았다. 어린 마음에 그래 봤자 사생아가 뭘 하겠나 싶었던 것 같다.

레오폴드가 도착했을 때, 별채 앞뜰은 이미 아이들이 만든 눈사람으로 가득했다. 터가 넓어 눈사람을 만들기에도 좋았고, 라우라가 아이들을 좋아해 앞뜰을 자주 놀이터로 내어 주곤 했기 때문이었다.

어린 레오폴드는 글이나 읽을 줄 알지 뭘 만들어 본 적이 없었다. 그래서 뜰에 널린 여러 눈사람 중 레오폴드의 것이 가장 작고 초라했었다. 제가 만든 눈사람이 볼품없어 보이는 까닭을 천한 아이들이 주제도 모르고 크게 만든 눈사람 때문이라 여겼다. 죄다 발로 차 뭉개 버릴까 고심하고 있는데 다니엘의 어머니 라우라가 다가와 말을 걸었다.

"음…… 레오폴드 도련님의 눈사람은 크기가 아니라 표정이 문제네요. 웃으면 훨씬 멋질 것 같은데요? 그렇지, 다니엘?"

아들을 보며 웃는 라우라의 검은 머리가 하얀 눈을 소복이 덮은 채 하얗게 변해 있었다. 프리다를 처음 봤을 때, 아마 그날의 라우라를 떠올렸는지도 모르겠다. 돌이켜 보니 제게 다정히 웃어 주던 다니엘의 어머니와 미소가 닮았다. 레오폴드의 모친 황태후 마그리트께서 아들에게 단 한 번도 보여 준 적 없는 미소. 아들에게 웃어 주는 어머니도 있다는 걸, 그날 처음 알았다.

"실없이 웃는 게 뭐가 멋져? 바보 같아 보일걸."

부루퉁해진 레오폴드가 툴툴거리자 라우라는 더 크게 웃었다.

"사람이라면 자고로 웃는 얼굴에 한 번 더 눈을 주기 마련이에요. 절 믿고 입꼬리를 위로 올려 보세요."

웃기는 소리 말라며 비웃고 돌아왔지만, 그날 밤잠을 설쳤다. 결국 늦은 밤에 몰래 방을 빠져나온 레오폴드는 눈사람의 눈과 입 부분을 장식한 숯의 방향을 하늘을 향해 돌려놓았다. 역시 바보 같아 보였다. 괜한 짓을 했다며 후회하곤 방으로 돌아왔는데, 다음 날 놀라운 일이 벌어졌다.

초라하게 서 있던 제 눈사람에 이것저것 새로운 장식이 생겼다. 누군가가 머리에 두건을 씌웠고, 나뭇가지로 만든 팔도 달아 주었다. 그의 눈사람은 여전히 가장 작았지만, 뜰에서 가장 화려한 눈사람이 되었다.

그러나 레오폴드는 만족하지 않았다. 제 눈사람이 라우라의 앞뜰을 장식한 단 하나의 것이 되게 하고 싶었다. 오직 저만이 주목받을 수 있게. 다 가지고 태어난 제겐 그럴 자격이 충분하다고 믿었다. 그날 하인들을 시켜 뜰에 있는 다른 눈사람을 죄다 부숴 버렸다.

"그걸 담담히 보고 있던 라우라가 내게 이렇게 말했지."

"도련님은 역시 바이첸이네요."

"정말 기분이 더러웠지. 근데 웃긴 건 그 말을 부정할 수가 없더라고."

훗날 저에게까지 찾아와 어머니를 살려 달라던 다니엘의 간청을 끝내 못 들은 척 외면한 이유는 아마 그날 일 때문이었을 것이다.

"페트리샤."

정부의 어깨를 다정히 끌어안은 레오폴드가 나지막이 속삭였다.

"다니엘, 가지게 해 줄까?"

이른 새벽임에도 등잔이 필요 없을 만큼 날이 환하게 밝았다. 밖을 둘러보던 도미닉이 창문을 단단히 걸어 잠근 후 뒤를 돌았다.

"하얀 밤의 계절이 가까워졌네요."

스베르겐 제국에 여름이 찾아오면 온종일 해가 지지 않는 하얀 밤이 시작된다. 날은 뜨겁고, 하루해가 길어지니 사람들도 대부분 일찍 일어나 늦게 잠든다. 각종 사고가 끊이지 않는 어수선하고 위태로운 계절이 다가오고 있었다.

제국 곳곳의 최근 동향이 적힌 보고서를 읽던 다니엘이 맨 첫 장을 들어 도미닉에게 건넸다. 문서를 받아 든 도미닉이 즉각 벽난로 안으로 그것을 집어 던졌다. 막 불을 지핀 장작더미 위로 던져진 종이가 불꽃을 튀기며 활활 타올랐다. 그리고 얼마 안 가 순식간에 재가 되어 흔적도 없이 사라졌다.

이어서 동쪽 국경 상황을 읽는 다니엘의 표정이 점점 굳어 갔다. 팔꿈치를 접은 그가 손가락을 구부려 관자놀이를 꾹꾹 눌렀다. 그 모습을 본 도미닉이 눈을 가늘게 좁혔다.

"어제도 잠을 설치신 겁니까?"

요즘 다니엘은 부쩍 눈을 찡그리며 이마와 관자놀이를 만지는 버릇이 생겼다. 처음엔 황제 때문에 신경을 써서 그러나 했는데 횟수가 늘어나는 것이 영 꺼림칙하다.

"잠이야 매일 설치지."

다니엘이 심드렁히 대답하며 건넨 두 번째 장 역시 도미닉의 손을 거쳐 벽난로로 직행해 회색 재가 되었다. 도미닉이 웃음기 없는 진지한 목소리로 물었다.

"의사를 부를까요?"

"됐어. 조금 피곤한 것뿐이야."

다니엘 리하르트의 입에서 '피곤'이란 말이 나오다니. 하도 기가 막혀 저도 모르게 입이 쩍 벌어졌다.

'아니, 그 연약한 분을 데리고 밤마다 뭔 짓을 하기에.'

도미닉이 아래로 툭 빠진 턱을 위로 밀어 올리며 불퉁스레 말을 뱉었다.

"적당히 하세요, 멋대로 몰아붙이지 말고 공작 부인의 건강 상태도 고려해 가며 적당히, 상대방을 배려하시란 말입니다."

다니엘의 입술 새로 픽 터지듯 짧게 바람 빠지는 소리가 새어 나왔다.

"명심하지."

도미닉이 말하는 '적당히'가 무엇을 어떻게 얼마나 배려하라는 건지는 모르겠으나 다니엘로서는 충분히 적당히 하는 중이었다. 어젯밤에도 잠든 프리다를 안고 밤하늘을 얼마나 열심히 뒤졌는데. 더는 헤아릴 별이 남아 있지 않은 까만 하늘을 밤새 노려봤더니 아직도 눈이 아팠다.

프리다는 여느 때처럼 다니엘이 들려주는 별자리 이야기를 듣다 그의 품에서 쌔근쌔근 숨소리를 내며 잠이 들었다. 다니엘의 가슴에 얼굴을 묻고 일정한 간격으로 그의 심장을 간지럽히며.

풀잎 향기가 진해진 봄밤. 그는 부풀었다 가라앉기를 반복하는 가슴 위에 프리다를 올리고 뜬눈으로 지새웠다. 가끔은 프리다의 뒤척임에 긴장하고, 그러다 다시 나른해지기를 되풀이하던 역동적인 밤이었다.

그나저나 도미닉의 말대로 하얀 밤의 계절이 가까워졌으니 이젠 별 보기가 힘들어졌다. 테라스에 앉아 도란도란 얘기를 나누던 봄밤이 끝나 간다니

좀 아쉽다. 하지만 해가 떠 있는 시간이 길어질 테니 프리다의 시야가 한층 밝아지는 건 좋은 일이었다.

'앞으론 저녁 식사가 끝나면 함께 산책이나 하자고 할까.'

새로이 찾아낸 할 거리가 만족스러워 다니엘의 입가에 잔잔한 미소가 걸렸다. 다니엘에게서 눈을 떼지 않고 있던 도미닉에게도 보일 만큼 선명한 미소였다.

'실실대기는. 저렇게 좋을까.'

무표정하던 다니엘의 얼굴에 나날이 감정이 드리워지니 지나치게 티가 난다. 정작 본인은 모르는 눈치지만. 못 본 척해 주는 게 나을 듯싶어 도미닉은 부러 딴청을 피웠다.

마침, 아침 기병 훈련을 준비하는 용병들이 웅성웅성 떠드는 소리가 막힌 창문을 넘어왔다. 말소리가 새어 나갈까 싶어 닫아 두었던 창이 무색하도록 우렁찬 소리였다. 서류에서 눈을 떼고 가만히 귀 기울이던 다니엘이 다시 책상 위로 눈을 돌리며 말했다.

"리카르도에게 앞으로 아침 훈련은 거르라고 해. 부족한 만큼 저녁 훈련 시간을 더 늘리고."

"아니, 왜요? 안 그래도 해가 길어지면 늦게까지 부어라 마셔라 잠도 안 자고 난리들을 피워 댈 텐데. 아침 훈련까지 없으면 통제가 힘들어집니다."

다니엘이 접은 손마디로 눈과 귀 사이를 빙글빙글 돌려 누르며 무심히 답했다.

"훈련 소리에 프리다가 종종 아침 잠을 깨. 푹 자야 건강해지지."

"……."

도미닉은 목숨이 경각에 달린 아찔한 상황에서도 말문이 막혀 본 적 없었다. 그러나 요즘의 다니엘에겐 도저히 적응이 안 돼 대꾸할 말이 떠오르지 않았다. 건강해지셔야지. 아무렴, 우리 공작 부인께선 꼭 건강해지셔야 한다.

'그런데 말이야, 다니엘. 현재 그분이 건강해지는 데 가장 해가 되는 인간

이…… 너란 건 아냐?'

하고 싶은 말은 가득한데 지극히 은밀한 부부의 사생활에 대해 가벼이 혀를 놀릴 수 없어 입을 꾹 닫았다. 때마침 다니엘의 검토가 끝난 서류가 뭉텅이로 날아들었다. 도미닉은 벽난로에 종이 다발을 던져 넣고 부지깽이로 꾹꾹 쑤셨다. 벌겋게 타들어 가던 종이가 사라지고 재만 남는 광경이 묘한 쾌감을 주었다. 물을 끼얹어 불씨를 꺼트리기가 못내 아쉬워 잠시 더 눈을 두고 있던 도미닉이 다니엘을 흘끔 보며 말했다.

"오늘 안톤을 데리고 성 밖에 다녀오겠습니다."

하녀 마틸다를 만나러 가겠다는 말을 알아들었는지 다니엘이 담담히 고개를 끄덕였다. 그 일이 있고 난 후, 도미닉은 정기적으로 의사를 데리고 마틸다를 찾았다. 지난번 방문했을 때는 불행 중 다행으로 치료만 잘 받으면 다리를 심하게 절진 않을 수도 있다는 희망적인 얘기를 들었다. 도미닉이 그 소식을 전하자 다니엘은 계속 지켜보라는 짧은 답만 내놓았다.

원래도 다니엘은 구구절절 긴말을 늘어놓지 않는 편이었다. 해명이든 뭐든, 이미 벌어진 일에 대해 이러쿵저러쿵 말을 보태는 건 모두 뒤늦은 자기변명이라고 여기는 놈이니까. 세상엔 있었던 일이 없던 일이 되거나, 실수라는 핑계로 면해지는 죄 같은 건 없다나 뭐라나.

결과에는 책임이 따르며 죄를 저지른 자에겐 언제고 값을 치를 날이 온다는 세상 다 산 늙은이 같은 소리를 곧잘 했다. 그날은 서둘러 오지 않을 수도 있다. 그러나 아주 늦게, 기억이 가물가물해진 뒤가 될 수도 있지만 반드시 온다고. 변명이나 해명을 늘어놓는 대신 그날을 기다려 묵묵히 죗값을 치르는 쪽을 택하는 인간. 그게 다니엘 리하르트였다.

똑…… 똑.

시간차를 두고 들려오는 또렷한 노크 소리가 고요히 상념에 빠져들던 도미닉을 깨웠다. 다니엘도 관자놀이에서 손을 떼고 고개를 들었다. 표정이 부드러워지는 걸 보아하니 문밖에 누가 왔는지 깨달은 모양이다. 부지깽이로 벽난로 안을 휘휘 저으며 타지 않은 서류가 있는지 마저 확인을 마친 도미닉이 성큼 걸어가 문고리를 당겼다. 팅팅 부은 조막만 한 뽀얀 얼굴이 도미닉을 보며 싱그러운 아침 인사를 건넸다.

"좋은 아침이에요, 도미닉."

회복한 지 얼마 되지도 않은 분을 얼굴이 이리 부어오를 만큼 밤새 괴롭히다니.

'어휴, 저 미친 짐승.'

도미닉은 속으로 다니엘에게 욕을 퍼부으며 문고리를 꽉 쥐었다.

"네. 좋은 아침입니다, 공작 부인."

구김살 없는 화사한 아침 인사에 미소로 화답한 도미닉은 집무실 문을 활짝 열며 프리다를 반겼다. 안으로 들어온 프리다는 다니엘과 시선이 마주치자 수줍게 눈을 접어 웃었다. 다니엘의 입꼬리가 축 늘어진 버드나무 가지처럼 흐물흐물 풀어졌다.

'정말, 눈꼴시어서 못 봐 주겠네.'

진저리를 치며 눈을 돌린 도미닉이 프리다를 보며 의뭉을 떨었다.

"일찍 일어나셨네요? 용병들 훈련 소리에 놀라 잠을 깨셨나 봅니다."

"아니요, 도미닉. 그거야 매일 들리는…….."

"눈치 없이 목청만 큰 인간들 같으니라고. 제가 가서 따끔하게 주의를 시키고, 다시는 떠들지 못하게 하겠습니다."

프리다가 아니라며 손을 휘젓자 도미닉이 더 장난스레 목소리를 키우며 문밖으로 걸어 나갔다.

"우리 공작 부인 주무시는데 어딜 시끄럽게. 푹 주무시고, 얼른 건강해지셔서 좋은 소식 들려주십시오. 하하."

저를 노려보는 다니엘에게 보란 듯이 삐죽 입술을 내민 그는 프리다에게 싱긋 웃어 보인 후 재빨리 문을 닫았다.

"도, 도미닉……."

당황하며 그를 따라가 말리려는데 다니엘 특유의 차분하고 낮은 목소리가 들렸다.

"이리 와요, 프리다."

고개를 돌린 프리다가 도미닉이 나간 문을 가리키며 초조하게 그 앞을 서성였다.

"다니엘, 도미닉을 말려야 하지 않을까요?"

그러자 책상 앞으로 돌아 나온 다니엘이 모서리에 엉덩이를 걸치고 앉아 그녀에게 손을 뻗었다.

"이리 와."

정말 도미닉을 저대로 가게 놔둬도 되는 건가? 미련이 남아 문 쪽을 흘깃대면서도 프리다는 종종걸음으로 남편에게 다가갔다. 그 짧은 시간을 기다리지 못한 다니엘이 책상에서 엉덩이를 떼고 팔을 쭉 뻗어 프리다를 낚아챘다. 양팔로 프리다의 허리를 감아 당긴 그는 허벅지 사이에 아내를 가두듯 안았다.

"다니엘, 도미닉이……."

"날 보러 온 건 줄 알았는데."

"물론 당신을 보러 왔죠. 그런데요……."

볼록 솟아오른 눈두덩이에 가볍게 입을 맞춘 다니엘이 프리다의 눈을 바라보며 잔잔히 미소 지었다.

"그럼 나만 봐요."

다니엘은 그새 발갛게 타오른 프리다의 뺨을 양손으로 조심히 감쌌다. 그는 수줍어 어쩔 줄 모르는 부은 눈을 보며 빙그레 웃었다.

"왜 이렇게 일찍 일어났어요?"

아마 밖이 소란스러워 깼을 테지. 진즉 아침 훈련을 금지해 버릴 걸 그랬다는 후회를 하는 찰나. 프리다가 다니엘의 가슴에 폭 얼굴을 묻었다.

"그냥요. 당신이 옆에 없어서 허전했나 봐요."

실은 혼자 쓰기엔 너무 넓은 썰렁한 방과 침대 때문이다. 며칠 같이 잠들었다고, 그새 익숙해진 다니엘의 온기 때문인 것도 맞다. 다니엘이 옆에 없으면 주위의 공기가 차가워지는 기분이었다. 보통은 잠결에라도 남편이 보이면 안심하고 도로 눈을 감는데, 오늘은 이른 아침부터 그가 없어 깨고 말았다.

"아, 따뜻하다."

프리다는 어리광을 부리는 아이처럼 다니엘의 넓은 가슴으로 계속 파고들며 눈을 감았다.

"당신 품이 따뜻해서 그런가. 또 졸려요. 큰일 났어요, 다니엘. 나 너무 게을러진 것 같아."

"……프리다."

그녀를 부르는 다니엘의 음성이 뭔가에 짓눌린 듯 콱 잠겨 있었다.

"졸리면 눈 좀 더 붙일래요?"

포근한 온기에 싸여 노곤해진 프리다는 꼬물꼬물 더 깊이 몸을 붙이며 고개를 저었다.

"아니요. 이미 방에서 나왔는걸요. 영주의 아내가 사용인들에게 나태한 모습을 보이면 안 되죠."

"남들 눈에 띄는 게 걱정이라면 방법이 없는 것도 아니죠."

다니엘이 진득해진 붉은 눈을 빛내며, 소름 끼치도록 근사한 낮은 목소리로 프리다의 귓가에 속삭였다.

"안겨요. 내 침실로 갑시다."

맨몸에 헐렁한 로브 하나만 걸친 레오폴드가 페트리샤의 방에서 나왔다. 문 앞에서 기다리고 있던 빈더만 자작이 그의 뒤에 바짝 붙어 오며 조용히 속삭였다.

"북쪽에서 전서구가 도착했습니다."

느릿느릿 복도를 걷던 레오폴드는 문득 걸음을 멈추고 환하게 날이 밝아 오는 창밖 풍경으로 눈을 돌렸다. 평화로운 광경을 보고 있자니 치열한 전투를 열 번쯤 겪은 것처럼 피곤했던 머리가 차츰 맑아졌다.

"민트 차부터."

레오폴드는 짧게 한마디를 남기고 창가로 걸어갔다. 빈더만 자작이 그의 주문을 전달했는지 누군가 복도를 서둘러 걷는 소리가 들렸다. 창틀에 어깨를 기대고 눈을 감은 레오폴드는 아침 바람에 실려 오는 진한 나무 향기를 느끼며 숨을 크게 들이마셨다.

"말해."

그가 고해도 좋다 허락을 내리자 빈더만 자작이 한 발 더 가까이 다가왔다.

"리하르트 공작 부인의 두 언니인 샬롯테, 헤스티아 하크본 백작 영애는 모두 열여섯에 사망했습니다. 하크본 가문 출신으론 최초의 성녀였던 제르투르 하크본 역시 정확한 나이는 기록되어 있지 않으나, 성년이 되고 얼마 안 돼 사망했다고 적혀 있다고 합니다."

"사인은?"

"기록을 검토한 황실 주치의인 롤랜드 경의 의견은 피부병일 확률이 크다고 합니다."

바람 속에 섞인 색다른 향기를 느낀 레오폴드가 천천히 눈을 떴다.

"흥미롭네."

하크본 여자들이 대대로 단명하는 이유가 피부병 때문이라니. 말이 되는 소린가 싶어 절로 코웃음이 쳐졌다. 그러다 한 번 더 숨을 크게 들이마셨다 내쉬었다. 뭰하임 성 곳곳에서 맡을 수 있는 허브 향이 오늘따라 유난히 진하게 느껴졌다.

단 하나의 단어로 정의할 수 없는 이 정체 모를 향기에 대한 레오폴드의 의견은 '기분 좋은 향'이라는 거였다. 향기의 효과는 꽤 괜찮은 편이다. 이토록 어이없고 황당한 얘기를 들었는데도 좋은 기분이 유지되는 걸 보면.

"근거는 있대?"

"동물 중에도 제 무리와 달리 하얀 피부나 털을 타고나는 것들이 있는데, 대부분 햇빛에 심한 화상을 입거나 피부에 병이 생겨 죽는다고 합니다. 이 경우 다른 질병에도 더 쉽게 걸리는 체질이었을 확률이 크다는 소견입니다."

첼리노 의과 대학 수석 졸업 출신의 롤랜드 경다운 이성적인 답이다. 다만 무지한 백성들에겐 의사의 과학적 판단보다는 입에서 입으로 전해지는 과장되고 근거 없는 풍문이 더 먹히는 법.

'어느 쪽이 재미있으려나……'

잔잔한 미소를 입가에 걸친 레오폴드는 손에 닿을 리 없다는 걸 알면서도 바람에 흔들리는 나뭇가지로 팔을 뻗었다.

"고민되네."

"무슨 말씀이십니까, 폐하?"

그의 손등 위에서 빛과 어둠이 춤을 추듯 엉겼다 떨어졌다.

"성녀가 좋을까, 아니면……."

담담히 그림자를 빛과 뒤섞던 레오폴드가 빈더만 자작에게 의견을 물었다.

"마녀는 어때? 성녀와 마녀, 한 끗 차이잖아. 몰아가기 나름이지."

심드렁히 중얼거린 레오폴드는 손을 쫙 펴 하늘 높이 들어 올렸다. 마디마디 벌어진 손가락 틈새를 꼼지락거리자 빛과 어둠이 눈앞에서 마구 얽히고설켰다. 정신 사나운 모양새가 꼭 고결함과 추악함이 서로 주도권을 잡으려 발광하는 제 머릿속 혼돈을 닮았다.

고귀한 핏줄을 물려받은 품격 높은 황제의 가면에 가려진 음흉하고 속좁은 찌질이. 한때는 이리 생겨 먹은 자신이 부끄럽고 싫었던 적이 있던 것도 같긴 하다.

그러나 언젠가부터 아예 그런 마음이 들지 않게 돼 버린 지 오래였다. 여태 그따위 수치심을 가지고 있었다면 그는 황제로 군림하는 대신 진즉에 목이 잘리거나 독살되어 땅에 묻혔을 것이다. 레오폴드는 볕에 적당히 달궈진 손을 내려 바람이 흩트려 놓고 간 머리를 단정히 쓸어 넘겼다.

"어느 쪽이 맘에 들어, 세바스티안?"

빈더만 자작은 다소 뜬금없다 할 만한 황제의 말에도 전혀 놀라거나 당황하는 기색 없이 차분히 합리적인 답을 꺼냈다.

"폐하, 하크본 가문의 여성을 마녀로 모는 건 위험 부담이 큽니다."

조금 더 신중히 고민하던 그는 한마디를 덧붙였다.

"우선 교황청이 받아들이지 않을 겁니다."

바이첸 공작가의 여러 방계 출신 중 하나인 세바스티안 빈더만 자작은 십 년 전, 막 열여섯이 된 리하르트 공작 영식 레오폴드의 시종이 되었다. 딱히 모난 곳 없이 무던한 리하르트 공작 영식을 모시게 되어 행운이라 여겼던 시간은 고작 한 해 정도.

레오폴드는 인자한 겉모습 안에 냉혹한 품성을 숨기고 사는, 어찌 보면 모친보다 더한 인간이었다. 온화한 미소로 상대를 현혹한 뒤 벌이는 기행을 보고 있자면 '역시 바이첸'이란 말이 절로 나왔다.

하지만 어쨌든 자신은 레오폴드에게 예속된 사람이니 그 또한 감당해야 한다 여기며 살아왔다. 어차피 빈더만 자작가는 바이첸이란 큰 나무에 기생하지 않고는 존속이 어려운 게 사실.

바이첸의 피를 물려받은 현 황제 볼슈타크 2세의 평화로운 장기 집권이야말로 가문의 부와 명예, 영속까지 보장받는 가장 확실한 길이었다. 그렇기에 그동안 레오폴드가 어떤 지시를 내려도 군소리 없이 따랐으나, 이번 일은 골치를 꽤 썩일 것 같다는 불길한 예감이 들었다.

'설마 리하르트 공작 부인이 된 프리다 하크본을 마녀로 몰고 싶다는 건가?'

애먼 여인을 마녀로 탈바꿈시키는 것쯤 황제에겐 숨 쉬는 것처럼 쉬운 일. 기어이 하겠다면 말릴 뜻은 없다.

'말린다고 들을 사람도 아니고.'

바이첸 핏줄들의 집요함을 아는 빈너만 자작은 애초에 황제를 만류할 충언을 하겠다는 의지 자체가 없었다. 다만 그 여인이 하크본 출신이라면 상황이 복잡해지니 그게 염려될 뿐이다.

"하크본 백작가는 교황청에서 성녀가 발현되었다 인정한 가문입니다. 그 가문의 여인을 마녀로 몬다면 교황청이 반발할 겁니다. 귀족들의 동의를 얻기도 어렵고요."

안 된다는 게 아니라 고민을 해 봐야 한다는 뜻이다.

"굳이 둘 중에 하나를 선택하실 거라면 저는 성녀 쪽을 추천하겠습니다."

물론, 아무것도 안 하면 가장 좋겠지만. 여기저기서 잡음이 날 게 뻔한 마녀보다는 낫다는 뜻이지 성녀를 택했다고 해서 문제가 없는 건 아니다.

"교황청이 리하르트 공작 부인을 성녀로 인정할지는 의문이지만요."

이미 결혼한 여인이라는 점도 걸렸지만, 솔직히 그 정도는 황실의 의지만 있다면 얼마든지 관철할 수 있긴 하다. 교황청이 인정한 마지막 성녀의 발현이 백 년 전쯤이니 허울만 남은 칭호 하나 내리는 거야 무슨 대수겠는가. 진짜 걱정은 그다음이다.

"그렇지만 리하르트 공작이 그 결정을 순순히 따르지 않고 반대할 경우를 대비해, 황실이 내세울 적절한 구실이 있는지는 깊이 숙고해 보셔야 합니다."

다른 사람도 아닌, 바로 다니엘 리하르트다. 당최 속을 알 수 없는 인간. 줏대 없이 남의 비위나 맞추며 사는 건지, 아니면 새까만 속내를 감추고 때를 노리는 건지 예측 불가능한 사내. 어느 쪽이든 황실과 반목할 꼬투리를 주지 않는 것이 좋다. 잘못하면 숨죽이고 있던 사자의 코털을 건드리는 아주 불필요한 짓이 될 수도 있으므로.

"구태여 리하르트 공작의 심기를 건드리시고자 하는 의중이 뭔지 여쭤도 되겠습니까, 폐하? 최악의 경우 그를 적으로 돌리게 될 수도 있습니다."

"최악이 겨우 그거야? 다니엘이 내 적이 되는 거?"

여태껏 다니엘은 단 한 번도 진심으로 제 편이었던 적이 없는데. 그게 왜 최악이란 건지 도무지 모르겠네. 살포시 눈을 감은 채 눈꺼풀을 간질이는 햇살을 느끼고 있던 레오폴드가 피식 입술 끝을 끌어 올리며 콧노래를 흥얼거렸다.

"올해는 어느 지역부터 가뭄이 시작되려나. 역시 동쪽이겠지?"

이제 곧 하얀 밤의 계절이다. 온 제국에 밤이 사라지고, 펄펄 끓는 더위가 인간을 미치게 만드는 계절이 오고 있다. 가뭄이 시작되고, 원인 모를 전염병까지 도는 계절. 내부의 혼란을 잠재우기 위해 크고 작은 싸움을 일으키는 무리로 인해 국경이 한시도 편할 날이 없는 계절.

신의 가호에 목말라하는 자들을 현혹하기에 더없이 좋은 날들이 계속된다. 마녀든 성녀든, 화살받이가 돼 줄 누군가가 나타나기에 시기상으론 완벽하다. 그 대상이 제국에 모르는 자가 없는 하크본가의 여자라면 더욱 적당하고.

'거기에다 다니엘을 들쑤실 수 있으니, 이보다 더 훌륭한 조건이 어디 있겠어?'

느리고 무심하게 눈을 뜬 레오폴드는 멀리 보이는 알타스의 산자락에 시선을 두었다.

'마녀 쪽이 다니엘을 흔들기엔 더 나을 듯한데……'

문득 뇌리를 스치고 가는 장면이 맘에 걸렸다. 덕지덕지 때가 묻은 냄새나고 지저분한 수레. 새하얀 머리칼에 침을 뱉어 대는 무식한 백성들. 사방에서 날아드는 오물과 진흙 덩어리. 프리다의 새하얀 머리칼이 더럽혀지는 상상을 하는 것만으로도 기분이 몹시 언짢아 눈가가 비틀렸다. 두어 번 눈을 깜박이던 그가 삐딱하게 기울어 있던 고개를 바로 세웠다.

"성녀로 하지."

복도에서 도미닉과 마주친 슈테판은 가벼운 눈인사를 건넸다. 그대로 지나치려는데 도미닉이 말을 걸어왔다.

"주군을 보러 가시는 길입니까?"

"그렇네만."

"음……. 지금은 안 가시는 게 좋을 것 같습니다."

도미닉이 손가락으로 공작의 집무실이 있는 쪽을 가리켰다.

"공작 부인께서 와 계시거든요."

"이렇게 일찍? 부인께 무슨 일이라도 있는 건가?"

"글쎄요. 아내가 새벽 댓바람부터 남편을 찾는 까닭이야 저보다 남작님이 더 잘 아시지 않을까요?"

도미닉은 의뭉을 떨며 유유히 슈테판을 지나쳤다. 불현듯 그에게 용건이 있었다는 걸 떠올린 슈테판이 도미닉을 붙들었다.

"마침 잘 만났네. 서임식 일로 오전 중에 몇 가지 결정해야 할 게 있으니 아침 식사가 끝나면 시간 좀 내 주게. 몰리 단장에게 기사단원의 서임 순서를 결정해 달라고 했더니 자네에게 물어보라더군."

"이런, 어쩌죠? 오늘은 안 됩니다."

어깨를 으쓱 추켜올린 도미닉이 곤란하다며 능글능글 웃었다.

"온종일 성 밖에 나가 있을 거라서요."

"성 밖? 거긴 또 왜? 저번에도…….."

"개인적인 용무입니다."

급하게 걸음을 옮기려는 도미닉을 슈테판이 다시 불러 세웠다.

"도미닉! 그럼 지금은 어떤가? 기다릴 것 없이 여기서 바로 결정하지."

끈질기게 붙들고 늘어지는 걸 보니 어지간히 급한 모양이다. 하긴, 귀찮은 일은 무조건 '대충합시다.'로 얼버무리고 마는 아버지가 뭐 하나 제대로 상의를 해 줬을 리 없으니. 도미닉은 슬금슬금 뒷걸음질 치며 대답했다.

"대충 이름순으로 하세요."

"그러면 나이가 뒤죽박죽되지 않나?"

"그럼 나이순으로 하시든가요."

"용병들은 실력에 따라 지휘 체계가 결정된다고 들었네. 그런데 나이순으로 했다가 시작부터 기사단의 질서가 꼬이면 모양새가 우스워지잖나?"

도미닉은 이대로 붙잡혔다간 오전이 아니라 온종일 시달리게 될 것임을 깨달았다.

"여긴 그런 거 신경 쓸 사람 없으니까 남작님께서 알아서 하시고요. 전 가 보겠습니다. 안톤이 한참 전부터 기다리고 있거든요."

"안톤은 조금 전에 브라반트 홀로 갔네. 챔벌린 백작의 무릎 통증이 재발했다더군."

"그 노인네는 자기들이 데려온 의사는 어쩌고, 툭하면 안톤을 찾는답니까? 이거 안 되겠네. 당장 가서 우리 안톤을 빼내 와야겠습니다."

협조할 기색이 전혀 없는 도미닉을 보며 슈테판은 긴 한숨을 내쉬었다.

"자네가 시간이 안 된다면 로시발트 경의 도움을 받아야겠군. 혹시 로시발트 경 못 봤나? 요즘 통 볼 수가 없던데. 대체 어딜 간 건지……."

"……글쎄요. 전 아는 게 없어서."

슈테판의 절박한 눈길을 피한 도미닉이 부리나케 그 자리를 벗어났다.

"로시발트 경을 보게 되면 남작님께서 찾는다고 전해 드리죠."

총총히 사라지는 도미닉의 뒷모습을 보며 슈테판이 나지막이 중얼거렸다.

"성 밖에 위급한 환자라도 있나? 안톤은 왜……."

때마침 리카르도 단장의 우렁찬 목소리가 창을 타고 넘어왔다.

"어디다 넋을 빼고 있어? 이것들아, 목이 잘려 나간 다음에 정신 차릴래? 어?"

마치 슈테판에게 딴청 피우지 말라고 경고하는 듯한 말소리였다. 슈테판은 절레절레 머리를 저으며 공작의 집무실로 향했다.

똑똑.

그는 밖에 사람이 왔음을 알리는 분명한 신호를 건네고 잠시 기다렸다. 저 안에서 어떤 일이 벌어지고 있든 충분히 갈무리되었겠다 싶을 때쯤 다시 문을 두드렸다.

똑똑.

그러나 집무실의 문은 열릴 기미가 없었다. 슈테판은 약간 망설임의 시간을 가진 후 조심히 문을 밀었다.

"……."

텅 빈 집무실을 바라보며 슈테판은 두 가지 가설을 세웠다. 애초에 도미닉이 제게 거짓말을 했거나, 이 방 어딘가를 통해 공작 부부가 사라졌거나. 귀족들이 성안에 비밀 통로를 두는 것쯤 별스러운 일도 아니니 가능성은 후자가 더 높았다. 만약 후자라면 사라진 공작 부부가 어디에 있는지도 알 것 같았다.

물끄러미 공작의 침실과 맞닿아 있는 천장을 올려다보던 슈테판은 터덜터덜 방을 나섰다. 왠지 힘든 하루가 될 것 같다는 불길한 느낌을 떨쳐 버릴 수가 없었다.

다니엘에게 안긴 프리다는 비밀 통로에 들어서자마자 잠이 들었다. 한 층을 더 올라와 제 침실로 들어선 다니엘은 조심조심 침대에 프리다를 눕혔다. 가능하다면 이대로 계속 자게 만들어 레오폴드와의 산책 약속을 훼방 놓고 싶었다. 깨어나 그 사실을 알게 되면 엄청 불만을 토로하겠지만, 그렇게라도 레오폴드와 만나지 않았으면 하는 바람이 더 컸다.

누가 됐든 레오폴드의 관심을 끌어 좋은 꼴을 본 적이 없다 보니 내심 불안했다. 신경을 써서 그런지 머리가 또 지끈거렸다. 다니엘은 프리다가 잠든 침대 옆으로 의자를 가져와 다리를 꼬고 앉았다.

"음……."

불시에 밀려드는 극심한 통증에 손끝이 저절로 관자놀이로 올라갔다. 삐이……. 잇달아 들리는 이명에 오랜만에 아버지의 음성이 섞여 들었다.

"다니엘. 레오폴드는 마음이 아픈 아이란다."

레오폴드는 어릴 적부터 싹이 노랬다. 하지만 부친은 음흉스럽기 짝이 없던 레오폴드를 아픈 아이라며 매번 감쌌다.

"그 아이가 어긋나 버린 건 내 잘못이다. 내가 제대로 사랑을 주지 못해서. 다니엘. 너라도 레오를 불쌍히 여겨 다오."

당시엔 누가 누구를 불쌍하게 여겨야 한다는 건지 아버지의 말이 이해되지 않았다. 가문의 유일한 적통 후계자인 레오폴드는 차기 리하르트 공작이 될 테고, 저는 일개 사생아로 살아가야 한다.

대관절 누가 더 불쌍하단 말인가.

아무리 성정이나 검 실력이 아버지를 닮았다 한들 다니엘의 한계는 잘해 봐야 리하르트 가문의 기사. 레오폴드는 바이첸이라는 든든한 외가와 리하르트 공작이라는 작위를 기반으로 끝도 없이 뻗어 나가 결국은 제국의 가장 높은 곳에 오를 텐데.

아버지의 당부를 듣고도, 어렸을 땐 매 순간 레오폴드가 부럽고 미웠다. 레오폴드가 그에게 무심한 척 굴 때는 그런가 보다 넘어갔다. 다니엘을 벌레 보듯 무시하는 것도 참을 수 있었다.

그러나 난데없이 세상에 둘도 없는 착한 동생처럼 굴 때는 참기가 힘들었다. 모친인 마그리트 앞에서 일부러 저를 형이라고 불러 난처하게 만들 때도 그랬다. 싸늘해지는 분위기를 모르는 척 보란 듯이 '형님, 형님' 하며 가증을 떨고 달라붙었지.

어린 마음에도 불쑥 살의를 느꼈던 것 같다. 그때마다 불쌍히 여겨 달라는 아버지의 말을 떠올리며 참고 또 참고, 누르고 또 눌렀다.

그러다 에키나시아 사건이 터졌다. 어머니의 죽음을 앞두고, 사람들의 눈을 피해 아버지를 찾아갔던 날. 병을 핑계로 칩거에 들어갔던 아버지는 겨우 몇 달 만에 온몸이 마비되어 가는 심각한 병자가 되어 있었다. 다니엘은 그런 아버지에게 차마 어머니를 살려 달라는 말을 꺼내지 못했다. 어머니에 이어, 아버지마저 제 곁을 떠날 날이 머지않아 보였다.

밀려드는 두려움에 온몸이 덜덜 떨려 왔지만, 억지로 마음을 가다듬고 아버지의 손을 꼭 쥐었다. 아버지는 기력이라곤 없는 희미한 목소리로 떠듬떠듬 힘겹게, 유언이 된 마지막 말을 그에게 남겼다.

"다니엘…… 사랑하는 내 아들아. 네 아우…… 레오를…… 그 불쌍한 아이를 부탁…… 한다."

사생아인 다니엘을 끝까지 사랑하는 아들이라 불러 주었던 아버지. 그분이 남긴 마지막 말과 어떻게든 살아남으라는 어머니의 유언을 지키기 위해 충실히 레오폴드의 사냥개 노릇을 해 줬더랬다.

내 아버지의 아들이자 내 어머니를 죽인 여자의 아들. 평생 다니엘이 머리를 조아리며 모셔야 할 주군. 저로 인해 자식을 낳을 수 없게 되었을지도 모르는 불행한 황제. 죽이고 싶도록 밉고, 동시에 불쌍한 하나뿐인 아우. 다니엘의 입에서 불시에 허탈한 쓴웃음이 터져 나왔다.

'꼬여도 아주 더럽게 꼬였지.'

곤히 잠든 프리다의 평온한 얼굴을 바라보던 그가 이내 낮은 목소리로 조용히 소곤거렸다.

"레오폴드에게 웃어 주지 마, 프리다."

그 웃음이 구실이 되어, 이번에야말로 진짜 그 자식을 죽여 버리게 될지도 모르니.

쉔달 성에서부터 삐걱대던 챔벌린 백작의 무릎이 뮌하임 성에 온 이후 제대로 고장이 나 버렸다. 하긴 강행군이 연이어 이어졌으니 탈이 나지 않는 게 오히려 이상한 일이다.

"음."

무릎으로 스며드는 시원하고 싸한 기운에 놀란 챔벌린은 앉아 있던 의자의 팔걸이를 꾹 쥐었다. 시큰거리는 무릎 때문에 밤잠을 설쳤는데 이제야 좀 살 것 같았다. 별 기대 없이 들였던 뮌하임 성의 의사 안톤은 예상보다 솜씨가 좋았다. 솔직히 말하면 효과라곤 조금도 없는 비싼 물약이나 건네는 황제의 주치의보다 백배 나았다. 안톤이 묽은 액체를 챔벌린의 무릎에 넓직이 펴 바르며 물었다.

"통증이 여전히 심하십니까?"

"아니네. 자네가 그걸 발라 주니 한결 낫군. 못 보던 약인데…… 이름이 뭔가?"

"멜라루카라는 허브를 주재료로 만든 약입니다. 상처를 소독하거나 통증을 줄여 주는 데 효과가 있습니다."

"허브? 주방에서 요리할 때 쓰는 풀 말인가?"

풀이 약이 된다고? 생경한 얘기에 의사에게 가졌던 믿음이 사라질 뻔했지만, 무턱대고 의심하기엔 실제로 통증이 많이 가라앉았다.

"네. 제가 연구해 본 바로는 허브엔 여러 가지 효능이 있습니다. 음식의 맛을 돋워 주는 것 말고도 쓸데가 많은 아주 유용한 풀입니다."

"자네도 참 별난 사람이군. 풀을 연구하다니."

어쨌든 효과가 있는 걸 보면 연구를 제대로 한 것 같긴 하다. 챔벌린은 의자 깊숙이 등을 기댔다. 통증에 잠을 설쳤더니 피곤이 몰려왔다. 졸린 눈이 완전히 감기기 전. 치료를 마친 안톤이 가방에서 작은 약병을 꺼내 챔벌린에게 건넸다.

"통증이 또 심해지시거든 우선 이걸 바르세요. 요새 용병들의 훈련이 고된 탓에 미리 만들어 두었던 멜라루카 오일이 다 떨어졌습니다. 남은 게 이것뿐입니다."

병은 아주 작았고, 남은 양은 더 적었다.

"남은 게 이것뿐인데 나에게 다 주면 어쩌려고 그러나?"

"아, 금방 만듭니다. 뮌하임 성엔 넓은 허브밭이 있어서 멜라루카를 쉽게 구할 수 있거든요. 이게 다 우리 영명하신 공작 부인 덕이지요."

그놈의 지겨운 '우리 공작 부인' 소리. 만나는 놈마다 무심결에 다들 '우리 공작 부인'을 입에 달고 살았다. 심지어 공작령에 온 지 두 달쯤 된 보일드 남작까지. 조그만 리하르트 공작 부인이 제법 신망을 얻은 것 같긴 한데…….

'그래 봤자 오래 살지 못할 여자 아닌가?'

리하르트 공작 부부의 사이가 나쁘지 않다는 얘기가 들렸지만 염려할 일은 없어 보였다. 툭하면 앓아눕는다니 두 사람 사이에 자식이 생길 것 같지도 않고. 기왕이면 후사를 낳을 걱정이 없는 공작 부인과 사이가 좋은 게 나은 일일지도. 무거워진 눈꺼풀을 느리게 껌뻑거리는 챔벌린에게 안톤이 당부를 건넸다.

"제가 내일 다시 와서 봐 드릴 테니 오늘은 최대한 움직이지 말고 침대에 누워만 계십시오."

"오늘 저녁에도 와 주면 좋겠네만."

"오늘은 성 밖에 환자를 보러 가야 하는 날이라 해가 진 뒤에나 올 것 같습니다."

"환자? 성안의 일도 바쁠 텐데 성 밖까지 환자를 보러 다니나?"

두 눈을 거의 감은 챔벌린이 되물었다. 진정 궁금해서라기보다 반사적으로 튀어나온 질문을 막지 못했을 뿐이다.

"네. 공작령엔 의사가 저 하나뿐이라 어쩔 수가 없습니다."

"자네가 여러모로 바쁘겠군."

"그래도 우리 공작 부인께서 신경 써 주신 덕분에 몇 년만 버티면 의사가 더 늘어날 듯합니다. 다행한 일이지요."

또 '우리 공작 부인'. 저리 칭송을 하는데 입에 발린 칭찬 한마디쯤 해 줘야겠다 싶어 대충 거들었다.

"공작 성의 안주인께선 정말 대단하신 분이군."

신이 난 안톤의 목소리가 점점 커졌다.

"그럼요. 성품은 물론이고 기억력도 얼마나 좋으신데요. 도미닉 님과 제가 마을에 다녀올 때마다 이것저것 알려 드리면, 세세한 것까지 하나하나 기억해 놨다 신통한 해결책을 말해 주십니다."

"도미닉? 도미닉 몰리? 그 용병단장의 아들?"

낯익은 이름이 들리자 무겁게 내려앉던 눈꺼풀이 대번에 위로 올라갔다. 챔벌린이 벌떡 몸을 일으켰다.

"그자도 함께 성 밖에 가나?"

"네? 그렇습니다만."

"그자는 왜? 어쩐 일로?"

놀라는 백작의 태도가 심상치 않기는 했지만, 굳이 숨길 일도 아닌지라 안톤은 술술 답을 늘어놓았다.

"오늘 보러 갈 환자는 전에 우리 성에서 하녀 일을 하던 아이였는데 다리를 다쳐서 얼마 전부터 성 밖에서 살게 되었습니다. 도미닉 님과 함께 가끔 들러 상태를 봐 주고 있습니다."

언제 감긴 적이 있었나 싶게 번쩍 떠진 눈꺼풀 아래서 형형한 회색 안광이 번쩍였다.

"도미닉, 그자가…… 성 밖에서 여자를 돌보고 있다고?"

다니엘의 바람과 달리 짧은 잠을 잔 프리다는 제시간에 깨어나 마리안 홀을 나섰다. 여느 때와 같이 차양을 두른 모자를 쓴 채, 장갑까지 손에 들고 씩씩하게.

"허브밭 근처만 살짝 둘러보고 금방 올게요."

말은 그렇게 하면서도 외출이 퍽 즐거운 듯 얼굴이 무척 밝아 보였다. 저렇게 외출을 좋아하는데 종종 함께 산책하러 다녀 줘야 할 모양이다. 창문 밖에 시선을 주고 있던 다니엘은 '탁' 소리에 천천히 뒤를 돌았다. 슈테판이 책상 위에 문서 다발을 올려놓고 있었다.

"앞으로 일주일이면 아메티스 기사단의 서임식 준비가 끝날 것 같아 관련 내용을 정리했습니다."

준비하는 동안 예기치 않은 일이 연이어 터졌음에도, 공작 성의 새 집사장은 애초에 계획한 두 달에 맞춰 준비를 끝냈다. 적어도 슈테판 보일드 남작의 업무 능력만큼은 따로 의심하지 않아도 될 듯하다. 별스럽게 시선을 주는 공작을 의아해하면서도, 슈테판은 평소와 같은 담담한 말투로 물었다.

"황제 폐하의 체류가 길어지실 듯한데 이대로 서임식을 준비할까요? 아니면……."

"계획대로 진행해."

왠지 그러라고 할 것 같은 예감이 있던 터라 슈테판은 놀라지 않고 담담히 손에 든 일정표에 '진행'이라고 표시를 해 두었다.

"지난번 말씀드렸던 영지 내 시장 조성 관련해서도 추가로 보고드릴 것이 있습니다. 공작 부인께선 공공으로 사용할 곡물 계량기와 저울을 공작 성에서 일괄 구입 후 상인 연합회에 대여하는 방식을……."

"황실 법원에서 통보를 받았다지?"

황실 법원? 아니, 왜 여기서 그 얘기가 나와? 설마 쉔달 성에서 산골짜기 공작령에 시장 하나 만드는 일에까지 간섭하는 건가? 슈테판은 진심으로 그리 생각하며 공작의 다음 말을 기다렸다. 심상히 서류를 들추던 다니엘이 주먹 쥔 손에 머리를 기대곤 슈테판을 빤히 쳐다봤다.

"프리다가 귀족 연감을 훑어봤는데 보일드 남작 가문의 상속 과정엔 별다른 문제점이 없었다고 하더군."

귀족 연감? 상속 과정……? 공작의 말을 반복해 되뇌던 슈테판이 '아!' 하고 짧은 감탄사를 내뱉었다. 리하르트 공작은 슈테판의 영지에 관한 일을 묻고 있는 거였다.

"전하께서 그 일을 어떻게……?"

"프리다가 남작 부인에게 들었다더군."

적어도 이 문장 안에 거짓은 없었다. 프리다가 그 얘기를 듣고 와 다니엘에게 말한 건 진실이니. 슈테판의 일거수일투족이 감시당하고, 특이 사항이 족족 제게 보고되고 있다는 거야 굳이 말할 필요 없는 일.

중요한 건 다니엘이 그를 도울 뜻이 있다는 것이다. 다니엘에겐 있으나 없으나 상관없지만, 프리다를 위해선 꼭 성에 머물러야 하는 자. 집사장 슈테판을 도울 구실은 그거면 충분하다.

"과정에 별다른 문제점이 없는데도 문제가 됐다는 건, 더는 진실이 힘을 쓰지 못하는 영역에 들어갔다는 말일 테고."

슈테판의 파란 눈동자에 짙은 그늘이 졌다.

"심려를 끼쳐 죄송합니다. 아마 오해가 있는 것 같습니다."

"오해가 아니라 경고겠지. 자네도 알고, 나도 아는 그분은 시간 낭비를 싫어하시니."

다니엘은 언제나처럼 정자세로 서 있는 남자를 찬찬히 눈에 담았다. 좀처럼 움츠러드는 법이 없는, 반듯하게 양쪽으로 쫙 펴진 어깨. 흘러내리는 일이 거의 없는 단정히 빗어 넘긴 갈색 머리. 흐트러짐 없는 외모와 마찬가지로, 성격 역시 염탐을 일로 삼아야 할 쥐새끼치곤 꽤 고지식한 편이다.

"왜 내 소유의 금광에 대해 알리지 않았나? 그거라도 알렸다면 황태후가 이따위 유치한 짓을 벌이지도 않았을 텐데."

"글쎄요. 금광 정도로 달라질 게 있었을지 모르겠습니다."

황태후가 알고자 하는 건 리하르트 공작의 숨겨진 재산이 아닌데 그딴 걸 뭐 하러 알리겠냐고. 쓸데없이 잉크만 아깝지. 무신경한 거대 권력 사이에 낀 제 신세가 처량해 슈테판은 별안간 짜증이 치밀었다.

"전에 말씀드린 대로입니다. 무슨 임무를 받고 왔든, 현재 저의 주군은 공작 전하십니다. 모시는 분에 대해 가벼이 입을 놀리진 않습니다."

소처럼 부려 먹질 말든가, 부려 먹었으면 간 좀 그만 보든가.

"제가 마음에 차지 않으시면 첼리노로 돌려보내시면 그만입니다. 그러면 저도 볼품없는 영지를 뺏길까 걱정 안 해도 되고, 공작 부인께서 저 때문에 애쓰실 일도 없겠지요."

삐딱하게 고개를 기울이고 있던 다니엘에게서 힘 빠진 실소가 흘러나왔다.

'우리 집사장께선 보기보다 성질머리가 고약하다더니.'

도미닉이 사람 보는 눈은 있다. 다니엘은 고개를 기울인 채로 서류를 향해 시선을 내렸다.

"내 답은 전과 같다. 남작, 난 그대가 필요 없다."

하지만 지금 와 다니엘에게 필요한지 아닌지는 고려 대상이 아니다.

"하지만 내 아내 생각은 다른 것 같더군."

프리다의 의중이 그대로 담긴 서류에 사인을 마친 다니엘이 슈테판에게 그것을 건네며 말했다.

"황실 법원 건은 내 방식대로 처리하지."

"그게 무슨……."

당황한 기색이 역력한 슈테판을 뒤로한 채 일어난 다니엘이 창가로 다가가 섰다. 구름 한 점 없는 맑은 하늘과 한낮의 태양이 영 눈에 거슬렸다.

"난 능력 있는 집사장을 쫓아낼 뜻이 없으며, 자네의 영지는 무사할 거란 뜻이네. 질문 있나?"

산책하기로 했던 약속을 티타임으로 바꾼 건 중무장을 하고 나타난 프리다의 차림새가 눈에 거슬려서였다. 눈, 코, 입을 모두 가리고도 남을 긴 차양이 달린 모자도 그렇고, 이 날씨에 장갑이라니?

"동물 중에도 제 무리와 달리 하얀 피부나 털을 타고나는 것들이 있는데 대부분 햇빛에 심한 화상을 입거나 피부에 병이 생겨 죽는다고 합니다."

빈더만 자작의 보고를 미리 듣지 않았다면 제정신이 아니라 여기고, 당장 마녀 쪽으로 의견을 바꿨을 것이다.

'햇볕이 따갑긴 하겠군.'

창밖의 맑은 하늘에 잠시 눈을 두던 레오폴드는 제 앞에 다소곳이 앉은 프리다를 다시 찬찬히 바라보았다. 남다른 외모인 건 맞는데……. 눈이 가는 이유가 그뿐이었을까 자못 궁금해졌다.

이성적으로 따져 보면 라우라 님을 닮은 건 싱긋 웃는 미소가 전부. 애당초 활달하고 웃음이 많으며 지칠 줄 모르는 체력을 가졌던 라우라 님과 눈앞의 병약하고 가냘픈 여자를 비교하는 게 말이 안 된다. 눈썰미라곤 없는 다니엘은 아마 제 아내가 어머니를 닮았다는 것조차 모를지도.

처음 봤을 때 느꼈던 심장의 떨림도 몇 번 얼굴을 마주하며 어느덧 무뎌진 듯했다. 세바스티안의 말대로, 구태여 무리를 해 가며 다니엘을 도발할 정도로 재미가 있느냐면, 그것도 그다지.

그러면 그렇지. 쉽게 흥미를 느꼈다 빠르게 잃는 제 버릇이 어디 갈 리가. 갑자기 모든 것이 귀찮고 지루해졌다. 손을 펴 양쪽 이마 끝을 누르자 테이블에 '달그락' 찻잔을 내려놓는 소리가 들렸다.

"폐하, 두통이 있으세요?"

두통이야 항상 있지. 하루도 머리가 아프지 않은 날이 없다. 황제가 된 이후론 몇 시간이라도 푹 자 본 적이 있기나 한지 모르겠다. 레오폴드는 손끝으로 힘주어 꾹 이마 끝을 눌렀다 떼곤 의례적인 미소를 지었다.

"괜찮습니다. 자잘한 두통이야 흔히 있는 일이니, 염려하실 것 없습니다."

"폐하, 잠시만요."

프리다는 가볍게 손을 들어 저 멀리 떨어져 서 있던 빈더만 자작을 불렀다.

"자작, 주방으로 사람을 보내 로즈메리 차를 준비해 달라고 해 주세요."

"로즈메리요?"

"네. 허브의 일종인데 두통에 효과가 있어요."

레오폴드에게 눈길을 돌린 프리다가 빙긋 눈을 접으며 웃었다.

"지금 드시는 민트 차도 좋지만, 로즈메리가 훨씬 더 도움이 되실 거예요. 머리를 맑게 해 줘서 '학자의 허브'라고도 불린대요."

가타부타 말이 없는 황제를 대신해 빈더만 자작이 나섰다. 황제께 올라가는 음식 중 특히나 차나 술처럼 독을 섞기 쉬운 것들은 철저한 검사를 거친 후 올리게 되어 있다.

"죄송하지만 로즈메리는 황제께 한 번도 올려 본 적이 없는 차라 곤란합니다."

"세바스티안. 괜찮으니 공작 부인께서 시킨 대로 하게."

절차를 한 번 더 강조할까 싶었지만, 그 사실을 누구보다 잘 아는 황제가 직접 결정한 일이라 빈더만 자작은 순순히 뒤로 물러섰다. 그때 프리다가 다소곳이 그를 불러 세웠다.

"저기…… 한 가지 부탁을 더 드려도 될까요?"

"네. 말씀하십시오."

뜬금없이 뺨을 붉게 물들인 리하르트 공작 부인이 빈더만 자작에게 조용히 속삭였다.

"다니엘…… 아니, 리하르트 공작 전하께도 로즈메리 차를 올려 달라고 전해 주세요."

그러곤 자신에게서 눈을 떼지 않고 있는 레오폴드 앞에서 쭈뼛쭈뼛 어깨를 움츠렸다.

"다니엘도 요즘 들어 부쩍 두통이 심해졌거든요."

프리다는 달아오른 뺨에 손등을 가져다 대며 발그레해진 얼굴을 식혔다. 일어나자마자 챙겨 주고 왔어야 했는데, 이런저런 일로 바쁘다 보니 깜빡해 버렸다. 다른 사람 앞에서 대놓고 남편을 챙겼다는 부끄러움에 발갛게 붉어진 뺨은 빈더만 자작이 방을 떠난 이후에도 식지 않고 그대로였다. 물끄러미 알 수 없는 표정으로 프리다를 바라보던 레오폴드가 입을 열었다.

"부인께서는 허브에 대해 잘 아시네요."

"그저 제가 키우는 몇 가지에 대해서만요. 로즈메리는 요사이 인기가 나날이 높아지고 있는 허브인데……. 아!"

뜨끈한 민트 찻잔을 두 손으로 들던 프리다가 걱정스러운 표정으로 말했다.

"지금껏 음식이나 차로 만들었을 때 특별한 문제를 일으킨 적은 없지만, 그래도 폐하께서 염려가 되신다면 올리지 않겠습니다."

"아닙니다. 저도 슬슬 민트가 지겨워지고 있던 참입니다."

마시면 입 안과 머리가 개운한 기분이라 즐기는 것뿐. 어머니가 즐겨 드시는 그 시금털털한 붉은 차만 아니라면, 뭐든 상관없었다. 허브에 관한 이런저런 얘기를 꺼내는 프리다의 눈동자가 초롱초롱 빛을 뿜었다.

"폐하께서 지금 드시는 차는 페퍼민트라는 민트인데 톡 쏘는 향이 강하고, 맛도 진한 편이에요. 로즈메리는 훨씬 맛이 부드럽답니다. 편하게 즐기실 수 있을 거예요."

대리석처럼 차갑던 하얀 낯빛이 돌연 활기를 띠었다.

"로즈메리는 따뜻한 곳에서 잘 자라요. 잡초만 가끔 제거해 주면 키가 쑥쑥 자라 저보다 커지는 것도 있다니까요."

살랑살랑 창을 넘어오는 바람에 유연하게 날리는 새하얀 머리칼 사이로 반짝반짝 빛나는 동그란 보라색 눈망울이 이채로웠다. 술을 마신 것도 아닌데 몽롱하게 취기가 돌았다. 허브 따위, 전혀 관심 두지 않았던 소재건만 그녀와의 대화가 조금도 지루하지 않았다.

"가을에 찬 바람이 불면 로즈메리를 거둬 내고 밭을 다시 다지려고요. 올 가을엔 투르크에서 가져온 구근을 심을 예정이에요."

"구근이요?"

뭐에 홀린 듯 저도 모르게 시기적절한 대꾸까지 해 주었다.

"네. 혹시 보셨나 모르겠어요. 왜 투르크인들이 머리에 두르는 천 있잖아요. 이렇게 둘둘 감는……."

"터번이요."

그녀의 말을 알아듣고, 적절히 답을 건네는 이 상황이 은근 즐거웠다.

"네. 맞아요. 투르크에선 그 터번을 닮은 꽃이 큰 유행이래요."

"투르크에선 그 꽃을 '랄레'라고 부릅니다. 말씀하신 대로 터번을 닮았다고 해서 '튈벤드'라고도 한다더군요."

"어머, 폐하께선 정말 많은 걸 알고 계시네요."

순수한 존경심을 담은 해맑은 눈동자가 오롯이 저를 담는 모습도 꽤 볼

만했다. 지난봄? 아니, 가을이었던가. 미라벨 정원에 그 꽃을 심겠다고 난리를 피우던 어머니의 유난이 오늘만큼은 고마웠다. 비싼 돈을 주고 사 심었지만, 꽃을 피우지 못했다는 이유로 정원사 두어 명의 목이 잘렸지, 아마.

"그런데 꽃을 피우기 쉽지 않다고 들었습니다만."

"네. 그 꽃은 특이하게 땅속에서 구근 상태로 겨울을 나야 한대요. 투르트 상인이 저에게만 특별히 비밀을 알려 줬답니다."

아이처럼 신난 얼굴 가득 들뜬 미소가 피어났다. 상인들이 물건을 팔기 위해 떠벌린 소리일 게 뻔한데, 그게 저토록 즐거울 일인가. 만약 사실이 아닐 경우 붉으락푸르락해질 표정이 상상되어 입꼬리가 슬며시 휘어졌다.

"이젠 저도 그 비밀을 알게 된 건가요?"

"후후. 그러네요. 제가 재배에 성공해 큰돈을 벌 때까지 꼭 비밀을 지켜 주세요, 폐하."

활짝 웃는 얼굴에 기이할 정도로 눈이 오래 머물렀다.

'이상하다.'

분명 무뎌졌었는데. 지루했는데. 모든 것이 다 귀찮아 그만두려던 참인데.

별안간 뭐에 홀린 듯 레오폴드의 심장이 쿵쿵쿵 빠르게 뛰었다.

'역시 마녀로 결정했어야 했던 걸까.'

아득해지는 기분에 빠지지 않으려 팔을 뻗다 찻잔을 쳤다. 식어 버린 차가 손끝을 적시는 순간, 세바스티안의 목소리가 들렸다.

"차가 도착했습니다, 폐하."

"……들이지."

로즈메리 허브차. 민트보다 맛이 부드러워 편하게 즐길 수 있다고 했던가? 차에 대해 더 할 말을 찾기 위해 그녀와 나눴던 대화를 더듬는데 세바스티안의 목소리가 연달아 들렸다.

"폐하, 그리고 리하르트 공작께서 드셨습니다."

"어머, 다니엘이 왔다고요?"

128

그날과 같았다. 갑자기 서고에 나타난 남편이 반가워 어쩔 줄 모르던, 애정을 담뿍 담은 들뜬 목소리. 한편으로는 많이 달랐다. 조금 전까지 그에게 보여 주었던 미소와 확연히 온도 차이가 느껴지는 표정이. 같은 것과 다른 것. 두 가지 모두 일관성 있게 레오폴드의 기분을 더럽게 만들었다.

복도 저편에서 지팡이를 짚은 챔벌린 백작이 걸어왔다. 급히 보자는 호출에 오후에 들르겠다는 답을 보냈는데 그새를 못 참고 달려온 모양이다. 다리가 불편한 노인네를 더 걷게 두는 것도 못 할 짓이라 슈테판은 성큼성큼 빠르게 다가가 그를 부축했다.

"제가 급한 일만 끝내고 가겠다고……."

"보일드 남작. 자네, 그거 알고 있었나?"

슈테판의 말이 끝나기도 전에 챔벌린 백작이 그에게 바짝 붙어 속닥였다.

"도미닉 몰리, 공작의 오른팔인 그자가 성 밖에 여자를 숨겨 뒀어."

"예?"

도미닉과 여자? 낯익은 이름과 연결되는 낯선 단어에 슈테판이 눈썹을 치켜떴다. 지난 두 달간, 능글능글 말장난을 즐기는 성격임에도 도미닉이 공작 부인이나 로시발트 경 외의 여자와 가까이 지내는 것을 본 적이 없다. 성안 사람들에게 도미닉과 그의 모친에 관한 사연을 넌지시 전해 듣고 난 후, 그가 여자를 멀리하는 까닭을 짐작할 수 있었다.

그런 도미닉이 성 밖에 여자를 숨겨 뒀다니? 챔벌린 백작이 벌써 오락가락할 나이던가 걱정스러워진 슈테판은 가늘게 눈을 찌푸렸다.

"대체 어디서 무슨 소리를 듣고 오신 겁니까?"

슈테판이 시큰둥하게 되묻자 챔벌린 백작이 그의 팔을 꽉 붙들며 더 바짝 몸을 붙였다. 세월의 무게가 느껴지는 백작의 회색 눈동자가 슈테판의 코앞에서 사납게 번득였다.

"내 말 이해 못 하겠나? 그자가 여자를 숨겨 두고, 의사까지 데리고 다니며 돌보고 있다고."

의사?

"오늘은 안 됩니다. 온종일 성 밖에 나가 있을 거라서요."

"안톤이 한참 전부터 기다리고 있거든요."

슈테판이 기억을 더듬는 사이 챔벌린이 목소리를 한껏 낮추며 속삭였다.

"공작에게 숨겨 둔 여자가 있는 게 틀림없어. 도미닉, 그자가 성 밖에서 우리가 찾던 공작의 여자를 돌보고 있는 거라고."

숨겨 둔 여자. 황태후에게서 같은 말을 들은 적이 있다.

"문제는 다니엘의 수족인 몰리 부자라네. 그들이 뭘 하는지 잘 감시하게. 만약 다니엘에게 '숨겨 둔 여자'가 있다면, 다름 아닌 그 두 사람이 돌보고 있을 거야."

"자넨 모르고 있었나?"

챔벌린 백작의 채근에 슈테판은 멍한 표정으로 고개를 저었다.

"네. 전혀 몰랐습니다."

공작이 성 밖에 숨겨 둔 여자가 있다고? 게다가 도미닉이 그 여자를 돌보러 다녀? 이 무슨 말도 안 되는 소리란 말인가. 챔벌린 백작이 원래 이렇게 상상력이 좋았나? 얼떨떨한 상태로 바라보고 있는데 할 말을 끝낸 백작이 지팡이를 짚으며 잽싸게 방향을 틀었다. 무릎이 아픈 사람이라곤 믿어지지 않는 날랜 속도였다.

"당장 황태후 폐하께 이 소식을 알려야겠네."

"배, 백작님. 우선 정확한 상황부터 파악해 보시는 게……."

백작은 슈테판의 팔을 붙든 채 지팡이를 휘휘 흔들었다.

"먼저 알리고 파악은 나중에 하면 돼. 이미 의사에게 사람을 붙여 뒀으니 내일 오전이면 정확한 소식을 듣고 오겠지."

지팡이를 바닥으로 내려 짚은 챔벌린이 슈테판을 돌아보며 못마땅한 듯 인상을 썼다.

"자넨 멍하니 있지만 말고 하인들이나 좀 들쑤셔 봐. 공작 성에 온 지가 언젠데 아직도 그 모양인가? 자넬 추천한 내 입장을 생각해서라도 부지런히 돌아다니란 말일세. 쯧쯧."

복도를 울리는 챔벌린 백작의 지팡이 소리에 곁들여, 혀 차는 소리가 오래오래 들려왔다.

담담히 찻잔 두 개가 놓인 테이블을 훑던 다니엘의 시선이 프리다에게로 옮겨 갔다.

"아내가 볕을 오래 쐬면 안 되는 터라 염려가 되어 왔습니다. 티타임을 하시는 줄 모르고. 제가 괜한 걱정을 했군요."

'다정하시긴.'

피식 실소를 흘린 레오폴드가 손을 들어 프리다의 옆자리를 가리켰다.

"앉으세요, 형님. 기왕 오셨으니 오랜만에 대화나 나누시죠. 마침 형수님께서 좋은 차를 추천해 주셔서 즐기려던 참입니다. 세바스티안."

레오폴드가 가볍게 손짓하자 순식간에 테이블 위가 치워졌다. 곧이어 김이 모락모락 나는 향기로운 로즈메리 차 석 잔이 테이블 위에 새로 올려졌다. 잔을 들어 향기를 음미하던 레오폴드가 슬며시 눈을 치켜떴다. 일부러 속내를 들키겠다는 건가, 다니엘? 아니면 경고하는 거야?

'어느 쪽이든 재미는 있겠네.'

나란히 앉아 눈빛을 주고받는 리하르트 공작 부부를 바라보던 황제의 입꼬리가 씰룩 비틀리며 열렸다.

"아, 형님. 페트리샤 기억나십니까?"

황제의 질문에 다니엘이 선선히 답했다.

"아니요, 폐하. 기억나지 않습니다."

그저 페트리샤를 '아느냐'고 물었다면 그렇다고 대답했을 것이다. 황제의 정부인 '뷔테인 남작 부인'의 이름 정도는 알고 있으니. 하지만 '기억나냐'는 물음에 답할 말은 '나지 않는다'뿐이다. 그녀가 제 머릿속에 기억이 되어 남아 있을 이유가 없으니까.

다니엘이 차를 들 생각을 하지 않자 프리다가 슬그머니 찻잔을 그 앞으로 밀어 주었다. 찻잔에선 뫤하임 성 곳곳에서 맡곤 했던 익숙한 허브 향기가 났다.

"저…… 다니엘?"

흘끔 주위를 살핀 프리다가 나지막이 그를 불렀다. 기다렸다는 듯 눈을 맞추자 다니엘을 눈 안에 담은 프리다가 빙긋이 웃었다.

"식기 전에 얼른 마셔 봐요."

다니엘은 말이 끝나기가 무섭게 순순히 찻잔을 들어 한 모금 머금은 후 테이블에 내려놓았다. 잔뜩 기대에 부푼 똘망똘망한 보라색 눈망울이 여전히 다니엘로 가득 차 있었다.

"맛 어때요? 향은 괜찮아요?"

차 맛이 다 거기서 거기지, 특별히 괜찮다거나 나쁘거나 할 게 있나? 그는 입에 발린 소리일 것이 뻔한 의미 없는 칭찬을 하는 대신 부드럽게 입꼬리를 끌어 올렸다.

의외로 원하는 답이었던 모양이다. 프리다는 보일 듯 말 듯 연한 그의 미소가 만족스러웠는지 방실거리며 자신의 찻잔을 들었다.

'다행이다.'

입 안에서 조용히 머금어졌을 그녀의 말이 귓가에 들리는 것 같았다. 다니엘의 입꼬리가 조금 더 위로 올라갔다. 레오폴드가 자신을 관찰하고 있다는 걸 알았지만 개의치 않았다. 차라리 적나라하게 들키는 쪽을 원했는지도 모르겠다. 다니엘 리하르트가 아내에게 어떤 마음을 가졌는지. 기왕이면 확실한 경고도 하고 갈 참이다. 혹 여느 때처럼 웃기지도 않는 장난을 준비하고 있다면, 네 모든 것을 걸어야 할 거라고.

'나도 기꺼이 전부를 걸어 줄 테니.'

고개를 돌린 다니엘은 찻잔 너머로 그를 주시하고 있는 레오폴드와 눈을 마주쳤다. 어린 다니엘이 한때 죽도록 가지고 싶었던 차가운 파란 눈동자가 그를 바라보고 있었다. 절제미가 흐르는 우아하고 품위 있는 자세로 차를 머금던 레오폴드가 미세하게 입매를 허물어트렸다.

"페트리샤가 들으면 실망이 크겠어요. 은근 형님을 보고 싶어 하는 눈치였는데."

찻잔을 테이블 위로 내려놓은 레오폴드는 프리다의 눈치를 살피다 픽 웃고 말았다. 겉으로 드러내지 않았다 해도, 서로를 향한 경계와 싸늘한 독기가 완벽히 숨겨졌을 리 없건만. 맹수 두 마리 옆에서 저런 순진무구한 표정이라니. 이러니 내가 자꾸 장난을 치고 싶어지지. 레오폴드는 손을 까딱여 빈더만 자작을 불렀다.

"말 나온 김에 페트리샤를 불러서 차 맛을 보여 줘야겠네요."

정부 앞에 직접 첫사랑을 데려다 놓아 주는 이 너그러움이라니. 진정 '자비로운'이란 수식어를 얻을 만하지 않은가. 키득대고 싶은 걸 참느라 입 안의 여린 살을 살짝 이로 눌렀다.

"얼굴 보시면 형님도 누구인지 바로 아실 겁니다. 다른 아가씨들처럼 그녀도 형님 얼굴 한 번 보겠다고 쉔달 성에 뻔질나게 드나들었으니까요."

레오폴드는 프리다를 향해 찡긋 코주름을 지어 보였다.

"그녀의 첫사랑이 바로 우리 형님이랍니다. 하하. 이래 봬도 다니엘 형님이 결혼 전에 인기가 꽤 있었거든요. 세바스티안, 가서 페트리샤를 불······."

"송구하오나, 폐하."

어깨 뒤로 다가온 빈더만 자작에게 지시를 내리려던 찰나, 낮고 차분한 다니엘의 음성이 레오폴드의 말을 막았다.

"소신 리하르트, 제국의 태양이신 폐하께 부탁을 하나 드려도 되겠습니까?"

"부탁이요?"

레오폴드가 무의식적으로 미간을 좁혔을 만큼 생경한 단어였다. 다니엘이 제게 부탁이라니. 그의 입에서 이 단어를 마지막으로 들은 게 언제였더라.

'아! 그때였군.'

번득 그날이 떠올랐다.

"레오폴드 도련님. 어머니를 살려 주세요. 이렇게 부탁드립니다. 제발 공작 부인을 말려 주세요."

오래전, 어머니가 난데없이 라우라 님을 죽이겠다고 난리를 치시던 날이었다. 며칠 동안 레오폴드를 괴롭히던 심한 기침이 나은 지 얼마 안 돼 몸이 찌뿌둥했던 날.

어머니가 아버지에게 장기간 디기탈리스 독을 써 왔다는 걸 알게 된 날. 해독이 불가할 정도로 중독되어 조만간 삶을 마감하실 거 같다는 얘기를 들었던 날. 그 모든 게 저의 앞날을 위해 벌인 일이라는 말에 기분이 몹시 더러웠었지.

그나저나, 다니엘의 부탁에 자신이 뭐라고 답했더라. 의자 팔걸이에 손가락을 톡톡 내려찍으며 기억을 더듬었지만 흐릿하기만 할 뿐 명확히 떠오르지 않았다.

"제 아내는 과거 폐하의 이름이기도 했던 위대한 리하르트 가문의 유일한 공작 부인입니다."

'위대한 리하르트 가문' 소리를 다니엘의 입을 통해 듣게 되다니. 레오폴드는 가소로움에 비틀리는 입술을 힘껏 붙들었다.

그리 위대한 가문의 작위를 받으며 감사하다는 인사 한마디도 없었던 주제에 가증 떨기는. 대체 무슨 말을 꺼내려고 저리 서론이 거창한 걸까. 호기심이 생긴 레오폴드는 입을 꾹 닫고 다니엘이 내놓는 얘기를 들었다.

"그 이름에 걸맞은 적법한 예법을 갖추어 대우해 주십시오."

꼴깍. 긴장한 프리다는 목 안으로 침을 삼켰다. 제 남편이 원래 상대방의 기분에 상관없이 혼자 정색하고 얘기하는 편이긴 하다. 그렇지만 이 말은…… 좀 심하게 아슬아슬하다. 마치…….

"그 말은 제가 공작 부인께 적법한 예우를 갖추지 않았다는 뜻으로 들리네요, 형님."

'내 말이오.'

다니엘은 지금 대놓고 황제의 무례를 지적하고 있는 거나 마찬가지였다. 뚫어져라 다니엘을 응시하던 레오폴드가 프리다에게로 시선을 옮겼다.

"형님께서 이리 말씀하실 정도라면 제가 부인께 심한 결례를 저질렀나 봅니다."

입은 미소를 짓고 있었으나 누가 봐도 눈이 웃고 있지 않았다.

"아, 아닙니다. 폐하."

남편의 의중을 짐작하지 못한 프리다는 눈을 깜박이는 것도 잊은 채 다니엘을 바라보았다. 방 안의 온도를 한겨울로 만들어 놓은 장본인은 한 치의 흐트러짐도 없는 고요한 얼굴 그대로였다.

"폐하께서도 익히 아시다시피 스베르겐 황실은 대대로 초대 황제인 카를 1세 폐하의 후손인 '십이 공작'의 핏줄들로 명맥을 이어 왔습니다."

부친 브루노 리하르트 공작의 고집 덕에 다니엘은 사생아임에도 레오폴드와 다를 바 없는 교육을 받았다.

아버지가 선별한 가정 교사에게 제국과 가문의 역사에 대한 수업을 들었던 날. 자신이 이토록 위대한 집안의 일원이라는 뿌듯함에 감동했던 것 같다. 꾸지 말아야 했던 꿈을 꾸고, 보지 말아야 했던 것을 본 대가로 그 많은 피를 보게 될 줄도 모르고.

"현재 살아남은 십이 공작 가문은 넷. 이 중 황태후 폐하와 황후 폐하, 두 분을 제외하면 제 아내 리하르트 공작 부인이 여인으로서는 제국 내 세 번째 서열이 됩니다."

'리하르트'라는 이름과 공작의 작위. 다니엘에게 티끌만큼의 감흥도 주지 못하는 거추장스러운 것들이었다. 그러나 그 이름이 프리다에게 의미가 된다면 이제부터라도 진짜 리하르트로 살아 볼 생각이다. 제국의 위대한 귀족, '다니엘 요하네스 리하르트'로.

"폰하임이나 라이닝겐, 바이첸까지 그 누구도 폐하의 가문이었던 리하르트 위에 올라설 수는 없으니 말입니다. 제 생각이 잘못되었습니까?"

담담히 물은 다니엘은 레오폴드를 똑바로 주시했다. 황제인 네 입으로 프리다의 위치를 분명히 확정 지으라는 무언의 압박을 눈빛에 담았다. 질문 속에 나머지 세 가문보다 리하르트의 격을 높이라는 의중도 곁들였다.

도전적인 다니엘의 시선을 피하지 않고 받아 주던 레오폴드가 피식 쓴 웃음을 흘렸다.

'다 알면서 뭘 물어? 영악한 자식.'

레오폴드가 리하르트를 세 가문의 아래, 특히 바이첸의 밑에 두는 일 같은 건 죽어도 하지 않을 거란 걸 뻔히 눈치챘으면서.

"아닙니다. 형님의 말이 맞습니다. 황제를 배출한 리하르트를 다른 가문과 동급으로 둘 수는 없지요."

"그렇다면 뷔테인 남작 부인을 이곳으로 부르겠다는 뜻을 거둬 주십시오. 아무리 폐하의 아낌을 받는 여인이라곤 하나, 그녀는 한낱 정부입니다."

표정은 담담하기 그지없건만, 희한하게 붉어진 눈동자가 레오폴드를 비웃고 있는 것 같았다. 아니. 분명히 비웃었다.

"엄연한 작위를 갖춘 제 아내가 그녀와 동석하는 건 격에 맞지 않습니다."

'아……'

레오폴드는 그제야 다니엘의 부탁에 대한 저의 답을 기억해 냈다.

"죽을 짓을 했으니 죽겠지. 아무렴 엄연한 작위를 갖춘 내 모친께서 격 떨어지게 한낱 정부 따위를 모함이라도 했을까 봐?"

너무나 바이첸다웠던 제 답이 생생하게, 모조리 떠올랐다.

"새삼스럽네. 다니엘 너. 라우라 님보다 내 어머니를 더 따랐잖아. 네 앞날에 방해만 되는 천한 어머니, 차라리 없는 게 더 낫지 않아?"

안드레아 공작의 땅 바이마르 남쪽 쿠펀 항. 몇 년 전부터 동방에서 출발해 이곳으로 오는 상선들이 부쩍 늘었다. 쿠펀 항은 로슈만 대륙의 북쪽 바다 유라 대신 남쪽 해로를 선호하는 그들의 중간 정박지. 혹은 마지막 정착지로도 주목받았다.

자연스레 동방에서 온 상인들을 상대하는 숙박업소나 식당들이 생겨나다 보니, 얼핏 보면 스베르겐이 아니라 동방의 항구 같다는 느낌을 풍겼다.

이국적인 분위기가 물씬 나는 이 항구에 막 한 달 전 즈음 투르크에서 출발한 상선 하나가 도착했다.

배에서 내리는 선원들 틈으로 유독 체격이 건장해 보이는 사내 셋이 섞여 들었다. 한 사내의 어깨에는 커다란 망태 자루가 얹어져 있었다. 선원들은 땅에 발을 디디며 크게 기지개를 켰다.

"아구구. 육지야 반갑다. 오늘은 오랜만에 땅에 머리를 대고 누워 보겠구나."

"자, 얼른얼른 서두르세. 후딱 끝내고 고주망태가 되어 보자고."

망토의 후드를 깊이 눌러쓴 건장한 세 사내는 분주히 움직이는 선원들과 다른 방향으로 걸었다. 화려한 색감의 건물들과 인파를 비집고 지나가던 그들은 이내 한 건물 앞에 멈췄다. 청록색과 붉은색 실이 대칭을 이루는 투르크 전통 지오르데스 매듭이 새겨진 천이 건물의 나무 문 위로 걸쳐져 있었다.

똑똑.

사내 중 하나가 문을 두드리자 잠시 후 문이 열렸다. 헐렁한 카프탄을 입은 검은 머리 사내가 반색하며 문밖으로 뛰쳐나왔다. 그는 제집 앞에 도착한 이들의 이름을 부르며 양팔을 활짝 벌렸다.

"야무르, 뷰란! 드디어 도착했군. 이게 얼마 만인가, 하하."

야무르라 불린 사내는 검은 머리 사내의 포옹을 거부하며 집 안으로 쑥 들어가 버렸다.

"오랜만이야. 메랄."

뒤따르던 뷰란이 메랄과 격하게 포옹을 하는 사이 맨 뒤에 서 있던 남자도 그들을 지나쳐 안으로 들어섰다. 네 명의 사내 중 가장 키가 큰 그가 후드를 벗자 집주인인 메랄이 깊숙이 허리를 숙였다.

"어서 오십시오, 오르한 님. 누추한 소인의 집을 방문해 주셔서 감사합니다."

머리카락 색과 눈동자 색이 각양각색인 남자들 속에서도 오르한의 외모는 유독 눈에 띄었다.

짙은 갈색 머리칼에 호라산 지방에서 나는 청록색 돌을 연상시키는 보기 드문 눈동자. 덥수룩한 턱수염을 기른 그는 메랄의 인사에 가벼운 고갯짓으로 답을 하곤 무뚝뚝하게 물었다.

"지금 출발하면 유트레히트엔 언제 도착하지?"

뷰란이 후드를 벗다 말고 입을 쩍 벌렸다. 까무잡잡한 피부만 아니면, 여느 스베르겐인과 별다를 것 없는 금발에 파란 눈동자를 지닌 사내였다.

"지, 지금요? 오르한 님, 지금이라고 하셨습니까? 우리 지금 막 도착했는데요. 자그마치 한 달 가까이 바다를 떠돌다 조금 전 땅을 밟았다고요."

검은 머리에 갈색 눈동자를 지닌 야무르가 막 벗은 후드를 다시 둘러쓰며 메랄의 어깨를 붙잡았다.

"말은 어디 있나?"

"야, 야무르. 너까지 왜 이래!"

뷰란의 외침을 무시한 야무르가 메랄의 카프탄을 잡아끌고 나가려던 순간. 오르한이 방 한편에 놓인 의자에 철퍼덕 주저앉으며 말했다.

"앉아, 야무르. 출발은 예정대로 내일 아침이다."

가볍게 고개를 흔들며 수염처럼 덥수룩하게 자란 머리칼 속의 먼지를 털던 오르한이 청록색 눈동자를 치켜들었다.

"다니엘 리하르트가 살아났다는 게 사실이야?"

사내 세 명이 오르한의 앞에 빙 둘러섰다. 마른 체형의 메랄이 야무르의 손에서 빼낸 카프탄 자락을 탁탁 털며 주름을 폈다.

"네, 보고드린 대로 다니엘 리하르트가 삼 년 만에 깨어났습니다. 그리고 이틀 전에 도착한 소식인데 스베르겐의 황제가 지금 유트레히트에 머물고 있답니다."

오늘은 쉴 수 있다는 것에 안도하며 뻐근한 목을 풀고 있던 뷰란이 희번 덕 눈을 부라리며 메랄을 노려봤다.

"진짜? 아니, 왜 그걸 인제 얘기해?"

"뭘 들은 거야? 이틀 전에 도착한 소식이라니까. 뷰란, 자넨 그때 배에 있었다고."

티격태격하는 두 남자 옆에 조용히 서 있던 야무르가 깊은 생각에 빠져 있는 오르한의 앞으로 한 발 나섰다.

"여기에 온 목적을 잊지 마십시오, 오르한 님. 상대는 다니엘 리하르트. 우리는 고작 셋입니다. 그리고 스베르겐의 황제는 애초에 우리의 목표가 아니었습니다."

"결국은 그자가 최종 목표잖아."

심드렁히 대답한 뷰란이 손가락으로 메랄을 가리키며 말했다.

"그리고 우리가 왜 셋이냐? 넷이지. 암만 도움이 안 돼도 그렇지. 대놓고 메랄을 무시하면 쓰나. 이 매정한 놈아."

한심한 눈으로 저를 바라보는 야무르에게 뷰란이 시비를 걸 듯 머리를 들이밀었다.

"뭐? 내가 뭘 어쨌는데?"

팔짱을 낀 채 의자에 등을 기댄 오르한은 목을 쭉 뒤로 젖히며 눈을 감았다. 그들이 한 달이나 바다를 떠돌며 이 먼 곳까지 온 목적은 두 가지. 첫째, 투르크에서 스베르겐으로 오는 해로를 점검하는 것. 둘째, 그의 계획에 가장 큰 걸림돌이 될 게 뻔한 다니엘 리하르트를 염탐하는 것이었다.

이 두 가지 모두 몇 달 전, 다니엘 리하르트가 깨어났다는 보고가 도착하면서 추가로 늘어난 일이다. 다니엘의 복귀라는 돌발 변수만 아니었다면, 오르한의 계획은 완벽했으니까.

대륙 내 전투가 잦은 탓에 대다수 병력이 육지 싸움에만 집중하고 있는 스베르겐 군대의 약점은 부실한 해상력. 쿠핀 항으로 들어오려면 꼭 통과해야 하는 좁은 해협도 부실함의 원인이 되었다. 배 한 척이 겨우 통과할 수 있는 곳이라, 유사시 거기만 막으면 된다는 안일함이 작용했을 것이다. 오르한은 그 약점을 이용할 계획이었다.

전쟁의 큰 그림은 간단했다. 국경을 지키는 변경백의 눈을 동맹 협약을 맺은 솔론족이 붙들어 놓는 동안 자신들은 해로를 통해 바이마르로 침공한다. 세부적인 전투 계획도 나름 치밀하게 세워 뒀다.

상인을 가장해 일부 병력을 미리 바이마르에 잠입시켜 놓은 다음, 오르한의 핵심 군대는 상선을 타고 소리 소문 없이 해협을 통과한다. 바이마르에 안전하게 도착만 하면 그 이후론 속도전이다.

내륙을 가로질러 수도 첼리노의 쉔달 성에 도착하기까지 길어야 열흘. 소수 정예만 이끌고 전광석화처럼 달려가 단숨에 쉔달 성을 초토화해 버리려고 했었는데.

'하필이면 이때 다니엘 리하르트가 깨어나다니.'

이 모든 계획은 더럽게 잘 싸우는 리하르트 공작, 그 징글징글한 방해꾼이 없다는 전제하에 세워 놓은 것. 여차하면 한순간에 물거품이 되게 생겼다. 망할 놈의 1 왕자가 겁만 먹지 않았어도, 삼 년 전에 그 자식 숨통을 끊어 놓는 건데.

"빌어먹을 유수프. 용기가 없으면 확 쪼그라져 있든가. 나이 처먹고 겁만 많아지는지. 입만 살아서 나불나불하는 겁쟁이 자식."

숨 쉬듯 줄줄줄 험한 소리를 내뱉는 오르한을 보며, 뷰란이 절레절레 고개를 저었다. 말버릇만 보면 투르크의 5 왕자가 아니라 영락없는 산적, 해적, 무뢰배다.

"왕자님. 품위를 지키십시오. 안 그래도 하람의 후궁들이 5 왕자는 왕자인지 부랑아인지 모르겠다고 수군댄답니다. 그 뒷담화를 누구에게 하겠습니까? 왕자님의 목숨 줄을 틀어쥔 부왕께 하겠죠."

주군을 타박하는 게 못마땅했던지 야무르가 그를 노려봤다. 야무르의 서슬 퍼런 눈빛에도 뷰란은 조금도 기가 죽지 않고 할 말을 이어 갔다.

"우리가 비록 셋이라 해도 고작이라 부를 만한 전력은 아니지만, 상대는 바로 그 다니엘 리하르트입니다. 이번엔 얌전히 염탐만 하고 가는 게 맞습니다."

예외의 경우를 떠올린 뷰란은 얼른 말을 곁들였다.

"또 모르지요. 나사르 본주(투르크의 행운의 부적)가 우리를 도와 다니엘 리하르트가 한쪽 다리를 전다든가 눈이 보이지 않게 됐을지. 만약 그렇다면 그대로 쓸어버리고 오자고요."

그만하라는 뜻인지 메랄이 그의 옆구리를 쿡쿡 눌렀다. 뷰란은 그의 손을 툭 치워 내며 씩 웃었다.

"하지만 조심해서 나쁠 건 없습니다. 우리의 최종 목표는 스베르겐이 아니라 투르크 왕실의 주인이 되는 거니까요."

5 왕자인 오르한의 위로 형님이 넷. 아래로 아우가 다섯. 그들을 넘어서

야 가능한 꿈이었다. 어찌나 다들 건강하신지, 아파 죽을 확률조차 희박한 왕자 아홉 명을 말이다.

"고생만 하다 죽으면 1왕자 유수프 님 좋은 일만 시키는 겁니다. 자고로 살아 있어야 뭐든 될 거 아닙니까?"

뷰란의 말이 맞다. 살아 있어야 큰형님 대신 부왕의 눈에 드는 꿈이라도 꿔 볼 수 있다. 그러려면 기필코 이 유서 깊은 거대한 제국 스베르겐을 무너트려 부왕께 제 능력을 보여야 한다. 뒤로 젖혔던 고개를 바로 세운 오르한이 망토 핀을 풀며 메랄에게 물었다.

"우리와 함께 유트레히트로 갈 상인들은?"

오르한과 그 일행은 상인을 호위하는 용병으로 위장해 그들과 함께 리하르트의 땅으로 들어갈 예정이다.

주군인 오르한이 쉴 태세를 갖추자, 야무르와 뷰란도 그제야 망토를 벗어 메랄에게 던졌다. 먼지가 풀풀 나는 망토를 받아 든 메랄이 인상을 쓰며 기침을 해 댔다.

"콜록콜록. 저와 상인 둘, 물건을 싣고 갈 수레까지 모두 대기하고 있습니다. 그나저나 랄레의 구근은 제대로 된 걸로 구해 오신 거 맞지요?"

야무르가 배에서부터 어깨에 둘러메고 와 뒤편에 처박아 두었던 망태 자루를 메랄의 다리 앞으로 툭 던졌다. 카펫 위로 주저앉은 뷰란이 낑낑 부츠를 벗으며 구시렁댔다.

"솔직히 제대로인지 아닌지 우리가 알 게 뭐야. 몇 년을 키운 왕실 정원사도 랄레가 어디서 어떻게 자라 어떤 꽃을 피워 낼지 정확히 모른다는데. 대충 집어 왔으니 알아서 해."

먼지 나는 망토를 휙 구석으로 집어 던진 메랄이 곤란한 표정을 지으며 구근 주머니 안을 이리저리 살폈다.

"귀한 품종으로 가져오라고 몇 번이나 강조했는데 대충 집어 오면 어떡해, 이 인간아! 유트레히트의 안주인이 얼마나 까다로운지 알아? 눈썰미도 좋아서 상품 가치가 없으면 거들떠보지도 않는다고."

"걱정하지 마. 이 땅에선 제대로 피워 내지도 못할 텐데 뭘."

뱃길에 깎지 못한 턱수염을 벅벅 긁던 오르한이 가물가물 잡힐 듯 잡히지 않는 무언가를 머릿속으로 쫓으며 눈을 일그러뜨렸다.

"다니엘 리하르트의 아내가 하크본 백작의 막내딸이라고 했던가?"

삼 년 전 뮤리엘이 처음 왔을 때만 해도 듬성듬성 떨어져 자리 잡은 집 몇 채만 있던 곳에 어느덧 제법 모양을 갖춘 마을이 형성되었다. 뉘엿뉘엿 지는 해를 등진 채 말에서 내린 뮤리엘이 그중 한 집의 문을 두드리며 힘 빠진 목소리로 누군가를 불렀다.

"마틸다, 나 왔어."

집 안이 아니라 뒤편 뜰에서 나타난 마틸다가 들고 있던 물통을 내려놓으며 소리쳤다.

"세상에, 뮤리엘 님! 매일 어디서 이렇게 먼지를 뒤집어쓰고 오시는 거예요?"

앞주머니에서 작은 천을 꺼낸 마틸다는 물통에 천을 담가 적신 후 절룩절룩 뮤리엘의 앞으로 다가왔다. 그녀는 젖은 천으로 뮤리엘의 얼굴과 목에 묻은 먼지를 닦으며 연신 잔소리를 해 댔다.

"아휴, 마님께서 보셨다면 얼마나 기함하셨을까. 최고의 기사 뮤리엘 로시발트 님이 매일 항구에서 일하는 인부들처럼 거지꼴을 하고 나타나시다니. 눈 좀 감아 보세요. 얼굴이 온통 먼지예요."

제가 봐도 거지꼴이 맞는지라 뮤리엘은 딱히 반박하지 않았다. 그래도 초반엔 하루에 한 번, 아무리 일이 많아도 이틀에 한 번은 성으로 돌아갔다.

하지만 그것도 다 옛말. 오늘로 사흘째 뮌하임 성에 가지 못하고 있다. 벌목일에 속도가 붙자, 도로 공사 현장이 눈코 뜰 새 없이 바쁘게 돌아가고 있는 탓이었다.

이 와중에 도미닉은 황제 일행을 감시해야 한다며 툭하면 자리를 비우기 일쑤다. 마틸다가 성 밖에 살게 된 이후론 솔직히 핑계 김에 툭하면 이 집에서 숙식을 해결하는 중이기도 하다. 마틸다는 아델의 수제자답게 음식 솜씨가 죽여주니까. 순순히 얼굴을 내 주던 뮤리엘은 마틸다가 젖은 천을 거두자 눈을 떴다.

마틸다의 어깨 뒤로 그녀가 들고 오다 내려 둔 나무 물통이 보였다. 털레털레 마틸다의 뒤로 걸어간 뮤리엘은 물통을 들고 집으로 향했다. 그 모습을 본 마틸다가 뮤리엘의 뒤를 종종거리며 따라붙었다.

"아휴. 뮤리엘 님, 얼른 이리 내놓으세요. 물을 길어 나르는 거쯤은 저도 할 수 있다고요."

"할 수 있는 거 알아. 그냥 내가 배가 고파서 그래. 이건 나한테 맡기고 밥 좀 차려 줘, 마틸. 등가죽이 배에 붙은 거 같아."

처음 봤을 때보다 많이 나아지긴 했지만, 마틸다는 여전히 눈에 띄게 다리를 절었다. 대체 산에서 얼마나 심하게 굴렀기에 저리됐는지. 마틸다가 그 애기를 꺼내는 걸 너무 싫어해 뮤리엘도 더는 자세히 묻지 않았다.

주방에 놓인 커다란 물통의 뚜껑을 연 뮤리엘이 기함하며 마틸다를 돌아봤다. 예상외로 물통이 거의 채워져 있었다.

"이걸 언제 다 채워 놨어? 내가 해 준다니까 그새를 못 참고 또 돌아다닌 거야?"

등을 돌린 채 음식을 차리던 마틸다가 잠깐 멈칫하다 다시 바지런히 움직였다.

"아니요. 낮에 도미닉 님이 안톤 아저씨와 함께 다녀갔어요."

도미닉, 이 망할 인간.

'여기까지 와 놓고 현장엔 코빼기도 안 보였다 이거지.'

식탁 앞에 자리를 잡고 앉은 뮤리엘은 턱을 괸 채 음식을 차리는 마틸다의 등을 물끄러미 바라보았다.

성에 있을 땐 전혀 몰랐는데 도미닉이 마틸다에게 마음이 있었던 모양이다. 벌목 현장엔 그림자도 안 비추는 인간이 툭하면 의사를 데리고 찾아와 마틸다의 상태를 살피고 가는 걸 보면. 물 항아리를 채워 놓고, 장작도 가득 패 주고 말이지. 저번엔 깔끔하게 손질된 커다란 고깃덩어리를 던져 주고 갔단다.

'음……. 우리 마틸다가 도미닉 그 인간의 차가운 심장을 녹인 건가?'

몹시 지친 터라 멍하니 보고만 있는 뮤리엘 앞에 마틸다가 막 데운 따끈한 수프와 빵을 올려놓았다.

"우선 이거부터 드시고 계세요."

"마틸다."

"네?"

뮤리엘은 수저를 들며 덤덤히 말했다.

"도미닉 말이야. 의외로 괜찮은 구석이 많아."

말을 하고 나서야 '의외'라는 단어는 쓰지 말 걸 그랬다 후회가 됐다. 사실 인간 말종에 개차반인 놈들이 태반인데. 도미닉 정도면 아주 쓰레기는 아니다.

"그러니까 잘 지내보……."

"뮤리엘 기사님은 도미닉 님을 믿으세요?"

예기치 않은 싸늘한 대꾸에 뮤리엘은 수프를 뜨다 말고 마틸다를 올려다보았다. 뮤리엘을 보던 마틸다가 화급히 눈을 피하고 뒤를 돌았다.

"조심하세요, 기사님. 도미닉 님은……."

잠시 망설이던 마틸다는 이 말은 꼭 해야겠다고 결심한 듯 주먹을 꼭 움켜쥐었다.

"아니, 공작 전하는 무서운 사람이에요."

머리를 안정시켜 주는 향긋한 로즈메리 차와 함께한 티타임은 다소 싸한 분위기로 끝났다. 내내 여유 있는 표정을 유지하던 황제는 돌연 씁쓸한 미소를 지으며 티타임의 종료를 알렸다.

"서로를 위해 오늘은 여기까지만 해야 할 것 같군요."

브라반트 홀을 나선 프리다는 산책을 권유하는 다니엘을 따라 마리안 홀로 돌아가는 숲길을 걸었다. 다니엘은 생각이 무척 많아 보였다. 프리다는 차양 너머로 보이는 남편의 단정한 입매에 눈을 두었다. 왠지 그녀가 채근하지 않아도 금세 열릴 것 같아 기다리는 중이다.

아니나 다를까. 울창한 나뭇가지가 길게 뻗어 나온 나무 아래 도착한 다니엘이 걸음을 멈추고 프리다를 내려다봤다. 나뭇가지 사이사이를 비집고 들어온 햇살이 다니엘의 무덤덤한 얼굴 위로 내려앉았다. 군데군데 숨겨진 묵은 감정이 얼핏얼핏 스치듯 보였다. 평생을 쓰고 살아왔을 냉철함이란 이름의 뻣뻣하고 두꺼운 가면 뒤에 가려진 여린 속살도.

"내 어머니 얘기…… 들어 줄래요?"

프리다는 어렵게 흘러나온 그의 목소리를 방해하고 싶지 않아 말없이 고개를 끄덕였다. 자신이 어떤 눈을 하고 있는지 모르는 다니엘이 잔잔히 미소 지었다.

"재미없을 텐데."

프리다는 팔을 뻗어 슬픔을 참는 단정한 눈가를 매만졌다.

"하고 싶으면 해요. 내가 다 들어 줄게요."

두 사람은 큰 나무가 만들어 준 널찍한 그늘 아래 나란히 앉았다. 긴 침묵 후 다니엘이 느리게 입을 뗐다.

"어머니는 현실이 아닌, 꿈속에 사는 소녀 같은 분이었어요."

악연인지 행운인지 모를 부친과의 만남은 리하르트 공작이 근방에서 꽤 유명해진 외조부 마시모의 용병단을 고용하며 시작되었다.

"사납고 거친 인간들 속에서 자란 소녀에게 금발의 예의 바른 귀족 남자가 어찌 보였을지야 뻔하잖아요."

다니엘의 아버지 브루노 리하르트는 훌륭한 품성을 갖췄으나 그 이름의 무게를 견뎌 내기엔 지나치게 평범한 남자였다. 바이첸의 야망을 감당하기에도 그랬다. 당연히 그의 애정은 아내가 아니라 편한 안식처가 되어 주는 정부에게 기울었다.

"어머니는 남편의 사랑이 자신과 아들을 귀족 사회의 일원으로 만들어 줄 거라 굳게 믿었던 것 같아요. 귀족이란 족속이 어떤 인간들인지 모르니 순진했던 거죠."

순수하고 착한 심성의 정부를 염려한 부친께서 견고한 벽을 둘러 그녀를 보호하고 눈을 가려 주었기에 가능한 일이었다.

"아버지는 당시 공작 부인이었던 황태후와 거래를 하셨어요. 그녀가 아들을 낳을 수 있도록 정기적으로 부부 관계를 해 줄 테니, 내 어머니를 해치지 말아 달라고."

다니엘이 태어나고 2년 뒤. 마그리트는 정통성을 갖춘 리하르트 가문의 후계자 레오폴드를 낳았다. 귀족 사회의 법도를 몰랐던 어머니는 남편의 장자인 다니엘이 인정받지 못하는 현실을 이해하지 못했다. 그렇다고 딱히 일을 꾸미거나 할 사람도 못 되었던지라 사람 좋게 주변을 챙기고, 다니엘의 교육에 열을 올렸다.

어린 나이에 빠르게 제 위치를 깨달은 다니엘에 비해 어머니는 그때까지도 내내 순수하고 무지하셨다. 다니엘의 교육을 핑계로 공작 성의 별채로 들어간 것만 봐도 알 수 있다.

"황태후에겐 더할 나위 없는 장난감이었을 겁니다."

얼마나 가소로웠을까. 제 발로 죽을 자리를 찾아 들어온 어리석은 정부가. 그 와중에 제법 눈치를 갖춘 야망 있는 정부의 아들이 알아서 재롱 거리가 되어 주기까지 했으니.

"어릴 땐……."

쓰디쓴 자조가 다니엘의 잇새로 흘러나왔다.

"어머니가 부끄러웠어요."

공작 성의 실세는 오래전부터 공작이 아니라 공작 부인 마그리트였다. 그것도 모르고 생명 줄처럼 아버지의 사랑에 목매고 있는 어머니를 많이도 비웃었더랬다. 영악하지도 못하면서 어설프게 착해 빠진 순진한 어머니. 다니엘의 앞날에 조금도 도움이 안 될 게 뻔한 능력 없는 어머니.

레오폴드는 그런 제 어머니를 만나기 위해 모친의 눈을 피해 가며 별채에 드나들었다. 겨우 어머니가 해 주는 음식을 먹고 시시콜콜한 수다나 떨기 위해 그 짓을 하는 걸 보며, 얼마나 어이가 없었는지 모른다.

"어머니가 황태후의 정체를 깨달았을 땐 이미 많은 게 틀어진 뒤였어요."

아버지 리하르트 공작은 나날이 허약해졌고, 침실에서 나오지 못하는 날이 많아졌다. 공작 성의 모든 것이 완전히 공작 부인 마그리트의 손에 들어갔고, 그 안엔 다니엘도 포함되었다. 다니엘을 레오폴드의 화살받이로 키우고 있다는 말을 듣고서야 어머니는 정신이 번쩍 들었다고 한다.

"여기 있으면 네가 위험해져. 다니엘. 할아버지에게 가 있어. 응?"

나무 둥치에 기대고 있던 다니엘이 고개를 뒤로 젖혔다. 어떻게든 저를 살리고자 애쓰는 어머니의 간절한 마음을 그때는 왜 보지 못했을까. 아들을 향한 그 절절한 애정을.

"공작 부인이 내 엄마였으면 좋겠어!"

사는 내내 후회스러웠다. 그 말만은 하지 말았어야 했다고. 나무 이파리

148

를 파고드는 햇살이 눈부셔 감은 눈시울이 돌연 뜨끈해졌다. 접은 무릎 위로 올린 주먹에 불현듯 힘이 들어갔다. 살면서 이런 적이 없었는데 뭔가에 홀린 듯 입이 열렸다.

"한 번쯤은 말해 줬어도 좋았을 텐데……."

눈가에 물기가 맺히는 걸 느꼈지만 말리지 않고 내버려 두었다.

"어머니가 내 어머니여서 아주 많이 좋았다고."

아마도 오늘인 듯하다. 어머니에게 상처 주었던 그날의 죗값을 치르는 날이.

"당신을 부끄러워해서 미안하다고."

그 죗값은 '뼈저린 후회'인가 보다. 후드득, 눈가에 맺힌 물방울이 떨어지는 순간. 다니엘의 가슴으로 프리다가 안겨 왔다. 다니엘은 제 품에 날아든 아내를 본능적으로 꽉 끌어안았다. 텅 비어 가던 마음에 다시 차곡차곡 프리다가 채워지자 겨우 숨이 쉬어졌다.

피곤한 몸에 한가득 음식을 때려 넣고 술까지 한잔했으니, 세상모르고 잠들었다 해도 이상할 것 없는 밤이었다. 문제는 그러기엔 뮤리엘의 감각이 지나치게 예민하다는 거였지만. 처음엔 먹이를 찾아든 늑대가 집 앞을 서성이는 건가 했었는데…….

'이건 인간의 기척이 틀림없어.'

슬그머니 침대에서 발을 내린 뮤리엘은 벽에 바짝 몸을 붙이고 어둠이 깃든 창밖을 살폈다. 기적을 내는 이가 도둑일 리는 없다 결론 내린 까닭은 도미닉이 침을 튀겨 가며 자랑하는 공작령의 치안 때문은 아니었다. 감춰지지 않는 건지, 감출 생각이 없는 건지 모를 살기가 느껴졌다. 평범한 네 남매가 사는 이 허름한 집에 저토록 분명한 살기를 가진 자가 왜 나타난 걸까?

뮤리엘은 한껏 기운을 누르고, 창밖의 동정에 온 신경을 집중시켰다. 반도 차오르지 못한 달이 구름에 가려, 아무것도 눈에 들어오지 않았다. 눈을 가늘게 좁히고 어둠에 익숙해지기를 기다리는데 인기척이 점점 멀어졌다. 때마침 달이 느릿느릿 구름을 벗어나며 대지 위에 은은한 빛을 뿌렸다.

서서히 새카만 어둠을 벗어 내는 형체를 주시하던 뮤리엘이 눈을 찌푸리며 창문에 바짝 달라붙었다. 바람에 펄럭이는 망토에서 달빛을 받은 노르딕 십자 무늬가 은빛으로 삐죽 모습을 드러냈다.

혹시나 하며 주방 문을 열었더니 역시나 예상했던 인간 둘이 앉아 있었다.

"이 인간들이 아주 여기서 사는구만, 살아."

도미닉이 제 귀에만 들리게 조용히 중얼거렸다. 삐딱하게 앉아 술을 들이켜고 있던 하인리히가 와 앉으라며 발로 의자를 툭 밀었다. 그동안 슈테판이 능숙하게 술잔을 꺼내 왔다.

'이럴 것 같아 그냥 자려고 했는데.'

소리 없이 구시렁거린 도미닉은 하인리히가 밀어낸 의자에 가 앉았다.

누굴 탓하겠는가. 마틸다만 보고 오면 마음이 심란해 잠을 못 이루는 제 탓이지.

술잔을 들어 술을 한 모금 들이켠 도미닉은 이상하게 말이 없는 하인리히를 흘깃거렸다. 평소라면 진즉 실없는 소리를 지껄이고도 남았을 인간이 조용한 것이 영 수상하다. 보아하니 슈테판도 그의 눈치를 보고 있는 것 같았다. 목을 한껏 젖혀 단숨에 술잔을 비운 하인리히가 테이블 위에 탁 내던지듯 잔을 내렸다.

"난 내일 영지로 돌아간다."

엥? 이건 또 뭔 소리야? 기가 막혀 멀뚱히 보고만 있자 하인리히가 입술을 삐죽이며 시비조로 투덜댔다.

"내가 떠난다니 그렇게 좋냐? 할 말을 잊을 만큼?"

"객식구가 하나 줄어드는데 나쁠 이유가 없긴 하죠."

"이 자식이……"

뭐라 더 트집을 잡으려고 엉덩이를 들썩이던 하인리히는 다시 털썩 주저앉으며 슈테판에게 잔을 내밀었다.

"집사장님. 한 잔 더."

선선히 잔을 받아 든 슈테판이 잔에 술을 가득 채워 하인리히 앞으로 건넸다.

"영지에 무슨 일이라도 있으십니까? 왜 갑자기……"

"내 영지가 아니라 우리 제국에 일이 생길 것 같아."

한 모금 입을 축인 하인리히가 심각한 얼굴로 돌아왔다.

"국경 분위기가 안 좋아. 아직 하얀 밤의 계절도 아닌데 크고 작은 전투가 계속되고 있어."

하인리히의 다리가 초조한 그의 심경을 말해 주듯 달달달 떨렸다.

"마치 고기가 익었는지 안 익었는지 여기저기 찔러 보며 간 보는 것처럼. 조만간 수도로 지원 부대 파병을 요청하게 될지도 몰라."

"국경 상황이 그렇게나 안 좋아진 겁니까?"

꽤 놀란 슈테판의 눈이 휘둥그레졌다. 반면 모든 것을 예견한 듯 도미닉은 침착했다.

'그럼 그렇지. 저 여우가 모를 리가 없지.'

덤덤한 얼굴로 술을 들이켜는 도미닉을 보며 하인리히는 픽 실소를 터트렸다.

"지금은 아니더라도 심각해지는 건 금방이야. 이제 곧 동부를 시작으로 가뭄이 찾아올 거고. 식량과 물을 확보한다는 케케묵은 핑계를 대면서 솔론 족이 국경을 도발할 테니까."

도미닉은 여전히 다 아는 얘기라는 듯 무상한 표정이었다. 그럼 이것도 알고 있으려나?

"올해는 거기에 한 가지가 더해질 모양이고."

하인리히는 슈테판 앞에선 꺼낼 얘기가 아닌 줄 알면서도 입을 열었다.

"한 가지요?"

대번에 하인리히의 말을 물고 늘어지는 슈테판과 달리 도미닉은 처음과 같은 찬찬한 낯빛 그대로였다.

'역시. 이러니 내가 이놈들한테 미치지.'

더 떠보는 것을 포기한 하인리히가 낄낄 웃음을 터트리며 도미닉의 등짝을 탁 내리쳤다.

"대체 어디까지 알고 있는 거야?"

도미닉이 테이블에 흘린 술과 하인리히를 번갈아 노려보며 으르렁댔다.

"솔론과 투르크 왕실이 손잡았다는 것까지요. 내일까지 기다릴 것 없이 당장 가시면 안 됩니까?"

가볍게 도미닉의 불평을 무시한 하인리히가 매서운 눈초리로 그를 마주 봤다.

"다니엘은 뭐래?"

흘끔 슈테판을 한 번 쳐다본 도미닉이 술잔을 내려놓았다. 이제 와 입을 닫는 것도 웃긴 일이겠다 싶었다. 보일드 남작이 안다고 달라질 것도 없고.

"보고만 있어. 하인리히는 알아서 제 영지로 돌아갈 거고, 변경백의 보고가 올라가면 황태후는 어떤 구실을 대서라도 황제를 불러들일 테니 우리한텐 나쁠 것 없어."

"'귀찮은 손님들을 한 번에 다 몰아낼 좋은 기회'라고 하셨습니다."

무슨 뜻인지 가늠하려 머리를 굴리는 슈테판 앞에서 하인리히가 몸을 들썩여 가며 큰 소리로 웃었다.

"다니엘, 이 개자식. 진짜 좋아 죽겠다니까. 하하하!"

한참을 낄낄대다 겨우 진정한 하인리히가 얼굴이 벌게진 채로 도미닉의 어깨를 짚었다.

"너무 걱정하지 마. 다니엘까지 국경에 오지 않도록 내가 어떻게든 잘 막아 볼게. 뒤늦게 신혼의 단꿈에 빠져 계시는 리하르트 공작을 방해할 순 없잖아. 하하."

하인리히의 팔을 쳐 내려던 도미닉은 한숨만 푹 쉬고 말았다. 내일이면 이 미친 꽃사슴을 보지 않아도 되니, 오늘은 너그럽게 봐주자 다짐하며 허벅지에 바짝 힘을 줬다. 영지로 돌아가면 연일 크고 작은 전투에 시달릴 텐데 불쌍히 여기자, 불쌍히. 속으로 반복해 가며 주문을 외웠다.

"걱정 안 합니다. 어차피 이번엔 동쪽 국경이 문제가 아니니까."

"그건 또 뭔 소리야? 그럼 어디가 문젠데?"

알면 뭐 할 거냐고 쏘아붙여 주려는데 주방 문이 스르르 열렸다. 문으로 들어서는 사내의 정체를 알아본 세 사람은 순간 그대로 굳어 버렸다. 눈을 들어 주방을 끝에서 끝까지 빙 둘러보던 사내가 그들이 마시고 있는 술잔을 물끄러미 바라보며 말했다.

"여기 오면 특이한 술을 맛볼 수 있다던데. 그건가?"

하늘 가득 낀 구름 사이로 드문드문 달이 보였다 사라지기를 반복하는 조용한 밤. 공작 부인의 침실이 다소 떠들썩해졌다. 체스판을 사이에 두고 다니엘과 마주 앉은 프리다의 미간에 잔뜩 주름이 졌다.

"한 수만 물러요, 다니엘."

"안 됩니다."

"그러지 말고 한 수만 물러 줘요."

다니엘이 단호히 고개를 젓자 프리다가 씩씩대며 입술을 삐죽였다. 내리 두 판을 진 그녀에겐 이번이 역전을 노릴 마지막 기회였다.

"이렇게 냉정한 남자가 뭐가 좋다고. 결혼 전에 인기 많았다는 거, 사실이에요?"

"나야 모르죠."

시큰둥한 반응에 되레 짜증이 난 프리다가 다니엘의 코앞으로 얼굴을 들이밀었다.

"뷔테인 남작 부인이 기억 안 난다는 건요? 다니엘이 그분의 첫사랑이었다는데."

아닌 척하더니 자세히도 듣고 있었나 보군. 다니엘이 웃음을 참으며 체스판을 톡톡 건드렸다.

"한두 번 듣는 소리도 아닌데 그걸 다 어떻게 기억하겠어요. 집중하시죠, 리하르트 공작 부인."

"고백하는 아가씨들이 그렇게나 많았다고요?"

화들짝 놀라는 척 프리다가 체스판을 툭 밀었다. 판이 흔들리자 위에 있던 체스 말들이 우르르 넘어졌다.

"어머. 이걸 어쩌죠? 다니엘."

능청을 떠는 프리다를 보며 피식 웃고 만 다니엘은 체스판을 옆으로 치웠다. 어디에 뭐가 놓였는지 다 기억하고 있었지만, 아내를 연달아 세 번이나 이기는 무정한 남편이 되고 싶지는 않았다. 처음부터 져 줄 셈이었고. 판을 엎은 게 미안했는지 프리다가 정리를 거들며 생글생글 말을 걸었다.

"그런데요, 다니엘. 첫사랑은 이루어지지 않는대요."

아까부터 별스럽게 첫사랑 타령이다. 그게 뭐 대단하다고.

"걱정하지 말아요. 당신의 첫사랑은 이루어졌으니."

"……."

이상한 낌새를 느낀 다니엘이 바닥에 떨어진 체스 말을 집다 말고 천천히 몸을 일으켰다. 그를 스쳐 지나간 프리다의 시선이 아무것도 보이지 않는 깜깜한 테라스 너머를 향했다. 속내를 감출 줄 모르는 아내의 기분 나쁜 침묵이 말하는 바는 하나.

'딴 놈이 있었어?'

지그시 굽어보는 붉은 눈에 진한 분노가 너울거렸다.

"어떤 새……. 누굽니까?"

"……."

불길한 고요가 찾아온 공작 부인의 침실에 막 구름을 빠져나온 달빛이 쏟아져 내렸다.

많은 여인이 그러하듯 소녀의 풋풋한 첫사랑은 이루어지지 않았다고 한다. 아니, 아예 이루어질 수조차 없었다고 봐야지. 프리다가 해명이라고 내어놓는 얼토당토않은 사연에 그저 기가 막혔다.

"그걸 나보고 믿으라는 겁니까?"

"당신이 믿든 안 믿든 사실인 걸 어쩌라고요."

달이 다시 모습을 감추고 드러내기를 몇 차례나 반복하는 동안 서로의 주장만을 반복하는 팽팽한 대치가 이어졌다. 짐짓 평온한 척하고 있지만, 실상은 그렇지 않은 다니엘이 몇 번째인지도 모를 코웃음을 쳤다.

"그러니까 실제로 존재하는지 안 하는지도 모르는 남자가 내 아내의 마음을 가져갔단 말이군요."

묘하게 배배 꼬인 말투가 얄미워 프리다는 저도 모르게 씩씩 콧바람을
뿜었다.

"비꼬지 말아 줄래요? 어린 소녀의 아름다운 순정이었거든요."

단어 선택하고는. '순정'이란 말에 더는 평온을 유지하기 힘들어진 다니
엘이 단단히 팔짱을 꼈다. 실체도 없는 놈에게 콜다르를 휘두르는 꼴사나운
모습을 보이게 될까 봐. 누구보다 침착하고 냉정하다 자부하는 머리는 해
봐야 남는 게 없을 유치한 말싸움을 관두라고 난린데 입이 당최 말을 안 듣
는다.

프리다의 첫사랑이 얼굴 한 번 보지 못한 상상 속의 사내라는 말에 왠지
기분이 더 나빠졌다. 실체가 없으니 늙지도 않을 그 인간은 프리다의 머릿
속에 영원히 젊고 근사한 모습으로 기억될 거 아닌가. 이딴 생각을 한다는
것만으로도 유치해 온몸에 닭살이 돋았다.

차라리 머리를 박고 죽고 말지, 지금 떠오른 생각만은 절대 들키지 않을
것이다. 특히 도미닉이나 하인리히에겐 더더욱. 프리다는 프리다대로 억울
해 미칠 지경이었다.

"말한 그대로예요. 하크본 저택에 드나들던 투르크 상인들이 제 외모를
보고도 놀라지 않는 게 신기해 이유를 물어봤거든요. 그러다 투르크엔 청록
색 눈을 가진 사람도 있다는 얘기가 나오게 된 거고요."

대륙과 대륙을 연결하는 중간 지점에 있는 투르크엔 각양각색의 인종이
산다고 한다. 워낙 다양한 인종이 모여 살다 보니 같은 부모에게서 태어난
친형제 중에도 머리칼, 눈동자, 심지어 피부색마저 다른 이들도 종종 있다
나. 프리다는 저를 슬금슬금 피하거나 신기하게 보지 않고 심상히 대하는
그들의 태도가 좋았다. 그래서 투르크 상인들이 저택을 방문하기를 더 손꼽
아 기다렸다.

어느 날은 미소가 인자한 중년의 상인에게 대놓고 물어본 적이 있다.

"당신 눈엔 내 외모가 신기하지 않은가요?"

질문을 받은 투르크 상인은 껄껄 웃으며 프리다의 눈동자를 손으로 가리켰다.

"내 손자에 비하면 아가씨의 보라색 눈동자는 평범한 축에 속하는 것을요. 그 녀석은 눈이 진한 청록색이랍니다. 두 빛깔이 오묘하게 섞인 게 꼭 호라산 지방에서 나는 귀한 보석을 보는 것 같지요."

태어나 평범한 외모라는 말은 처음 들었다. 평범이라는 단어가 그토록 가슴 설레는 말이라는 것도 그날 알았다.

"어린 마음에 그런 남자와 결혼한다면 나도 주위의 이목을 끌지 않고, 조용히 살 수도 있겠구나 싶었던 것뿐이라고요."

"미안하네요. 외모가 평범한 나는 당신에게 가는 주목을 대신 받아 줄 수 없으니."

별일도 아닌 거 가지고 말꼬리를 잡고 빈정대기까지. 프리다는 그가 이해되지 않아 발을 동동 굴렀다.

"내 말은 그게 아니라요. 그냥 상상만 했다고요, 상상만. 가끔 그가 나오는 꿈을 꾼 적은 있지만, 눈을 뜨면 무슨 꿈을 꿨는지 기억도 안 났어요."

"안타깝네요. 조만간 당신이 손꼽아 기다리는 그 구근인지 뭔지를 들고 투르크 상인들이 올 텐데 다시 물어봐요. 내 정숙한 아내의 상상 속에만 존재하는 그 첫사랑이란 놈과 닮은 남자가 실제로 있는지."

"다니엘!"

제 남편이 원래 이렇게 유치하고 사람 속을 긁는 성격이었나?

'내가 뭘 어쨌다고!'

상상 속의 인물이라 해도 꽤 오랫동안 밤잠을 설치며 그를 그려 보곤 했었다. 마음 한편에 소중히 담아 둔 그를 간간이 꺼내 보며 행복해했던 시절이 있다.

그래서 첫사랑이라고 한 건데. 게다가 첫사랑은 이루어지지 않는다고 하니, 다니엘이 프리다의 첫사랑이 아니면 좋은 거 아닌가? 그런데 왜 기분 나쁘게 말끝마다 비아냥거리냐고. 제 성질을 이기지 못한 프리다는 팔을 쫙 뻗어 검지 끝으로 문을 가리켰다.

"계속 얄밉게 굴 거면 당장 이 방에서 나가요."

"안 그래도 그럴 참입니다."

정중하게 고개를 숙였다 들어 올린 다니엘의 입꼬리가 미세하게 꿈틀댔다.

"나는 사라져 줄 테니 편하게 자요. 아내가 꿈속에서 누구를 만나는지까지 간섭하는 속 좁은 놈은 아니니."

프리다가 좀 더 자세히 들여다봤다면 확연히 붉어진 눈동자가 보였을 것이다.

"부디…… 좋은 시간 보내시길."

저벅저벅 걸어 나간 다니엘이 쿵 소리가 나도록 세게 문을 닫았다. 프리다는 뒤늦게 그가 말한 '좋은 시간' 앞에 생략된 말의 의미를 깨달았다.

'상상 속의 그 첫사랑과.'

프리다가 발갛게 달아오른 얼굴을 감싸며 소리쳤다.

"이…… 이 쫌생이 다니엘!"

복도를 서성이고 있던 도미닉이 다니엘을 발견하자 날 듯이 빠르게 다가왔다.

"주방에 좀 가 보셔야겠습니다."

"가는 길이야."

아델의 술이 생각나 주방으로 향하던 참이었는데 도미닉이 깜짝 놀라 눈을 크게 뜨며 물었다.

"알고 있었어요?"

"뭘?"

짜증스레 되묻자 도미닉은 되레 자기가 더 놀라 얼떨떨한 표정을 지었다.

"몰랐어요?"

"그러니까 뭘?"

"주방에 황제가 와 있어요."

우뚝 걸음을 멈춘 다니엘이 도미닉을 차갑게 응시했다. 살벌한 기운에 놀란 도미닉이 슬며시 뒷걸음을 쳤다.

"내가 부른 거 아냐, 인마."

"그랬겠지. 형은 적어도 목숨이 얼마나 소중한지 아는 인간이니까."

살기 가득한 기운을 뿜어낸 것치고는 순순히 돌아선 다니엘이 계단으로 내려갔다. 한 발짝 떨어져 뒤를 따르던 도미닉은 조금 전 들었던 소식을 알렸다.

"아, 그리고 업다이크 후작 영식이 내일 돌아가겠대. 변경백이 서신을 보내왔더라고. 예상보다 국경 상황이 빨리 나빠지고 있나 봐."

"쉔달 성에선?"

"아직. 뻔하잖아. 변경백 성격에 늙은 여우한테 이런저런 간섭 받기 싫어 자기 선에서 해결하려고 하겠지."

다니엘이 고개를 가볍게 끄덕이며 도미닉의 의견에 동의했다. 변경백같이 고지식하고 책임감 있는 인간에게서 어쩌다 하인리히 같은 아들이 나왔는지는 신기할 따름이다.

동쪽 국경은 어찌 버틴다 해도 다른 곳이 영 찝찝해 걱정이다.

"바이마르의 안드레아 공작은 이 상황을 똑바로 이해하고 있는 거 맞아?"

"테오 녀석 말로는 알아는 먹더라는데……. 어떻게 하고 있을지는 모르지, 뭐."

다니엘이 걸음을 멈추고 도미닉에게 짜증을 냈다.

"형이 제대로 이해를 시키고 왔어야 한다는 생각은 안 해?"

심히 억울한지라 도미닉도 이번엔 뒤로 물러서지 않고 되받아쳤다.

"내가 그럴 틈이 어디 있었어? 온갖 물건들을 기한 맞춰 바리바리 싸 들고 달려오는 것만도 힘들었다고."

정확히 열다섯 대의 수레를 끌고, 닷새 만에 바이마르와 유트레히트를 왕복해 냈다. 그게 아무나 할 수 있는 일인 줄 아나? 말을 타다 골이 흔들려 토할 뻔한 건 그때가 처음이었다.

"내가 라틴어를 쓴 것도 아니고 스베르겐어로 말했는데 못 알아먹었으면, 그 인간 머리가 나쁜 거지. 내 잘못은 아니잖아."

다니엘이 도미닉을 통해 전한 말은 간단했다.

'바이마르로 들어오는 상선에 상인으로 위장한 투르크의 첩자가 섞여 들어오지 않도록 항구를 관리해라.'

이 쉬운 걸 못 하고 있으면, 머리 박고 죽어야 한다.

"테오가 안딘 프랑코한테도 충분히 설명했다고 했어. 해적 출신이라 그런지 '쿠펀 항으로 들어오는 해협'이라고 말만 꺼냈는데 한 번에 알아먹더래."

"달라는 대로 퍼 줘 버려. 자기 나라 일도 아닌데 그쯤 이득도 없으면 나설 리 없어."

"네네. 이미 산더미 같은 금화를 안겼습니다."

삼 년을 잠들어 있었어도 다니엘의 머리는 비상하게 돌아갔다. 다치기 전에도 돈의 흐름을 따라가며 주변 상황을 간파해 내는 본능적인 촉은 가히 타의 추종을 불허했다.

현재 대륙에서 거래되고 있는 금화 중 어디서든 인정을 받는 건 베네토 공국에서 생산하는 두카트. 한 달 전, 베네토 공국에 보관 중이던 투르크 왕실의 금화가 상당량 인출되었다는 보고를 받았다. 그 보고를 받은 다니엘은 금화가 어디로 향했는지 뒤져 보라는 지시를 내렸다. 올해 유난히 자주 국

160

경을 들쑤시는 솔론족의 불규칙적이고 빈번한 움직임의 이유도 같이.

그 결과 놀랍게도 투르크 왕실의 금화가 솔론족에게 건네졌으며, 그렇게 두 세력이 손잡은 상황을 알아냈다. 대체 전혀 다른 내용의 보고 두 개를 시간 차를 두고 따로 받았음에도 어찌 연관시켰는지 모를 일이다. 도미닉은 새삼 놀라워 혀를 내둘렀다.

"대체 투르크의 금화가 솔론 놈들에게 갔다는 건 어떻게 안 거야?"

"말했잖아. 전쟁은 이 세상에서 돈이 가장 많이 드는 헛짓거리라고. 솔론족이 무슨 돈으로 여태 버티고 있겠어?"

"그래도 바이마르의 항구를 염려하는 건 너무 나간 거 아닐까? 투르크 놈들이 바보도 아니고. 막히면 바로 수장되는 그 좁은 해협으로 군대를 보낸다는 건 좀……."

주방 문을 지키고 선 황제의 친위대를 발견한 다니엘은 잠시 걸음을 세웠다.

"절실한 놈이 있나 보지."

빛이 새어 나오는 나무 문의 틈을 바라보는 다니엘의 눈빛이 천천히 붉어졌다.

"인간이 절실해지면 무슨 짓까지 하는지 형도 봤잖아."

제 앞길에 방해가 되면, 남편에게 독을 먹이고, 수십 명의 목숨을 눈 하나 깜짝 않고 베어 버리는 게 인간이다. 문득 궁금해졌다. 그런 인간의 아들은 괴물일지, 사람일지. 왜 자신은 지금도 그 물음에 답을 하지 못하고 있는지. 주방 앞에 도착한 다니엘은 무거운 마음을 손에 담아 문을 두드렸다.

똑똑.

간단한 인기척 뒤에 소리 없이 문이 열렸다. 뭐라 형언할 수 없는 묘한 맛이 나는 술을 심오한 표정으로 음미하던 레오폴드는 주방으로 들어서는 사내에게 눈길을 주었다.

오래전, 아버지의 정부가 공작 성의 별채에 들던 날. 그녀와 똑같은 검은 머리의 소년은 아홉 살의 나이가 믿어지지 않는 큰 키와 어른스러운 눈을 가지고 있었다.

어느 것 하나 아버지와 닮은 것이 없는데도 한눈에 알아봤다. 내 아버지의 아들임을.

'아마 저 눈빛 때문이었을지도.'

이리 보니, 외모가 크게 다르지도 않아 보인다. 직관적인 인상만 보면 영락없는 부친 브루노 리하르트다. 취한 것도 아니건만 주정뱅이처럼 피식피식 연이어 실소를 흘린 레오폴드가 고갯짓으로 까닥 제 옆자리를 가리켰다.

"앉아."

보폭이 큰 발소리를 들으며 술을 한 모금 더 머금었다. 다니엘은 레오폴드가 가리킨 옆자리가 아니라 식탁의 건너편에 앉았다. 물끄러미 마주 앉은 다니엘을 바라보던 레오폴드가 식탁 위로 술잔을 밀었다. 다니엘이 제 앞으로 미끄러져 오는 술잔의 손잡이를 정확히 낚아챘다.

"지금부터 우린 황제와 신하, 귀족과 사생아가 아니라 두 살 터울의 형과 아우야. 그렇게 대하지 않으면……."

레오폴드가 살기등등한 기세로 경고했다.

"죽여 버릴 거야."

다니엘이 무덤덤하게 되받아쳤다.

"꼴값하고 있네. 벌레 한 마리도 못 건드려 본 놈이 어디서 입만 살아선. 미친 자식."

거리낌 없이 응수해 오는 다니엘을 보며, 픽 입술을 터트린 레오폴드는 의자 등받이에 팔을 걸치며 몸을 기댔다.

"귀족이 왜 제 손을 직접 더럽혀? 지저분한 일 대신해 주겠다는 인간들이 널렸는데."

"그래서 넌 애송이라는 거야. 겁이 나 제 손도 더럽히지 못하는 주제에 누구한테 협박이야."

어릴 적, 어머니의 눈을 피해 다니엘과 즐기던 완전히 평범한 형제가 되는 놀이. 이 놀이는 온갖 욕설과 폭언, 협박이 오고 가는 거친 분위기에도 불구하고 묘한 쾌감을 주었다. 이 시금털털하고 구역질 나는 술맛처럼. 의자에 몸을 기댄 채 비딱하게 목을 꺾은 레오폴드가 졸린 사람처럼 느릿느릿 입을 열었다.

"라우라 님을…… 진짜로 죽일 줄은 몰랐어."

아니. 거짓말이다. 자존심이 강한 어머니가 언제고 그녀를 해칠 거란 건 예상했었다. 하필 그날이라는 걸 몰랐을 뿐.

"고해 성사를 하고 싶은 거라면 주교를 찾아가. 나한테 그딴 소리 지껄여 봐야 소용없는 거 몰라?"

"알아. 변명 따윈 할 줄 모르는 우리 형님께선 죗값을 치러야 끝난다고 여기는 분인 거, 아주 잘 알지."

레오폴드의 입가에 건조한 미소가 생겨났다.

"그 하크본 여자. 라우라 님이랑 닮은 거 알아?"

"하크본이 아니라 리하르트."

싸늘한 냉기를 담은 붉은 눈이 레오폴드를 죽일 듯이 노려봤다.

"내 아내에게 장난치지 마. 난 고귀한 핏줄을 타고난 너와 달리 손에 더러운 게 묻는 걸 주저하지 않거든."

"장난은 무슨. 내가 앤가?"

한 모금 술을 넘기자 버석하게 말라붙은 낙엽 같던 레오폴드의 미소가 물기를 머금고 촉촉해졌다.

"하지만 형."

생기 없던 파란 눈동자에도 돌연 빛이 반짝였다.

"그 여자가 제 발로 내게 오겠다고 하면? 그러면 막을 까닭이 없잖아. 안 그래?"

마주 보는 붉은 눈도 덩달아 핏빛으로 빛났다.

"절대 그럴 리 없으니 네 여자 데리고 꺼져. 개자식아."

레오폴드는 커튼 사이로 비집고 들어온 햇살이 손등에 닿는 것을 보며 굼뜨게 눈을 깜박였다. 눈떠 보니 아침인 현실이 믿기지 않아 날이 밝았음을 알리는 햇살만 멍하니 보는 중이다.

불현듯 비를 보지 못한 날이 꽤 되었구나 하는 자각과 함께 머리가 지끈거렸다. 숙취가 깃든 두통이 찾아왔지만, 심하게 아픈 건 아니었다.

아마도 지난밤 한 번도 깨지 않고 푹 잠든 덕일 것이다.

어쩐 일인지 오늘은 매일 아침 들리던 용병들의 요란한 함성도 창을 넘어오지 않아 더 푹 잔 듯하다. 기운이 넘쳐 난리더니 다들 밤새 죽어 나자빠지기라도 한 건가?

덕분에 아침까지 푹 잤으니 나중에라도 한 번쯤은 그들의 무례를 기꺼이 용서해 줘야지 마음먹었다.

이토록 마음 편히 자 본 지가 언제였더라. 기회만 있으면 저를 죽이겠다는 엄포를 서슴지 않는 다니엘을 지척에 두고 숙면이라니. 레오폴드는 옆으로 틀고 있던 고개를 베개에 파묻고 큭큭 웃고 말았다.

그때, 문을 두드리는 소리가 났다. 귀찮아 아무 대꾸도 하지 않았더니 알아서 문이 열렸다. 여인의 것이 분명한 가벼운 발소리가 침대로 다가왔다. 커튼을 젖힌 페트리샤가 여태 누워 있는 레오폴드를 보며 걱정스레 이마를 짚었다.

"레오폴드, 어디 아파요?"

평소 불면증이 심한 황제는 웬만해선 잠을 잘 이루지 못했다. 잠이 든다

해도 중간중간 퍼뜩 놀라 눈을 뜨기 일쑤였고. 빈번한 황위 다툼으로 어려서부터 뻔질나게 자객의 위협을 당하다 보니 생긴 버릇이라나. 반대파들을 모조리 쓸어버린 후론 목숨을 위협받는 일이 많이 줄었음에도, 유독 이 습관만은 고쳐지지 않는다며 씁쓸해하곤 했었다.

그런 황제가 동이 훤히 트도록 방에서 나오지 않는다기에 서둘러 달려왔더니. 레오폴드가 엎어진 채 꿈쩍도 하지 않자 페트리샤가 호출 종을 당기기 위해 팔을 뻗었다.

"의사를 부를게요."

"부르지 마."

꽉 잠긴 목을 긁고 나오는 거친 음성에 깜짝 놀란 페트리샤가 팔을 내리고 레오폴드를 빤히 쳐다봤다.

"당신, 술 마셨어요?"

본인 스스로를 통제하지 못하는 상태가 되는 걸 끔찍이 싫어하는 사람이 목이 저리되도록 술을 마셨다고?

더디게 눈을 깜박이는 것으로 답을 대신한 레오폴드가 축 늘어진 손가락을 까닥여 페트리샤를 가까이 불렀다. 침대에 걸터앉은 페트리샤가 레오폴드 가까이 고개를 숙였다. 심하게 갈라진 목소리에 비하면 의외로 술 냄새가 지독하진 않았다.

"페트리샤."

대신 숨결에서 연한 약초 향이 났다.

"마지막 기회니까 잘 고민해 보고 말해."

"뭔데 그래요?"

눈살을 찌푸린 페트리샤가 다시 몸을 일으키려 하자 레오폴드가 그녀의 어깨를 꽉 틀어쥐었다.

"아, 아파요, 레오폴드."

"원한다면 이대로 다니엘 옆에 남게 해 줄 수도 있어. 어때?"

사내의 악력이 점점 팔뚝을 조이자 페트리샤가 얼굴을 찡그리며 팔을 비틀었다.

"이, 이거 좀 놔요."

"대답부터 해."

"왜 또 그 소리예요? 싫다고 했잖아요. 그 사람은 내가 누군지도 몰라요. 신경도 안 쓴다고요. 이제 와 뭘 어쩌라고!"

레오폴드가 어깨를 놓자 페트리샤가 침대에서 멀어지며 그를 노려봤다.

"이게 무슨 짓이에요? 정말 아팠단 말이에요."

완전히 잠을 떨쳐 버린 까칠한 표정의 황제가 침대 밖으로 걸어 나왔다. 두 번이나 기회를 줬고, 이를 거부한 건 페트리샤다. 그간의 정을 참작해 보여 주었던 정부에 대한 배려는 이쯤이면 충분하고 넘쳤다. 더는 그녀를 신경 쓸 여유도 없었다.

곧 가뭄이 시작될 테니 이 팔자 편한 외유도 조만간 끝내야 한다. 엉망으로 흐트러진 머리카락을 이마 위로 쓸어 올린 그가 팔을 뻗어 호출 종을 당기며 말했다.

"그럼 이제부터 날 도와. 보상은 섭섭지 않게 해 주지."

어깨 위로 셔츠를 걸쳐 입은 레오폴드는 물잔을 들었다. 꿀꺽꿀꺽, 물 한 잔을 모두 비울 때쯤 빈더만 자작이 방으로 들어왔다.

"찾으셨습니까, 폐하."

빈더만 자작에게 대꾸도 없이 레오폴드는 아픈 어깨를 주물럭거리는 페트리샤에게 눈길을 주었다.

"그 하녀 이름이 뭐야?"

"하녀라뇨?"

"아버지의 아버지의 아버지 때부터 전해져 내려오는 미치광이 펜하임 후작의 전설을 안다는 하녀."

어젯밤 결심을 굳혔다.

"내 아내에게 장난치지 마."

"장난은 무슨. 내가 앤가?"

잘나신 형님에게 더는 꼬맹이의 자잘한 장난이 아닌, 제대로 된 진정한 황제의 힘을 보여 줘야겠다고. 세상을 활활 불태우고도 남을 진짜 불장난을.

"그 이름에 걸맞은 적법한 예법을 갖추어 대우해 주십시오."

그렇게 해 주지. 원하신다면 최고의 예를 갖춰 네 아내를 모셔 주겠어.

"그 여자가 제 발로 내게 오겠다고 하면? 그러면 막을 까닭이 없잖아. 안 그래?"

"절대 그럴 리 없으니 네 여자 데리고 꺼져. 개자식아."

그럴 일이 있을지 없을지는 두고 봐야 알지.

"이름."

답을 재촉하며 여유가 사라진 싸늘한 눈길을 건네자, 페트리샤가 손자국이 남은 팔을 주무르며 이름 하나를 꺼내 놓았다.

"에, 엠마요."

레오폴드가 곧바로 빈더만 자작을 보며 말했다.

"엠마라는 하녀를 데려와. 당장."

레오폴드는 그 어떤 견고한 믿음도 깨트릴 수 있는 비법을 안다.

"폐하. 리하르트 공작이 성 밖에 여자를 숨겨 두고 있는 것 같습니다."

"여자? 다니엘이? 확실해?"

"예. 사람을 붙여 두었으니 소식을 가져오는 대로 곧 보고드리겠습니다."

챔벌린의 말이 사실이면 재밌어지는 거고, 아니어도 상관없다. 어머니가 항상 강조하셨듯 중요한 건 진실이 아니니까.

"레오폴드. 진실은 힘이 없단다. 인간이란 본디 자신이 보고 싶은 것만 보고. 믿고 싶은 것만 믿는 족속이거든."

그가 원하는 건 의심이란 씨앗을 심을 아주 작은 균열을 만드는 것. 자고로 의심이란 미세한 틈만 있어도 어김없이 싹을 틔워 내는 법이니. 궁금해 미치겠다. 작은 잡티 하나 없는 그 순수한 보랏빛 눈동자가 배신감에 치를 떨면, 얼마나 예쁠지.

"하하하."

레오폴드는 어깨가 들썩일 정도로 크게 웃으며 마저 옷을 걸쳐 입었다.

"여기에 오길 정말 잘했어. 그렇지 않아, 페트리샤?"

스카디 홀의 앞뜰은 아침부터 길 떠날 준비를 하느라 부산스러웠다. 크고 화려한 업다이크 후작가의 마차를 살피던 하인리히는 다니엘을 보자마자 휘파람을 불었다.

"우리 리하르트 공작 전하께서 친히 배웅을 나와 주시다니. 이거 영광인데."

하인리히 옆에서 준비 상황을 점검하던 슈테판이 다니엘을 발견하고 인사를 건넸다.

"나오셨습니까, 전하."

가볍게 고개를 끄덕인 다니엘이 하인리히에게 편지를 건넸다.

"변경백께 전해 드려."

하인리히가 겉면에 인장이 찍히지 않은 편지를 아침 해가 뜨는 방향으로 들어 올리며 한쪽 눈을 감았다. 비치는 글씨가 없는지 요리조리 돌려 보는 모습이 영락없는 개구쟁이 소년이다.

"뭐야? 뭔데? 내가 먼저 읽어 봐도 돼?"

옆에 서 있던 도미닉이 끌끌 혀를 찼다. 그가 하인리히를 한심하게 쳐다보며 말했다.

"어차피 그러실 것 같아 봉인하지 않았습니다. 맘껏 읽어 보셔도 되는데 대신 마차는 절대 되돌리지 마십시오."

"에이, 그렇게 나오면 재미없잖아."

흥미를 잃은 편지를 품속에 구겨 넣은 하인리히가 까치발을 들며 다니엘의 뒤를 흘깃댔다.

"그나저나 왜 너랑 도미닉뿐이야? 공작 부인은?"

"내 아내는 왜 찾아?"

"뭔 소리야? 이 하인리히 님이 영지로 돌아간다는데 성의 안주인께서 당연히 나와 보셔야지. 얼른 나오시라고 해. 얼굴 보고 가게."

저 미친 꽃사슴이 누구를 보고 오라 가라……. 대번에 인상을 쓰는 다니엘을 말리며 도미닉이 앞으로 나섰다.

"그냥 가세요. 공작 부인께선 업다이크 후작 영식께서 떠나시는 거 모르십니다."

"뭐야? 아니, 왜?"

"아무도 알리지 않았으니 그렇지요."

원망을 쏟아 낼 사람을 찾아 헤매던 하인리히의 눈길이 슈테판에게 닿았다.

"이봐, 보일드 남작! 집사장이 이런 중요한 일을 안주인에게 보고하지 않았다는 게 말이 돼? 이래 봬도 내가 다니엘의 하나뿐인 친구라고. 이 성에서 나보다 중요한 손님이 어딨다고 이런 푸대접이야?"

멀쩡히 황제가 이곳에 머무르는 것을 알면서도, 본인이 가장 중요하다고 주장하다니. 하인리히가 정말 진심으로 그리 생각한다는 걸 장난기라곤 조금도 없는 눈빛으로 알 수 있었다.

"아, 서러워서 도저히 못 참겠네."

꼼꼼하게 바느질된 정갈하고 화려한 예복을 입은 하인리히가 바닥에 털썩 주저앉았다.

"난 이대로 못 가. 꼭 공작 부인의 배웅을 받고 말겠어. 그 전엔 안 떠나. 못 떠나."

당황한 슈테판이 그의 팔을 붙들었다.

"이러지 마십시오. 어젯밤에 갑자기 떠난다고 하신 바람에 알릴 시간이 없었던 것뿐입니다."

"아침에 알렸으면 되잖아. 지금이라도 가서 알리든가."

"그게……."

공작 부인이 마리안 홀의 꼭대기 방으로 옮겨 가신 후론 슈테판도 얼굴을 보지 못하는 날이 많아졌다. 공작이 성의 업무를 처리하면서 슈테판이 그곳에 갈 구실이 없어졌기 때문이다. 계단을 지키고 선 경비들이 엄격히 오가는 인원을 통제하기도 했고.

매일 아침 공작 부인을 보러 다녔던 아내도 점점 배가 불러 오자 계단을 오르내리기가 힘들어 발길이 뜸해졌다. 얼마 전 새로 공작 부인의 침실 하녀가 된 '로잘린'이라는 아이가 일이 서툴러 걱정이라는 소식을 들은 게 마지막이다.

칭얼칭얼 떼를 쓰는 하인리히와 감정 없는 공작의 서늘한 눈을 번갈아 보며 난감해하고 있던 찰나. 다니엘이 쌩하니 걸음을 돌리며 차갑게 한마디를 내뱉었다.

"쫓아내."

발소리를 죽이며 본성의 꼭대기 층까지 걸어 올라온 다니엘이 계단 끝에 닿았다. 그는 걸음을 멈추고 잠시 창밖에 펼쳐진 풍광에 눈을 두었다. 바람이 불자 저 멀리 숲의 나무들이 파도처럼 일시에 휘청였다. 천천히 창가로 걸어가는 다니엘의 옆으로 하녀 옷을 입은 여인이 빠르게 다가와 섰다.

"주군."

"공작 전하."

그가 담담히 호칭을 고쳐 주자 하녀가 입술을 지그시 깨물며 꾸벅 허리를 숙였다.

"죄송합니다. 주의하겠습니다, 공작 전하."

"살수일 땐 작은 실수도 한 번 없더니."

다니엘은 그녀를 등진 채 창틀에 손을 올리고 길게 숨을 들이마셨다. 나날이 더운 기운이 섞여 가는 미지근한 공기가 콧속으로 들어오자 머리가 띵 울렸다. 손을 넓게 편 다니엘이 얼굴의 양 끄트머리를 꾹 누르며 눈을 감았다.

"로잘린, 네가 방심하다니. 생사가 달린 일이 아니라 이건가?"

"아닙니다. 제가 맡아 왔던 그 어떤 임무보다 중요하다 하신 말씀 새기고 있습니다."

쉔달 성에서 황태후를 감시하는 임무를 수행 중이던 로잘린을 공작령으로 데려오자고 한 건 도미닉이었다.

"미리미리 대비해야죠. 이제 곧 온 사방에 공작 부인이 주군의 약점이라는 소문이 퍼져 나갈 텐데. 최고의 실력을 갖춘 녀석을 불러 가장 중요한 분을 모시게 하는 건 당연한 일 아닙니까?"

다니엘은 손가락에 힘을 줘 두통이 사라질 만큼 세게 눌렀다. 확실히 통증의 정도가 심해지고, 간격은 점점 더 짧아지고 있다.

"긴장해. 실수하는 자신을 용서하기 시작하는 순간부터 넌 이미 최고가 아니다."

"명심하겠습니다, 공작 전하."

통증이 조금 견딜 만해지자 다니엘은 머리에서 바로 손을 떼고 고개를 돌렸다. 그가 방문을 바라보자 로잘린이 즉각 입을 뗐다.

"주무시고 계십니다. 명령하신 대로 누구도 방해하지 못하게 외부에서 들어오는 모든 빛과 소리를 차단했습니다."

"방 안의 불을 모두 끄면 절대 안 돼. 그녀는 어둠을 무서워한다."

"걱정하지 마십시오. 명령대로 시행해 두었습니다."

각이 잡힌 태도 어디에서도 하녀다움을 발견할 수 없었다.

'로시발트에게 들키는 건 금방이겠군.'

옅은 한숨을 내쉰 다니엘이 천천히 문 쪽으로 걸어갔다. 번개 같은 속도로 그를 앞질러 간 로잘린이 소리가 나지 않게 침실 문을 열었다. 창이란 창은 모조리 커튼으로 가려 햇볕이 완벽하게 차단되었음에도, 은은한 빛이 방 안을 밝히고 있었다.

방 한편에 놓인 넓은 침대로 걸어간 다니엘은 잔잔한 꽃무늬 이불 속에 푹 파묻힌 하얀 머리칼로 손을 내리며 빙긋이 웃었다.

"간밤엔 편안하셨습니까? 부인."

그가 가장 좋아하는 시간이다. 잠에서 깬 프리다의 눈동자가 자신으로 꽉 차는 순간. 그를 눈 안 가득 담은 채 느릿느릿 고개를 끄덕이는 프리다를 보자 희열이 찾아왔다. 의심할 바 없이, 그의 첫사랑은 이루어졌다.

"헉. 다니엘, 지금 몇 시예요?"

남편을 발견한 프리다가 휙 이불을 걷어 내며 일어났다. 자리에서 일어나자 두꺼운 커튼으로 꼼꼼하게 가려진 창문이 가장 먼저 눈에 들어왔다. 빈틈 하나 없이 내리쳐진 커튼을 보고 있자니 헛웃음이 나왔다. 다른 건 서툴러도 정리 정돈 하나는 야무지게 하는 로잘린답게 참 꼼꼼하게도 닫아 놨다 싶어서.

"커튼 좀 걷어 줄래요? 날이 이미 밝았나 봐요."

테라스와 연결된 창으로 걸어간 다니엘이 양쪽으로 커튼을 밀었다. 큰 창 안으로 뜨겁고 밝은 햇살이 훅 밀려 들어왔다.

"맙소사. 로잘린! 로잘……."

이름을 두 번 부르기도 전에 문이 열리더니 로잘린이 뛰어 들어왔다.

"부르셨습니까, 마님?"

새삼스럽지만 로잘린의 반응 속도는 사람의 것이 아니다. 어디에 있든, 작게 부르든 크게 부르든 상관없이, 하다못해 어떤 때는 부르기도 전에 나타난

172

다. 보일드 남작 부인은 그런 로잘린을 보며 그나마 안심이 된다는 색다른 반응을 내놓았다.

"그렇잖아요. 저토록 서툰 빗질 솜씨와 리본 모양 하나 제대로 내지 못하는 실력으로 어떻게 추천서를 얻었나 했거든요. 귀는 밝은 것 같아 한시름 놓았네요."

오늘도 프리다의 지시를 기다리는 옅은 갈색 눈동자가 마주 보기에 부담스러울 정도로 초롱초롱 빛났다.

"어…… 날이 너무 환하게 밝은 것 같아서 말이지."

그게 왜? 날이 밝았으니 환한 게 당연하지. 대체 뭐가 문제야? 귀족들에겐 이런 것도 문제가 되나? 적당한 답을 찾아 머리를 굴리던 로잘린이 떠듬떠듬 입을 열었다.

"아, 아침이니까요, 마님……."

이 답이 맞나 싶어 말을 마치자마자 흘깃 공작을 보았다. 대화를 나눠 본 귀족이라고 해 봐야 주군이 전부인데 아침부터 꾸중을 들은 터라 눈을 돌리기가 조심스러웠다. 그러나 야속한 주군은 로잘린을 외면한 채 창을 열고 테라스로 나가 버렸다. 침대 밖으로 나온 프리다가 불안정하게 흔들리는 로잘린의 시선 앞에 다가와 섰다.

"맞아, 로잘린. 그런데 너무 늦은 아침이지 뭐야. 앞으로 내가 늦잠을 자는 것 같으면 네가 날 깨워 주겠어? 난 보통 이렇게 늦게까지 자진 않거든."

"하지만……."

주군, 아니, 공작 전하께선 분명 마님의 잠을 절대 방해하지 말라고 하셨다. 같은 이유로 용병단의 아침 훈련까지 막았다고 들었는데.

'대체 이런 경우엔 뭐라고 대답을 해야 하는 거야?'

하늘에 맹세코 그동안 로잘린이 받들었던 어떤 임무도 공작 부인의 하녀가 되라는 것보다 어렵진 않았다. 난감하던 차에 겨우 다니엘과 시선이 부딪혔다. 테라스 난간에 팔을 뻗은 채 풍광을 감상하는 척하고 있던 그가 잠깐 고개를 돌려 입술을 벙긋거렸다.

'나가'? 아니, '꺼져'인가?

아무튼 간절히 이 곤란한 상황을 벗어나고 싶은 지금, 반갑기 그지없는 명령이다.

"저는 이만 나가 보겠습니다, 마님."

"로잘린, 아직 내 말 안 끝났는……."

"아!"

문득 하녀들이 방을 나갈 때 꼭 덧붙이던 말이 떠오른 로잘린이 꾸벅 허리를 숙였다.

"필요한 일이 있으시면 언제든 불러 주십시오."

말을 마친 그녀는 들어올 때와 마찬가지로 재빠르게 방을 빠져나갔다.

"로, 로잘린……."

프리다가 미처 잡을 틈도 없이. 정신을 차렸을 땐 프리다만 혼자 남아 어색하게 팔을 뻗고 있었다.

"프리다, 이리 나와요."

테라스에서 그녀를 부르는 다니엘의 목소리를 듣고서야 팔을 내렸다. 터덜터덜 테라스로 나온 프리다를 다니엘이 등 뒤에서 끌어안았다.

"늦잠 좀 잘 수 있지. 그게 뭐 어때서?"

"요즘 들어 매일 조금씩 더 게을러지는 기분이란 말이에요."

"게으르면 안 되나? 귀족들은 다 그렇게 살던데."

"대체 어떤 귀족을 본 거예요? 이, 이거 좀 놔 봐요, 다니엘."

반론을 제기하기 위해 어깨를 틀었지만 다니엘에게 잡혀 낑낑대던 프리다가 이내 포기를 선언하고 팔 힘을 축 뺐다. 순순히 다니엘의 품에 안긴 프리다는 마치 숲 하나가 움직이는 것처럼 일제히 같은 방향으로 흔들리는 나무들을 내려다보며 양옆으로 살랑살랑 어깨를 흔들었다.

"우리 부모님이 당신 얘기를 들으셨다면 말도 안 된다며 기함하셨을걸요. 두 분 다 얼마나 하루를 바쁘게 보내셨는데요."

하긴, 따져 보니 다니엘의 부친도 그랬던 것 같다. 황태후 마그리트도 놀고먹는 성격은 아니었고. 프리다는 제 허리를 감은 다니엘의 팔 위에 손을 올려 악기를 연주하듯 손가락을 튕겼다.

"가끔은 그 점이 불만이었지만요. 두 분이 번갈아 가며 한시도 눈을 떼지 않고 저를 감시하는데, 정말……. 으…….."

기억을 떠올리는 것만으로도 몸서리가 쳐졌다. 다니엘이 쿡쿡 웃으며 그녀의 어깨에 입술을 내렸다.

"당신이 너무 사고뭉치였던 건 아닐까?"

"뭐, 부정하진 않겠어요."

귀 뒤에 다니엘이 웃으며 흘린 따스한 숨결이 와 닿았다. 프리다는 간지럽다며 목을 움츠렸다.

"아무튼 난 책임감 있는 부모님 아래서 교육받은 매우 정상적인 인간이에요. 당신도 게으름쟁이 아내를 원하진 않을 거잖아요."

"글쎄요. 난 그것도 나쁘진 않을 것 같은데."

"말도 안 돼."

프리다가 오른쪽으로 고개를 틀자 다니엘이 기다렸다는 듯이 그녀의 입술을 맞았다. 다니엘의 입술에서 싱그러운 풀잎 향이 났다. 입술이 떨어진 다니엘의 눈앞엔 목부터 이마까지 온 얼굴이 발그레 달아오른 아내가 서 있다. 미지근한 바람이 두 사람의 머리칼을 헝클며 지나갔다.

프리다가 마구 엉키는 머리를 한 손으로 쓸어 어깨 뒤로 넘기자 조금 전 다니엘이 입술을 대고 있던 하얗고 가는 어깨가 한눈에 보였다. 목에서 어깨로 이어지는 부드러운 능선에 그가 남긴 옅은 자국도. 매무새가 흐트러져 살짝 흘러내린 잠옷 사이로 새하얀 속살이 드러났다. 아침에 감상하기엔 지나치게 유혹적인 광경이다. 보고만 있으려니 헛웃음만 나왔다.

그냥 놔주자니 아쉽고, 더 달라붙어 있자니 못 참을 것 같고. 이러지도 저러지도 못하는 아쉬운 마음을 이마에 입술을 내리는 것으로 갈무리 지었다.

"늦잠도 자고 게으름도 피워요. 난 부지런한 아내를 원하지 않으니까."

"그럼 당신은 어떤 아내를 원하는데요?"

내가 원하는 아내라. 프리다를 만나기 전까진 아내란 존재 자체에 대해 고민해 본 적이 없다. 하지만 금세 어렵지 않게 답이 나왔다.

"옆에 있어 주는 아내."

그가 원하는 건 언제나 하나였다.

"날 위해 뭘 하려고 하지도 말고, 애쓰지도 말고, 떠나지도 말고. 그저 내 옆에서 나와 함께 삶을 살아 주는 아내, 그거면 충분해요."

실체가 없던 '아내'란 호칭에 정확한 이름도 새겨 넣었다. '프리다'라고.

"난 그거면 돼. 프리다."

손이 닿는 곳에 서 있어도 그를 아득한 기분에 빠지게 하는 여자를 아내로 맞을 줄은 몰랐다. 머리끝에서 발끝까지 어디 하나 예쁘지 않은 곳이 없는 아찔한 여자일 줄은 더 몰랐지. 그 여자를 어쩌지 못해 이리 안달이 난 자신은 더 어색했다. 피식 웃고 만 다니엘이 프리다의 뺨을 감싸며 다정히 속삭였다.

"당신에게 줄 선물이 있어요."

"선물이요?"

상상만으로도 흥분이 차오른다. 당신의 눈동자에 어울리는 그것들과 함께하면…… 프리다, 그대가 얼마나 더 빛날지. 다니엘이 손가락으로 부은 프리다의 눈가를 살포시 쓸며 입술을 내렸다.

"기대해요. 마음에 쏙 들 겁니다."

오르한의 일행이 뮌하임 성 밖에 도착한 건 쿠펀 항을 떠난 지 닷새가 지난 후였다. 뷰란이 멀리 나타난 뮌하임 성의 전경을 바라보며 머리에 쓴 후드를 내렸다.

"아우, 덥다 더워. 수레를 끌고 이 정도 속도라면, 기병만 데리고 냅다 달리면 이틀이면 충분히 오겠는데요?"

"하루하고 반나절."

짤막한 야무르의 답에 목을 축이던 뷰란이 풋 입에 든 물을 뿜었다.

"야, 잠은 자고 밥도 먹어야지. 우리가 다 너 같은 눈치 없고 무식한 몸뚱이인 줄 알아?"

후드를 뒤로 젖힌 오르한이 가죽 주머니에 담긴 물을 꿀꺽꿀꺽 마셨다. 그는 턱을 타고 흐르는 물을 손등으로 닦으며 그들이 달려온 길과 가야 할 길을 두리번거렸다.

"길이 엉망이라 기병을 끌고 와도 속도를 더 내긴 힘들겠어. 리하르트 그놈은 배알도 없나 보군. 그 고생을 하고 이런 허접쓰레기 같은 땅을 받았는데 참았단 말이야?"

"그 인간 속을 누가 압니까? 사실 전 다니엘이 왜 진즉에 황제를 베어 버리고 쉔달 성을 차지하지 않았는지도 의문입니다. 모친이 평민 출신인 게 뭐가 대수야? 먼저 앉은 놈이 임자지."

일부다처제인 투르크엔 정부의 개념이 따로 없다. 돈과 권력을 가진 아내와 그렇지 못한 아내가 있을 뿐. 위로 형이 넷이나 있음에도 5 왕자인 오르한이 왕좌를 꿈꿀 수 있는 이유도 든든한 친정을 둔 모친 덕이다. 다만 든든한 외가를 가진 게 저뿐만은 아니라는 게 또 다른 고민거리다.

배경과 조건이 얼추 비슷하다 보니 국왕에게 보여 줄 건 개인의 능력뿐. 오래도록 번성한 제국을 삼킬 만큼, 아니면 적어도 흔들 정도의 능력이 되는지 증명하는 것. 그게 오르한이 군이 이 스베르겐까지 달려온 이유다.

수레를 끌 말들을 교체하러 역참에 갔다 온 메랄이 세 사람 옆으로 다가왔다.

"오늘 뮌하임 성에 큰 행사가 있답니다. 휴우, 안 그래도 치안이라면 눈에 불을 켜는 놈들이 어찌나 꼼꼼하게 묻는지 원. 난 다 와서 들킨 줄 알았네.”

“행사?”

뷰란이 슬그머니 오르한의 후드를 씌워 주며 되물었다. 오르한이 후드 씌우는 손을 쳐 내도, 뷰란은 꿋꿋이 버티며 다시 씌웠다.

“갑갑하셔도 어쩔 수 없습니다. 오르한 님의 눈동자 색은 너무 튄다고요. 투르크의 왕자 중에 청록색 눈을 지닌 인간이 있다더라, 스베르겐에 그 소문이 닿지 않았다고 누가 장담합니까?”

메랄도 거들었다.

“맞습니다. 외조부인 압둘라 님께서 동네방네 자랑하고 다니셨잖아요. 내 외손자의 눈동자는 호라산 지방에서 나는 신비한 돌을 닮았다, 눈에 왕기가 서렸다.”

“젠장.”

오르한이 투덜대며 후드를 깊이 눌렀다. 외조부 압둘라는 대륙을 넘나들며 무역하는 거상이었다. 그가 외손자를 저잣거리 안주로 만들었다는 건 투르크에선 유명한 얘기다. 오르한과 일면식이 없는 자들도 그의 눈동자를 보면 첫마디로 ‘어, 압둘라 님의 외손자?’ 하며 속닥거리곤 했으니.

‘손자 앞길을 막아도 유분수지. 내 이 늙은이를 가만 놔두나 봐라.’

오르한이 짜증스레 말고삐를 당겼다.

“얼른 가지. 무슨 행사를 하는지 궁금하군.”

햇볕에 바싹 마른 대지에 먼지를 일으키며 말과 수레가 움직였다.

드디어 리하르트 공작가에 첫 기사단이 생기는 날이 되었다. 연무장이 내려다보이는 상석에 앉은 레오폴드는 성 곳곳에서 펄럭펄럭 날리는 깃발의 색을 바라보며 혀를 찼다.

"아주 돈을 처발랐군."

옆에 앉은 페트리샤가 보라색 천을 두른 연단 밑으로 그의 허벅지를 꾹 눌렀다.

"목소리를 낮춰요. 누가 듣겠어요, 레오폴드."

"지난번에 했던 제안 한 번 더 생각해 봐, 페트리샤. 그 비싼 보라색 염료를 저렇게나 처바를 정도면 우리 형님이 어디서 금광이라도 찾은 게 틀림없어."

그러거나 말거나, 페트리샤의 관심은 온통 리하르트 공작 부인에게 향해 있었다. 기사단의 깃발 색과 같은 보랏빛 드레스를 입은 리하르트 공작 부인은 오늘도 새하얗고 작았다. 그새 살도 조금 붙은 것 같았다. 독특한 외모가 눈을 끌지 않았다면, 사람들은 분명 그녀의 아름다움을 먼저 눈에 담았을 것이다. 병약해 보이긴 했으나, 하얗고 창백한 피부를 빼고 보면 그저 조금 가녀린가 싶을 정도다.

그녀는 기사들 한 명 한 명에게 검을 내리는 공작의 왼편에서 남편에게 검을 건네주었다. 공작 부부는 검을 건네주고 받을 때마다 서로 시선을 부딪치고 옅은 미소를 주고받았다.

"꼴사납게 유난 떨기는."

구시렁대는 걸 보니 황제의 눈에도 두 사람이 눈빛을 주고받는 게 보였던 모양이다.

'다니엘은 저런 여자를 좋아하는구나.'

티 없이 맑고 순수한 첫눈 같은 여자를. 페트리샤가 표현하기 어려운 감정에 목이 메어 작게 기침을 하던 순간, 다니엘이 마지막 검을 기사단장에게 넘겼다.

"리카르도 몰리, 그대를 아메티스 기사단의 단장으로 임명한다. 목숨을 바쳐 주군을 지켜라."

"존명."

이제 기사단 전체가 주군인 공작에게 충성을 맹세할 시간이 되었다. 일렬로 늘어선 기사단이 일제히 무릎을 꿇자 망토 자락이 휘날리며 바닥에 흙먼지가 일었다.

"아메티스 기사단, 주군께 피로 언약한 충성의 맹세를 바칩니다."

단장 몰리 경의 맹세를 따라 우렁찬 함성이 뒤를 이었다.

"주군께 충성의 맹세를 바칩니다!"

먼지를 피하려 부채질을 하던 페트리샤는 눈앞에 펼쳐진 광경을 이해하지 못해 눈살을 찌푸렸다.

"……저게 뭐 하자는 짓이야?"

레오폴드 역시 당황스러움을 감추지 못하며 천천히 자리에서 일어났다. 막 서임을 받은 기사단의 무릎이 중앙에 있는 다니엘이 아니라 그 옆에 선 공작 부인을 향하고 있었다. 다니엘이 눈이 휘둥그레진 프리다의 손등을 들어 얌전히 입을 맞추며 말했다.

"부인, 그대의 기사단입니다."

선물이 맘에 드냐고 묻는 듯, 그가 싱긋 미소 지었다.

그들을 빙 둘러싼 사람들이 웅성대기 시작하자 프리다의 심장이 쿵쿵쿵 빠르게 내달렸다.

솔직히 서임식을 시작하기 전부터 긴장감에 손이 바들바들 떨렸었다. 이렇게 많은 사람이 모인 공식적인 자리에 모습을 드러낸 건 결혼식 이후 처음이라 입이 바짝바짝 말랐다. 지루한 나날의 연속인 공작 성에서 보기 드문 행사인지라 황실 근위대나 수행원들도 모조리 나와서 보고 있을 것이다.

서임식 직전까지도 낯선 그들 앞에 나서기가 꺼려져 많이 망설였다. 결혼식 때는 베일이라도 썼지. 오늘은 그녀를 위해 연단 위에 그늘막까지 친 상황이라 맨얼굴로 나와 사람들을 맞아야 했다. 바로 지금, 그녀 앞에 무릎 꿇고 있는 이 남자 때문에.

"당신이 서임의 검을 직접 전해 주면 리카르도가 무척 좋아할 겁니다."

누구보다 프리다를 아껴 주었던 리카르도 님이 '몰리 경'이 되는 날을 옆에서 축하해 주고 싶었기에 창피함을 무릅쓰고 나섰다.

다행히 그녀가 고른 기사단의 제복이 리카르도 님을 포함한 모든 기사에게 너무나 잘 어울려 보는 내내 배시시 웃음이 나왔다. 기사단과 색을 맞춰 입은 제 드레스도 멋졌고, 다니엘이야 두말할 것도 없이 근사해 입을 다물기가 힘들었다.

그런데 진짜 이벤트는 다니엘의 짓궂은 미소 뒤에 시작되었다. 연무장에 모인 수많은 눈이 두 사람을 향해 있던 그 순간. 프리다의 손등을 잡은 다니엘이 말릴 새도 없이 한쪽 무릎을 굽혔다.

"다, 다니엘……."

깜짝 놀라 그를 당겨 일으키려던 프리다는 주위의 시선을 의식하고 머뭇거렸다. 리하르트 공작의 첫 기사단이 공작을 앞에 두고 공작 부인에게 충성 맹세를 한 것만으로도 기함할 판이다. 그런데 기사단도 모자라 남편까지 제게 무릎을 꿇다니. 저를 더는 구경거리로 만들지 말고 그만두라고 말리려는데 다니엘이 그녀의 손을 꼭 쥐며 빙긋 웃었다.

표정이 많지 않은 남자가 짙은 갈색 눈동자에 단 하나의 감정만을 담은 채 그윽하게 프리다를 응시했다. 그 눈을 마주 보다 알았다. 지금 다니엘이 그녀에게 말하고 싶은 것이 무엇인지. 어렴풋이 느끼고는 있었다. 긴 사냥을 떠났다 돌아온 다니엘은 전과 달랐으니까.

"당신을 두고 간 걸 후회했다고 하면. 믿어 주겠습니까?"

친절함과 정중함 속에 무관심, 방관이란 벽을 견고히 두르고 있던 남편이 한순간에 그 벽을 허물어트렸다. 다니엘은 서서히 시간을 두고 스며들지 않았다. 프리다의 삶은 정신을 차릴 틈도 없이 송두리째 다니엘에게 휘둘렸다. 오직 당신뿐이라며 안달 내는 남편의 진심이 당혹스럽다가도, 내심 뿌듯하고 설레었다.

동화 속에 나오는 행복한 여인들처럼 프리다의 하루하루도 꿈같은 나날의 연속이었다. 그런 날을 선물하고도, 또 이런 선물까지 준비한 남자는 지금 눈으로 고백하고 있었다. 당신을 아낀다고, 그대뿐이라고. 사랑…… 한다고. 어느새 웅성대는 주변의 소음이 사라지고 다니엘만 보였다.

"오늘의 프리다가 오늘의 공작님께 고백하는 거예요. 당신을 좋아한다고."

돌려받지 못해도 상관없다고 여겼는데. 그저 말이나 해 보자. 지금 안 하면 영영 못 할지도 모르니까. 그렇게 성급히 꺼냈던 감정이 몇 배나 크기를 불려서 돌아왔다.

'뮤리엘, 어쩌지? 나 제대로 수지맞은 거 같아.'

프리다는 남편을 따라 빙그레 웃으며 오직 그만이 들을 수 있는 작은 목소리로 그를 불렀다.

"다니엘, 그만하고 일어나요."

그녀의 채근에도 다니엘은 일어나기는커녕 오히려 더 진하게 웃었다.

'진정으로 하려는 일은 지금부터입니다.'

다니엘이 이번에도 눈으로 말하며 천천히 허리에서 검집을 풀었다. 차마 뭐 하는 거냐고 소리 내 묻지 못하는 프리다의 눈이 점점 더 동그랗게 커졌다. 토끼처럼 댕그래진 눈을 보고 있자니 그녀를 처음 보았던 그날이 생각나 입꼬리가 스윽 올라갔다. 돌이켜 보면 우리 두 사람은 운명이었는지도 모르겠다.

다니엘은 오늘 밤 프리다에게 오래전 천사를 보았던 한 소년의 이야기를 들려주어야겠다 결심했다. 소년은 무럭무럭 자라 숙명처럼 천사를 아내로 맞이했고, 그녀를 사랑하게 되었노라고. 처음엔 황당해하겠지. 그러다 정말이냐고, 진정 그런 일이 우리에게 있었던 거냐고 귀여운 호들갑을 떨며 수선을 피울지도. 다니엘은 기분 좋은 상상에 절로 피어나는 미소를 머금은 채로 입을 열었다.

"나 다니엘 요하네스 리하르트. 무엇으로도 깨트릴 수 없는 굳건한 충성의 맹세를 그대, 프리다 클라우드 리하르트에게 바칩니다."

제게 구리 동전 한 푼어치의 의미도 없던 리하르트 공작이란 작위가 오늘에서야 가치 있게 느껴졌다. 이 이름이 있었기에 당신을 아내로 맞을 수 있었으니까. 살아만 있으라던 어머니의 말씀이 요즘처럼 뼈저리게 고마웠던 적 없다.

버텨 냈기에 프리다, 그대가 내게 온 것이니. 모두 다 내어 줄 것이다. 하나도 남기지 않고 내가 가진 것을 모두. 다른 이들은 어떤 식으로 서로를 아껴 주는지 모르겠지만 이게 나, 다니엘의 방식이니까. 오늘 이후 프리다는 더는 저주받은 하크본가의 막내딸이 아니다.

'제국 최강이라 불릴 기사단의 주군이 된 공작 부인.'

'남편의 충성 맹세를 받은 유일무이한 여인.'

이제 사람들은 그녀의 이름 앞에 이런 수식어를 붙이며 칭송하게 될 것이다. 제국의 그 어떤 여인에게도 허락되지 않은 수식어를. 다니엘이 검집을 내려놓자 리카르도가 다가와 검집에서 콜다르를 꺼내 들었다. 리카르도는 양손으로 공손히 받쳐 든 검의 손잡이 부분을 프리다의 앞으로 돌려세웠다.

"부인, 검을 눕힌 채로 공작 전하의 어깨를 치십시오."

"네? 리카르도 님, 말도 안 돼요."

당황한 프리다가 얼굴을 붉히며 한 손으로 입을 틀어막았다. 다니엘이 잡고 있던 프리다의 손을 슬쩍 당기며 나지막이 재촉했다.

"어서요, 프리다."

"하지만, 다니엘……."

"검으로 내 어깨를 치는 순간부터 우리는 서약을 하는 겁니다. 당신은 내 맹세를 받아들이고, 난 그대를 주군으로 모신다는 서약."

"나, 난 못 해요, 다니엘. 그런……."

다니엘이 프리다의 손을 더 세게 꽉 틀어쥐었다.

"나를 받아 줘. 프리다."

무심히 내뱉는 말투 속에 간절한 열망이 느껴졌다. 평정심을 잃지 않은 적갈색 눈동자가 받아 주기 전까진 죽어도 놓지 않겠다는 강렬한 의지를 담은 채 서서히 붉어졌다.

"그리고 날 가져. 영원히."

애절하고 절박한 속삭임에 프리다의 심장이 울렸다.

'대체 왜 이렇게까지 하는 거예요? 내가 뭐라고.'

소리 없는 질문에 그가 낮은 목소리로 애원했다.

"제발."

그 순간 다니엘의 눈이 실핏줄이 터진 것처럼 붉게 들끓었다. 팽팽하게 그를 지탱해 주던 그 안의 뭔가가 툭 끊어진 사람처럼 시시각각 자제력을 잃어 가는 게 뚜렷하게 보였다. 심상치 않은 분위기를 직감한 리카르도가 프리다의 손에 콜다르를 바짝 들이밀었다.

"부인, 어서 하십시오."

프리다는 다급히 검의 손잡이를 쥐었다. 한 손으로 들기엔 어림도 없는 무게였다. 난감한 눈으로 다니엘을 바라봤지만, 그는 꼭 쥔 프리다의 손을 절대 놓지 않았다.

리카르도가 검날을 받쳐 주고서야 겨우 검을 들어 올린 프리다가 다니엘의 어깨 위에 검을 내렸다. 동시에 오랜 세월 견고하게 펜하임 성을 지켜 왔던 성벽이 무너질 만큼 거대한 환호성이 지축을 울렸다.

도미닉은 식탁 위로 머리를 쿵 내리찍었다. 탁자 위에 올려져 있던 술잔이 옆으로 넘어가더니 데굴데굴 오른쪽으로 굴렀다.

"미친놈."

살짝 들린 머리가 다시 쿵 식탁을 찍었다. 오른쪽으로 구르던 술잔이 이번엔 왼쪽으로 방향을 틀었다.

"넋 빠진 놈."

요란하게 할 거란 건 알았지만, 이건 너무 심하고 과하고 지나치잖아. 울컥한 도미닉이 연이어 한 번 더 머리를 내리찍었다.

"정신 나간 놈."

"머리가 깨지도록 후회할 거면 미리 말리지 그랬어요."

뮤리엘이 탁자에서 길을 잃은 술잔을 일으켜 세운 후 도미닉의 옆자리에 앉았다. 술을 가득 채운 잔 두 개를 들고 나타난 그녀는 시끌벅적 난리가 난 주방을 둘러보며 도미닉 앞으로 잔 하나를 밀었다.

"앞으로 삼백 년은 거뜬히 사람들 입에 오르내릴 전설을, 굳이 오늘 여기서 만들 필요가 뭐 있냐고."

"어우, 다니엘! 이 미친 자식."

도미닉이 다시 쿵 식탁에 머리를 박았다. 주방에 모여 떠드는 사람 그 누구도 구석에 앉은 그들에게 관심을 주지 않았다. 멀쩡한 상태인 인간이 단 한 명도 없었으니까. 유심히 주변을 살피던 뮤리엘이 지나가는 말투로 물었다.

"황실 근위대는 다들 연회장에 모여 있나 보죠?"

어느 틈에 일어나 술잔을 당기고 있던 도미닉이 고개를 끄덕였다.

"네. 고매하신 기사님들이 우리 같은 용병들하고 같이 어울릴 리는 없잖아요."

"거기도 시끌시끌하겠네."

"그렇겠죠. 다들 리하르트 공작이 머리를 다치더니 진짜로 미쳤다고 입방아를 찧어 대겠죠."

"그렇게 걱정하면서 왜 안 말렸어요?"

도미닉이 술잔을 탁 내려놓으며 짜증스럽게 소리쳤다.

"알아야 말리죠. 내가 그 자식 머릿속에 들어갔다 나오는 것도 아닌데 뭔 생각을 하는지 어떻게 알아요? 조만간 온 나라가 시끄러워질 텐데. 나 죽었소, 틀어박혀도 될까 말까 한 판국에……."

"나라가 왜 시끄러워져요?"

'아차' 하며 입을 닫은 도미닉이 슬그머니 반대 방향으로 고개를 돌리며 이마를 감쌌다.

"아야, 몇 잔 마시지도 않았는데 머리가 왜 이리 아프지? 아야야."

대놓고 능청을 떨며 말을 돌리는 도미닉의 모습에 뮤리엘은 픽 웃음이 나왔다.

'은근 귀여운 데가 있다니까.'

뮤리엘이 마저 술잔을 비우며 말했다.

"그 질문이 싫으면 다른 거 하나 물어봅시다."

"……다른 거 뭐요?"

"도미닉, 혹시 마틸다 좋아해요?"

"푸흡!"

아델이 한 방울 흘리는 것도 아깝다며 애지중지하던 최고급 포도주가 도미닉의 입에서 세차게 뿜어져 나왔다.

전쟁 같은 하루였다는 표현이 딱 들어맞는 날이었다. 서임식이 끝난 다음, '화려하고 사치스럽게'란 다니엘의 지시에 딱 들어맞는 소란스러운 파티가 열렸다. 밤새 아무도 잠들지 않을 작정인지, 해가 저물고 어둠이 온 성을 휘감은 뒤에도 시끌벅적한 소리가 들려왔다.

서임식이 끝난 후 바로 방으로 돌아온 프리다는 카우치에 앉아 혼이 빠진 사람처럼 멍하니 어두워진 테라스 밖의 풍경을 바라보았다. 오늘 일어난 일 중 그 어느 하나 그녀의 정신을 빼놓지 않은 것이 없었다. 그러나 서임식 끝 무렵, 그녀를 보던 다니엘의 표정을 떠올려 보면 나머지는 대단치 않다 느껴질 정도다.

전엔 한 번도 접하지 못했던 표정임에도 단박에 알아챘다. 뭔가에 쫓기는 사람처럼 태연함이 사라진 얼굴에서 읽어 낸 감정은 사내의 욕망. 당장이라도 그녀를 태워 버리고도 남을 것 같았던 그때의 열기가 지금도 느껴지는 것 같다. 프리다는 화르르 달아오르는 뺨을 양손으로 감쌌다. 어찌나 당황했는지 오랜만에 성에 들른 뮤리엘과 대화도 못 해 보고 침실로 달려 들어왔다.

"어, 어떡하지……."

오늘이다. 오늘이 틀림없다. 아내의 의무를 하는 날. 그동안 다니엘과 보냈던 무수히 많은 밤들과 오늘 밤은 확연히 다를 거라는 예감이 찾아왔다.

똑. 똑.

들어가도 되냐고 묻는 양해가 아니라 상대방에게 자신이 왔음을 알리는 기척일 뿐인 두드림.

철커덕.

역시나 대답하지 않았는데도 바로 문이 열렸다. 서임식에서 입었던 보랏빛 예복을 걸치고 방으로 들어온 다니엘이 등 뒤로 문을 닫았다.

저벅.

그가 걸음을 떼며 재킷으로 손을 가져갔다.

저벅.

한 걸음 다가올 때마다 그의 재킷에 달린 매듭이 하나씩 풀려나갔다. 다니엘이 테라스 앞에 놓인 카우치에 도착했을 즈음엔 그의 재킷을 장식한 매듭이 모두 풀려나간 뒤였다. 프리다 앞에 선 다니엘이 양팔을 뻗어 카우치의 등받이를 짚었다. 여전히 붉은 기가 사라지지 않은 눈을 감았다 뜬 남자의 손이 프리다의 어깨와 잠옷을 동시에 쓸어내렸다.

"온종일…… 이 생각만 했어."

어깨에 내려앉은 다니엘의 입술이 뜨거웠다. 프리다를 안아 드는 손에서도 열이 펄펄 끓었다. 다니엘의 손과 프리다의 몸 사이에 놓인 천은 절제가 사라진 사내의 열기를 막기에 역부족이었다. 온화한 밤공기가 밀려 나가고, 한여름 무더위 땡볕 아래 놓인 듯 방 안의 공기가 달아올랐다.

프리다를 침대에 눕힌 다니엘은 재킷을 벗어 던지고 셔츠를 위로 끌어 올리면서도 내내 프리다에게서 눈을 떼지 않았다. 그 모든 순간에 다니엘의 눈동자는 선명한 핏빛으로 빛났다. 갈색빛도 검은빛도 섞이지 않은, 불순물이 섞이지 않은 순수한 붉은색. 마치 로테 언니의 눈동자 같았다. 충분히 겁을 먹고도 남을 상황임에도 프리다의 눈가가 촉촉이 젖어 들었던 건 그래서였다. 그리운 그 눈을 다시 보게 되니 반가워서.

당장이라도 달려들어 그녀를 먹어 치워 버릴 것 같던 남자가 침대 위로 팔을 뻗은 채 가만히 프리다를 내려다보았다. 조급해진 마음을 어떻게든 달래 보려 애쓰는 듯 맨가슴 속 그의 심장이 거칠게 들썩거렸다. 그 와중에도 시선만은 집요하게 그녀를 좇았다.

"무서워요?"

다니엘의 목소리는 부드럽고, 뜨겁고, 무거웠다. 그것과 비슷한 시선을 마주 보며 프리다는 가만히 고개를 끄덕였다. 웃음기가 사라진 입술이 그녀의 이마에 내려앉았다 떨어졌다. 잠시 잠깐 닿았다 떨어졌을 뿐인데도 이마가 화끈거릴 정도로 다니엘의 입술은 펄펄 끓고 있었다.

"나도 무서워."

그럼에도 여전히 낮고 차분한 말투에서 프리다는 묘한 거리감을 느꼈다. 저는 이리도 흔들리고 있는데. 있는 줄도 몰랐던 감각이 하나하나 살아나 살갗을 뚫고 나오는 건 아닌가 싶을 만큼 달달 떨고 있는데. 자기도 그럴 거면서. 거세게 뛰는 심장 소리가 생생하게 들리건만, 자제심을 갖추고 있는 남자가 괘씸해졌다. 프리다는 손을 뻗어 침착함을 가장하고 있는 다니엘의 눈가를 조심히 매만졌다.

"내가 싫다고…… 할까 봐서요?"

스르르 무너지듯 그의 몸이 내려왔다. 턱과 가슴이 맞닿자 그녀의 것인지 다니엘의 것인지 모를 심장이 쿵쿵쿵 방금 전과 비교도 되지 않을 만큼 크게 요동쳤다.

"아니."

프리다의 어깨 아래로 흘러내린 드레스를 쭉 잡아 내리며 다니엘이 그녀의 목에 얼굴을 묻었다.

"싫다고 해도 못 멈출까 봐."

입술처럼 뜨거운 숨결이 프리다의 목과 어깨를 시작으로 온몸을 달구며 내려갔다. 무섭고, 두렵고, 걱정되고 숨이 막혔지만……. 분명하게 그것과 다른 감각들도 함께 프리다를 찾아왔다. 그 감각들 위에 다니엘이 저를 가지라며 애원하던 순간의 눈빛과 목소리가 겹쳐졌다.

"날 가져. 영원히."

매년 생일마다 금광을 하나씩 주겠다던 다짐을 했던 날에도, 남편은 오늘과 비슷한 눈으로 그녀를 바라봤었다.

"전부 다 가져가."

자기 것을 내어 주면서도 조금도 아깝지 않다는 듯. 그녀가 오래오래 살아 그가 가진 모든 것을 다 가져갔으면 좋겠다고, 진심으로 말하고 있었다. 울컥, 프리다를 억누르고 있던 뭔가가 터지며 이 남자를 가지고 싶다는 욕구가 치밀어 올랐다. 프리다는 그녀의 몸에 입을 맞추고 있는 다니엘의 어깨를 꽉 붙들었다.

"내가 무섭다고 해도…… 멈추지 말아요."

멈칫 굳어 가는 어깨와 빳빳하게 힘줄이 선 그의 목덜미를 쓸어내리며, 벅찬 감정을 다스리지 못하고 살짝 울먹였던 것 같기도 하다.

"아마, 그냥 하는 말일 거예요."

불에 덴 게 아닌가 싶을 만큼 뜨거운 입술이 프리다를 서서히 잠식해 나갔다. 끝내 멈추라는 말을 꺼내지 않은 프리다와 애초에 멈출 뜻이 없었던 다니엘의 이른 여름밤이 깊어 갔다.

## 8. 즐거운 부부의 시간

입 주변이 포도주로 범벅이 된 도미닉이 손등으로 턱을 닦으며 버럭 소리를 질렀다.

"그, 그게 무슨 소립니까? 마틸다를 좋아하냐니? 갑자기 그 하녀 이름이 왜 나와요?"

펄쩍 뛰는 도미닉과 달리 뮤리엘은 덤덤하게 술을 들이켰다.

"지극정성으로 챙기시길래 혹시나 해서."

"누, 누가 지극정성으로 챙겼다는⋯⋯."

"아니면 말지. 뭘 그렇게 정색해요? 마틸다 기분 나쁘게."

말끔하게 비운 술잔을 테이블에 내려놓은 뮤리엘이 씩씩대는 도미닉에게 눈을 돌렸다. 뮤리엘이 저를 물끄러미 쳐다보자 도미닉이 흠칫 어깨를 뒤로 물렸다.

"왜, 왜요? 또 뭔 말을 하려고 사람을 그런 눈으로 봅니까?"

"이상해서요."

"또 뭐가 이상해요?"

"다른 사람도 아니고 도미닉 몰리가, 좋아하지도 않는 여자를, 그것도 성 밖까지 꼬박꼬박 찾아다니며 챙긴다는 게 안 이상하면 뭐가 이상할까요?"

도미닉이 자신의 눈을 피하며 등을 돌리자 뮤리엘이 아예 탁자에 턱을 괸 채 그의 뒤통수를 보며 중얼거렸다.

"마음이 있었던 게 아니라면, 답은 하난데……."

흥, 콧방귀를 뀐 도미닉이 그녀에게 들리지 않게 구시렁거리며 투덜댔다.

"조심하세요, 기사님. 도미닉 님은…… 아니, 공작 전하는 무서운 사람이에요."

겁에 질린 마틸다의 반응을 떠올리면 애정이 얽힌 일은 확실히 아닌 듯하다. 구태여 리하르트 공작이 무섭다고 언급한 걸 보면 그도 관련이 있는 것 같고. 그렇다면 도미닉이 그 집에 수시로 드나들며 마틸다를 감시하고 있다는 말이 되나? 아니면…… 보호? 일개 하녀였던 마틸다를 감시하는 것도 말이 안 되지만, 보호는 개연성이 더 희박하다.

'대체 마틸다를 무엇으로부터, 왜 보호한다는 거지?'

어둠을 틈타 허름한 농가를 어슬렁대던 검은 그림자가 걸치고 있던 건 분명 황실 근위대의 망토. 제 눈으로 확인했으니 이 부분까진 의심할 바 없는 사실인데, 도무지 이유를 모르겠다. 황실 근위대가 도대체 무슨 까닭으로 뮌하임 성의 하녀였던 아이를? 심지어 이젠 성에서 일하지도 않는 마틸다를 굳이 왜 감시하냐고? 뮤리엘이 갑자기 책상을 손으로 탁 짚으며 자리를 박차고 일어났다.

"술 그만 마시고 일어나요. 나랑 어디 좀 갑시다."

어깨를 돌린 도미닉이 멀뚱멀뚱 뮤리엘을 쳐다보며 물었다.

"이 시간에 어딜 가요, 가길? 성안이 온통 난장판일 텐데 괜히 돌아다니다 분란 만들지 말고 일찍 들어가서 밀린 잠이나 자요."

"분란? 좋네요. 그걸로 합시다."

말을 마친 그녀는 있는 대로 미간을 찌푸리는 도미닉의 어깨를 툭툭 내리치며 그의 귀 가까이 얼굴을 숙였다.

"황실 근위대가 마틸다의 집을 감시하는 거 같아요."

단박에 방향을 틀어 뮤리엘을 마주 본 도미닉의 눈빛이 심각해졌다.

"그게 무슨 소립니까? 황실 놈들이 그 하녀를 왜요?"

전혀 예상하지 못했다는 반응을 보니 도미닉도 모르는 일인 건 확실해 보였다.

"이유는 나도 모르니까 묻지 말아요. 대신 내가 그놈 뒤통수를 봤으니까 다시 보면 알 수 있어요."

"얼굴도 아니고, 뒤통수만 봤다면서 어떻게 알아본다는 겁니까?"

뮤리엘은 습관적으로 허리에 찬 검을 매만지며 어둠 속에서 보았던 남자의 형상을 그려 냈다. 덩치는 도미닉보다 조금 크고, 어깨도 더 넓었다. 검을 오른쪽에 찬 걸 보면 왼손잡이고, 걷는 내내 왼쪽보다 오른쪽으로 고개를 트는 모양이 부자연스러웠다. 과거 오른쪽 어깨나 팔을 심하게 다쳤음이 틀림없다.

"검 쓰는 인간들이 뻔하죠. 보통 덩치만 봐도 식별할 수 있지만, 거기에 특유의 걸음걸이나 팔의 움직임 같은 게 곁들여지면 단박에 알 수 있어요."

"지금 누군지도 모르는 놈을 잡으러 가자는 겁니까? 이 시간에?"

"더할 나위 없이 좋은 시간이죠. 거기 황실 근위대 쪽 상태도 이곳과 비슷하지 않겠어요?"

좀 보라며 뮤리엘이 턱으로 주방 안을 가리켰다. 거나하게 취해 술잔을 들고 노래를 흥얼거리는 인간. 접시에 코를 박고 자는 인간. 온 주방 안이 엉망으로 흐트러진 인간들 천지다. 간혹 술잔이 그들의 눈앞을 날아다니기까지.

'여기도 이 모양인데 거긴 더하겠지.'

남은 힘을 주체하지 못하는 혈기 왕성한 사내들이 득실거릴 텐데 안 봐도 뻔하다. 슬쩍 기름만 부어 줘도 저희끼리 알아서 활활 불이 붙어 난리일 것이다. 도미닉은 절레절레 고개를 저었다.

"가려면 혼자 가시죠. 저는 괜히 가서 험한 꼴 당하고 싶지 않습니다."

"그러지 말고 같이 가요. 황실 근위대에 시비를 거는 데 당신만큼 쓸 만한 사람이 어디 있다고."

뜨악한 표정의 도미닉이 사납게 뮤리엘을 노려봤다.

"날 미끼로 쓰려고 같이 가자는 거였어요?"

"알아들었으면 빨리 일어나요."

뮤리엘이 그가 앉은 의자의 다리를 발로 세게 걷어차는 바람에 도미닉의 몸이 크게 휘청였다. 더 앉아 있기 어려울 만큼 부서진 의자에서 일어난 도미닉이 툴툴대며 뮤리엘의 뒤를 따라나섰다.

대부분 귀족 가문의 자제들로 이루어진 황실 근위대라 해도 술을 마시면 취하는 건 일개 농노와 다름없었다. 점잖게 시작한 연회는 금세 취기가 돈 인간들로 인해 시끌시끌해졌다. 그나마 황제가 연회장에 함께 있었기 망정이지, 아니라면 진즉에 서로 괜한 시비를 걸며 싸우고도 남았다.

특히 태어나 듣도 보도 못한 광경이 펼쳐진 오늘 일을 두고 벌어진 설전이 시간이 갈수록 연회장 온도를 뜨겁게 달궜다. 다니엘의 출신을 못마땅해하는 자들과 그럼에도 내심 그의 실력을 인정하는 사내들의 의견이 팽팽하게 갈렸다.

"여자를 기사단의 주군으로 삼다니, 그게 말이 돼? 리하르트 공작이 머리가 어떻게 된 게 틀림없어."

"공작 부인이 기사단을 뭐에 쓰겠어? 생색만 내고 결국은 공작 거지. 내 아내가 들으면 낭만적이라고 할 것 같은데."

"낭만은 무슨. 출신이 천해서 그런지 무릎도 아주 철퍼덕, 쉽게 꿇는 꼴하고는."

"그러게. 그러고 보니…… 나 리하르트 공작이 무릎 꿇는 거 처음 본 듯한걸. 자넨 본 적 있어?"

여기저기서 들려오는 '아니'라는 답을 들으며, 레오폴드가 씁쓸하게 입매를 비틀었다.

'봤을 리가 없지. 그 자식은 내게조차 단 한 번도 충성 맹세를 한 적이 없으니까.'

다니엘이 제게 바친 건 맹세가 아니라 '종신 계약'이다.

< 다니엘이 레오폴드를 지키는 한, 황태후는 다니엘을 죽이지 않는다. >

라우라 님의 죽음이 만들어 준 철저한 계약 관계라는 뜻이다. 서로의 목숨을 담보로 한. 점점 더 어수선해지는 연회장을 둘러보던 챔벌린 백작이 레오폴드에게 조용히 말을 걸어왔다.

"그만 들어가시는 게 어떻습니까, 폐하. 다들 술이 오르나 봅니다. 더 계셔 본들 좋은 모습을 볼 것 같지도 않군요."

"이쯤이야 뭐. 오늘 더 요란한 꼴도 봤는데."

"하긴, 그렇습니다."

생각할수록 기가 막힌지 챔벌린은 황제를 옆에 두고도 거하게 혀를 찼다.

"허 참. 제국의 공작이란 자가 부끄러움도 모르고. 역시 출신은 속이지 못하나 봅니다."

'출신 좋아하네. 제국 내 최고의 순수 혈통을 물려받은 나도 이 모양 이 꼴인데.'

레오폴드는 조소가 터져 나오는 제 입술을 꽉 물었다. 아무렴 다니엘이 부끄러움을 몰라서 그랬을까. 마음이 이끄는 대로 한 거겠지. 거기에 대외적으로 리하르트 공작 부인의 존재감을 높여 보겠다는 심산인 듯한데……. 나쁘지 않은 발상이다. 오늘 일은 레오폴드의 계획엔 득이면 득이지 손해날 것도 없다.

이번 일이 소문나면 모친도 관심을 보일 테니, 그가 손댈 필요 없이 알아서 코를 풀어 준 격이다. 다만, 수많은 인파 속에서도 서로만을 응시하던 그 눈빛은 좀 별로였다.

"제 생각엔 성 밖에 여자를 숨겨 둔 사실을 감추려고 일부러 저러는 게 아닌가 싶기도 합니다만."

모르는 소리. 다니엘은 타고나길 고리타분해 빠진 인간이다. 황제의 정부도 대놓고 무시하는 인간이 다른 여자를 뒀을 리 없다. 그리고 그 빌어먹게도 뜨거운 눈. 넋이 빠진 그 눈으로 대체 다른 누구를 본단 말인가. 어림도 없는 헛소리다.

"다니엘이 그 집에 드나들기는 한답니까?"

"그것이 이상합니다. 몰리의 아들과 의사 말고 공작이 직접 드나드는 걸 본 자는 없다고 합니다."

그러면 그렇지. 거나하게 취해 흐느적거리는 인간들이 보기 싫어 그만 자리를 뜨려는 즈음. 빈더만 자작이 화급히 레오폴드 옆으로 다가왔다.

"폐하, 밖에서 소란이……."

그의 말이 끝나기도 전에 누군가가 외쳤다.

"싸움이다! 밖에 싸움이 났다!"

도미닉이 브라반트 홀 앞을 지나가는 것만으로도 불씨에 불이 붙었다. 브라반트 홀의 경비를 보던 근위대 기사가 그를 보자마자 시비를 걸어온 것이다.

"세상 말세야 말세. 개나 소나 다 기사라고 나대니 창피해서 원."

"내 말이. 돈만 주면 자기 마누라도 팔아 치우는 천한 용병 놈들이 기사라니. 소가 웃을 일이지."

이거 생각보다 더 쉽잖아? 미끼가 된 도미닉, 그 뒤에 숨어 동태를 살피던 뮤리엘까지 동시에 헛웃음을 터트렸다.

"거기 어슬렁거리는 너. 밀라보 용병이지? 그 돈푼깨나 들인 보라색 거적때기는 벌써 어디다 팔아먹고 꼬락서니가 그 모양이야?"

연회장에 들어가지 못하고 경비를 서는 게 짜증이 났던 참에 마침 잘 만났다는 듯 다짜고짜 트집을 잡았다.

"돈이면 다 되는 줄 알던 비렁뱅이들이 출세하더니 눈에 뵈는 게 없는 거지. 보라색 제복이 말이 돼?"

"그럴 돈으로 성이나 좀 단장하지 그랬어? 공작 성 꼴이 이게 뭐야. 귀족 망신은 리하르트 공작이 다 시키는군."

그래도 황실 근위대면 나름 배웠다는 놈들인데 어쩜 저리 몇 년째 구태의연한 대사만 읊어 대는지. 새로울 것 없는 빈정거림이라 도미닉은 들은 척 만 척 귓구멍을 후벼 팠다. 확 그만둘까 싶어 슬쩍 눈치를 보니 뮤리엘이 나무 뒤에서 더 하라고 손을 휘휘 흔들었다.

'그래. 기왕 미끼로 던져졌으니 뭐라도 물고 가자.'

도미닉은 능글능글 웃으며 그들 앞으로 다가가 보란 듯이 양팔을 활짝 벌리며 너스레를 떨었다.

"아쉽게도 보시다시피 저는 오늘 기사 서임을 못 받았습니다. 안타깝지 뭡니까? 저 같은 용병 나부랭이가 우리 귀한 귀족 도련님들처럼 이름 뒤에 '경'을 붙일 좋은 기회였는데."

금발 머리를 뒤로 질끈 묶은 기사가 얼굴을 일그러트리며 도미닉의 멱살을 잡았다.

"이 미친놈이 뭐라는 거야? 기사라고 다 같은 기사인 줄 알아? 누구랑 누구를 비교해?"

"워워. 손은 놓고 말하세요. 놀라서 오줌 싸겠네."

짐짓 겁먹은 척 구는 도미닉을 비웃으며 옆에 있던 갈색 머리 기사가 동료의 어깨를 툭 쳤다.

"이봐, 그냥 놔줘. 보아하니 아무것도 모르는 떨거지 같은데."

도미닉의 멱살을 잡았던 기사가 패대기치듯 그를 놓아주며 투덜거렸다.

"내가 창피해서 정말. 자네 그 얘기 들었어? 오늘 서임받은 기사단 단장 말이야. 리카르도 몰리라던가?"

"그 아들이랑 같이 부자가 쌍으로 리하르트 공작의 수족이라는 사람?"

"내가 오늘 들었는데 그 인간 마누라 말이야. 남편이 버젓이 살아 있는데 제 발로 귀족을 찾아가 정부가 됐대. 무식한 용병 남편하곤 더는 못 산다고."

헝클어진 옷 주름을 탈탈 털던 도미닉이 동작을 멈추고 그 자리에 굳었다.

"그게 정말이야?"

"파비안 녀석이 그러더라고. 그 자식 친척의 정부였대. 몇 년 끼고 살다 쫓아냈다든가."

"아무튼 수치를 모르는 밀라보 것들."

탁탁.

다시 목깃의 주름을 가지런히 펴 재킷을 바로잡은 도미닉의 입에서 싸늘한 음성이 흘러나왔다.

"파비안이 누구야?"

"뭐?"

돌변한 도미닉의 말투에 흠칫 놀란 근위대들이 저도 모르게 뒷걸음질을 쳤다.

"파비안이 뭐 하는 놈이냐고. 그놈도 근위대야? 여기 있나?"

"이, 이 자식이! 감히 황실 근위대에게 그놈이라니?"

다시 멱살을 잡으려는 기사의 팔을 거칠게 툭 쳐 낸 도미닉이 브라반트 홀을 노려봤다.

"됐고. 그 자식 나오라고 해."

"야! 누굴 보고 오라 가라 하는 거야? 이 용병 자식이 매운맛을 봐야 정신을 차리지 아주?"

갈색 머리 기사가 검집에서 검을 빼 들자 도미닉이 씩 웃으며 뮤리엘이 몸을 숨기고 있는 나무 뒤를 돌아봤다. 이쯤 했으면 미끼 노릇은 충분히 잘한 거 아니냐 뻐기듯이. 그러곤 정중하게 갈색 머리 기사를 향해 허리를 숙였다.

"기사님이 먼저 검을 빼 드셨으니 이건 정식 대련인 겁니다."

슬며시 고개를 든 도미닉이 검을 든 기사를 향해 싸늘하게 웃어 보였다.

"나중에 구차하게 딴소리하면 죽는다."

말이 끝나기가 무섭게 도미닉의 검도 검집을 빠져나왔다. 난데없이 벌어진 칼싸움에 브라반트 홀 안에 있던 근위대가 삽시간에 우르르 쏟아져 나왔다. 어둠 속에 몸을 숨기고 있던 뮤리엘이 나무를 벗어나 뜰로 쏟아져 나오는 기사들을 하나하나 살피기 시작했다.

무슨 일이냐며 묻는 자. 덮어놓고 뭉개 버리라며 응원을 하는 자. 엉망진창이 된 앞뜰을 유심히 바라보던 뮤리엘은 익숙한 자태의 기사를 발견하곤 눈을 크게 떴다.

'저자다.'

오른쪽 허리춤에 찬 검, 고개를 삐딱하게 왼편으로 기울인 채 선 건장한 몸집. 단 한 번 보았지만, 똑똑히 기억해 둔 사내의 윤곽에 뮤리엘의 눈이 반짝였다. 역시나 마틸다의 집에 나타난 자는 황실 근위대가 맞았다.

휘이익.

뮤리엘은 휘파람을 불었다. 뜻하는 바를 이루었으니 인제 그만하라며 도미닉에게 보내는 신호였다. 그러나 도미닉은 아랑곳없이 검을 휘둘렀고, 심지어 갈색 머리 기사를 거의 죽일 듯이 덤벼들고 있었다.

'아우, 저 인간이 진짜! 그냥 대충 시늉만 하고 나오랬더니.'

못 들었나 싶어 조금 더 세게 휘파람을 불던 찰나. 환하게 불을 밝히고 있던 브라반트 홀의 2층에서 날린 화살이 도미닉을 향해 날아갔다.

퍽.

"으악!"

아슬아슬하게 화살을 피한 도미닉이 흙바닥을 구르는 동안 팔에 화살을 맞은 근위대가 괴로워하며 땅으로 쓰러졌다.

"이런. 내가 큰 실수를 했군."

들고 있던 활을 옆에 선 근위대장에게 휙 던져 준 레오폴드가 손가락을 들어 도미닉을 가리켰다.

"저 자식. 끌고 와."

힘겹게 눈을 뜬 프리다는 끙끙 절로 나오는 신음을 참기 위해 이불을 꽉 쥐었다. 아프다. 너무 아프다. 몸이 부서질 것 같다. 마리안 홀 계단 꼭대기에서 철퍼덕 넘어져 1층까지 데굴데굴 구르면 이런 느낌일 것 같다. 몸을 뒤틀어 보고 싶었지만 다니엘의 팔이 허리를 감고 있어 움직일 수가 없었다.

자꾸 터져 나오는 신음을 참기 위해 꼭 쥔 이불을 끌어 올렸다. 입이라도 좀 막아 볼까 싶어 그런 건데, 이불은 턱 근처에도 오지 못하고 다니엘의 손에 잡혀 어깨 아래로 미끄러졌다. 아무것도 걸치지 않은 프리다의 맨 어깨에 어젯밤처럼 뜨거운 다니엘의 입술이 내려앉았다.

"많이 아픕니까?"

솔직하게 제 상태를 인정하고 싶은 마음과 정숙한 아내가 답해야 할 모범 답안 사이에서 갈등하던 프리다는 천천히 고개를 끄덕였다. 아픈 건 아픈 거니까. 무엇보다…… 간밤의 모든 일이 충격적이기도 했고. 등 뒤에서 다니엘이 몸을 일으키는 것만으로도 별안간 몸이 조여 왔다.

꼭대기 층으로 침실을 옮긴 후 거의 매일 밤 같이 잠들었건만 까맣게 몰랐다. 제 몸 안에 이런 감각들이 있었다니. 민망함이 밀려와 몸을 웅크리자 다니엘이 다정한 손길로 프리다의 머리칼을 치워 내고 이마를 짚었다. 지난밤, 미친 듯이 내달리고 싶은 저를 말리느라 그가 지닌 모든 자제심을 다 꺼냈는데도 순간순간 이성을 놓아 버렸다.

"마님께서 전보다 건강해지신 건 맞지만 타고나길 두 분은 하늘과 땅 차이라는 걸 잊지 마십시오. 절대. 절대. 전하께서 하고 싶은 대로 다 하시면 안 됩니다. 명심하세요. 큰일 납니다."

의사 그 인간이 어찌나 겁을 줬는지 머릿속에서 '절대, 절대 안 된다.'라는 말이 매 순간 맴돌았다.

"의사가 너무 거칠지만 않으면 괜찮을 거라고 했는데……."

손이 떠나가기가 무섭게 그 자리에 입술이 내려왔다.

"그게 말처럼 쉽지 않네."

이마에 닿았던 입술이 떨어지자 프리다가 어깨를 돌렸다. 목 아래로 어디 하나 안 아픈 곳이 없는데도, 이상하게 기분이 나쁘지 않았다. 그렇다고 창피하지 않은 건 아니었다. 특히 아무것도 걸친 것 없이 서로의 살갗이 스치고 있는 이 상황은…….

귀까지 발갛게 달아오른 프리다를 내려다보던 다니엘이 부드럽게 그녀의 입술을 머금었다. 가볍게 시작한 입맞춤이 금세 농밀해졌다.

"절대. 절대. 전하께서 하고 싶은 대로 다 하시면 안 됩니다."

'제기랄.'

맨주먹을 꽉 움켜쥔 채 힘겹게 떨어지는 다니엘의 팔뚝에 불끈불끈 힘줄이 솟았다.

"침대에 더 머무르는 건 당신에게 너무 위험해서 안 되겠어요."

빙긋이 웃은 다니엘은 프리다의 목까지 이불을 올려 주고도 그녀의 곁을 떠나지 않았다.

"오늘은 밖에 나오지 말고 푹 쉬어요."

답이 없는 프리다에게 다니엘이 한 번 더 다짐을 받았다.

"약속해요, 프리다."

"……네."

부끄러워 어쩔 줄 모르며 이불을 파고드는 가냘픈 목소리를 확인한 다니엘이 침대를 벗어났다. 셔츠 위에 대충 재킷을 걸쳐 입은 그는 마지막으로 밤새 괴롭혔던 프리다의 입술을 한 번 더 매만진 후 방을 나섰다. 복도에 대기하고 있던 로잘린이 그를 보자마자 깊이 허리를 숙였다.

"공작 부인을 돌봐 드려. 거동하기 힘드실 테니 식사도 방으로 가져다드리고."

"존명."

"외출은 절대 안 돼."

"존명."

복도를 걷던 다니엘이 그때까지도 허리를 숙이고 있는 로잘린을 보며 옅은 한숨을 내쉬었다.

"로잘린."

"네. 전하."

"앞으로 존명이란 답은 금지다. 모든 답은 '알겠습니다.'로 통일한다."

"조…… 알겠습니다, 전하."

로잘린을 지나 계단을 내려서자 이번엔 뮤리엘이 초조한 얼굴로 그를 기다리고 있었다. 담담히 그녀를 마주한 다니엘이 재킷의 매듭을 채우며 말했다.

"무슨 일이지?"

"도미닉이…… 황실 근위대에 붙잡혀 갔습니다."

미세하게 눈썹을 꿈틀거렸을 뿐, 놀라지도 당황하지도 않은 다니엘이 담담히 근처에 선 경비병을 불렀다.

"내 방으로 목욕물을 가져오라고 해."

"네. 전하."

그러곤 계속 말해 보라는 듯 뮤리엘을 쳐다봤다.

"어젯밤에 근위대와 작은 시비가 있었습니다. 그러다 서로 검을 빼 들었는데……."

"누가 먼저?"

도미닉이 뭐라고 도발했는지 모르지만, 뮤리엘은 분명히 근위대가 먼저 검을 꺼내는 걸 똑똑히 봤다.

"근위대가 먼저 검을 꺼냈습니다."

"도미닉이 그 시간에 브라반트 홀엔 왜 간 거지?"

"……."

쉽사리 답을 하지 못하는 뮤리엘을 응시하던 다니엘이 계단으로 걸어 갔다. 걷는 와중에도 질문이 계속됐다.

"로시발트 경, 도미닉의 별명이 왜 '차가운 심장'인 줄 아나?"

"……정확히는 모릅니다."

"자신의 의지가 아닌 이상 도미닉 몰리를 도발하기란 어렵다는 뜻이다. 정확히 말해라. 어젯밤 무슨 일이 있었는지."

"실은……."

뮤리엘의 설명을 듣는 다니엘의 표정이 차츰차츰 싸늘하게 굳어 갔다.

리하르트 공작이 아침 일찍 브라반트 홀의 앞뜰에 나타나 알현을 청했다. 그 소식을 듣고 밖으로 나온 레오폴드는 빈더만 자작이 계단 위에 놓아 준 의자에 앉아 귀하신 몸을 맞았다.

레오폴드는 말끔히 정복을 갖춰 입은 다니엘을 보며 피식 웃었다. 술먹고 소란이나 피우는 망나니인 줄 알았던 인간이 다니엘의 오른팔 '도미닉 몰리'였다니. 아끼는 기사의 귀한 팔 하나를 잃게 된 건 아쉬우나…… 더럽게 얼굴 보기 힘든 다니엘을 친히 여기까지 오게 해 주었으니 그만한 값은 하는 소득이다.

"어려운 걸음을 하신 이유는 짐작합니다만, 이걸 어쩌죠? 아무리 형님의 부탁이라 하나, 황제의 지척에서 소란을 피운 인간을 그냥 풀어 줄 수도 없고."

"로시발트 경이 증언하길 소란이 아니라 정식 대련이었다 들었습니다. 폐하."

구태여 강조하듯 한마디를 덧붙였다.

"근위대가 먼저 검을 꺼냈다고 하더군요."

레오폴드는 작게 코웃음을 쳤다. 안 그래도 몹시 안타까워하는 중이다. 황제가 머무는 공간에서 그 용병 놈이 먼저 검을 들었다면 따질 것도 없이 반역. 그 핑계로 즉시 목을 쳐 다니엘의 발치에 던져 줬을 텐데. 아깝게됐다.

"공작, 그렇다 한들 무례가 용서되는 건 아니지."

심드렁히 구는 레오폴드와 무표정한 얼굴의 다니엘이 팽팽하게 서로를 마주 보았다.

한동안 이어지던 침묵을 깨고 다니엘이 먼저 입을 열었다.

"용서라니요. 당치 않으십니다. 감히 폐하의 면전에서 무례를 범했으니용서를 구할 게 아니라 죗값을 치러야지요."

성질 같아선 당장이라도 다 쓸어버리고 도미닉을 빼내 오고 싶었으나 다니엘은 차분히 좌중을 살폈다. 지난밤, 다들 술이 과했던지 이 난리 통에도 눈빛이 흐리멍덩한 놈들이 몇몇 눈에 띄었다. 하긴 술이 과했던 게 어디 저놈들뿐일까. 평소 냉철하다 알려진 뮤리엘 로시발트까지 그녀답지 않은 짓을 하게 만들었으니. 이놈 저놈 할 것 없이 다들 취해 제정신이 아니었겠지.

"제가 며칠 전 우연히 성 밖에서 의심스러운 행동을 하는 자를 보았는데 그자가 옷 속에 황실 근위대의 망토를 걸치고 있었습니다."

"그래서?"

"도미닉이 작은 소동을 일으켜 주면 술김에 다들 구경하러 쏟아져 나올 것 같았습니다. 그 참에 그자의 정체를 확인하려던 게 그만……."

"그곳에 황제가 머물고 있다는 건 고려치 않은 건가? 검을 들었다는 이유만으로도 도미닉의 목이 잘렸을 수도 있어."

"……죄송합니다. 공작 전하. 제가 생각이 짧았습니다."

뮤리엘은 아무래도 자신이 마녀에게 홀린 것 같다며, 통렬한 반성을 쏟아 냈다. 어쩌면 지난밤, 정말로 마녀가 이 공작 성 전체에 주술을 걸었을지도 모르겠다. 술 한 방울 입에 대지 않은 다니엘도 제정신이 아니긴 마찬가지였으니.

서임식 도중은 물론 프리다 앞에 무릎을 꿇기 전까지, 다니엘은 언제나처럼 평온했다. 그녀에게 기사단을 주고, 충성 맹세를 바치는 것 모두 충동적으로 내린 결정이 아니었기에 들뜰 이유가 없었다.

그런데 프리다의 손을 잡고 손등에 입을 맞춘 뒤 그녀를 올려다보는 순간, 그의 몸 깊은 곳에서 뜨거운 열망이 끓어올랐다. 치기 어린 레오폴드의 도발이 그의 소유욕에 불을 붙였는지도 모르겠다.

이유를 불문하고 그 순간 프리다가 온전한 그의 것이었으면 좋겠다는 갈망이 치밀었다. 그 또한 남김없이 모조리 그녀의 것이 될 테니. 언젠간 그리될 거였으나 할 수 있는 최대한, 프리다의 건강이 회복될 때까지 기다려 줄 참이었는데 도저히 참아지지가 않았다.

침대 위에서 정신을 차렸을 땐 이미 돌이킬 수도, 말릴 수도 없는 지경이 되어 있었다. 수줍게 볼을 붉히며 이불 속으로 파고들던 프리다를 떠올리자 불현듯 목 끝까지 단정히 채운 매듭이 답답해졌다.

'돌겠네.'

문득 깨달았다. 어젯밤 프리다에게 오래전 천사인지 토끼인지 모를 꼬맹이를 만난 소년의 이야기를 들려주지 못했다는걸. 그래, 저 역시 뭐에 홀리긴 마찬가지였으니 딱히 로시발트를 탓할 필요는 없지. 다니엘은 상념을 떨쳐 내기 위해 잠시 눈을 꾹 감았다 떴다.

"다만 도미닉, 그자는 예의범절을 모르는 일개 용병입니다. 예의를 모르니 무례가 뭔지도 알지 못하는 자이지요. 황실 근위대가 먼저……."

높낮이가 거의 없는 낮은 중저음이 유독 '먼저'라는 단어를 강조하며 뜸을 들였다.

"검을 빼 들었으니 그저 본능적으로 방어를 해야 한다고 느꼈을 겁니다."

레오폴드 옆을 지키고 있던 근위대장이 발끈하며 다니엘의 말에 반박하고 나섰다.

"하면 리하르트 공작께선 황실 근위대가 아무 까닭 없이 무작정 검을 빼 드는 무뢰배라는 겁니까?"

"글쎄. 나야 그 자리에 있지 않았으니 모르지. 하지만."

담담히 근위대장을 바라보던 다니엘이 살짝 몸을 틀어 뮤리엘을 돌아봤다.

"근위대에서 원한다면 어제 그 자리에 있었던 로시발트 경에게 증언해 달라 요청하겠네. 명예를 생명보다 중히 여기는 로시발트 경이 거짓을 말할 리는 없으니 말일세."

이미 모든 상황을 파악해 알고 있는 근위대장은 바로 그러자 답하지 못하고 머뭇거렸다. 멀쩡히 지나가는 놈을 불러 시비를 걸고, 리하르트 공작을 모욕하는 말을 하며 자극했다는 사실까지는 차마 황제께 고하지 못했기 때문이었다. 근위대장이 더는 입을 열지 않자 다니엘이 다시 황제와 눈을 마주쳤다.

"사정이 어찌 되었든 그에게 예법을 가르치지 못한 건 제 잘못이니 죗값은 제가 치르겠습니다. 하오니 폐하, 그자를 제게 내주십시오."

조용히 형세를 관망하고 있던 레오폴드가 잔잔한 미소를 머금은 채 말했다.

"형님이야말로 제 체면을 생각해서라도 그자의 처분은 근위대에 맡기시지요. 고작 용병 한 놈 때문에 형님과 얼굴을 붉히고 싶지 않습니다."

"고작 용병 하나가 아니라 제게 가족이나 다름없는 자입니다."

차분한 음성으로 답한 다니엘이 말이 끝나기가 무섭게 한마디를 고쳤다.

"아니, 가족입니다."

도미닉, 리카르도 그리고 프리다까지. 그가 가족이라 인정한 이들을 하나하나 떠올린 다니엘이 쐐기를 박듯 덧붙였다.

"이젠 저도 가족쯤은 지키는 사내가 되어 보려 합니다."

그때까지 별다른 말 없이 얌전히 황제 옆을 지키고 서 있던 챔벌린 백작이 지팡이를 쥔 손을 부들부들 떨며 소리쳤다.

"리하르트 공작은 말을 가려서 하시오! 천한 밀라보 용병을 가족이라 일컫다니요. 이는 황실의 권위를 훼손하는 일임을 모르신단 말이오?"

다니엘이 여전히 레오폴드를 응시하며 작게 실소를 터트렸다.

"훼손한다 해도 황실이 아니라 나의 권위겠지. 내게 그런 것이 남아 있다면 말일세."

팽팽하게 서로를 응시하는 시간이 찾아왔다.

'건방진 자식.'

레오폴드가 소리 없이 으르렁대며 다니엘을 노려봤다. 엄연히 피가 섞인 저를 앞에 두고 뭐? 그 용병 놈이 가족이나 다름없어? 다니엘과 그놈이 가족이면, 나는 뭔데? 레오폴드는 아랫입술을 지그시 깨물다 입을 뗐다.

"형님께서 그리 간절히 요청하시니 마음이 약해집니다. 그렇다고 정에 이끌려 일을 처리할 순 없는데 말이죠. 음…… 이리하시는 건 어떠십니까?"

"말씀하십시오."

"형님께선 지난밤 그자가 일으켰던 난동이 대련이라 주장하셨습니다. 하면 그 대련을 형님이 정식으로 마무리하는 건 어떨까요?"

오늘은 무슨 일이 있어도 다니엘 네놈의 무심한 낯짝이 평정심을 잃고 흔들리는 꼴을 꼭 보고 말리라. 레오폴드는 의뭉스레 입꼬리를 비틀며 비릿하게 웃었다.

"명색이 제국 최강이라 불리는 황실 근위대의 명예가 걸린 일입니다. 드잡이가 아닌 정식 대련이었다면, 더더욱 승부를 보아야 하지 않겠습니까."

문제는 그 멍청한 근위대 놈은 레오폴드가 쏜 화살에 맞아 영영 팔을 쓰지 못하게 되었고, 잡혀 온 용병 놈은 현재 의식이 없다는 거.

"다만 안타깝게도 둘 다 사정이 여의치 않으니 동료들이 그 명예를 대신 지켜 주는 것이 기사다운 자세겠지요. 우리 근위대 중 하나와 형님께서 직접."

아무리 무패의 다니엘이라 하나 몇 달 만에 몸이 완전히 회복되었을 리는 없다. 제대로 뭉개져 흙밭에 뒹굴며 더럽혀지는 꼴을 보며 비웃어 주리라.

"리하르트 공작의 명성에 걸맞게 근위대장이 상대해 드림이 옳겠으나, 병상에서 일어난 지 얼마 안 된 형님의 건강을 고려해 선택권은 형님께 드리겠습니다."

"폐하의 근위대를 상대케 해 주셔서 영광입니다. 부족하나마 최선을 다해 보겠습니다."

심드렁히 답한 다니엘이 저를 둘러싼 근위대를 빙 둘러보다 근위대장에게 질문을 건넸다.

"현재 성에 머무르고 있는 근위대는 모두 몇 명이지?"

"저를 포함해 마흔세 명입니다."

"지금 이곳에서 바로 대련에 나설 수 있는 자는?"

근위대장은 레오폴드에게 흘끔 눈을 준 다음 다니엘의 질문에 답을 꺼내 놓았다.

"……서른세 명입니다."

천천히 다니엘의 검집에서 빠져나온 콜다르가 서늘한 빛을 뿜었다. 휘리릭 손가락 사이로 콜다르의 손잡이를 돌려 잡은 다니엘이 말했다.

"이 대련은 내가 쓰러질 때까지 계속하는 것으로 하겠다. 불만 있나?"

즉각 답하지 못하는 근위대장과 짜증스레 눈을 찌푸리는 레오폴드까지 찬찬히 훑고 난 다니엘은 부츠로 흙바닥을 긁으며 자세를 잡았다.

"없으면 시작할까?"

침대에 엎어져 있던 프리다가 손으로 이불을 꼭 감아쥐며 흐느꼈다.

"아야야. 로잘린. 제발 사, 살짝……."

조심조심 프리다의 허리를 주무르던 로잘린의 콧등에 진한 주름이 생겼다. 맹세코 구운 돼지 뒷다리를 쥘 때만큼도 힘을 주지 않았건만, 이마저도 아프다니. 대체 얼마나 힘을 빼야 하는 거냐고.

활이든 인간의 목이든 뭔가를 손에 쥐며 힘을 빼 본 적이 없는 탓에 더 헷갈렸다. 결국 손으로 쥐고 주무르는 걸 포기한 로잘린이 손끝으로 살살 프리다의 허리를 눌렀다.

"아야야!"

그래도 연이어 고통을 호소하는 외침이 터져 나오자 프리다의 반응을 무시한 채 손끝에 힘을 꾹 주었다.

"좀 참아 보세요, 마님. 뭉친 것들을 재빨리 풀어 주지 않으면 오랫동안 통증에 시달리실 거예요."

"아, 알았어. 로잘린. 참아 볼게."

리하르트 공작 부인은 로잘린이 여태껏 접해 본 사람 중 최고로 약한 인간이다. 범위를 넓혀 인간과 동물을 통틀어도 그랬고. 굳이 비교하자면 들판에 한들한들 피어난 화초 수준이랄까. 바람만 불어도 휘청이는 인간들이 있다고 듣긴 했지만, 이렇게 눈으로 직접 보게 될 줄은 몰랐다.

그나저나 마님처럼 이리 가녀린 분이 저 무시무시한 주군의 아내가 되다니. 안쓰러운 마음에 유독 뭉쳐 있는 허리 부분을 정성스레 매만졌다.

"아으윽."

이불을 다시 한번 꽉 말아 쥐는 프리다의 손목에 옅은 멍 자국이 보였다. 보나 마나 힘 조절을 못 한 주군께서 여린 살결에 흔적을 남긴 게 분명하다.

'아무튼 사내들이란.'

주군께서도 참 어지간히 하실 것이지. 불면 날아갈 듯 연약한 공작 부인을 이리 만들어 놓다니. 그러나 두렵고도 존경스러운 다니엘을 두고 더 불평하는 일은 명백한 불충. 로잘린은 속으로도 투덜거리지 말자 다짐하며 입을 꾹 닫았다.

갓 태어난 강아지를 만진다 생각하고 아예 힘을 뺐더니 다행히 프리다도 더는 신음을 흘리지 않았다. 그렇게 잠깐이나마 조용하던 프리다가 침대에 엎어진 채로 로잘린이 있는 방향으로 고개를 돌렸다.

"로잘린. 뮤리엘 좀 불러 줄래? 오랜만에 성에 왔는데 어제 제대로 얘기도 못 나눴거든. 아, 뮤리엘이 누구냐면……."

"압니다. 뮤리엘 로시발트 경."

무뚝뚝하게 대답한 로잘린이 프리다의 허리에 따끈따끈한 물주머니를 올려 주며 말했다.

"뮤리엘 로시발트. 전 황실 기사단장인 로페르 로시발트의 손녀. 둘째 오빠 퍼시벌 로시발트를 이기고 카를 1세가 로시발트 가문에 하사한 명검 콜다르의 주인이 된 기사. 아, 이젠 옛 주인이라고 해야겠네요."

"와······."

로잘린이 뮤리엘의 신상을 줄줄줄 읊어 대자 프리다는 입을 다물지 못했다.

"대단한데, 로잘린? 뮤리엘에 대해 어떻게 그렇게 잘 알아?"

"저희 같은 사람들에겐 유명한 분이니까요."

"저희 같은······?"

프리다가 초롱초롱 눈을 빛내며 로잘린이 한 말을 되물었다.

'이크!'

주군께서 절대 자객이자 살수인 제 정체를 들켜선 안 된다고 하셨는데. 저도 모르게 말이 헛나와 버렸다. 당황한 로잘린은 슬금슬금 뒷걸음질을 치며 물러났다.

"어······ 지, 지금 바로 로시발트 경을 데려오겠습니다."

물주머니가 식기 전에 냉큼 다녀오겠다며 뛰쳐나가는 로잘린을 보며, 프리다는 웃음을 터트렸다. 머리를 빗는다든가, 옷을 입혀 주는 아주 간단한 하녀 일도 실수투성인 로잘린. 그녀가 용병단의 일원이었을 거라는 데 새 금화 한 개를 걸 수도 있었다.

어디 그뿐인가. 가끔 다니엘을 '공작 전하'가 아니라 '주군'이라 부르질 않나. 하녀로 부리기엔 서툴기 그지없는 로잘린을 제 옆에 두려는 다니엘의 마음이 사랑이라는 것엔 탑의 금고에 있는 금화를 모두 걸 수 있다. 리하르트 공작가의 첫 기사단을 프리다에게 준 것도 그녀의 안전을 바라는 뜻이었을 테고.

다니엘의 애정은 프리다가 기대하고 상상하는 것보다 조금씩 과한 면이 있다. 편한 자세를 잡기 위해 꼬물꼬물 몸을 트는데 로잘린이 번개 같은 속도로 돌아왔다.

"마님, 로시발트 경께선 공작 전하와 함께 황제 폐하를 뵈러 가셨답니다."

"그래?"

뮤리엘이랑 황제 폐하께? 갸웃하며 몸을 돌려 앉으려는 찰나, 로잘린이 프리다가 기다리고 기다리던 소식도 들려주었다.

"그리고 투르크에서 상인이 도착했다는데요."

쨍강!

"윽."

비명과 함께 두 동강 난 검이 바닥으로 떨어졌다. 내려치는 힘을 버텨 내지 못하고 검을 놓친 기사는 손목을 부여잡고 바닥으로 주저앉았다. 숨결이 조금 흐트러지긴 했으나 지친 기색이라곤 없는 다니엘이 괴로워하는 기사를 내려다보다 고개를 들었다. 그의 입에서 몇 번째인지 모를 단어가 또 흘러나왔다.

"다음."

기사 몇몇은 다니엘의 말이 떨어지기도 전에 대놓고 시선을 피했고, 한 박자 늦은 이들도 티 나게 외면하긴 마찬가지였다. 전의를 완전히 상실한 부하들을 둘러보던 근위대장이 근처에 서 있던 기사들에게 눈짓을 보냈다. 신호를 받은 기사 둘이 잽싸게 뜰로 뛰어나가 쓰러진 동료를 챙겨 가장자리로 데리고 나왔다.

끌려 나온 기사는 벽에 몸을 기댄 채 끙끙대고 있는 동료의 무리에 합류했다. 얼핏 봐도 족히 십여 명은 되어 보였다. 의사의 치료를 받아야 할 정도로 심각한 상처를 입은 이가 벌써 댓 명이 넘은 터라 안으로 들어가 본들 빠른 치료를 받기는 어려운 상황이었다. 총체적 난국이란, 아마 이런 경우를 두고 하는 말일 것이다.

호기롭게 대련에 나섰던 이들 모두가 길어야 스무 합쯤 겨루다 죄다 나가떨어졌다. 조금 전처럼 다니엘이 휘두르는 검에 부러진 검만도 십여 자루. 그러다 보니 누구도 쉬이 다니엘 앞에 나서지 못하고 슬금슬금 눈을 피했다. 이 와중에 평소 다니엘 리하르트 공작과 대련을 해 보는 것이 소원이었다고 떠들던 젊은 기사 하나가 호기롭게 번쩍 손을 들었다.

"대장님, 이번엔 제가 나가겠습니다."

덩치가 좋으니 힘은 리하르트 공작과 비등비등할지 모르나 기술이 부족한 햇병아리. 한눈에 승패가 예상되었으나 대안이 없는 상황이다. 오늘의 대련은 공작이 쓰러질 때까지 계속하기로 했으니까.

잠시 어린 부하를 바라보던 근위대장은 못 이기는 척 고개를 끄덕였다. 어떤 기대도 없이 그저 가능하다면 리하르트 공작의 힘이나 빼 놓자 싶어 내린 결정이었다.

이번에도 시작하자마자 숨 쉴 틈도 주지 않고 밀고 들어가는 다니엘을 보며 근위대장이 감탄 섞인 한숨을 내쉬었다.

초반 대련에서 상대의 공격을 유도하며 방어에 집중하기에 역시나 몸상태가 정상이 아니구나 했더니. 지금 보니 근위대원 모두를 초토화하기 위해 체력을 비축할 의도였던 것 같다. 적당히 상대에게 맞춰 주던 다니엘이 방금 전부터 무섭게 속도를 높이고 있다는 게 그 증거였다.

챙, 챙. 까앙-!

눈이 따라가기 힘든 속도로 밀어붙이는 다니엘을 보며 레오폴드가 짜증스레 툴툴댔다.

"삼 년이나 몸을 안 썼는데 실력이 전과 다름없다는 게 말이 돼?"

속전속결, 전광석화처럼 빠른 공격에 당황한 신참 기사의 검이 제 몸을 보호하고자 자꾸 공중으로 들어 올려졌다. 조만간 펼쳐질 뻔한 장면에 이젠 웃음마저 사라진 근위대장이 기운 빠진 음성으로 답했다.

"똑같지는 않습니다. 한창때에 비하면 속도도 떨어지고, 무엇보다 체력이 덜 회복된 것 같습니다."

"그렇다면 내 기사들이 왜 맥도 못 추고 나가떨어지고 있는지 설명해 보게, 근위대장."

"한창때에…… 비하면 말입니다. 폐하께서도 아시다시피 리하르트 공작은 제국의 역사를 통틀어 가장 뛰어난 검사라 불리는 자가 아닙니까."

실제 전투에서 보았던 리하르트 공작은 이보다 훨씬 더 무시무시했었다. 그 기억을 떠올리던 근위대장의 어깨가 한파를 겪을 때처럼 부르르 떨렸다.

"실전 경험에서 현저히 차이가 나니 어쩔 수 없습니다. 부족한 공작의 힘을 저 검이 대신해 주고 있기도 하고요."

다니엘의 손에 쥐어진 검을 살피던 근위대장이 나지막이 중얼거렸다.

"콜다르의 주인이 바뀌었다는 소문이 사실이었나 봅니다."

"콜다르? 저게 콜다르라고?"

근위대장의 말에 레오폴드가 다니엘의 검을 눈으로 좇았다. 쉔달 성에 보관 중인 황가의 명검 '리날도'와 달리 화려한 장식이 없는 검 자루는 평범해 보였다.

"콜다르는 로시발트 가문의 검이잖아?"

"리하르트 공작이 깨어나자마자 콜다르를 걸고 로시발트 경과 대련했다는 소문이 돌았습니다. 설마 가문의 보검을 걸고 그런 일이 있었을까 싶었는데, 오늘 보니 뜬소문이 아니었군요."

값이 꽤 나가는 황실 근위대원들의 검을 저리 쉽게 부수는 걸 보면 리하르트 공작의 검은 다마스커스 강철 검이 틀림없다. 현재 공식적으로 제국에 남은 다마스커스 강철 검은 다섯 자루. 그중 명성으론 리날도에 뒤지지 않는 콜다르의 주인이 진짜로 바뀌었을 줄이야.

본 주인이었던 뮤리엘 로시발트는 힘과 기술, 무엇으로도 사내에게 뒤지지 않는 뛰어난 기사다. 아무리 다니엘 리하르트라지만 삼 년 만에 깨어나

213

회복되지 않은 몸으로 상대하긴 무리일 거라 추측했다. 그저 소문을 부풀리기 좋아하는 자들의 입을 거친 풍문이겠거니 하고 무시했었는데, 사실이었다니.

쨍강!

예상대로 또 한 번, 근위대원의 검이 부러졌다. 더는 공격하지 않겠다는 뜻으로 검 끝을 땅으로 내린 다니엘은 짧은 날숨으로 호흡을 다스렸다.

"다음."

좌중을 훑는 적갈색 눈과 누구 하나 시선을 맞추지 않았다. 이제는 스스로 나서는 자 또한 없었다. 더 지속해 봐야 부상자만 늘어날 뿐인 의미 없는 싸움이라 판단한 근위대장이 황제의 곁으로 한 발 가까이 다가와 섰다.

"제 차례가 된 듯합니다. 리하르트 공작과의 대련을 허락해 주시길 청합니다, 폐하."

레오폴드가 관자놀이를 질끈 누르며 인상을 쓴 채 물었다.

"솔직히 말해. 이길 수 있겠나?"

"폐하의 얼굴에 먹칠하지 않기 위해 최선을 다하겠습니다만……. 이기는 건 어렵고, 길어야 서른 합이 최선일 듯합니다."

답이 매우 마음에 들지 않은 레오폴드가 불만스레 눈썹을 치켜올렸다.

"명색이 황제의 근위대장이다. 허세라도 좀 부려야 하는 것 아닌가?"

"허세 많은 장수의 목이 가장 먼저 전장의 흙바닥에 떨어지는 법입니다. 그리고 부하들이 공작의 힘을 빼 놓은 덕에 그나마 서른 합입니다. 아니라면 더 빨리 끝났겠지요."

쯧, 혀를 찬 레오폴드는 다음 상대를 기다리고 있는 다니엘을 보며 떨떠름한 얼굴로 쓴 입맛을 삼켰다. 만에 하나 근위대장이 다니엘을 이길 수 있다고 자신했더라도 상처뿐인 승리다. 근위대를 스무 명 넘게 상대하고 난 리하르트 공작을 이겼다 한들 누가 근위대장을 우러러보겠는가.

'비웃지나 않으면 다행이지.'

결과가 뻔히 나온 싸움에 구태여 근위대장까지 내보내 창피를 당하게 할 필요는 없었다. 근위대장에게 뒤로 물러나 있으라고 손짓한 레오폴드는 만면에 억지 미소를 머금고 의자에서 일어났다.

　"이만하면 충분하니 그만하시지요, 형님."

　대련을 멈추라 말하는 레오폴드의 얼굴을 찬찬히 응시하던 다니엘이 순순히 검집에 콜다르를 집어넣었다.

　"폐하께서 흡족하셨는지 모르겠습니다. 근위대의 명예가 걸린 일이라 어쭙잖은 양보는 하지 말자 나름 애를 썼는데 말입니다."

　'하! 당연히 그러셨겠지. 치졸하고 속 좁은 인간.'

　절로 떫은 표정이 된 레오폴드는 비웃음을 숨기지 않았다. 받은 것은 두고두고 기억해 놨다 어떻게든 돌려줘야 직성이 풀리는 음흉한 인간이 오죽할까.

　속 모르는 자들이야 고분고분 말 잘 듣는 다니엘을 황실이 괜스레 핍박한다 떠들지만, 천만의 말씀. 황제인 그는 물론 대단하신 모친 역시 단 한 번도 저 성질머리 더러운 인간을 제대로 발아래 꿇려 보지 못했는데. 핍박은 무슨.

　'삼 년 전에…… 아니, 라우라 님이 돌아가셨을 때 확 같이 죽여 버렸어야 했는데.'

　레오폴드가 씁쓸히 웃으며 말했다.

　"좋은 구경이었습니다. 형님의 화려한 검술에 눈 호강도 했고, 이참에 근위대에 적절한 훈련까지 시켰으니 감사를 드려야겠군요."

　황제가 고개를 까닥이자 근위대장이 부하들을 불러 명령했다.

　"너희 둘은 가서 그놈을 데려와라."

　더는 다니엘의 얼굴을 보는 것도 말을 섞는 것도 싫었다. 잘난 척하는…… 아니, 진짜 잘나 빠지신 상판을 더 보고 있다간 제 손으로 활시위를 당길 것만 같다. 화풀이라도 하듯 레오폴드는 잘 가라는 인사도 남기지 않고 쌩하니 뒤를 돌았다. 눈에 보이는 모든 것들을 다 때려 부수고 싶은 심정이다.

빠르게 복도를 걷던 그가 돌연 자리에 멈춰 절룩절룩 그의 뒤를 따라오는 지팡이 소리를 기다렸다. 챔벌린 백작이 바로 뒤에 다가와 서자 레오폴드가 낮게 속삭였다.

"그 여자, 잡아 오세요."

"그 여자라니요, 폐하?"

척하면 척이지. 멍청하게 되묻기는. 어깨를 틀어 챔벌린을 주시하는 레오폴드의 파란 눈동자에 서슬이 퍼런 살기가 서렸다.

"다니엘이 성 밖에 숨겨 뒀다는 그 여자. 잡아 오라고."

재킷과 부츠, 검집까지 벗어 수풀에 내려놓은 다니엘은 셔츠를 입은 채로 풍덩 비겔란 호수에 몸을 던졌다. 알타스의 만년설이 녹아 만들어진 호수의 물은 여름을 앞두고도 뼈가 시리도록 차가웠다.

그러나 오랜만에 제대로 검 맛을 본 손과 팔, 어깨가 식지 않은 흥분으로 인해 뜨거워 물이 차가운 줄도 몰랐다. 상대편이 나가떨어질 때마다 솟구치던 짜릿한 쾌감이 그의 온몸을 휘감고, 심장을 울려 댔다.

물 위에 평평히 누워 힘을 뺀 다니엘은 바람을 따라 움직이는 물길에 몸을 맡긴 채 눈을 감았다. 미처 시야를 떠나지 못하고 눈 안에 갇힌 햇살이 까만 음영 위에서 어지럽게 반짝였다. 언짢은 속내를 감추지 못하던 황제의 일그러진 얼굴이 그 위에 겹쳐졌다. 다니엘은 한동안 그 상태로 둥둥 하염없이 물 위를 떠다녔다.

한참이 지난 뒤 호수 밖으로 나왔을 때에도 여전히 호수 위에 떠 있는 듯 몽롱한 기분이 들었다. 그러나 낮은 풀을 밟으며 다가오는 기척의 주인은 단번에 알 수 있었다. 다니엘은 머리칼에 남은 물기를 털어 내며 지척에 다가선 뮤리엘이 입을 열기를 기다렸다.

"안톤이 말하길 도미닉의 탈골된 어깨는 근위대원들이 끼워 맞춰 두었고, 피멍이 몇 군데 들긴 했으나 전체적으로 크게 걱정하실 일은 없다고 합니다."

걱정은 무슨. 그보다 더 험한 일을 무수히 겪고도 살아남은 도미닉이다. 젖은 셔츠를 털며 일어서던 다니엘이 바위 위에 벗어 두었던 재킷을 집어 들었다.

"성 밖에서 봤다는 자는 오늘도 근위대에 있었나?"

뮤리엘은 리하르트 공작이 자신의 이름값을 톡톡히 보여 줬던 아까의 대련 장면을 떠올리다 고개를 저었다.

"없었습니다."

"그자를 본 곳이 정확히 어디지?"

"그게……."

마틸다를 언급하려던 뮤리엘은 조용히 입을 닫았다.

"공작 전하는 무서운 사람이에요."

마침 마틸다의 당부도 생각났고, 무엇보다 도미닉이 의식을 차리면 그와 먼저 얘기를 나눠 보는 게 좋을 것 같아서였다. 아무렴 공작보다야 도미닉이 훨씬 만만하지. 오늘을 기점으로 그 생각을 확고히 굳혔다.

"성 밖 여관 근처였습니다."

별말 없이 허리에 검집을 찬 다니엘이 콜다르를 꺼내 들었다.

"좋은 검이더군."

뮤리엘은 다니엘의 손에 들린 채 햇살을 튕겨 내고 있는 콜다르를 물끄러미 바라보았다. 스무 명이 넘는 기사와 대련하는 공작을 보며 깨달았다.

"콜다르가 이제야 진짜 주인을 만난 것 같습니다."

저 검을 지니기에 자신이 얼마나 부족한 인간이었는지. 더불어 뜨거운 피가, 꼭 제힘으로 저 검을 돌려받고 말겠다는 투지가 함께 끓어올랐다.

"전하, 후에 제가 콜다르를 걸고 대련을 요청하면 받아 주시겠습니까?"

차분한 눈빛으로 뮤리엘을 바라보던 다니엘이 가볍게 고개를 끄덕였다.

"얼마든지."

막 노을이 생겨난 해 질 녘, 침실 문이 열리는 소리가 들렸다. 카우치에 모로 누워 붉게 물들어 가는 하늘을 보고 있던 프리다는 또 로잘린이겠거니 짐작하곤 투덜거렸다.

"날 내보내 주지 않으면 몰래라도 나가고 말 거야, 로잘린. 내가 투르크 상인들을 얼마나 기다렸는데! 아픈 곳도 없는데 왜 날 방에 가둬 두는 거야? 좀이 쑤셔 미치겠다고."

저벅저벅.

가까워지는 익숙한 발소리를 듣고서야 방 안에 들어온 사람이 다니엘이란 걸 알아챘다. 화들짝, 다소 경망스럽게 몸을 일으킨 프리다는 남편을 보자마자 불만스레 콧등을 찌푸렸다.

"다니엘. 정말 당신이 온종일 날 여기에 가둬 두라고 했어요?"

한 손으로 프리다의 턱을 받친 다니엘이 대답 대신 깊은 입맞춤을 건넸다. 느닷없이 다가온 입술에 놀라 물러서는 프리다의 등을 붙잡듯 다니엘이 팔을 둘렀다.

따뜻한 체온과 차갑고 축축한 물기가 동시에 프리다의 살갗을 스쳤다. 입술이 떨어지자 프리다가 완전히 마르지 않은 다니엘의 셔츠 깃을 붙들었다.

"다니엘, 당신 옷이 왜……."

떨어진 입술이 금방이라도 다시 스칠 만큼 가까이 선 다니엘이 프리다의 목으로 입술을 내리며 속삭였다.

"어제 못 한 얘기를 하려고 왔는데."

뜨겁게 달아오른 다니엘의 낮은 목소리가 목을 타고 올라왔다.

"다른 거부터 해도 될까?"

다니엘의 몸에선 맑은 물 향기와 진한 풀 냄새, 젖은 흙내가 났다.

'황제를 보러 갔다더니, 풀밭이라도 뒹굴다 온 건가?'

프리다가 고개를 갸웃하는 동안 다니엘이 그녀를 번쩍 안아 들었다.

"어맛!"

얼떨결에 목을 감싼 손에 제법 뜨거운 체온이 전해졌다. 문득 조금 전 맞닿았던 입술도 지나치게 뜨거웠다는 자각이 찾아왔다. 남편의 품에 안겨 침대에 눕혀지는 순간에도 떨리기보단 그 점이 걱정되었다. 화급히 손을 뻗어 이마를 짚어 보니 역시나 열감이 느껴졌다. 한 손씩 엇갈려 제 이마와 다니엘의 이마를 짚은 프리다가 눈을 가늘게 좁히며 말했다.

"다니엘, 당신 열이 있어요."

피식 웃는 다니엘의 입가가 부드럽게 휘어졌다.

"당신도."

대수롭지 않게 응수하는 다니엘에게 눈을 흘긴 프리다는 로잘린을 부르기 위해 호출 종이 있는 곳으로 팔을 뻗었다.

"오늘은 내가 아니라, 분명히 당신한테 열이 있다고요. 당장 의사를 불러야겠어요. 호수에 빠지기라도 한 거예요? 옷은 왜 축축……."

프리다의 팔을 당긴 다니엘이 스르르 손가락 사이로 파고들어 헐겁게 깍지를 꼈다. 놔 달라며 떼쓰던 프리다가 뾰로통한 얼굴로 다니엘을 노려봤다.

"리하르트 공작님, 설마 비겔란 호수에서 수영한 건 아니죠?"

온종일 볕이 좋은 맑은 날이었다. 그런데 여태 옷이 마르지 않고 축축한 느낌이 남은 걸 보면 단순히 계곡에서 물을 적신 수준이 아닌 것 같았다. 공작 성 근처에 수영을 즐길 만한 곳이라면 알타스의 눈이 녹아 형성됐다는 비겔란 호수뿐이다. 하지만 제정신을 가진 자라면 한여름에도 몸이 으스스 떨릴 정도로 차가운 그 호수에서 수영할 리가.

그냥 물어본 말이었는데 다니엘이 까닥 고개를 끄덕이자 놀란 건 오히려 프리다였다. 입을 쩍 벌린 프리다가 '세상에'를 연발하며 그의 뺨과 목을 만졌다.

"다니엘, 정말 그 호수에 들어간 거예요? 맙소사, 거긴 사계절 내내 물이 차갑기로 유명한 곳이잖아요. 대체 거긴 왜 들어간 거예요!"

프리다의 성화가 귀여워 웃음이 났다. 다니엘은 씩 웃으며 한 손으로 젖은 셔츠를 벗었다.

"씻고 싶어서."

그러곤 깍지를 풀지 않은 손을 당겨 지난밤 자신이 만들어 놓은 손목의 멍 자국 위에 입을 맞췄다. 손등에 이어 손목, 팔까지 입술을 내리는 동안 그의 시선은 줄곧 프리다의 얼굴에 머물렀다.

"열도 식힐 겸."

결과적으론 열을 내고 말았지만. 진득하게 달라붙는 붉은 눈동자에 신경 쓰느라 프리다는 그녀의 팔이 침대 위로 내려지고 있는 것도 깨닫지 못했다. 방에 들어오며 나눴던 부드러운 입맞춤과 달리 다니엘의 눈빛이 점점 매서워졌다. 입 밖으로 흘러나오는 음성 역시 낮고 다소 거칠었다.

"내 몸이 뜨겁다면, 그건 호수의 물이 차가워서가 아니라 당신 때문이야. 프리다."

"나, 난 아무 짓도 안 했는데요."

억울함을 토로하며 좁혀지는 미간에 다니엘의 숨결이 닿았다 떨어졌다.

"그럼 우리가 지난밤에 한 건 뭘까요, 부인? 우리 꽤 뜨거웠던 걸로 기억하는데."

미세하게 비틀리는 남편의 눈매가 묘하게 야해 프리다는 눈을 뗄 수가 없었다.

"나만…… 뜨거웠나?"

숨이 막힐 만큼 무거운 목소리가 그녀의 목을 짓누르는 것만 같았다. 프리다는 저도 모르게 꼴깍 침을 삼켰다. 사람의 정신을 혼미하게 만들어 잡아먹는 악마가 있다면, 꼭 지금의 다니엘처럼 인간을 유혹할 것 같다.

눈을 뗄 수 없게 열렬한 시선과 조금씩 속도를 높여 가는 숨소리. 맞잡은 손에서 느껴지는 은밀한 간질거림. 다니엘이 보여 주는 모든 행동에서 지난밤이 연상됐다.

'지난밤…….'

이 세 글자를 되뇌는 것만으로도 갑작스레 화르르 얼굴이 타올랐다. 뮤리엘에게 말하지 못할 비밀이 하나둘 자꾸 늘어 가고 있으니 큰일이다. 프리다는 떠듬떠듬 입을 열었다.

"그, 그게 아니라."

"아니면, 당신도 뜨거웠다는 걸 인정하는 거야?"

"……."

꼴깍.

프리다의 목 안으로 또다시 마른침이 넘어갔다. 뜨거웠지. 말도 못 하게 뜨거웠다. 그럼 그 망측한 짓을 하며 차가웠겠냐고. 몸 곳곳에 닿던 다니엘의 손길을 떠올리는 것만으로도 또 화르르 얼굴이 달아올랐다. 이상한 건 온종일 로잘린의 손에 마사지를 받고 뜨거운 물주머니로 허리를 풀어 줘야 할 만큼 힘들었는데도…… 싫지만은 않았다는 거다.

귀가 따갑도록 들었던 아내의 의무를 해내고 말았다는 뿌듯함에 더해 이제야 진정으로 그의 아내가 된 것 같은 기분이랄까. 무엇보다 다니엘과 훨씬 친밀해진 느낌이다. 대체 남편이 아닌 누구와 그런 낯부끄럽고 요망한 일을 할 수 있겠냐고.

물론 처음은 힘들지만 하면 할수록 괜찮아진다는 어머니의 가르침엔 의문을 가지는 중이다. 더는 다니엘의 얼굴을 마주 볼 자신이 없어 프리다는 냉큼 옆으로 고개를 돌렸다.

"그, 그런 걸 물으면 어떡해요."

프리다는 고개를 돌린 채 입 안에 잔뜩 음식을 넣은 아이처럼 웅얼거렸다.

"예, 예의를 지켜 주세요. 리하르트 공작님."

"싫은데."

다니엘이 엄지손가락으로 깍지 끼워 잡고 있던 프리다의 손바닥을 천천히 긁었다.

"지금부터 아주 무례하게 굴 예정이거든."

머리털이 곤두설 만큼 저릿한 감각에 화들짝 놀라 벌어진 프리다의 입술로 다니엘이 밀려들었다.

다음 날은 이른 아침부터 여름을 알리는 시끄러운 풀벌레 소리가 창을 넘어왔다. 눈을 뜬 다니엘은 그의 품 안에서 곤히 잠든 프리다의 어깨를 토닥이다 조심히 팔을 내렸다. 프리다의 잠을 깨우지 않기 위해 신중히 팔을 뺀 다니엘은 침대를 벗어나기 전 물끄러미 아내의 얼굴을 바라보았다.

위험하고 아찔한 밤, 잠을 설친 다니엘과 달리 고요히 잠든 프리다는 무척 평화로워 보였다. 미련 가득한 손길로 프리다의 뺨을 매만지던 다니엘이 어이없다는 듯 작게 실소를 터트렸다.

"이렇게까지 잘 자는 건 좀 너무하잖아, 프리다."

철없고 순진한 제 아내께선 아는지 모르겠다. 초야의 힘겨움에서 회복되지 못한 그녀를 다시 안지 않기 위해 다니엘이 얼마나 필사적으로 참았는지. 어젯밤과 같은 인내를 또 발휘할 자신은 없었다. 두어 번 더 프리다의 뺨을 매만진 다니엘은 떨어지지 않는 걸음을 돌려 침대에서 벗어났다. 이대로 더 그녀 곁에 머무는 건 프리다는 물론 그에게도 위험했다.

밤새 마른 셔츠를 걸친 다니엘은 프리다의 잠을 방해하지 못하도록 커튼으로 단단히 창을 가린 후 조용히 방문을 닫았다. 침실 밖 복도에서 대화를 나누고 있던 리카르도와 로잘린이 다니엘을 발견하곤 꾸벅 허리를 숙였다.

서임식이 끝난 후 프리다의 호위는 전부 아메티스 기사단이 맡게 된 터라, 어제를 시작으로 이곳의 경비가 모두 교체되었다. 다니엘을 마주한 로잘린이 그가 알아야 할 프리다의 근황을 줄줄 고해바쳤다.

"어제는 전하께서 외출을 금지하셔서 절대 안 된다고 했지만, 마님께서 투르크에서 온 상인들을 꼭 만나야겠다고 하셨습니다. 어떡할까요?"

다니엘 역시 어제 오후 보일드 남작에게서 투르크 상인들이 구근인가 뭔가를 들고 나타났다는 말을 들었다.

프리다가 목이 빠지게 기다리던 자들이 하필 이때 도착하다니. 솔론족과 투르크 왕국 간에 모종의 거래가 오갔다는 증거가 드러난 지금. 동쪽 국경은 어지럽고, 남쪽 항구는 미처 정비하지 못한 바로 이 상황에 나타난 것이다. 딱 의심받기 좋게 말이다. 다니엘이 기사단 제복을 말끔히 갖춰 입고 선 리카르도에게 물었다.

"상인의 신원은 확인했나?"

"네. 메랄이란 자는 전부터 쭉 공작 성과 거래해 오던 인물입니다. 저도 본 적이 있는데 바이마르에 터를 잡은 지 꽤 되었지요. 나머지 둘도 신원은 확실했습니다."

"성에 도착한 자는 그 세 명이 전부인가?"

"아닙니다. 상인이 셋. 호위가 셋. 모두 여섯입니다. 신원이 불분명한 호위들에겐 감시자를 잔뜩 붙여 놓았으니 수상한 동향을 보이면 바로 보고드리겠습니다."

창틀을 짚은 다니엘은 골똘히 생각에 빠졌다. 두 세력 간에 금화가 오간 건 약 한 달 전. 뭔가를 도모하고 있다고 해도, 본격적으로 움직이기엔 촉박한 시간이다. 프리다가 전부터 거래를 해 왔던 자라면 의심을 거둬도 되지 않을까 싶다가도, 찜찜한 기분을 지울 수가 없다. 자신이 잠들어 있던 동안 제국을 폭풍 속으로 밀어 넣을 일들이 아주 많이 진행되었다는 징조가 여기저기서 나타나고 있었으니까.

만약을 대비해 하인리히 편에 변경백에게 전하는 서신을 들려 보냈다. 후방을 지원할 부대를 미리 준비해 두라고 요청하긴 했지만, 국경의 전투가 격해지면 다 소용없는 일이다. 사전에 방비해 두고 싶어도, 유독 병력의 이동에 극도로 예민한 황태후를 미리 자극해 봐야 골치만 아파질 듯싶다.

솔직히 수도의 방비에만 병적으로 집착하는 황태후의 평소 행태를 볼 때 이쪽 상황을 알린다 한들 방법이 있지도 않을 것 같고. 결국, 공작령을 포함한 남쪽 땅에서 벌어지는 일은 다니엘이 알아서 해결해야 할 게 뻔하다. 그나마 그를 국경으로 불러올리지 않는다는 가정 아래서지만. 아침 공기를 깊게 들이마신 다니엘이 장고 끝에 입을 뗐다.

"프리다가 상인들을 직접 만나겠다고 하면, 몰리 경과 기사단이 옆을 지킨다. 절대 한눈팔지 말고. 만남은 되도록 짧게 제한해."

"존명."

로잘린이 조심히 말을 거들고 나섰다.

"전하, 혹시 모르니 제가 마님 곁에 바짝 붙어서 호위를 하는 건 어떨까요?"

"리카르도가 있는데 네가 왜? 로잘린, 넌 좀 더 하녀처럼 보이는 데나 집중해."

"……네."

풀 죽은 로잘린을 외면한 다니엘이 리카르도를 돌아보며 담담한 말투로 물었다.

"도미닉은?"

"멀쩡합니다. 근위대 놈들이 입은 안 건드렸는지 깨어나자마자 신소리

224

를 떠벌리는데 시끄러워 죽겠습니다."

창문 밖으로 다시 눈을 돌린 다니엘은 잠시 멀리 보이는 알타스의 풍광을 바라보다 눈을 감았다. 캄캄한 어둠이 찾아올 거란 예상과 달리 프리다의 머리칼처럼 하얀 형상이 눈앞에서 넘실댔다. 눈을 뜨고 있어도 어둠만 보이던 시절이 언제였냐는 듯 이젠 눈을 감아도 빛이 보인다.

예고도 없이 삼 년 만에 돌아온 의식이 탄 냄새를 맡고, 온화한 기운을 담은 바람이 연달아 코끝을 간지럽히던 그 봄날 이후 생겨난 증상이다. 당장이라도 프리다가 있는 침실로 돌아가지 않기 위해 다니엘은 창틀을 꼭 붙들었다.

오르한의 일행이 펜하임 성에 도착한 지 꼬박 이틀이 지난 뒤. 드디어 안주인을 보러 와도 좋다는 허락이 떨어졌다. 메랄이 공작 부인을 보러 간 사이, 바위 위에 철퍼덕 주저앉은 뷰란이 질경질경 마른고기를 씹으며 투덜댔다.

"염탐이고 뭐고, 다 집어치우고 돌아갑시다. 하루라도 여기 더 있다간 갑갑해서 머리가 돌아 버릴 것 같습니다. 이건 뭐…… 쫓아다니는 눈이 한두 개여야 뭘 해 보든가 하지."

숙소는 물론이고, 그들이 길에서 한 발짝 걸음을 뗄 때마다 수십 개의 눈이 대놓고 그들을 따라다녔다. 웬만해선 불평을 늘어놓는 법이 없는 야무르마저 낯을 찌푸릴 정도다. 나무에 기대 서 있던 오르한이 후드를 치켜올리고 공작 성의 전경을 둘러봤다. 그들을 감시하는 눈이 있을 만한 곳에는 좀 더 오래 눈을 두었다.

"그래도 여기까지 왔는데 리하르트 공작의 면상은 보고 가야지."

뷰란이 질긴지 씹던 고기를 훅 입 밖으로 뱉었다.

"먼발치였지만 서임식인지 뭔지 할 때 멀쩡한 거 확인했잖아요. 무릎 꿇는 거 보니 다리도 튼튼하더만. 머리는 좀…… 어떻게 된 것 같지만."

서임식 날의 다니엘을 떠올린 오르한이 별안간 실소를 터트렸다.

"훗. 다니엘 리하르트가 제 의지로 무릎을 꿇는 꼴을 보게 될 줄이야."

"내 말이요. 솔직히 삼 년이나 의식이 없었는데 본정신으로 돌아오는 건 힘들죠. 그 인간은 걱정할 일 없을 것 같으니 얼른 돌아갑시다. 아, 저기 메랄이 오네요. 어?"

메랄을 발견하고 일어서던 뷰란이 고개를 쭉 내밀며 눈을 가늘게 떴다.

"그런데 메랄 옆에 있는 사람은 누구지? 머리에 뭘 쓴 거야?"

초록색 카프탄을 입고 흰 터번을 쓴 메랄 옆에 누군가가 같이 걸어오고 있었다. 하늘하늘한 천을 두른 모자 아래로 날리는 하얀 머리칼을 유심히 바라보던 오르한의 입꼬리가 슬그머니 올라갔다.

"프리다…… 하크본."


성내 산등성이에 자리한 허브밭 앞에 다다른 메랄은 좌우로 눈을 돌리며 동료들을 찾았다.

'이 인간들이 근처에 얌전히 처박혀 있으랬더니 또 어디로 사라진 거야?'

잔뜩 긴장한 메랄은 땀으로 촉촉이 젖은 손을 연신 카프탄 위에 슥슥 닦으며 어깨 너머를 흘깃거렸다.

각오했던 일이지만 뮌하임 성의 감시와 경계 수준은 예상보다 훨씬 엄격했다. 투르크의 5 왕자라는 오르한의 정체를 들킬까 염려되어 한시도 긴장을 늦추지 못하고 있는 터라 매 순간 목이 바짝바짝 타들어 갔다. 카프탄 안은 이미 식은땀으로 범벅이 된 지 오래다. 지난 이틀간 뜬눈으로 밤을 지새운 탓에 급격히 피곤이 몰려왔다.

'압둘라 님께 은혜만 입지 않았어도, 이 짓거리 때려치우는 건데. 젠장.'

절로 튀어나오는 원망은 속으로 꿀꺽 삼켰다. 메랄은 원래 오르한의 외조부인 압둘라의 상단에 소속된 자로, 주로 바이마르와의 무역을 담당해 왔다. 리하르트 공작의 동향을 살피라는 지시를 받고 가끔 공작령에 들렀을 뿐인데 여기까지 휘말리고 말았다.

호기심이 많은 공작 부인에게 투르크 왕실의 꽃, 랄레 얘기를 꺼낸 건 정말 우연이었다. 이런저런 돈 되는 작물의 얘기를 하다 엉겁결에 그만. 투르크 밖으로 반출이 어려운 랄레의 구근을 공작 부인에게 진짜로 팔 생각은 애초에 없었다.

대충 시간을 끌며 뭉개다 본국 핑계를 대고 거절하려 했는데……. 공작 성에서 랄레에 관심을 보인다는 얘기를 전해 들은 5 왕자 오르한이 직접 들고 가겠다는 연락을 보내왔다. 메랄이 봄에 올린 리하르트 공작의 회복 소식 때문이었다.

어쨌든 상인의 입장에서는 입으로 뱉은 말을 책임지게 되었으니 다행이긴 한데. 공작 성에 도착한 뒤로 지나치게 일이 커지고 있다는 불안을 떨쳐 버릴 수가 없다.

콕 집어 말할 순 없지만, 공작 성의 분위기가 전과 확연히 달라진 것도 꺼림칙하다. 메랄은 제 옆에서 화기애애하게 얘기를 나누고 있는 세 사람을 연신 흘끔거렸다. 유명세로 치자면 셋 모두 투르크인들도 한 번쯤은 소문을 들어 봤을 인물들이었다.

먼저 험상궂은 용병 티를 완전히 벗고, 날 때부터 기사였던 듯 말쑥해진 '리카르도 몰리'의 변화가 놀라웠다. 밀라보 출신의 전설적인 용병이었던 리카르도 몰리는 나무 한 그루를 뿌리째 뽑는 괴력이 있다는 소문이다. 그에게 일을 맡기려면, 대가로 값나가는 광물이 나는 산 하나는 내놓아야 할 만큼 대단한 실력을 갖춘 자로 유명하다.

'맞다. 이젠 리카르도 몰리 경이라고 불러야 하지, 참.'

멋들어진 보라색 망토를 검은 제복 위에 두른 바로 그 '괴력의 몰리' 경이 껄껄껄 웃으며 소매에 묻은 먼지를 손가락으로 튕겼다.

"그냥 하는 말이 아니라 몰리 단장님껜 보라색이 아주 잘 어울리네요."

"다들 제복이 잘 어울린다고 하는데, 저는 불편해 죽겠습니다. 이런 옷을 입고 다녀 봤어야 말이죠."

"이젠 어엿한 기사단장이시니 제복에 익숙해지셔야죠."

과장 없는 진중한 표정과 말투로 오그라드는 칭찬을 늘어놓는 자는 '뮤리엘 로시발트'. 황실 기사단장을 수두룩하게 배출한 정통 무인 가문 출신. 명검 콜다르의 옛 주인이었던 전설의 여기사는 시퍼렇게 날이 서 있던 과거와 달리 홀가분하고 자유로워 보였다.

"내가 보는 순간 '이거구나' 했다니까. 리카르도 님이 멋진 보라색 망토를 걸친 모습이 눈에 아른거려서, 다른 건 보이지도 않더라고."

어깨까지 내려오는 차양을 살포시 걷어 올리며 말하는 '리하르트 공작부인'의 목소리에는 감춰지지 않는 뿌듯함이 깃들어 있었다. 만약 리하르트 공작 부인을 오늘 처음 봤다면, 온 제국인이 다 아는 하크본 가문의 전설이나 저주는 헛소리라 비웃었을 것이다. 마지막으로 보았던 때와 비교하면 몰라보게 혈색이 좋아졌으니 말이다.

'대체 이곳에서 무슨 일이 벌어지고 있는 거지? 공작이 깨어난 것 말고는 특이 동향이 없었는데.'

눈을 찡그리며 땀이 멈추지 않는 손바닥을 계속 카프탄 위에 문지르던 메랄의 불안한 시선이 뮤리엘과 마주쳤다. 메랄은 슬그머니 여기사의 눈길을 피했다. 잠시 메랄을 응시하던 뮤리엘이 이내 고개를 돌려 프리다에게 인사를 건넸다.

"시간이 너무 많이 지체되었네요. 저는 이만 가 보겠습니다, 주군."

평소 뮤리엘이 저를 부를 때 쓰던 아가씨가 아닌 주군이란 낯선 호칭에 프리다가 울상을 지었다.

"뮤리엘, 어색하게 왜 그래? 갑자기 주군이라니."

"기사단을 거느리신 어엿한 공작 부인께 이제 아가씨란 호칭은 어울리지 않으니까요."

뮤리엘이 프리다를 지그시 바라보며 환하게 웃었다.

"다음번 성에 들어오는 날, 저도 정식으로 예를 갖춰 충성 맹세를 바치겠습니다. 부친이신 하크본 백작님의 부탁 때문이 아닌, 오직 제 의지로요. 받아 주시겠습니까?"

어느새 눈시울을 붉힌 프리다가 뮤리엘을 꼭 끌어안으며 울먹였다.

"받아 주고말고. 누가 뭐래도 내 첫 기사는 뮤리엘인걸. 지금 당장 받아 줄게."

뮤리엘이 매미처럼 찰싹 달라붙은 프리다의 등을 토닥이며 장난스럽게 말했다.

"싫습니다. 저도 몰리 경처럼 멋지게 갖춰 입고 정식으로 충성 맹세를 할 겁니다."

프리다가 응석 부리는 아이처럼 뺨을 바짝 붙여 오는 바람에 차양이 달린 모자가 뒤로 흘러내렸다. 재빨리 모자를 붙잡아 준 뮤리엘이 웃으며 프리다의 어깨를 쓰다듬었다.

"자자. 그만 떨어지세요. 한참 전부터 기다리는 손님이 있습니다."

"아, 맞다. 내 정신 좀 봐."

화급히 차양 안으로 손을 넣어 눈물을 닦은 프리다가 메랄을 향해 후다닥 방향을 틀었다. 그에게 밭을 보여 주러 가는 길이었다는 걸 깜박 잊고 있었다.

프리다는 가벼운 산책 겸 나선 길에 대동하기엔 다소 요란한 행렬 속에 멀뚱히 서 있는 메랄을 바라보았다. 다니엘의 유난이 옮겨 가기라도 한 건지, 그녀가 외출하겠다고 하자 리카르도는 기사를 열 명쯤 데리고 나타났다.

'정말 못 말린다니까.'

우락부락한 기사단 때문에 잔뜩 긴장한 메랄과 어색하게 걷고 있는데 뮤리엘이 성을 나간다며 찾아왔다. 서임식과 그 이후 벌어진 여러 가지 일로 정신이 없어 오랜만에 만난 뮤리엘과 제대로 얘기를 나누지 못했었다. 반가운 마음에 이런저런 얘기를 나누다 보니 시간 가는 줄 몰랐다. 기사 여럿에게 빙빙 둘러싸여 불편한 표정을 짓고 있는 메랄을 보자 미안하면서도 웃음이 나왔다. 프리다는 아랫입술을 꾹 물며 웃음을 참았다.

"메랄, 오래 기다리게 해서 미안해요."

세 사람을 한눈에 담은 메랄이 뻘쭘하게 입을 열었다.

"아닙니다. 저는 괜찮으니 천천히 얘기 나누십시오."

리카르도 몰리와 뮤리엘 로시발트.

전설의 두 기사와 한자리에 있는 것만으로도 식은땀이 흐를 판에 좌우로 늘어선 기사단원들까지 보고 있자니 등골이 서늘해졌다. 호랑이 굴에 들어가면 이런 기분일까.

그나마 제 편이 되어 줄 오르한과 그 일행들을 찾는 메랄의 고개가 자꾸만 주위로 돌려졌다. 뮤리엘에게 잘 가라고 마저 인사를 전한 프리다가 냉큼 메랄의 곁으로 다가왔다.

"메랄, 가을이 되면 저 허브밭 근처에 구근을 심을 예정이에요. 올라가서 토양이 적합한지 직접 봐 줄래요?"

메랄은 각종 허브가 무성하게 자란 밭을 보기 위해 눈을 게슴츠레 좁혔다. 적합한지는 모르겠고, 가져온 구근의 수에 비해 터가 다소 좁아 보였다. 하지만 어차피 첫 시도에 모든 구근의 꽃을 피워 내긴 어려울 터. 대충 저 정도 규모의 밭을 채우기엔 무리가 없겠지 싶었다.

"사실 저보다 이 방면에 통달한 자가 있어 데리고 왔는데, 이자가 어디로 사라진 건지 원⋯⋯."

주위를 빙 돌아보던 메랄의 눈에 드디어 오르한 일행의 모습이 들어왔다.

"휴우. 저 인간들이 어디 있다가 이제야⋯⋯. 에구머니나!"

안도의 한숨을 쉬던 그는 일시에 검을 빼 들고 일사불란하게 주위를 감싸는 보라색 망토의 무리에 놀라 어깨를 움츠렸다.

"아, 아니. 왜 거, 검을……."

무리의 한가운데, 공작 부인 바로 옆을 지키는 리카르도가 멀리서 걸어오는 세 명의 사내를 주시하며 메랄에게 물었다.

"자네의 호위들이 어째서 여기로 몰려오는 건가?"

"그, 그게……. 그러니까 제 호위 중에 랄레 농사에 대해 잘 아는 이가 있는데, 아무래도 직접 부인께 설명해 드리는 게 좋을 것 같아서……."

살벌해진 분위기에 놀란 프리다가 리카르도의 팔을 붙들었다.

"몰리 경, 메랄을 너무 놀라게 하지 말아요."

"신분이 확실하지 않은 자들입니다. 조심하셔야 합니다."

"이렇게 많은 기사가 날 보호하고 있는데 뭐가 걱정이에요. 그리고 상인의 말대로 농사에 대해 잘 아는 이에게 설명을 들으면 더 좋잖아요. 메랄과 거래하는 게 한두 번도 아닌데 지나치게 경계하지 않아도 돼요."

프리다의 말에 알았다며 답한 리카르도가 다시 메랄을 보며 물었다.

"저 셋 중에 랄레 농사에 대해 잘 안다는 자는 누구지?"

기사단과 리카르도의 매서운 기운에 눌린 메랄이 떨리는 손을 들어 오르한을 가리켰다.

"저, 저기 머리 위로 후, 후드를 둘러쓴 자입니다."

메랄이 가리킨 사내를 확인한 리카르도가 옆에 선 기사단원에게 소리쳤다.

"후드를 쓴 자만 이리로 데려와라. 나머지 둘은 주군의 옆에 더 가까이 다가와선 안 된다. 만약 반항하면……."

안심하라는 듯, 제 팔에 올려진 프리다의 손을 톡톡 다독인 리카르도가 부하에게 단호히 명령을 내렸다.

"베어도 좋다."

"존명."

"몰리 경!"

깜짝 놀라 차양을 치우고 저를 올려다보는 프리다에게 리카르도가 인자한 미소를 지었다.

"그리 놀라실 것 없습니다. 제 지시에 잘 따르기만 하면 아무 문제 없을 겁니다, 주군."

가볍게 눈을 흘긴 프리다는 투르크 사내들에게 달려가는 기사들을 걱정스럽게 바라보았다. 그녀의 일거수일투족을 신경 쓰며 유난 떠는 가족들 속에서 열일곱 해를 살다 겨우 해방됐다 했더니. 이젠 다니엘에 이어 리카르도에게까지 철벽같은 보호를 빙자한 간섭을 받게 생겼다.

'하긴. 요즘이야 가끔 보니 덜한 거지 뮤리엘도 만만치는 않았어.'

옅은 한숨을 내쉰 프리다는 순순히 일행과 떨어져 그녀가 있는 곳으로 걸어오는 사내에게 눈을 주었다. 거의 리카르도 님과 맞먹는 큰 덩치의 사내였다. 사내가 프리다 앞을 벽처럼 둘러선 기사단 앞에 서자 리카르도가 외쳤다.

"후드를 벗고 얼굴을 보여라."

피식하고 바람 빠지는 소리가 들리더니 묵직하고 조금은 퉁명스러운 남자의 음성이 들렸다.

"싫은데. 정 내 얼굴이 보고 싶으면 와서 벗겨 보든가."

사내의 대답이 끝나자마자 그의 앞을 가로막고 선 기사들이 일제히 검을 빼 들었다.

"건방진 자식. 당장 후드를 벗고 낯짝을 드러내라."

"싫으면 네놈의 모가지를 베어서 얼굴을 확인하면 되지 뭘 귀찮게 벗겨, 벗기긴."

"내 마누라 옷도 언제 벗겼는지 기억이 안 난다, 이 자식아."

'아이고, 이 망할 놈들아.'

232

전혀 기사답지 못한 부하들의 거친 말투에 당황한 리카르도가 눈을 질끈 감으며 긴 한숨을 내쉬었다.

의식이 돌아온 도미닉의 귓가에 사락사락 책장을 넘기는 소리가 들렸다. 적어도 귀는 멀쩡하다는 얘기다. 도미닉은 눈을 감고 조용히 몸 곳곳의 감각을 하나씩 되짚었다.

꼴에 황실 근위대라고 힘깨나 쓰는 놈들만 모아 놨는지 날아드는 주먹이 제법 셌다. 어릴 적 다니엘에게 맞아 부러진 코뼈를 또 다칠까 봐 재주껏 피하긴 했는데, 여전히 온 얼굴이 시큰거렸다. 팅팅 부은 탓인지 인중도 뜻대로 움직여지지 않았다.

'개자식들이 왜 얼굴을 건드리고 난리야?'

입 안에서 피 맛이 느껴지는 걸 보니 안쪽도 엉망진창으로 터진 모양이다. 문득 정신을 잃기 전 마지막 통증이 어깨 쪽이었다는 걸 기억해 낸 도미닉이 조심스레 어깨에 힘을 주었다. 뻐근하긴 했으나 큰 아픔 없이 어깨가 돌아갔다. 아마 누군가가 빠진 뼈를 맞춰 둔 듯싶었다.

사락.

책장이 또 한 장 넘어가는구나 생각하는데 낮고 차분한 목소리가 귀를 파고들었다.

"어깨뼈는 근위대장이 직접 맞춰 넣었대. 솜씨가 나쁘지 않아."

역시 귀는 멀쩡하다. 무거운 눈꺼풀을 힘들게 치켜뜬 도미닉이 어깨뼈가 빠졌던 오른팔을 쭉 천장 쪽으로 들어 올렸다.

"그러네요. 뼈 맞추는 실력은 주군보다 나은 듯합니다. 팔이 가벼워요."

턱을 제대로 맞았는지 말을 할 때마다 다시 주먹에 가격당하는 기분이
들었다.

'뭐야, 턱 나간 거 아냐?'

도미닉은 손가락을 쫙 펼쳐 조심스레 턱뼈를 쥐어 보았다. 만지작댈 때
마다 아프긴 했지만, 다행히 심하게 어긋난 것 같진 않았다. 어쨌든 수십
명에게 얻어터진 것치곤 몸 상태가 꽤 양호한 편이다. 끄응 소리를 내며
몸을 일으키려는데 다니엘이 무심히 책장을 넘기며 질문을 던졌다.

"왜 그랬어?"

"아구구. 죽겠다. 뭘 왜 그래요?"

"왜 미쳐 날뛰었냐고."

낑낑대며 일어난 도미닉이 무거운 몸을 질질 끌어 올려 침대맡에 등을
기댔다.

"술에 취했나 보죠. 어젠 다들 제정신이 아니었잖아요."

"어머니 소식이라도 들은 거야?"

팔을 들어 올리던 도미닉이 순간 동작을 멈췄다. 삽시간에 등골을 오싹
하게 만드는 차가운 목소리가 바로 이어졌다.

"내가 브라반트 홀을 싹 태워 버리는 꼴을 보고 싶지 않으면, 이번 질문
엔 꼭 대답하는 게 좋을 거야."

탁, 다니엘이 보고 있던 책을 덮고 천천히 고개를 들었다. 도미닉은 보
지 않아도 알 것 같았다. 지금 저 자식의 눈동자가 무슨 색일지.

"몇 명이야? 형 건드린 놈."

도미닉은 잠시 입을 닫고 고민에 빠졌다. 여기서 까딱 입을 잘못 놀렸
다가는 자신이 친 사고와는 비교도 할 수 없는 일이 벌어지게 된다. 다니
엘이 브라반트 홀에 불을 질러 버리겠다고 한 건 단순한 엄포가 아니다.
저 미친놈의 머릿속엔 아마 어떻게 불을 지를지에 대한 계획이 벌써 몇
가지나 만들어져 있을 것이므로.

다니엘은 쉽게 결심하는 법이 없어서 그렇지, 한다고 마음만 먹으면 기필코 하는 놈이다. 어머니와 주변 사람들의 죽음을 겪고 난 후. 다니엘은 리카르도와 도미닉의 안전에 병적으로 집착했다. 견고하게 걸어 잠가 외부와 단절시켰던 자신의 공간 안에 리카르도와 도미닉을 들여놓은 순간부터 두 사람은 다니엘의 가족이 되었으니까.

3년 전 도미닉에게 날아오던 노팅겐의 창에 망설임 없이 몸을 날린 것도 그 이유였다. 눈앞에서 도미닉이 죽는 꼴을 보니 차라리 자기가 먼저 죽겠다는 미친놈. 그게 바로 다니엘이다. 저는 허구한 날 발로 걷어차고 온갖 구박을 일삼으면서 정작 남의 손에 상하고 오는 건 못 보는.

'정상이 아냐. 정상이.'

도미닉은 돌아가지 않는 고개를 주무르며 불퉁거렸다.

"야! 내가 그걸 어떻게 다 기억해? 어깨 빠지자마자 정신을 잃었는데."

다니엘이 이미 덮은 책을 탁자 위에 올리고 창가로 걸어갔다.

"애먼 놈 골로 보내기 싫으면 정확히 기억해 내."

"정말 몰라. 기억 안 난다고."

도미닉의 말이 끝나기가 무섭게 다니엘이 뒤를 돌았다. 말없이 뚜벅뚜벅 문으로 걸어가는 다니엘의 뒤통수에 대고 도미닉이 고래고래 고함을 쳤다.

"스, 스물두 명! 딱 거기까지만 기억나. 그러곤 의식을 잃었으니 그다음엔 어떤 놈이 주먹을 날리고 발길질을 해 댔는지, 알 게 뭐야?"

진실을 가늠하듯 싸늘하게 바라보는 다니엘에게 도미닉이 버럭 소리를 질렀다.

"진짜야. 그리고 저번에 너한테 맞은 것보단 덜 아팠어, 인마. 그러니까 사고 칠 생각하지 말라고. 아야야……. 소리 질렀더니 턱 아프다."

양손으로 턱을 감싼 도미닉이 눈물을 찔끔 흘렸다. 엄살이 아니라 진짜 아팠다. 침대 옆 협탁으로 돌아온 다니엘이 비겔란 호수의 차가운 물이 담긴 주머니를 들어 도미닉에게 휙 집어던졌다.

"앞으로 영영 검을 들지 못할 놈이 다섯. 뼈가 부러진 놈이 열셋. 나머지 다섯은 단순 부상. 총 스물셋. 한 놈이 더 많군."

물주머니를 집어 들던 도미닉이 기함하며 멍하니 다니엘을 쳐다봤다.

"너, 너…… 그새 쳐들어가서 난동 피우고 왔냐? 그냥 기사도 아니고, 황제의 근위대를 상대로? 너 미쳤지? 네가 머리가 어떻게 됐지, 아주? 어?"

"정식 대련을 원하기에 상대해 준 것뿐이야."

심드렁히 답한 다니엘이 창가 앞에 서서 팔짱을 꼈다. 그때, 작은 통을 다리에 매단 전서구가 파드닥거리며 날아와 창틀에 앉더니 틈에 낀 빵 부스러기를 쪼아 댔다. 다니엘이 팔을 뻗자 전서구는 스스럼없이 그의 손 위에 올라탔다. 막 매듭을 푸는데 끙끙대며 몸을 비튼 도미닉이 물주머니로 턱을 감싼 채 소리쳤다.

"내가 다친 게 한두 번이냐? 그동안 한두 군데 부러졌어?"

큰 소리에 놀란 전서구가 날개를 펴고 창밖으로 날아갔다. 다니엘은 종이 쪼가리에 적힌 깨알만 한 글씨를 신중히 읽어 나갔다. 본인의 얼굴이 원래보다 두 배쯤 부어올랐다는 걸 모르는지, 기운 좋게 버럭버럭하는 도미닉의 잔소리가 계속되었다.

"웬 유난이야. 따지고 보면 네 손에 부러진 데가 더 많아, 이 뻔뻔한 놈아!"

"형과 리카르도 아저씨를 함부로 대하는 놈들은 가만 안 둬. 더는 무기력하게 앉아 내 사람이 죽어 가는 걸 보고만 있는 멍청한 짓도 이젠 안 해. 과거와 똑같이 살면 다시 살아난 의미가 없잖아."

차분히 답하면서도 심각한 소식을 접한 듯 글을 읽는 다니엘의 눈초리가 가늘게 좁혀졌다. 고작 고거 소리 좀 질렀다고 지쳤는지 목에서 힘이 빠진 도미닉이 어깨를 축 늘어뜨리며 진지하게 말했다.

"말 나온 김에 솔직히 말할게. 다니엘, 너 지금 정상 아냐. 네놈이 공작 부인을 그 방에 두겠다고 우길 때부터 내가 말리려다 말았는데……."

찬 물주머니 때문인지 아니면 충격적이었던 그날의 기억 때문인지 몸이 으스스 떨렸다.

"문짝 뜯고 그 방에 들어갔던 날 생각하면 난 자다가도 소름이 돋아. 그런데 어떻게 그곳에 부인을 머물게 해? 찝찝하게."

다 읽은 쪽지를 손에 꼭 쥔 다니엘이 무덤덤하게 응수하며 창밖으로 시선을 던졌다.

"프리다는 그 여자와 달라."

단정 짓는 말투 속에서 그럴 거라는 믿음과 그랬으면 좋겠다는 바람을 동시에 읽어 낸 도미닉이 피식 실소를 터트렸다.

"뭐가 그렇게 다른데?"

"멘하임 후작 부인은 남편을 증오했지만, 프리다는 날 사랑해."

도미닉이 보기에도 그건 의심의 여지가 없다.

'사랑하겠지. 지금은.'

하지만 모든 진실을 알고 난 후에도 여전히 그 마음이 변하지 않을지는 모르는 일이다. 순진해 보여도 제법 강단 있는 여인이라 마틸다의 일만으로도 크게 실망할 게 틀림없고. 자고로 한번 믿음이 깨어진 틈에 자리 잡은 의심의 씨앗이 싹을 틔우면 틈을 좁히기 힘든 법이다.

"다니엘, 너도 알잖아. 멘하임 후작도 자기 부인을 사랑했다는 거."

아내에 대한 소유욕이 지나쳐 끝내 미쳐 버린 그자의 말로는 처참했다.

"정작 아내는 온 방에 피로 남편을 저주하는 글을 써 놓고, 제 발로 테라스에서 뛰어내릴 만큼 그를 증오했지만."

욕설이 섞인 기사들의 거침없는 말투에 난감해진 건 리카르도뿐만이 아니었다. 프리다 역시 투르크에서 왔다는 낯선 사내를 향해 검을 디미는 기사들을 보며 긴 한탄을 내뱉었다. 사내의 도발적인 대답이 용병 생활로 잔뼈가 굵은 그들의 거칠고 투박한 기질을 자극한 것이 틀림없었다.

'그래도 그렇지⋯⋯.'

보일드 남작이 그리도 열심히 교육했건만, 그들은 공작가의 기사가 아니라 여전히 전쟁터를 전전하는 용병이었다. 엄청 비싼 제복을 입은 용병.

"부인, 그대의 기사단입니다."

아메티스 기사단은 다니엘의 말대로 프리다의 기사단이다. 용병으로 살았던 그들의 과거를 창피해하거나 부정할 뜻은 티끌만큼도 없었지만, 기사가 된 이상 일정 수준의 예법을 갖추는 건 기본.

한시라도 빨리 이 상황을 정리해야겠다 생각한 프리다는 그때까지 붙들고 있던 리카르도의 팔을 놓았다. 양손을 앞으로 모은 프리다가 그녀의 앞에 선 자들에게 단호하게 명령을 내렸다.

"여러분, 검을 거두세요."

명령을 들은 기사들이 뒤를 흘끔대며 리카르도의 눈치를 살폈다. 프리다는 조금 전보다 더 목소리에 힘을 실었다.

"그대들의 주군인 내가 내리는 명령입니다. 다들 검을 거둬요."

기사들이 그제야 찌를 듯 앞으로 향하고 있던 검을 하나둘 검집에 꽂았다. 그 와중에도 기사들은 경계를 풀지 않으며 그녀를 보호하듯 간격을 좁혔다. 큼, 헛기침으로 호흡을 가다듬은 프리다가 턱을 바짝 치켜들며 짐짓 엄하게 제 뜻을 알렸다.

"여러분은 리하르트 공작가의 기사들입니다. 어떤 경우에도 지신이 누구인지를 잊지 말고 언행을 신중히 하세요. 약한 자에겐 너그럽게, 강한 자는 엄격하게 대하는 것이 기사의 기본자세라는 것도 명심하시고요."

이어서 후드를 쓴 사내에게 차분한 눈빛을 돌린 프리다가 담담하지만 날카로운 목소리로 말했다.

"나의 기사들이 그대에게 행한 거친 언사에 대해선 내가 대신 사과하죠. 다만 이들에겐 그대의 신분을 확인할 권리가 있습니다. 어째서 얼굴을 보이지 못하겠다는 건가요?"

사내는 프리다의 말이 끝나기가 무섭게 후드를 이마 위로 꾹 내리눌렀다.

"제 외모가 좀 특이해서요. 남들 앞에 얼굴을 드러냈다가 입방아에 오르는 게 지긋지긋하기도 하고."

외모가…… 특이하다고? 슬쩍 차양을 옆으로 걷은 프리다는 앞을 막고 있는 기사들의 어깨 너머로 찬찬히 사내의 외양을 살폈다.

어디가 얼마나 특이하기에 저리 얼굴을 숨겨야 할 정도일까 싶어 갑자기 짠해졌다. 그녀 역시 남들과 다른 외모로 적잖이 속을 끓였던지라 남 일 같지 않아 절로 목소리에 서렸던 날이 무뎌졌다. 사내가 한 발 뒤로 물러서며 양팔을 옆으로 펼쳤다.

"성안에 들어오자마자 무기라고 부를 만한 건 죄다 뺏겼습니다. 보시다시피 지금 제겐 상대를 공격할 수 있는 건 물론이고, 저를 보호할 것도 없습니다. 뭘 걱정하시는지는 모르겠으나 공작 부인께 가까이 가면 안 된다시니 여기 서서 알려 드리겠습니다. 랄레의 구근은 첫서리가 내리기 전……."

"첫서리가 오기 전 가을에 심는 것이 좋죠. 그 정도 지식은 내게도 있어요."

프리다가 차분하게 사내의 말을 끊었다.

"늦은 가을에 땅속에 심어야만 다음 해 봄에 꽃을 볼 수 있다는 것도요. 내가 알고 싶은 건 누구나 다 아는 그런 지식이 아니에요. 당신이 랄레에 대해 잘 안다고 주장할 거면 증명을 해 보이세요."

이 상황이 즐거운 듯 후드 밑으로 보이는 사내의 입매가 연신 들썩이며 치켜 올라갔다.

"제 어머니가 투르크 왕실의 정원을 돌보고 계십니다."

투르크 술탄의 아내인 오르한 님의 모친께서 왕궁에 정원을 가지고 있는 건 맞으니 영 거짓말은 아니었다. 그러나 괜스레 뜨끔해진 메랄은 딴청을 피우며 눈을 돌렸다.

"랄레의 꽃을 피우는 건 왕실의 정원사들도 힘겨워하는 어려운 일입니다. 투르크는 이곳보다 기온이 온화해 구근이 잘 썩거든요. 워낙 까탈스러운 작물이라 이번에 가져온 것 중 얼마나 꽃을 피워 낼지 모르겠네요."

사내의 말이 끝나자 프리다가 메랄을 바라봤다.

"메랄. 계약 당시에도 분명히 말했지만, 나머지 금액은 내년 봄에 꽃이 제대로 피는 걸 본 후에 지급할 거예요."

상인의 본능이 튀어나온 메랄이 불만스럽게 손을 저었다.

"저도 말씀드렸지만 그건 곤란합니다. 꽃을 피우지 못하는 이유가 구근의 문제인지, 이곳의 토양 때문인지 증명할 수도 없는데 그리하시는 건 불공평하지요."

"공작령의 토양이 랄레를 키우기에 적합하다고 먼저 운을 뗀 건 메랄이에요. 잊은 건 아니겠죠?"

"그, 그거야……."

무슨 귀족 부인이 저리 한 마디도 지지 않고 꼼꼼하며 빈틈이 없는지 원. 말문이 막힌 메랄을 새초롬하게 응시하던 프리다가 후드를 쓴 사내에게 물었다.

"당신, 이름이 뭐죠?"

"……르한입니다."

그래. 르한은 르한이다. 오…… 르한. 이 또한 거짓말은 아니라 듣는 메랄 혼자만 뜨끔해지는 가슴을 꾹 눌렀다.

"르한, 내 옆으로 와서 서세요."

눈치를 보던 기사들이 이내 오르한이 다가올 수 있도록 길을 터 주었다. 성큼성큼 다가오던 그는 프리다가 갑자기 앞으로 팔을 뻗자 멈칫 걸음을 세웠다.

"아니요. 그렇게 가까이 오진 말고 몰리 경의 오른편에 세 걸음 떨어져서."

덩치에 맞지 않게 잠시 쭈뼛대던 그는 리카르도가 까닥 고갯짓하는 쪽으로 걸음을 옮겼다.

"여기에 서면 됩니까?"

이쯤 떨어져 걸으면 외간 남자와 동행했다는 얘기가 전해져도 큰 문제는 없어 보였다. 고상한 귀족 부인의 평판에 흠이 가지 않을 적당한 거리를 확인한 프리다가 고개를 끄덕였다.

"괜찮네요. 그럼 밭으로 가 볼까요? 이제 여름이 다가오는데 랄레의 구근을 어떻게 관리해야 썩는 걸 방지할 수 있죠?"

프리다의 끝말을 듣지 못한 오르한이 귀를 쫑긋 세웠다.

"뭐라고 하셨습니까? 조금만 크게 말씀……."

프리다와 오르한의 가운데 선 리카르도가 주군의 말을 전해 주었다.

"구근이 잘 썩는다며? 여름이 다가오는데 관리를 어찌해야 할지 물으셨다."

"서늘한 곳에 보관해야죠. 원래는 일 년 내내 땅속에 두는 게 가장 좋지만, 비가 오거나 기온이 높아지는 경우 상하는 게 많아 투르크에서도 몇 해 전부터 꽃이 지면 구근을 뽑아 따로 관리하고 있습니다."

오르한의 말을 주의 깊게 듣고 있던 리카르도가 이번엔 프리다가 묻지도 않은 말을 먼저 꺼냈다.

"그럼 비가 많이 와도 안 되고, 가뭄이 들어도 안 된다는 거잖아?"

"당연하죠. 뿌리가 조금만 썩어도 그걸로 끝이에요. 희한한 건 분명 흰 꽃을 피운 랄레의 구근을 뽑아 두었다 심었는데 다음 해엔 전혀 다른 색 꽃이 핀다는 겁니다."

"그래? 랄레는 정말 신기한 꽃이구먼. 기르긴 까다로워도 돈이 되겠는데."

도란도란 꽃에 관한 대화를 나누는 건장한 두 사내의 모습에 프리다는 참지 못하고 그만 푹 웃음을 터트렸다. 그때, 두 사람이 동시에 오른편에 있는 수풀 속으로 휙 고개를 돌렸다. 리카르도의 쩌렁쩌렁한 목소리가 넓은 허브밭에 울려 퍼졌다.

"거기 나무 뒤에 숨어 있는 놈, 나와!"

리카르도의 고함에 놀란 프리다는 어깨를 움찔하며 허브밭의 경계가 되는 숲을 주시했다. 여인 둘은 거뜬히 가려지고도 남을 굵은 나무 기둥 뒤에서 거짓말처럼 두 여인이 나타났다.

페트리샤와 그녀의 하녀 엠마였다. 화려한 보석과 거추장스러운 장식으로 휘감긴 드레스를 입은 페트리샤가 풀숲으로 주저앉으며 가슴을 움켜쥐었다. 하녀의 손에 들린 바구니가 털썩 바닥으로 떨어졌고, 여인의 울먹임이 뒤를 이었다.

"마, 마님. 괜찮으세요?"

"에, 엠마. 수, 숨을 못 쉬겠어……. 하아, 하아…….."

엠마가 페트리샤의 등을 쓸며 다급히 소리쳤다.

"도와주세요! 우리 마님께서 쓰러지셨어요."

예기치 못한 상황에 당황한 프리다가 숲을 향해 걸음을 뗐다. 그러나 단숨에 달려온 리카르도가 프리다의 앞을 막아섰다. 그는 옆을 지키고 있는 기사 둘에게 가도 좋다는 고갯짓을 보인 후 그녀를 돌아봤다.

"위험할지 모르니 주군께선 언제나 제 뒤에 계십시오."

"하지만 몰리 경. 지금은 제가 아니라 저분들이 더 위험해 보여요."

그를 지나쳐 앞쪽으로 나가려는 프리다를 리카르도가 다시 막았다.

"누가 더 위험한지는 중요하지 않습니다. 제겐 주군의 안위가 우선입니다."

"어머나. 그런 기사답지 못한 말이 어디 있어요?"

"뭐라 하시든 안 됩니다. 상황이 파악될 때까지는 더 나가시 마시고 여기 계세요."

두 사람이 티격태격하는 사이, 도움을 청하는 하녀의 급박한 외침이 점점 더 커졌다.

"얼른요! 이러다 우리 마님 기절하시겠어요."

바닥에 주저앉은 페트리샤는 정말 금방이라도 정신을 잃을 것처럼 숨을 헐떡거렸다. 그러면서도 허브밭을 헤치고 달려간 기사 둘이 자신을 부축하려 하자 앙칼지게 그들의 손을 쳐 냈다.

"비, 비켜! 감히 누구 몸에…… 하아, 하아. 손을 대는 것이냐? 내가 누, 누군 줄 알고."

기사들의 도움을 거부한 페트리샤가 조급히 하녀의 팔을 당겼다.

"에, 엠마. 이 오, 옷 좀 어떻게 해 봐. 수, 숨이 안 쉬어져……."

수십 걸음 떨어진 곳에서 상황을 지켜보고 있던 프리다가 안 되겠다며 리카르도의 등을 밀며 재촉했다.

"저러다 정말 큰일 나겠어요. 몰리 경, 우리 함께 가 봐요. 그럼 되잖아요."

그때, 자신을 르한이라 소개한 남자가 날듯이 풀밭 사이를 뛰어 숲으로 달려갔다.

"와……."

바람처럼 빠른 속도에 놀란 프리다는 차양을 살짝 걷은 채 입을 쩍 벌리고 감탄을 쏟아 냈다. 눈 깜짝할 새 숲에 다다른 오르한은 먼저 도착한 기사의 검집에서 번개 같은 속도로 검을 빼냈다.

그다음 상체를 꽉 조인 드레스 때문에 호흡을 힘들어하고 있는 페트리샤의 뒤에 섰다. 동작이 어찌나 물 흐르듯 자연스럽고 속도가 빨랐던지, 검을 뺏긴 기사는 오르한의 손에 들린 검이 제 것인지도 모를 정도였다.

그사이 페트리샤의 얼굴은 점점 더 퍼렇게 질려 갔다. 가슴을 시작으로 등허리까지 모든 곳이 꽉 틀어 막힌 듯 제대로 숨이 쉬어지지 않았다. 인기척을 내지 않으려 참고 있던 숨이 당장 나오라는 리카르도의 엄청난 고성에 놀라 갑자기 목 안에서 터졌기 때문이었다.

그녀를 둘러싼 사내들만 아니라면 몸을 휘감고 있는 이 드레스를 갈기갈기 찢어발기고 싶었다.

"헉, 헉……."

현기증이 일어 풀밭에 손을 뻗으며 쓰러지는 순간. 등에서 투두둑 소리가 들리더니 갑자기 숨이 확 트였다.

"쿨럭쿨럭……. 하아, 하아."

순식간에 터져 나오는 호흡을 내뱉으며 헐떡이는 페트리샤의 어깨 위로 뭔가가 덮어씌워졌다. 사내의 찌든 땀 냄새가 들숨을 타고 밀려 들어와 저절로 미간이 찡그려졌다.

"읍, 엠마. 이게 대체 어디서 나는 냄새……."

힘겹게 숨을 고르는 페트리샤의 머리 위로 시큰둥한 목소리가 날아들었다.

"꾹 참고 쓰고 있어요. 외간 남자들한테 귀하신 몸 내보이고 싶지 않으면."

그제야 별안간 호흡이 편해진 이유를 깨달은 페트리샤가 급히 어깨를 감싼 천을 두 손으로 거머쥐었다. 등 뒤에서 들렸던 투두둑 소리와 함께 뜯겨 나간 것이 틀림없는 드레스의 상반신 쪽이 힘없이 흘러내렸다. 단단히 천을 움켜쥔 페트리샤는 엠마의 부축을 받으며 자리에서 일어났다.

"가, 감히 내가 누군 줄 알고 이런 무례한 짓을……."

제 옷을 뜯어낸 자를 찾아 고개를 든 그녀의 앞에 세 명의 남자가 서 있었다. 건장한 체격으로 그녀에게 그늘을 드리운 초라한 행색의 남자와 그 뒤로 보라색 제복을 입은 사내 둘.

누구에게 화를 내야 할지 갈피를 잡지 못한 페트리샤의 눈이 세 남자를 번갈아 살폈다. 그 순간 무리의 선두에 서 있던 남자가 손에 든 검을 뒷사람에게 획 던지며 말했다.

"그 무례한 짓이 부인 목숨을 살린 줄은 모르시는군."

오르한이 부루퉁한 얼굴로 들으라는 듯 구시렁거렸다.

"아무튼 여기나 저기나 시끄러운 여자들 천지네. 살려 줘도 난리야."

"뭐, 뭐라고?"

사내의 돼먹지 못한 거친 말투를 지적하려던 페트리샤는 남자와 시선을 마주친 순간 가늘게 눈을 찌푸렸다.

태어나 처음 보는 신비한 색을 마주한 그녀는 제 눈이 어떻게 된 건가 의심하며 눈을 비볐다. 얼핏 드러난 남자의 눈동자는 레오폴드에게 선물받은 목걸이에 박혀 있던 청록색 보석을 연상시켰다.

"……빌어먹을. 깜박했네."

돌연 욕지거리를 뱉어 낸 오르한이 앞머리를 흐트러트리며 급히 눈을 가렸다. 양쪽 눈이 거의 보이지 않을 만큼 머리칼을 풀어 헤친 그가 뒤를 돌더니 멀뚱히 서 있는 기사에게 팔을 뻗었다.

"이봐. 기사님. 그 비싼 망토 좀 벗어 보지."

뺏긴지도 몰랐던 검을 돌려받은 기사는 그제야 말문이 트였는지 버럭 소리를 질렀다.

"뭐야! 이게 돌았나. 그리고 너 내 검은 대체 언제 빼낸 거야?"

"몰랐으면 계속 모르고 계시고. 망토나 벗어. 명색이 기사라면서 귀부인께서 먼지가 풀풀 날리고 냄새나는 더러운 옷을 뒤집어쓰고 있는 걸 가만히 보고 있다는 게 말이 돼?"

페트리샤 옆에서 안절부절못하고 있던 엠마가 옳다구나 거들었다.

"맞아요. 우리 마님은 이런 지저분한 넝마를 걸치실 분이 아니라고요. 뭐 하고 있어요? 얼른 벗지 않고."

오르한이 쭈뼛거리는 기사의 어깨 뒤를 가리키며 쐐기를 박았다.

"마침 저기 댁들 대장께서 오시는데 직접 가서 댁의 무례를 고해바칠까?"

뒤편에서 걸어오는 공작 부인과 몰리 단장을 발견한 기사는 후다닥 보라색 망토를 벗어 페트리샤에게 내밀었다.

"부인, 이걸 걸치십시오."

재빨리 망토를 받아 든 엠마가 페트리샤의 어깨 위에 그것을 둘렀다.

"마님, 됐어요. 제가 단단히 잡고 있을 테니 이 넝마는 그만 벗으세요."

머리칼 속에 완벽하게 눈을 숨긴 오르한을 한 번 더 흘깃거린 페트리샤가 꼭 움켜쥐고 있던 천을 놓았다. 페트리샤가 기사단의 보라색 망토로 바꿔 두르자 엠마가 오르한의 옷을 그에게 던졌다.

"여기. 도와줘서 고마웠어요. 그리고 웬만하면 좀 빨아 입어요."

제 옷을 받아 든 오르한이 머리 위로 후드를 뒤집어쓸 때쯤 프리다와 나머지 기사들이 숲 앞에 도착했다.

"뷔테인 남작 부인. 괜찮으신가요?"

페트리샤는 막 도착한 프리다에게로 눈을 돌렸다. 바람이 불 때마다 다른 향이 나는 허브밭 끝에 다다른 프리다가 차양을 살짝 들어 올리고 페트리샤에게 인사를 건넸다.

"난 프리다 클라우드 리하르트예요. 성에서 지내는 동안 꼭 다시 인사를 나누고 싶었는데, 이렇게 만나게 되네요."

프리다 클라우드 리하르트. 오르한과 페트리샤는 동시에 마음속으로 그 이름을 중얼거렸다. 그러고는 그 이름에 대한 다른 감상을 각각 속으로 되뇌었다.

'결혼 전 이름은 프리다 클라우드 하크본이었나 보군. 예나 지금이나 이름 한번 더럽게 기네.'

'페트리샤 잉그리드 리하르트가 더 잘 어울리지 않나?'

흐트러졌던 자세를 바로잡은 페트리샤는 그 대단하신 리하르트 공작 부인을 마주 보았다. 한때 그녀가 열렬히 짝사랑했던 남자의 아내.

"페트리샤. 날 야박한 사내로 만들지 말아 줘. 내가 그대에게 싫증이 난 후에도 영지와 작위를 거두지 않게 하고 싶다면 그대도 노력해야지."

"대체 어떤 노력을 하라는 거예요?"

"글쎄. 리하르트 공작 부인이 그대와 같은 미망인이 돼 준다면 가장 좋겠지. 남편의 품을 벗어나고 싶다고 느끼게 되는 것도 나쁘진 않고."

그리고 페트리샤의 목숨 줄을 쥐고 있는 망할 레오폴드가 탐내고 있는 여자.

서로를 마주 보는 두 여인을 감싼 공기 속에서 팽팽한 긴장감이 느껴졌다. 어느새 다시 눈이 보이지 않을 만큼 깊이 후드를 둘러쓴 사내, 르한을 바라보는 리카르도의 눈빛 역시 매서웠다.

휘잉.

때마침 나무숲을 지나온 바람이 한껏 달아오른 분위기를 식혀 주듯 제법 세게 그들을 스치고 지나갔다.

멀리 맑고 파란 하늘이 끝난 자리에 마치 공중에 벽을 두른 듯한 모양의 구름이 만들어지고 있었다. 저런 구름 속엔 종종 돌풍이 숨어 함께 오곤 한다. 과연 저 구름에 섞여 오는 게 예고 없이 들이닥치는 돌풍뿐일까. 심상치 않은 형태의 구름을 바라보던 다니엘이 창문을 닫자 침대맡에 기대앉아 있던 도미닉이 팅팅 부은 얼굴을 찡그리며 말했다.

"답답해. 그냥 열어 놔."

다니엘은 아랑곳하지 않고 창문에 걸쇠를 단단히 걸어 잠갔다. 그리고 창문 주위로 바람 샐 틈 없이 꼼꼼하게 커튼을 쳤다. 도미닉이 기가 막힌다는 듯 부은 입술을 들썩이며 툴툴댔다.

"야. 너 지금 나한테 화풀이하는 거지? 치사하게 이럴 거면 옆에서 얼쩡대지 마시고 그냥 가세요, 주군."

"안 그래도 한 가지만 더 묻고 갈 거야."

"또 뭐가 남았는데? 나 환자야. 죽었다 살아났다고. 그만 좀 귀찮게 하고 가라."

침대 옆에 선 다니엘은 봐도 봐도 언짢은 도미닉의 부은 얼굴에 잠시 눈을 두다 이내 고개를 돌렸다. 더 보고 있다간 다시 브라반트 홀로 달려가 눈에 보이는 자들의 머리통을 깡그리 부숴 버릴 것만 같았다.

"대답해. '죽어도 살겠다'가 인생 목표인 사람이 왜 죽지 못해 안달 난 사람처럼 미쳐 날뛰었는지. 분명히 말하는데 세 번은 안 물어. 어제 널 도 발한 놈을 찾아가 족치고 말지."

"……."

엄포를 놓았지만, 쉽사리 대답을 들을 수 없을 거란 것쯤은 짐작하고 있었다. 듣지 않아도 대충 알 것 같았고. 도미닉의 차가운 심장에 달라붙어 떨어지지 않는 미련이야 단 하나뿐이니까.

"어머니 소식이 듣고 싶으면 나한테 말해. 지금이라도 알려 줄 테니."

"헛소리하지 마."

단박에 대답한 도미닉이 다니엘에게 등을 보이며 침대에 드러누웠다.

"정신 차렸어. 미련한 짓 한 대가는 이번 일로 아주 제대로 치렀으니까 같은 실수 안 해. 그러니까 너도 쓸데없는 짓 하지 마."

어깨까지 이불을 끌어 올린 도미닉이 짐짓 장난스레 중얼거렸다.

"피곤한 이 몸은 그만 괴롭히고, 가서 죽고 못 사는 부인하고 놀아. 혹여 나 어디서 맞고 왔다는 소린 하지 말고. 너 모르지? 공작 부인이 나 엄청나게 좋아해. 나 다친 거 알면 매일 여기 붙어 있겠다고 고집 피울걸."

"……그럴지도."

피식 웃은 다니엘은 토라진 아이처럼 돌려진 넓은 등을 지그시 내려다 보았다. 다니엘이 말을 잃었던 시절. 잠들었다 일어나면 언제나 눈앞엔 도미닉의 등이 있었다.

혹여 다니엘이 어찌 될까 염려한 두 살 터울의 소년은 온종일 그의 곁을 지켰다. 말없이 웅크리고 있는 다니엘 옆에서 놀고, 떠들고, 밥을 먹고, 잠들었다. 도미닉은 모를 것이다. 언젠가부터 어린 다니엘은 그 등을 봐야만 안심하고 잠을 잘 수 있었다는 걸.

소년 도미닉의 등은 점점 더 넓어졌고, 그가 자라는 만큼 다니엘도 자랐다. 더는 도미닉의 등에 의지하지 않을 나이가 된 지 오래지만, 그의 넓은 등은 지금도 다니엘에게 묘한 안정감을 준다. 똑같지는 않지만, 프리다를 안고 잘 때와 비슷한 느낌이다. 이젠 저보다 작아진 등을 찬찬히 바라보고 있는데 돌연 지끈 머리가 울렸다.

한동안 잠잠하더니 망할 놈의 통증이 또 찾아왔다. 심지어 이번엔 살갗부터 뼈까지 뜯겨 나가는 것 같다. 주먹을 들어 이마를 꾹 누른 다니엘은 잠시 숨을 골랐다. 그러곤 등을 돌린 도미닉이 의심하지 않도록 최대한 짧게 한마디를 내뱉었다.

"쉬어."

여전히 등을 돌리고 누운 도미닉은 추호도 의심 없이 손을 휘휘 저었다.

"그래. 얼른 가라. 얼른 가."

빠른 걸음으로 방을 벗어난 다니엘은 몇 발자국 떼지 못하고 급히 벽을 짚었다.

"으윽."

참을 틈도 없이 꾹 다문 잇새로 기괴한 신음이 흘러나왔다.

갑자기 머리가 멍해지며 메스꺼움이 치밀었다. 사용인들이 오가는 성 안이 아니라면, 당장이라도 바닥에 쓰러져 눕고 싶었다.

"젠장."

어떻게든 정신을 차려 보려 힘을 쏟고 있는데 하필 이 와중에 계단을 오르는 발소리가 들렸다. 힘겹게 벽에서 손을 뗀 다니엘은 남은 힘을 모조리 끌어모아 반듯하게 허리를 폈다.

계단을 올라 막 복도로 들어선 사람은 보일드 남작이었다. 아직 다니엘이 어느 쪽에 세울지 결정 내리지 않은, 황태후가 보낸 사내. 그가 다니엘 곁으로 다가왔다.

"전하, 여기 계셨군요?"

"여기까진 어쩐 일인가."

약한 모습을 보여선 안 된다는 걸 아는데도 자꾸만 시야가 흐려지며 초점이 흔들렸다. 애써 힘을 주고 있던 다리에서 아무 감각도 느껴지지 않는 게 이상하다 싶던 순간.

"도미닉이 다쳤다고 해서 왔습니다. 그런데 전하…… 안색이 안 좋으십니다. 어디가 불편……? 저, 전하!"

머릿속으로는 절대 여기서, 이 사내의 앞에서 쓰러지면 안 된다고 생각하면서도 다니엘의 무릎이 하릴없이 바닥으로 꺾였다. 삼 년 전, 도미닉을 향해 날아오는 창을 막으려 몸을 던졌다 의식을 잃었던 그날처럼 다니엘은 빠르게 암흑 속으로 빠져들었다.

페트리샤는 그동안 리하르트 공작 부인과 만나는 장면을 수십 번도 넘게 상상했었다. 그중 어떤 장면에서도 자신의 행색이 이토록 우습진 않았는데.

"거기 나무 뒤에 숨어 있는 놈. 나와!"

이게 다 저 무식한 인간이 느닷없이 고함을 치는 바람에 벌어진 일이다. 리카르도를 찌릿 노려본 페트리샤는 절로 삐죽여지는 입술을 깨물며 다소곳이 무릎을 굽혔다.

"인사가 늦었습니다. 페트리샤 잉그리드 뷔테인입니다. 다소 놀라긴 했지만 이제 괜찮아졌습니다. 신경 써 주셔서 감사합니다, 부인."

"그런데 왜 이런 곳에……."

프리다는 아메티스 기사단의 보라색 망토를 걸친 페트리샤에게 의아한 눈빛을 보냈다. 그녀가 황제의 정부인 뷔테인 남작 부인임을 추측하는 건 어렵지 않았다.

이미 성에 도착한 첫날 보아 알기도 했지만, 저런 화려한 장신구를 달고 나타날 사람이 황제의 여인 말고는 있을 리 없으니. 하지만 황제의 정부가 왜 숲속에 숨어 있었는지는 가늠하기 어려웠다.

밭의 경계가 되는 숲은 원래 햇빛이 통과하지 못할 정도로 나무가 빽빽해 '검은 산'이라 불렸던 곳이다. 당연히 귀부인이 산책하기에 적당한 곳이 아니다.

프리다의 호기심 어린 시선이 페트리샤와 그녀의 옆에 선 하녀에게 번갈아 닿았다. 그러다 하녀의 발에 떨어진 바구니와 그 안에서 삐져나온 게 분명한 여러 종류의 허브들이 눈에 들어왔다. 모든 의문을 풀어낸 프리다의 목소리가 차츰 밝아졌다.

"아, 허브를 따러 오신 거였군요."

아마 허브를 따러 왔다 프리다의 일행을 보고 놀라 숲으로 숨은 모양이다. 페트리샤가 가볍게 고개를 끄덕이며 곤란한 표정을 지었다.

"죄송합니다. 미리 부인의 허락을 받으려고 했는데, 뵐 수가 없어서요."

"허브가 필요하시면 개의치 말고 언제든 오세요. 하인들에게는 제가 따로 얘기해 둘게요."

생각해 보니 살짝 미안한 마음이 들었다. 처음엔 몸이 좋지 않아 황제의 정부에게까지 쓸 정신이 없기도 했지만, 솔직히 그녀가 불편했던 것도 사실이다. 페트리샤의 첫사랑이 다니엘이었다는 말을 듣고 난 후부터 괜스레 혼자 경계심을 가졌다.

'쳇. 황제께선 왜 그런 얘기를 하셔서는.'

솔직히 다니엘이 격을 따져 가며 대놓고 그녀를 만나지 말라고 했을 땐 은근 기분이 좋았다. 하지만 내 성에 온 손님을 이리 오래 방치하다니. 오늘에서야 안주인답지 못했다는 뒤늦은 자책이 들었다.

"미안해요, 뷔테인 남작 부인. 내가 더 신경을 썼어야 했는데."

바람이 조금씩 심해진다 싶더니 또 세차게 나무들이 흔들렸다. 프리다는 뒤로 넘어가려는 모자를 붙들며 페트리샤를 향해 환하게 미소 지었다.

"남작 부인, 늦었지만 제가 정식으로 티타임에 초대해도 될까요? 제 방 테라스에서 보이는 알타스의 전경이 아주 근사하답니다. 말이 나온 김에 지금 같이 가요. 갈아입으실 옷은 제 방으로 가져오라고 하고요."

"……깊은 배려에 감사드립니다, 공작 부인."

페트리샤는 정중히 고개를 숙이는 척하며 하녀 엠마를 흘깃거렸다. 그녀가 보낸 신호를 알아챈 엠마가 얼굴에 적절한 공포를 드리운 채 페트리샤의 팔을 붙들었다.

"아, 안 돼요, 마님! 공작 부인의 방엔 절대 가시면 안 된다고 했잖아요."

한 발 뒤로 물러난 페트리샤가 단호히 엠마의 팔을 쳐 냈다.

"엠마. 뒤로 물러나 있어. 네가 나설 자리가 아니야."

하녀를 향한 적당한 질책. 뒤를 잇는 짐짓 엄한 표정. 스스로 생각해도 썩 괜찮은 연기다 싶었다.

며칠 전 레오폴드는 엠마를 불러 그녀가 아는 뮐하임 성의 옛이야기에 대해 상세히 물었다. 귀부인들의 시간 보내기용 수다거리에 지나지 않았을 과거의 소문들에 뼈와 살이 붙더니 이내 무시무시한 저주로 탈바꿈되었다.

그 저주에 관한 얘기가 공작 부인의 귀에 들어가게 만드는 것이 바로 엠마가 새로 부여받은 임무. 더불어 제대로 못 하면 쥐도 새도 모르게 죽여 버리겠다는 황제의 협박을 받은 엠마는 연기가 아니라 진심으로 벌벌 떨며 그녀의 팔을 재차 붙잡았다.

"안 돼요, 마님. 절대 안 돼요. 말씀드렸잖아요. 그 방엔 뮐하임 후작 부인의 저주가 깃들어 있다니까요!"

"엠마. 입 다물어."

페트리샤는 짐짓 난감한 표정을 지으며 하녀의 손을 다시 뿌리쳤다.

"죄송합니다, 공작 부인. 이 아이가 어디서 쓸데없는 소리를 듣고 와서 자꾸 이상한 소리를……."

"쓸데없는 소리가 아니라 진짜라니까요? 제가 할머니께 분명히 들었어요."

엠마는 급기야 눈물까지 흘렸다.

"마님, 가시면 안 돼요. 그 방 테라스에서 후작 부인이 몸을 던졌대요. 미치광이 남편 때문에 스스로 목숨을 끊은 후작 부인의 유령이 아직도 성 안을 돌아다니고 있다고요."

연기 중이라는 것도 잊고 혀를 찰 뻔했다. 하긴 많이 놀랐겠지. 몇 년이나 한 침대에서 뒹군 페트리샤도 황제의 냉혹함에 치가 떨리고 적응이 안 되는데 한낱 하녀가 오죽할까. 좋다고 찾아올 땐 언제고 치사하게 제 손으로 넘겨준 영지를 걸고넘어져? 인간미라곤 없는 개자식.

따지고 보면 엠마가 아니라 페트리샤가 바닥에 주저앉아 엉엉 눈물을 흘려야 할 판이다. 페트리샤는 꺽꺽 소리를 내 우는 엠마의 어깨를 끌어안고 푹 머리를 조아렸다. 자존심? 체면? 다 버릴 수 있다. 영지와 작위가 없는 비참한 삶을 살지 않기 위해서라면 그녀는 못 할 게 없었다.

"면목이 없습니다, 공작 부인. 이 아이의 일가들이 과거 이 근처에 살았다더니 어디서 희한한 소리를 들었나 봅니다."

"그러게요. 뷔테인 남작 부인의 하녀가 진정 희한한 소리를 입에 올리는군요."

해맑게 차를 권하던 공작 부인이 돌연 싸늘해졌다. 엠마를 달래던 페트리샤는 이상한 기분이 들어 슬며시 눈을 들었다. 차양을 모두 모자 뒤로 넘기고 감춰 두었던 하얀 피부를 드러낸 프리다가 차분하지만 서늘한 표정으로 그녀를 바라보고 있었다.

"남작 부인께선 꽤 발칙한 하녀를 두셨네요."

여리게 생겼길래 저주니 뭐니 하며 떠들면, 놀라 기절이라도 할 줄 알았더니. 새하얀 얼굴 때문인지, 아니면 얼음장 같은 목소리 때문인지는 몰라도 공작 부인이 입을 열 때마다 한기가 찾아왔다.

"근거 없는 헛소문을 입에 올려 리하르트 공작가를 모욕하는 용기를 지녔으니 참으로 대단한 하녀입니다."

프리다의 말이 끝나자 거짓말처럼 바람이 거세졌다. 바람이 숲에 남은 나뭇가지를 일제히 흔들었고, 이파리들이 눈처럼 쏟아져 내렸다. 그 자리에 있던 모든 사람이 바람을 피해 몸을 숙이거나 웅크렸다.

오르한 역시 뒤로 넘어가는 후드를 급히 붙잡으며 푹 얼굴을 숙였다. 머리를 치고 지나가는 나뭇잎들을 털어 내며 고개를 들던 그의 눈에 당당히 바람을 맞으며 서 있는 하얀 여자가 보였다. 모자는 바람에 날아가 버렸는지 공작 부인이 민낯을 그대로 드러낸 채 서 있었다. 살결, 머리칼, 눈썹. 모자를 벗은 공작 부인의 얼굴은 외조부의 말 그대로 은은하게 빛나는 보라색 눈동자만 빼고 전부 새하얬다.

"스베르겐에도 너처럼 눈에 보석을 박아 넣은 것 같은 소녀가 있더구나. 눈처럼 하얀 얼굴에 눈동자만 보라색이더라고."

'하! 노인네 허풍인 줄 알았더니.'

직접 마주하고도 믿기지 않아 거하게 헛웃음이 터졌다. 바람이 휩쓸고 간 자리에 조금 전 불었던 바람과는 비교도 되지 않는 후폭풍을 낳을 위엄 있고 차가운 음성이 내려앉았다.

"분명히 말하겠습니다. 한 번만 더 근거도 없는 저주를 언급하며 공작가를 능멸한다면, 남작 부인의 하녀라 해도 결단코 용서하지 않을 겁니다."

눈보라처럼 싸늘한 목소리가 겨울을 연상시키는 얼굴과 무척이나 잘 어울려서 오르한은 피식 웃고 말았다.

갑자기 불어닥친 바람에 밀려 협탁 위에 있던 책 몇 권이 바닥으로 떨어졌다. 그 소리 때문에 의식이 돌아왔는지, 의식이 돌아와서 그 소리를 듣게 된 건지는 알 수 없었다. 이마를 짚으며 눈을 뜨자 익숙한 천장의 무늬가 가장 먼저 그를 반겼다. 중요한 건 다니엘이 지금 마리안 홀의 제 침대에 누워 있다는 사실이다.

"별안간 웬 바람이 이렇게 부는 거야?"

도미닉의 목소리에 이어 창문이 닫히더니 세차게 펄럭이던 커튼도 잦아들었다.

"음……."

의식이 돌아오자 통증이 다시 시작되었다. 그래도 극심했던 때와 비교하면 훨씬 견디기 쉬웠다. 창문이 바람에 덜컹대는 소리를 들으며, 다니엘이 천천히 침대에서 일어났다. 오늘따라 유독 두통이 쉬이 가라앉지 않고 길게 이어졌다. 관자놀이를 꽉 짚은 채 잠시 숨을 고른 다니엘은 어느 틈에 옆에 와 서 있는 도미닉에게 물었다.

"어떻게 된 거야?"

"그건 내가 물어야 할 말 아닌가?"

목소리만으로 알 수 있었다. 도미닉이 당장 폭발해도 이상하지 않을 정도로 화가 나 있다는 걸. 우선은 그의 화를 풀어 주는 것보다 수습이 먼저였기에 다른 질문으로 넘어갔다.

"누가 날 여기까지 데려온 거야?"

"나랑 보일드 남작이."

"내가 쓰러진 건 몇 명이나 봤지?"

"그것도 우리 둘."

묻는 말에 차분히 답하던 도미닉이 별안간 목소리를 높였다.

"지금 그게 중요해? 보일드 남작이 복도에서 쓰러진 너를 질질 끌고 내 방으로 들어왔을 때 내가 얼마나 놀랐는지 알아? 이 망할 자식아."

보일드 남작이 자신을 끌고 도미닉의 방으로 들어왔다고? 얼굴에서 손을 떼어 낸 다니엘이 여느 때와 같이 담담한 표정으로 말했다.

"그럼 두 사람 외엔 내 상태를 아는 사람이 없다는 뜻이군."

뭐라 더 소리치려던 도미닉이 '어휴' 하고 한숨을 쉬며 가슴을 쳤다.

"그래. 난 너를 업고 남작은 부축하며 사이좋게 비밀 통로를 지나 여기까지 왔으니까. 덕분에 보일드 남작에게 비밀 통로의 정체를 들켰고."

"어디까지 들킨 거야?"

"몰라. 모른다고. 다 들켰을 수도 있고 아닐 수도 있겠지."

한껏 소리를 낮춘 도미닉이 사냥감을 앞에 둔 맹수처럼 다니엘의 코앞에서 으르렁거렸다.

"내가 거기까지 신경 쓸 틈이 있었을 리 없잖아. 이 개자식아. 그동안 잘도 멀쩡한 척 날 속였어? 네가 나를?"

똑똑.

때마침 가볍게 문을 두드리는 소리가 들렸다. 사내들은 낼 수 없는 경쾌한 노크 소리의 주인이 누구인지는 물어볼 것도 없었다. 침대에서 일어난 다니엘이 책장을 가리켰다.

"우리 얘기는 다음에. 얼른 저리로 나가."

흥. 콧방귀를 뀐 도미닉이 단호히 고개를 저었다.

"싫은데? 마침 잘됐네. 내가 이번 기회에 네놈이 어쩌고 다니는지 공작 부인께 다 까발려 버릴 거야."

다니엘이 의식을 잃은 몇 시간 동안 오만 생각이 다 들었다. 이러다 또 몇 년이나 깨어나지 못하면 어쩌지? 아니, 아예 심장이 뛰지 않게 돼 버리기라도 하면? 조금씩 이상하다 느꼈을 때 더 신경 써야 했는데⋯⋯. 그런 후회와 이미 늦어 버린 거면 어쩌나 하는 두려움이 밀려와 심장이 오그라들었다.

'나를 이렇게 걱정시켜 놓고 다음에? 웃기시네.'

어림도 없다며 벼르고 있는데 다니엘이 성큼성큼 문으로 걸어가며 말했다.

"그 꼴을 보여 주고 싶으면 계속 있든가."

그제야 만신창이인 제 얼굴을 깨달은 도미닉이 툴툴대며 등으로 책장을 밀었다. 이 몰골을 차마 공작 부인께 보여 줄 순 없는 노릇이니 어쩔 수 없는 후퇴였다.

"통로에서 기다릴 거니까 어디로 도망갈 생각 하지 마. 알았어?"

"꺼지기나 해."

"나쁜 새끼."

비밀 통로의 입구인 책장이 닫힘과 동시에 다니엘이 방문을 열었다. 돌풍이 불 때까지 밖에 있었던 건지 머리칼이 마구 헝클어진 프리다가 그를 보자마자 씩씩댔다.

"다니엘, 나 사고 쳤어요. 어떡해요?"

아무래도 기억을 잃은 잠깐 사이 청력이 잘못된 모양이다. '사고 쳤어요' 하는 말이 마치 '사랑해요'라는 달콤한 고백으로 들렸다. 가슴이 주체할 수 없을 만큼 뜨겁게 달아오르는 걸 보니 다른 곳도 멀쩡하진 않은 것 같다.

"난 사랑해. 어떡하지?"

이리저리 엉킨 머리칼 사이로 손을 넣어 프리다의 머리를 감싼 다니엘이 다급히 입술을 포갰다.

'꽝' 소리를 내며 닫힌 문과 다니엘 사이에 갇혔던 프리다의 몸이 어느새 둥실 공중으로 떠올랐다. 발끝이 땅에서 떨어지자 아득한 거리감이 느껴졌다. 깜짝 놀란 프리다는 다니엘의 등을 꽉 붙들며 그에게 매달렸다.

불시에 터져 나온 프리다의 탄식은 세상 밖으로 나오지 못하고 다니엘의 입 안에서 터져 흩어졌다. 입 밖으로 흘러나오지 못한 호흡과 감탄사가 뒤엉킨 다급한 입맞춤에 금세 열기가 더해졌다.

다니엘은 참을 수 없는 목마름을 견딜 수 없어 호수의 수면으로 허겁지겁 입부터 들이대는 사람처럼 프리다의 입술을 급히 삼키고 마셨다.

다니엘의 입맞춤은 그가 프리다에게 다가오는 방식과 비슷했다. 조금 전 허브밭에 닥쳐왔던 돌풍처럼 마음의 준비를 할 시간이나 생각할 여유 따윈 주지 않고 마구 휘몰아쳤다. 다니엘은 한순간에 밀려와 그녀의 모자를 날려 버린 세찬 바람처럼 프리다를 덮쳤다.

왜인지 모르겠지만 그녀를 머금는 입술에서 절박함이 느껴졌다. 마치 지금 그녀와 입을 맞추지 않으면, 당장 죽기라도 할 것처럼 간절하게 매달렸다.

그래서 잠깐 떨어져 보라고, 숨 좀 쉬게 해 달라고 말하고 싶었으나 차마 말릴 수가 없었다. 프리다는 남편의 품에 꼭 안겨 속절없이 입술을 내어 주었다. 숨이 막혀 어지럽다 싶을 때쯤 다니엘이 단단히 움켜 안아 올렸던 그녀의 몸을 내려놓으며 한 손으로 문을 짚었다. 프리다의 등을 문으로 밀어붙인 다니엘이 입술을 떼고 한껏 거칠어진 숨을 헐떡이며 말했다.

"왜 안 말려? 내가 어디까지 할 줄 알고."

말리다니. 무슨 사고를 쳤는지 설명할 틈도 없었는데 언제 그럴 겨를이나 주었다고⋯⋯. 프리다가 대답할 틈도 없이 다니엘이 다시 고개를 숙였다. 가쁘게 쏟아 내는 더운 숨결과 그보다 더 뜨거운 입술이 차례차례 프리다의 뺨과 목에 닿았다.

프리다를 안은 팔에 바짝 힘이 들어가는 게 느껴졌다. 본능적으로 지금 말리지 않으면 뭔가 대단한 일을 겪게 될 것 같다는 깨달음이 찾아왔다. 문 하나를 사이에 두고 지척에 서 있을 몰리 경도 신경 쓰였다. 다니엘의 목을 꽉 끌어안은 프리다가 붉게 달아오른 뺨을 그의 어깨에 기댔다.

"다, 다니엘. 밖에 몰리 경이⋯⋯."

프리다는 모르겠지만, 문밖은 물론 책장 뒤편에도 또 한 명의 몰리가 있었다. 다행히 눈치가 있는 편인 도미닉의 기적은 어느새 사라지고 없었지만, 다니엘은 '만약'이라는 핑계를 대며 애써 자신을 붙들었다.

프리다의 목을 타고 내려가던 입술을 우뚝 멈춘 다니엘이 애써 거칠어진 호흡을 골랐다. 다니엘은 문을 짚고 있던 손을 힘겹게 떼어 내고, 제 품에 폭 안긴 아내의 등을 토닥였다.

이대로 그녀를 안아 버리고 싶다는 욕망과 더 밀어붙여선 안 된다는 이성이 그 안에서 첨예하게 맞섰다. 결국 이성에 지고 만 다니엘이 불만 가득한 표정으로 씁쓸하게 웃었다.

"말릴 거면 다음엔 좀 더 빨리. 조금만 늦었어도 아마 이대로 당신을 안았을 거야."

어느새 다니엘의 가슴 깊이 얼굴을 묻은 프리다가 좀처럼 진정되지 않는 숨을 헐떡이며 중얼거렸다.

"마, 말릴 틈을 안 줬잖아요."

"주기 싫었으니까."

그의 옷 위로 귀엽고 발랄하게 팔딱이는 프리다의 심장이 느껴졌다. 눈을 내리자 초점이 흐려진 몽롱한 보랏빛 눈동자가 수줍게 그를 올려다보고 있었다. 하얀 얼굴을 홍조로 물들인 모습이 숨이 멎을 만큼 예뻐 눈을 뗄 수가 없었다.

도미닉의 말대로, 어쩌면 저는 제정신이 아닐지도 모르겠다. 낮에 도착한 전서구가 들고 온 소식을 보고도 긴장은커녕 될 대로 되라는 심정으로 그녀를 안고만 싶은 걸 보면.

사실 동쪽 국경에서 이른 가뭄이 시작되건 말건 저와 무슨 상관인가. 매년 찾아오는 가뭄이 좀 일찍 시작된 것뿐인데. 삼 년 전 그가 의식을 잃기 전에도, 그보다 더 이전에도 항상 반복됐던 일이다.

황실 법원이 홀베크 자작이 제기한 영지 소유권에 대한 분쟁을 받아들였다는 소식 또한 엄연히 따지고 보면 다니엘과는 관계없는 일이다. 보일드 가문이 소유한 영지의 진짜 주인을 가리기 위한 재판이니 다니엘과는 아무 상관없는 일. 업다이크 가문의 압박과 불타 버린 서류에도 불구하고, 굳이 꼭 그 재판을 하겠다는데 뭘 어쩌라고. 그런 자잘한 일들이 아니라도 그의 머리를 아프게 하는 일은 도처에 깔렸다.

"성 밖 여관 근처였습니다."

명확하지 않게 돌려 답하긴 했으나 뮤리엘 로시발트가 근위대원을 봤다는 곳은 분명 그 하녀의 집일 것이다. 성실하고 충직한 그 여기사가 성밖에서 드나드는 곳이라고 해 봐야 도로 공사 현장과 마틸다라는 하녀의 집. 따로 민가의 여관에 머무는 일 없이, 그렇게 단 두 곳뿐이라고 들었다.

만약 도로 공사 현장에서 근위대를 봤다면 로시발트는 득달같이 달려와 다니엘에게 그녀가 본 것을 알렸을 사람이다. 그러니 황실 근위대 놈이 기웃댄 곳은 그 하녀의 집 주변이 틀림없다.

'도대체 왜? 레오폴드 놈이 무슨 낌새를 알아챘기에.'

레오폴드가 아니라 황태후가 다니엘을 감시하기 위해 보낸 자가 몰래 근위대에 숨어들어 왔을 수도 있다. 뭐가 됐든, 다 귀찮았다. 제 주변을 샅샅이 뒤지며 감시하든, 자객을 보내든 저희 마음대로 실컷 해 보라지.

더 이상 그들의 속내를 파악하려 애쓰는 것도 지친다. 멀쩡하지 못한 몸으로 골치를 썩이고 싶지도 않았다. 사랑하는 아내만 담기에도 그의 머릿속은 이미 차고 넘쳤으니까.

고개를 숙여 발그레 붉어진 뺨에 입술을 대었다 뗀 다니엘이 프리다를 보며 빙긋 웃었다. 그녀를 안고 있는 이 순간만은 수많은 고민거리와 걱정, 그 어느 것도 떠오르지 않고 오직 프리다만 보였다.

"아무래도…… 멈추기엔 늦은 거 같아."

"다니엘……?"

어쩔 줄 몰라 하며 꼬물대는 프리다를 번쩍 안아 올린 그는 성큼성큼 침대로 걸어갔다. 다니엘은 조심히 프리다를 눕히고 양팔을 뻗어 침대 위를 짚었다. 혹시 몰라서 한 번 더 책장 너머의 기척을 세심히 살폈다. 아무도 없음을 확신한 그의 입술이 단숨에 프리다를 덮었다. 바르르 떨며 움츠리는 어깨를 다정히 달래고, 부끄럽다며 틀어지는 고개를 붙들어 제 눈앞에 돌려놓았다.

"날 봐. 프리다."

달래고 돌려놓기를 반복하는 뜨거운 손길을 견디지 못한 프리다의 얼굴이 보기 좋게 붉어졌다. 어떻게든 이성을 잃지 않으려 애쓰는 부질없는 몸짓이 미치게 예뻐 정신을 붙들고 있기가 힘들었다. 다니엘의 입술과 손이 부드럽게, 하지만 꽤 분주히 움직였다.

"그, 그만 해요, 다니엘. 부끄러워요."

프리다는 다니엘의 아래에서 연신 가쁜 숨을 토해 내며 흐트러졌다. 열기가 섞인 신음을 흘리며 어쩔 줄 몰라 하는 프리다의 모습에 심장이 저렸다. 끝내 견디지 못하고 먼저 무너진 건 다니엘이었다.

"사랑해……. 사랑해. 프리다."

그 밤, 무수히 고백을 쏟아 낸 사람 역시.

뮤리엘은 숨을 죽이고 어둠을 파고드는 발소리에 귀를 기울였다. 그날과 같은 기척이었으나 이번엔 수가 더 많았다.

'하나, 둘……. 두 명? 아니, 셋인가?'

둘은 명확한데 한 명이 더 있는 게 맞는지가 헷갈렸다.

'어쩐지 찜찜하더라니.'

리하르트 공작이 오전 내내 도미닉의 방을 지키고 있는 바람에 황실 근위대원을 본 일에 대해 상의하지 못하고 성을 나서야 했다. 그러면서도 왠지 마음에 걸려 도로 공사 현장으로 바로 가지 않고 마틸다의 집에 들러 자고 가기로 한 건데.

'그러길 잘했지. 오늘은 기필코 저놈들을 잡아 의도가 뭔지 밝히고 말 테다.'

눈을 뜬 뮤리엘은 옆자리에 잠들어 있는 마틸다를 깨우지 않기 위해 조심히 침대에서 내려왔다. 마틸다의 남동생 셋이 잠든 옆방에서 요란한 코골이 소리가 들렸다.

잠시 집중력이 떨어졌지만, 이내 온 신경을 곤두세우고 창밖의 기척을 살폈다.

삐걱.

난데없이 들리는 문소리에 놀란 뮤리엘이 방 밖으로 고개를 돌렸다.

'뭐야? 설마 대놓고 문으로 들어오는 거야? 이렇게 불쑥?'

창밖에만 정신을 집중하고 있던 그녀는 급히 검을 빼 들고 방문 밖으로 나갔다. 어둠에 눈을 익혀 둔 덕인지 컴컴한 암흑 속에서도 인영 두 개가 선명하게 눈에 띄었다. 뮤리엘은 기다리지 않고, 바로 그들에게 달려들었다.

휘이익- 스윽.

날 듯이 달려간 뮤리엘이 검을 두 번 휘둘러 두 사내의 팔을 정확히 베자, 그들이 비명을 지르며 들고 있던 검을 떨어트렸다.

"으악!"

"아악. 누, 누구야! 윽."

모두 잠든 이 깊은 밤에 주인의 허락도 받지 않고 집 안에 침입한 인간들이다. 이유를 묻고 앞뒤 정황을 따지는 건 먼저 제압부터 하고 해도 될 일.

"컥!"

뮤리엘이 검의 손잡이로 뒤통수를 세게 가격하자 사내 하나기 바닥으로 털썩 무너졌다. 재빨리 나머지 한 놈의 목을 거머쥔 뮤리엘이 정강이 뒤쪽을 걷어차 무릎을 꿇린 뒤 그의 목 끝에 검을 겨눴다.

"남의 집을 방문하기엔 너무 늦은 시간 아닌가?"

"누, 누구……."

"그건 내가 물어야 할 말이고. 너희들 누구야?"

단단히 틀어쥔 팔에 힘을 준 뮤리엘이 검 끝을 사내의 목 깊숙이 밀었다.

"우, 우리가 누군 줄 알고! 겁도 없이, 컥."

검 끝이 목을 찌르고 있는 순간에도 허세를 부리다니. 기가 찬 뮤리엘이 콧방귀를 뀌며 사내의 접힌 종아리를 발로 꾹 밟았다.

"흥. 이 밤에 주인 허락도 없이 몰래 남의 집을 들락거리는 놈들이 어디서 큰소리야? 시간 끌지 말고 정체나 밝히시지."

"컥. 다, 당장 이 손 풀어. 우리는……."

푹.

그 순간, 방향을 예측할 수 없는 곳에서 날아든 표창이 뮤리엘의 허리에 박혔다.

"헉."

대체 어디서……. 바닥에 한쪽 무릎을 무너트리면서도 뮤리엘은 사내를 압박한 손의 힘을 풀지 않고 빠르게 어둠을 훑었다.

뒤통수를 가격당하고 쓰러진 사내는 여태 정신을 차리지 못한 상태. 뮤리엘에게 목이 잡힌 사내 또한 여전히 무릎을 꿇린 채였다.

그렇다면 누가? 어둑한 주위를 둘러보던 뮤리엘은 적막해진 집 안에서 느껴지는 으스스한 분위기에 소스라치게 놀랐다.

'맙소사.'

조금 전까지 집이 들썩거릴 정도로 요란하게 울려 대던 세 사내 녀석들의 코 고는 소리가 들리지 않았다.

허리의 통증도 잊은 채 벌떡 일어난 뮤리엘이 그때까지 붙들고 있던 남자의 머리를 무릎으로 힘껏 내려쳤다.

"윽."

두 번째 사내 역시 정신을 잃고 제 동료 옆으로 풀썩 쓰러졌다. 뮤리엘이 표창이 박힌 허리를 붙든 채 어둠을 향해 소리쳤다.

"숨어 있지 말고 나와! 이 비겁한 자식아."

마틸다의 동생들이 잠든 방문 앞에 어렴풋이 사내의 인영이 나타났다. 뮤리엘은 그를 경계하며 마틸다가 있는 방 쪽으로 천천히 걸음을 옮겼다. 한 걸음 뗄 때마다 표창이 단단히 박힌 허리에서 피가 뿜어져 나왔다. 피식대는 사내의 음산한 웃음소리가 어둠 속에 낮게 가라앉았다.

"이토록 솜씨 좋은 자가 지키고 있을 줄은 몰랐군. 리하르트 공작이 아끼는 여자라더니, 신경 좀 쓰셨나 보네."

리하르트 공작이 아끼는 여자? 저건 또 무슨 헛소리야. 그나저나 이 정도 소란이면 지금쯤 마틸다도 잠에서 깼을 것이다. 제발, 절대로 방 밖으로 나오지 않아야 할 텐데.

온 신경을 마틸다와 그녀의 남동생들에게 집중하느라 뮤리엘은 침입자가 꺼내 놓는 말을 되새길 틈이 없었다. 자신의 허리에서 흘러나온 피가 옷과 바닥을 흥건히 적시고 있다는 것도 몰랐다.

"그 방에 있는 어린애들에게 손끝 하나라도 댔다가는, 곱게 죽지 못할 줄 알아."

"흥, 본인 걱정부터 하는 게 어때? 내 표창이 그대의 몸 어딘가에 제대로 박히는 소리를 들은 것 같은데."

스산한 웃음소리를 흘린 사내는 콧방귀를 뀌며 마틸다가 있는 방 쪽으로 몸을 틀었다.

"거기 서. 한 발짝도 움직…… 이지 마."

그를 막아서려던 뮤리엘이 돌연 현기증을 느끼며 휘청였다. 몸을 지탱할 곳을 찾아 허우적대던 팔이 겨우 벽을 붙들던 찰나. 급격히 힘이 빠져 버린 다리가 바닥으로 철퍼덕 무너졌다. 동시에 목에 뭐가 걸린 듯 숨이 탁 멎었다.

'설마, 표창에 독을?'

의식이 빠르게 몽롱해지더니 몸에서 일시에 힘이 빠져나갔다. 뮤리엘은 바닥으로 쓰러지면서도 마지막 힘을 짜내 힘겹게 외쳤다.

"마, 마틸다. 도망…… 쳐."

깜박 잠이 들었다가 눈을 뜬 프리다는 다니엘의 품에 안겨 잠시 지난밤을 떠올렸다. 정신이 듦과 동시에 강렬했던 기억의 파편들이 차츰차츰 제자리를 찾아 들었다. 민망함에 갈 길을 잃은 손끝을 쉴 새 없이 톡톡톡 까닥거렸다.

많은 대화가 오고 갔어야 할 밤이었건만, 대화다운 대화라곤 단 한마디도 하지 못하고 허무하게 끝나 버렸다. 아니, 대화 말고 다른 건 많이 했으니 꼭 허무한 것만은 아닐 수도.

문득, 하크본 가문의 가정 교사가 강조한 '정숙한 귀부인이 할 법한 행동'과는 거리가 먼 여러 일을 하고 말았다는 생각에 볼이 화끈거렸다. 끄트머리 한 자락을 슬그머니 꺼내는 것만으로도 민망함에 몸서리쳐지는 기억들이 새록새록 떠올랐다.

확실한 건 '정숙하다'는 말은 도저히 쓸 수 없는, '격정적이다' 혹은 '낯부끄럽다'라는 표현이 어울릴 만한 기억들이었다.

"마음의 준비를 단단히 하세요, 부인. 이제 공작 전하께서 매일 밤 침실에 드실 것 같네요. 아, 너무 걱정은 마시고요. 시작이 힘들지, 금세 적응되실 거예요."

사전에 보일드 남작 부인에게서 두 번째 밤부터가 진정한 부부의 세계라는 말을 듣지 않았다면, 놀라 까무러쳤을지도 모를 일이 수두룩했다.

'정말 세상의 모든 부부가 매일 밤 이런 걸 하면서 산단 말이야?'

이로써 결혼 전 어머니와 하크본 가문의 가정 교사에게서 받은 교육은 죄다 쓸모없음이 밝혀졌다. 때가 되면 저절로 알게 될 거라느니, 가만히 누워 남편이 하는 대로 몸을 맡기라느니 했던 것들 말이다.

'품위 있는 귀족 사내라면 알아서 적절히 부부의 의무를 조절할 테니 걱정하지 말라면서요.'

아니면 그녀의 남편이 지나치게 여색을 밝히는 남자인 걸까? 그러고 보니 책에서 '호색한'이라는, 그런 남자를 가리키는 단어를 본 적이 있다. 혹시나 하며 슬며시 고개를 들던 프리다는 화들짝 놀라 손으로 입을 가렸다. 한참 전에 깬 것이 분명한 다니엘이 또렷한 눈으로 그녀를 빤히 내려다보고 있었다.

"다, 다니엘. 어, 언제부터 보고 있던 거예요?"

"당신이 손끝으로 내 가슴을 만지작댈 때부터."

"내, 내가요?"

피식 웃은 다니엘이 프리다의 입을 가리고 있는 손을 당겨 제 가슴에 올렸다. 그러곤 은근한 눈빛을 그녀에게 고정한 채 검지를 잡아 가슴 위를 쓸어내렸다.

"이렇게 날 슬쩍슬쩍 만지던데. 당신이 지쳤다는 건 내 착각이었나 봐. 아침부터 뜻하지 않은 유혹이라니. 좀 놀랐어, 프리다."

열기가 실린 나지막한 목소리를 듣자 지난밤 그녀의 귓가를 떠나지 않던 뜨거운 숨소리가 연상되었다. 급히 그의 눈을 피한 프리다가 잡힌 손가락을 빼내려 몸을 틀었다.

"유혹이라뇨. 정숙한 아내에게 어떻게 그런 망측한 말을……."

"아니었다면 실망인걸. 기꺼이 넘어가 주려던 참인데."

"아, 아니라니까요. 다니엘, 손 좀 놔줘요."

다니엘은 꿈틀거리는 프리다의 손을 놔주기는커녕 오히려 아무것도 걸치지 않은 맨 가슴팍으로 끌어당겼다. 그가 손등을 만지작대며 장난을 걸어오자 프리다가 홱 고개를 들어 올려 남편을 노려봤다. 제 딴엔 매섭게 쏘아

보고 있건만, 다니엘의 입가에 개구쟁이 아이 같은 천진한 미소가 걸렸다.

좀처럼 보기 힘든 남편의 웃는 얼굴에 프리다는 무례를 따지고 있었다는 것도 잊고 그를 따라 살짝 입술을 터트리고 말았다. 그러면서도 왠지 조금 억울한 감정이 생겨나 가볍게 눈을 흘겼다.

"놀리지 말아요. 창피하단 말이에요."

"놀린 적 없는데. 유혹에 넘어가 주겠다는 건 진심이었어. 아니라서 실망했다는 것도."

프리다의 머리칼 속으로 손을 넣은 다니엘이 살포시 목을 당겨 입을 맞추곤 다시 아이처럼 웃었다.

"기꺼이 넘어가 드릴 테니 언제든지 유혹해 주시기 바랍니다, 부인."

오늘의 다니엘은 영락없이 장난기 많은 소년이었다. 어제는 앞뒤 가리지 않고 거침없이 달려드는 거친 맹수 같더니 지금은 꼭 다정한 연인 같다. 알 듯 모를 듯 시시각각 변하는 남편이 낯설어 프리다는 물끄러미 다니엘을 올려다봤다.

"정숙한 부인이 남편에게 보내기엔 너무 뜨거운 시선인데."

짓궂은 미소를 지은 다니엘이 그녀의 이마 위로 흘러내린 머리칼을 치워 주며 눈썹을 찡긋 끌어 올렸다. 이런 게 사람을 애태운다는 건가? 프리다는 저를 헷갈리게 하는 남편에게 그녀가 느낀 감정을 곧이곧대로 털어놓고 말았다.

"난 당신을 정말 모르겠어요."

빙긋 미소 지은 다니엘이 뾰로통하게 입이 튀어나온 프리다를 꼭 끌어안았다. 프리다의 정수리에 그의 턱이 닿는 게 느껴졌다.

"모르면 물어보면 되잖아. 물어봐. 당신이 알고 싶은 거 전부."

"정말 다 물어봐도 돼요?"

다니엘이 프리다의 정수리에 턱을 댄 채 고개를 끄덕였다.

"우리 부인께서 뭐가 그리 궁금하실까?"

체온이 높은 다니엘의 가슴에 폭 안기자 온몸에 사르르 기분 좋은 온기가 돌았다. 누군가에게 안겨 있다는 게 이렇게 안정감이 생기는 일이었던가. 새삼 넓고 큰 그의 품이 좋았다.

프리다는 더 깊숙이 파고들며 그의 가슴에 또 손끝으로 뭔가를 끄적댔다. 그녀의 어깨에 둘린 다니엘의 팔이 잔잔한 바람에 밀려드는 자잘한 파도처럼 약하게 떨렸다. 미약한 저릿함을 느끼며 안겨 있던 프리다가 망설이다 입을 열었다. 지금이라면 그에게 무슨 말이든 할 수 있을 것 같았다.

"저기요, 다니엘. 난 사실 잘 모르겠어요. 당신이…… 그러니까 나를 왜……."

왜 이토록 아껴 주고, 사랑해 주는지 모르겠다고 묻고 싶었는데 쉬이 입이 떨어지지 않았다. 남편의 진심을 믿지 못하는 심성이 배배 꼬인 아내처럼 보이는 건 아닐까 걱정된 프리다는 입을 닫았다. 그러나 곧바로 제가 묻고 싶었던 말이 다니엘의 입을 통해 흘러나왔다.

"왜 당신을 좋아하냐고 묻는 건가?"

한참 전부터 건네고 싶었던 질문이긴 한데, 그의 목소리로 들으니 기분이 묘했다. 제 마음을 이미 알고 있었다고 생각하니 가슴이 뭉클해지는 것도 같고, 못내 불안하기도 했다. 들쑥날쑥 종잡을 수 없는 감정에 빠져 다니엘의 맨가슴에 새겨진 골만 뚫어져라 바라보았다. 그때 다니엘의 커다랗고 따뜻한 손이 프리다의 머리칼을 부드럽게 쓸어 주었다.

"글쎄…… 당신과의 첫 만남이 꽤 인상 깊어서?"

프리다는 알 리 없는, 오롯이 저 혼자만의 기억을 떠올린 다니엘은 빙긋 웃음을 머금었다. 다른 데 집중하느라 어제도 그 얘기를 들려주지 못했다. 열네 살 소년이 숲속에서 만난 하얀 꼬마 수녀의 이야기는 또 다음 기회로 미뤄야 할 모양이다.

"보송보송한 솜털이 난 토끼인 줄 알았어. 하늘에서 날 데리러 온 천사는 아닐까 의심도 했었고."

천사야 그렇다 치고……. 솜털? 토끼? 첫 만남이면 삼 년 전 결혼식인데 제 첫인상이 그 정도였던가?

'칫. 나름 열심히 꾸민 건데.'

입술을 삐죽이며 빼꼼히 고개를 들려는데 프리다의 등허리를 쓸어내리던 손이 올라와 뺨을 감쌌다. 잔잔히 입꼬리를 끌어 올린 다니엘이 그윽한 눈으로 한참 동안 말없이 프리다를 내려다보았다. 프리다의 눈동자가 자신으로 꽉 차는 걸 바라보며 다니엘이 물었다.

"프리다. 당신은 날 왜 좋아해?"

뜻밖의 질문을 들은 프리다가 어깨를 물리며 그의 품 안에서 약간 거리를 벌렸다. 그녀는 어안이 벙벙해진 얼굴로 남편을 마주 보았다.

"아내가 남편을 좋아하는 건 당연한 일이잖아요?"

그가 엄지를 들어 밤새 자신이 머금고 놔주지 않던 프리다의 아랫입술을 매만졌다.

"만약 내가 남편이 아니었다면?"

붉은 입술 위에서 저로 인해 생긴 게 틀림없는 작은 생채기를 발견한 그가 눈을 가늘게 좁혔다.

"우리가 부부로 만나지 않았더라도 당신은 날 좋아했을까? 지금처럼 나만 봐 줬을까? 내 품에 순순히 안겼을까?"

"그거야……."

프리다는 쉽게 답하지 못하고 얼버무렸다. 남편이 아닌 다니엘을 좋아했을 거냐고? 생각조차 해 본 적이 없는 일이라 뭐라 답을 해야 할지 알 수가 없었다. 그와 결혼하지 않았다면 죽는 날까지 하크본 저택에서 머물러야 했을 것이다. 만약 그랬다면, 다니엘과 만날 일이나 있었을까? 프리다가 답을 망설이자 다니엘이 그럴 줄 알았다는 듯 피식 웃었다.

"난 당신이 내 아내가 아니었더라도 당신을 사랑했을 거야. 혹 남의 아내였다면, 어떻게든 뺏어 와 내 옆에 뒀을 테고."

"말도 안 돼요, 다니엘. 그건……."

반론을 제시하는 프리다의 미간에 입을 맞춘 다니엘이 쓸쓸히 웃었다. 불현듯 바로 오늘 여기서 제가 어떤 인간인지 모든 걸 털어놓고 후련해지고 싶었다.

"알아. 나쁜 일이지. 하지만 그대의 남편은 이런 사람이야, 프리다. 가지고 싶은 건 기어이 가져야 직성이 풀리는 이기적이고 탐욕스러운 인간."

그녀가 그의 본성에 대해 알게 되더라도 말하고 싶었다. 자신이 그녀를 어찌 여기는지. 얼마나 사랑하는지. 제게 그녀가 어떤 의미가 되었는지.

"난 당신을 보면 항상 헷갈리고 흔들려."

그리고 이런 자신마저도 전부 좋다는 그녀의 고백을 듣기 바랐다.

"완벽하게 정중하고 예의 바른 남자로 보이고 싶다가도, 한편으론 그렇지 못한 내 모습까지도 당신이 모두 좋아해 줬으면 좋겠어."

목적을 위해선 물불을 가리지 않는 냉정하고 잔혹한, 게다가 간혹 추악해지기까지 하는 속내가 드러나더라도. 그래도 변치 않고 저를 사랑했으면 좋겠다는 뻔뻔한 마음을 가진다.

"당신이 옆에 있으면 매번 혼란스러워 미치겠어."

쉽게 저를 믿고 의지하는 모습에 안도하다가도, 그만큼 쉽게 실망할까 봐 겁이 난다. 모두에게 사랑받는 그녀가 기특하고 뿌듯하다가도, 한 번쯤은 나락으로 떨어진 프리다를 상상하곤 한다. 그녀에게 유일한 구원이자 동아줄인 저만을 바라보고, 의지하며 매달렸으면 좋겠다고. 세상에 믿을 만한 사람이라곤 오직 도미닉과 리카르도뿐이었던 시절, 과거 자신이 그랬던 것처럼.

막다른 길에 막혀 한 발짝도 내딛지 못하던 다니엘에게 그들이 하나뿐인 구원이었듯. 자신도 프리다에게 그런 존재가 되고 싶다는 얼토당토않은 바람을 가질 때도 있다.

"프리다, 난……."

다니엘은 엉겁결에 추한 제 속내를 너무 많이 드러내 버렸다는 걸 깨달고 멈칫 입을 달았다. 갑작스레 쏟아 낸 제 고백이 그녀가 감당하기엔 아주 무겁고 어두웠을 거란 깨달음에 진한 두려움이 밀려왔다. 아무래도 어제 다시 의식을 잃었다 깨어난 후 마음이 조급해졌던 건지도. 다니엘은 품 안 가득 프리다를 끌어안으며 다정히 등을 도닥였다.

"놀라게 해서 미안해. 그저 당신을 아낀다고 말하고 싶었던 건데……."

격해진 감정을 다스리고 다시 차분히 제 진심을 전하자 다짐한 그때. 그의 방문이 쾅쾅쾅 시끄럽게 울렸다.

겁도 없이 다니엘의 방문을 이리 요란하게 두드릴 자는 도미닉과 리카르도, 단 두 사람. 그러나 그들 모두 다니엘이 프리다와 함께 있다는 걸 알기에 죽음을 각오하지 않고는 이런 짓을 할 리가 없는데.

"다니엘, 밖에 무슨 일이 있나 봐요."

"내가 나가 볼 테니 여기 있어."

걱정스러운 표정으로 몸을 일으키는 프리다를 안심시킨 다니엘은 만약을 대비해 침대 커튼을 쳐 그녀의 시야를 가렸다. 맨몸에 로브를 걸친 다니엘이 문에 다다르기 직전, 쾅쾅거리는 소리가 한 번 더 울렸다.

차분히 문을 연 다니엘의 앞에 도미닉과 리카르도, 그리고 보일드 남작에 이어 로잘린까지. 초조한 표정의 도미닉 뒤로 세 사람이 복도를 서성거리고 있었다.

순간, 절대 예사로운 상황이 아님을 직감했다. 등 뒤로 문을 닫고 나온 다니엘은 나머지 사람을 제쳐 두고 도미닉에게 물었다.

"무슨 일이야?"

다니엘 옆으로 바짝 다가온 그가 한껏 소리를 죽이고 속삭였다.

"로시발트 경이 크게 다쳤습니다."

"……."

다니엘이 계속 말해 보라며 침묵하자 도미닉의 음성이 더 낮아졌다.

"허리에 표창이 박혔는데 출혈이 심합니다. 표창 끝에 미량이지만 독도 묻었던 것 같습니다.”

“상태는?”

“안톤이 돌보고 있는데 뭐라 장담을 못 하겠답니다.”

“누구 짓이지?”

“그것보다……”

리카르도와 보일드 남작을 흘긋 돌아본 도미닉이 더 낮출 것도 없는 목소리를 끌어 내렸다.

“실은 더 큰일이 있어, 다니엘.”

웬만해선 당황하는 법이 없는 도미닉의 음성이 가늘게 떨렸다.

“마틸다가…… 그 하녀가 사라졌어.”

로시발트가 다쳤다는 도미닉의 말을 듣는 순간, 겨우 가라앉았던 두통이 다시 시작됐다. 한 손을 허리에 올린 다니엘은 돌연 빠개질 듯 아파져 오는 머리를 꾹 누르며 앞머리를 쓸어 올렸다. 의사가 장담할 수 없다 했을 정도로 부상의 정도가 중하다면 최악의 결말도 염두에 두어야 한다.

로시발트가 프리다에게 끼치는 지대한 영향력을 고려해 봤을 때, 이는 결코 작은 일이 아니었다. 그가 머리칼을 거머쥔 채 미간을 찡그리자 도미닉이 군데군데 멍이 든 얼굴을 들이대며 걱정스레 속닥였다.

“왜 그래? 또 머리가 아픈 거야?”

끔찍하게 엉망인 몰골을 한 주제에 누가 누굴 걱정하는 건지.

“보기 싫으니까 얼굴 저리 치워.”

시퍼런 반점으로 물들어 있는 도미닉의 얼굴에서 눈을 돌리던 다니엘과 보일드 남작의 시선이 마주쳤다.

“보일드 남작이 복도에서 쓰러진 너를 질질 끌고 내 방으로 들어왔을 때 내가 얼마나 놀랐는지 알아?”

젠장, 하필 보일드 남작 앞에서. 남작에게 못나 빠진 모습을 보였다는 짜증에 더해, 늦어도 이틀 뒤면 황실 법원의 결정이 그에게 전달될 거란 사실까지. 마주한들 거북할 뿐인 얼굴을 계속 볼 까닭이 없어 눈길이 닿자마자 돌려 버렸다. 저에게 차곡차곡 쌓이는 시선을 의식한 다니엘은 아무렇지도 않은 척 머리에서 손을 떼어 냈다.

이렇듯 별거 아닌 통증조차 이겨 내기 힘겨워진 나약한 자신에게 돌연 화가 났다. 웬만한 고통엔 단련이 되었다 자부했었는데, 아무래도 지난 삼년의 공백이 제 몸에서 긴장감을 앗아 간 모양이다. 고통을 다스리는 한숨을 삼킨 다니엘이 낮게 가라앉은 찬찬한 음성으로 말했다.

"프리다에겐 알리지 마."

할 수만 있다면 아예 모르게, 어쩔 수 없이 안다 해도 최대한 늦게. 타인에 대한 마음 씀씀이가 남다른 프리다가 알게 된다면 몇 날 며칠을 눈물바람으로 지새울 게 틀림없다. 더구나 다른 사람도 아닌 로시발트가 위독하다면……. 순간, 로시발트와 자신 중 누구의 부재가 프리다를 더 슬프게 할까 싶은 부질없는 상념이 잠시 다니엘의 뇌리를 스쳤다.

"하지만, 주군."

주변의 눈을 의식하며 말을 높인 도미닉이 즉각 반대 의견을 내놓았다.

"다른 사람도 아니고 로시발트 경의 일입니다. 공작 부인께선 바로 아셔야 하지 않을까요?"

"알면?"

역시나 즉시 반문한 다니엘이 모두 들으라는 듯 목소리를 살짝 높였다.

"뭐가 달라져? 내 아내에게 로시발트의 부상을 말끔히 낫게 할 신비한 능력이라도 있나? 그래서 곧바로 자리를 털고 일어나게 할 수 있대?"

예기치 못한 날카로운 반응에 당황한 도미닉이 어이없어하며 대꾸했다.

"그런 말이 아니잖아요. 언젠가는 알게 되실 일입니다. 나중에 그 원망을 어찌 감당하시려고 이러세요."

"내가 왜 알리지 말라는 건지 정말 몰라서 묻는 거야?"

"그래도……."

반복되는 말싸움을 보다 못한 리카르도가 아들의 팔을 당겼다.

"도미닉. 주군의 말씀대로 해라. 부인께서 아시면 식사도 거르시고 울기만 하실 텐데 빨리 아서서 좋을 건 없지. 안톤이 힘쓰고 있으니 그사이에 로시발트 경이 깨어날 수도 있고."

붙잡힌 팔을 휙 빼낸 도미닉이 벌컥 답답한 감정을 토해 냈다.

"영영 못 깨어나면요?"

뮤리엘의 상태를 직접 본 도미닉으로서는 깨어난다는 말을 쉽게 꺼낼 수 없었다. 조금 전 대충 지혈만 한 채 수레에 실려 온 뮤리엘을 봤을 때 이미 시체가 된 줄 알았으니까.

핏기라곤 없는 차가운 몸이 언제 완전히 식어 버릴지 모르는데 깨어나긴 뭘 깨어나? 만약 이대로 뮤리엘이 잘못되기라도 하면 공작 부인은 절대 충격에서 벗어나지 못할 게 뻔하다.

평소 병약한 아내에 관한 일이라면 과하게 유난을 떠는 다니엘을 이해하지 못하는 건 아니다. 하지만 뮤리엘의 상태는 여유를 부릴 수준이 아니었다. 마음이 급해진 도미닉은 저도 모르게 다니엘의 팔을 붙들었다.

"만약을 대비해 마지막 인사라도 제때 나눌 수 있도록……."

문득, 다니엘의 상태가 이상하다는 걸 깨달은 도미닉이 그의 팔을 쥔 손을 내려다보았다. 온기 없는 차가운 팔이 바짝 마른 통나무처럼 뻣뻣했다. 꼭 살아 있는 사람이 아닌 죽은 이를 만지는 것 같은 느낌이 들었다. 얼마나 팔에 힘을 주고 있는지, 힘줄이 살갗을 튀어나올 듯 단단하게 도드라지기까지.

"다니엘, 너……."

도미닉이 팔과 제 얼굴을 번갈아 훑기 시작하자 다니엘이 그의 손에서 급히 팔을 빼냈다.

"금방 내려갈 테니까 집무실에 가 있어."

다니엘이 재빨리 도미닉의 말을 막으며 로잘린을 불렀다.

"로잘린, 목욕물과 가벼운 아침 식사를 들여라."

"네, 공작 전하."

로잘린에게 간단한 지시를 내린 다니엘이 이번엔 리카르도를 돌아보았다.

"당분간 공작 부인의 바깥출입을 금한다. 식사가 끝나면 바로 침실로 모셔다드리고, 무슨 핑계를 대서라도 방에서 못 나오게 해."

리카르도가 곤란해하며 눈을 잔뜩 좁혔다.

"투르크 상인들을 만나겠다고 고집을 피우실 텐데요. 어제 뜻밖의 소란이 있어서 상인들과 미처 끝내지 못한 얘기가 많거든요."

"소란?"

다니엘이 되묻자 리카르도가 구레나룻을 긁으며 난처한 표정을 지었다.

"실은 어제 허브밭에서 황제의 정부를 만났는데, 그 여자 하녀가 뮌하임 성에 저주가 씌었다고 떠들지 뭡니까. 그래서 부인께서 단단히 화가 나셔선 싫은 소리를 좀 하셨습니다."

기껏 대범하게 하녀를 야단쳐 놓곤 돌아서선 안절부절못하던 깜찍한 모습이 떠올라 리카르도의 입가가 실룩 벌어졌다.

"뷔테인 남작 부인인지 뭔지 하는 여자가 황제한테 달려가 고해바칠 텐데 어쩌느냐며 걱정이 많으셨는데……. 얘기 안 하시던가요?"

어쩐지 어제 방에 들어온 프리다가 평소답지 않게 씩씩대며 분을 삭이지 못한다 했더니.

"다니엘, 나 사고 쳤어요."

그 사고가 그걸 말한 거였군. 제게 도움을 청할 생각에 쪼르르 달려왔을 프리다를 떠올리니 이 복잡한 상황에도 피식 웃음이 새어 나왔다. 그때, 조용히 뒤에 서 있던 보일드 남작이 뭔가를 고심하듯 눈살을 찡그리며 말을 거들었다.

"그러고 보니 뷔테인 남작 부인이 제 아내에게도 비슷한 소리를 했었습니다. 과거 이 성의 주인이었던 뮌하임 후작이 미치광이였다는 소문을 아냐고 물었다고 하더군요."

불행은 혼자 오지 않는다더니, 이 와중에 묀하임 후작의 소문을 아는 자까지 나타난 건가. 참 가지가지 속을 썩이는군. 기가 막혀 가볍게 실소를 흘린 다니엘이 다시 머리칼을 쓸어 넘기며 리카르도에게 물었다.

"투르크에서 왔다는 상인들은 어때? 의심할 만한 행동은 보이지 않던가?"

"네, 조용합니다. 들고 온 무기는 이미 싹 거둬들였고 감시도 철저히 하고 있으니, 그들을 만나는 건 허락해 주시지요. 부인께서 내내 고대하시던 일입니다."

'르한'이란 놈이 살짝 거슬리긴 했으나, 다니엘에게 그것까지 고해바쳤다간 부인의 외출이 영영 막힐 게 뻔하다.

뮤리엘 로시발트가 기적같이 자리를 털고 일어난다든가, 그녀를 공격한 자들이 확실하게 잡히지 않는 한 공작 부인은 언제 다시 바깥 구경을 하시게 될지 모른다.

'긁어 부스럼을 만들 필요는 없지.'

병적으로 제 사람을 아끼는 다니엘의 성향상 작은 위험도 감수하려 들지 않을 테니, 차라리 제가 더 주의를 기울이는 게 나았다. 리카르도는 수상한 투르크 사내에 관한 얘기는 함구하며, 한 번 더 다니엘을 설득했다.

"온종일 제가 옆에 찰싹 붙어 있을 테니 염려하지 마십시오. 로시발트 경의 일도 새어 나가지 않도록 입단속을 철저히 해 두겠습니다. 사람은 자고로 간간이 바람도 쐬고, 볕도 보고 그래야 건강해지는 법입니다."

건강에 대한 염려를 덧붙인 게 먹혔는지 잠시 고민하던 다니엘이 못 이기는 척 고개를 끄덕였다.

"프리다에게서 한시도 눈 떼지 마."

"네. 제 눈을 공작 부인에게 꽉 박아 두겠습니다."

방으로 되돌아가기 위해 문고리를 잡던 다니엘은 어깨를 틀어 보일드 남작을 바라보았다. 곧 알게 될 일이지만 마음의 준비를 하게 해 주는 게

276

나을 것 같았다.

게다가 입단속을 해야 하는 건 남작 쪽도 마찬가지였다. 이른 시간임에
도 조금도 흐트러짐 없는 매무새와 단정히 빗어 넘긴 갈색 머리, 진중하
고 흔들림 없는 슈테판의 파란 눈동자를 응시한 다니엘이 입을 열었다.

"보일드 남작은 한 시간 뒤에 집무실로 오게."

"알겠습니다, 전하."

그 말을 끝으로 다니엘이 방으로 들어가자 복도에 서 있던 자들이 순식
간에 각자의 자리로 흩어졌다. 몹시 소란해질 예정인 공작 성의 하루가
이렇게 시작되었다.


다니엘이 들어오는 소리가 들리자 프리다가 침대 커튼 사이로 빼꼼히
고개를 내밀었다.

"다니엘, 무슨 일이에요? 심각한 일이라도 생긴 거예요?"

동그랗게 뜬 눈이 닫힌 문과 다니엘 사이를 번갈아 가며 두리번거렸다.
커튼 사이로 머리만 빼죽 내민 프리다의 모습이 귀여워 좋은 소식이라곤
하나도 듣지 못했음에도 다니엘의 입꼬리가 씩 올라갔다.

"심각한 일은 당신에게 생길 것 같은데."

침대 커튼 밖으로 드러난 프리다의 뺨을 감싼 다니엘이 아내를 마주 보
며 설핏 웃었다. 항상 눈 뗄 수 없게 예쁜 곳이 많은 프리다였지만, 특히나
함께 밤을 보내고 난 뒤에는 더 그랬다. 평소엔 옅은 아메티스 보석처럼
신비롭게 빛나던 눈동자가 자신을 담으며 붉게 물들어 가는 장면이라든
가. 야무진 말로 저를 웃게 하던 반듯하고 아담한 입술에서 터져 나오는
정숙과는 거리가 먼 탄식이라든가.

단 두 가지를 상상하는 것만으로도 가시 돋은 덩굴이 어지럽게 엉켜들
던 머릿속이 이내 차분해지는 기분이다. 입술을 깊게 머금었다 뗀 다니엘
이 짓궂게 웃으며 커튼을 젖히고 프리다 위로 달려들었다. 아침이 되어

입에 달고 사는 '정숙한 공작 부인'으로 돌아온 프리다가 눈을 가늘게 좁히며 그의 어깨를 붙들었다.

"다니엘, 잠시만요. 아침부터 당신을 급히 찾은 거 보면 큰일이 생긴 거 같은데, 아니에요?"

침대를 가리고 있던 커튼을 활짝 열어젖힌 다니엘이 고개를 저으며 프리다의 어깨에 입술을 내렸다.

"그런 건 아니고. 밤엔 절대 방해하지 말라고 경고했더니 인간들이 아침부터 들이닥쳤어. 이젠 아침에도 방해하지 말라고 해야겠어. 아니, 언제든 당신과 둘이 있을 땐 아예 그 주변엔 얼씬도 하지 말라고 할까 봐."

"네에? 진심이에요?"

화들짝 놀란 프리다가 말도 안 된다며 그의 어깨를 밀었다.

"다, 다니엘. 사람들에게 그렇게 말하면 어떡해요? 그리고 당장 떨어져요. 부부가 함께해도 허물을 잡히지 않는 시간은 해가 지고 난 밤뿐이라고요."

"그럼 하얀 밤의 계절엔?"

떨어지기는커녕 능글능글 웃으며 더 가까이 몸을 붙인 다니엘이 프리다의 맨 허리를 쓸며 물었다.

"말해 봐, 프리다. 하얀 밤의 계절이 되면 해가 거의 온종일 하늘에 있잖아. 그런 경우엔 부부의 의무를 할 수 없는 건가?"

"그, 그건 좀 다른 경우긴 하지만, 그래도 부부의 의무는 밤에만 하는 게……. 다, 다니엘."

남편의 적나라한 손길이 지난밤처럼 거침없이 다가왔다. 순식간에 저릿해지는 감각에 당황한 프리다가 어깨를 꽉 붙들자 다니엘이 살짝 고개를 들었다.

"당신이 싫다면 안 해. 그런데 프리다."

헐겁게 걸쳤던 로브를 허리 아래로 벗어 버린 다니엘이 간절한 눈빛으로 애원하듯 그녀를 올려다보며 속삭였다.

"정말 싫어?"

금세 붉어진 두 눈 가득 뜨거운 열망을 드러낸 다니엘이 저와 달리 아직은 담백한 아내의 눈빛을 빤히 주시했다. 그는 프리다의 눈이 흐트러지고, 달아올라 저와 같은 붉은색이 되는 상상을 하며 하얀 머리칼 속으로 차갑게 굳어 있던 손을 밀어 넣었다.

"정숙한 아내께서 정 싫다 하시면, 밤에 돌아올 즐거운 부부의 시간을 고대하며 참아 보고."

말로는 참는다면서도, 뜨거운 손길과 입김이 프리다의 목 언저리와 뺨에 연이어 내려앉았다. 붉은 눈동자에 듬뿍 들어찬 욕망을 숨기지 않고 적나라하게 드러내며 다니엘이 입술을 겹쳐 왔다.

"어떡할까, 프리다. 여기서 멈춰?"

프리다도 머리로는 당장 남편을 밀어내고 일어나야 한다고 생각했다. 제대로 교육받은 품격 있는 귀부인이자, 모두에게 모범을 보여야 할 공작성의 안주인답게 행동해야 한다고.

그런데 정신을 차리고 보니 날이 훤히 밝아 오는 것도 모르고 남편의 목을 끌어안은 채 열렬히 입맞춤에 답하고 있었다.

뛰어난 검 실력을 논외로 하고라도 다니엘은 묘한 힘을 가진 남자였다. 그의 부탁은 거절하기가 힘들고, 유혹은 이겨 내기가 힘들다. 삼 년을 제 손으로 돌봐서인지 모르겠지만, 세상에서 가장 강한 사내를 앞에 두고도 이상하게 안쓰러운 마음이 앞선다. 이성적인 판단을 내리기가 몹시 어렵다. 우선 심장을 세차게 뛰게 만들어 혼을 쏙 빼놓아 버리니 정상적인 생각을 할 수 있을 리가.

'정말 고약한 남자라니까.'

어젯밤과 같은 진한 입맞춤을 끝낸 다니엘이 고개를 들었다. 프리다는 얄미워 죽겠다는 표정을 지으며 남편을 노려봤다.

"오늘 아침만 특별히 봐주는 거예요. 자꾸 이러면 정말 곤란해요, 다니엘."

붉은색이 약간 가신 눈동자가 웃음을 참지 못하고 가늘게 접혔다. 이어 넓은 어깨가 들썩이더니 침대가 출렁였다.

"곤란해하는 아내라. 훗. 점점 흥분되는데."

똑똑.

그 무슨 점잖지 못한 소리냐며 따지려는데 또 문을 두드리는 소리가 들렸다. 훤히 드러난 몸을 감춰야 한다는 생각이 앞선 프리다는 무심결에 다니엘을 꽉 끌어안았다.

"어머, 다니엘? 밖에 또 누가 왔……."

다니엘이 크게 웃으며 프리다를 양팔로 번쩍 안아 들었다. 널브러졌던 이불을 들어 그녀의 등을 덮은 다니엘이 프리다를 안은 채 침대맡에 허리를 기댔다. 프리다를 제 허벅지 위에 올린 그가 눈높이가 비슷해진 아내의 귓불을 입술로 비비며 속삭였다.

"로잘린이 목욕물을 가져왔나 보군."

"다니엘! 목욕물을 가져오라고 시켜 놓고 이러고 있으면 어떡해요!"

"아내에게 특별히 허락도 받았겠다, 이대로 멈추면 아쉽잖아. 나도, 당신도."

당장 내려놓으라며 버둥거리는 프리다를 꽉 잡아 안은 그가 문을 향해 큰 소리로 외쳤다.

"들어와."

소스라치게 놀란 프리다가 몸을 숨기듯 그의 가슴팍으로 도로 안겨 들었다. 동시에 긴 팔을 뻗은 다니엘이 열려 있던 침대 커튼을 휙 닫았다.

"목욕물을 준비하겠습니다, 영주님."

천장을 제외하곤 완벽하게 시야가 차단된 침대 위로 은은한 아침 햇살이 쏟아져 내렸다. 하인들이 목욕물을 준비하며 오고 가는 소리가 들리는 방 안에서, 두 사람은 깊고 진한 입맞춤으로 시작하는 특별한 아침을 맞았다.

## 9. 나를 놓지 마

부끄러워하는 프리다를 달래 함께 목욕까지 마친 다니엘은 한결 평온해 진 낯으로 집무실에 들었다. 기다렸다는 듯 득달같이 달려온 도미닉이 이리 저리 그의 얼굴을 훑어 댔다.

"너 아까 복도에서 만났을 때, 또 머리 아팠던 거지? 계속 그런 거야? 안 되겠다. 안톤부터 부르자."

도미닉의 수선을 듣는 둥 마는 둥 차분히 책상으로 향한 다니엘은 의자 에 다리를 꼬고 앉았다.

"의사는 로시발트한테나 신경 쓰라고 하고. 마틸다라는 하녀는 어쩌다 놓친 거야? 사람 붙여 둔 거 아니었어?"

"그게……."

붙여 뒀지. 쓸 만한 놈들을 붙여 놨는데, 하필 어제 이런 일이 벌어질 줄은 몰랐지. 지은 죄가 있는지라 절로 어깨가 좁아진 도미닉이 푹 고개를 숙였다.

"얼마 전 바이마르 쿠펀 항에 수상한 배 한 척이 도착했다는 연락이 왔습 니다. 좀 찝찝해서 마틸다 주변에 붙여 놓았던 놈들을 잠시 그리로 보냈습 니다. 로시발트 경이 자주 그 아이 집에 드나들기에 며칠은 괜찮겠다 싶었는데……. 이렇게 될 줄은 몰랐네요. 죄송합니다.”

“뭐가 찜찜했는데?”

“배 크기가 상당히 큰 편인데 상선도 아니고, 출발지도 정확지 않았습니다. 자세한 건 보냈던 놈들이 돌아오는 대로 보고드리겠습니다.”

딱히 중요한 물품 없이 몰래 도착한, 정체가 불분명한 대형 선박. 도미닉이 그곳에 주의를 기울인 것도 이해가 갔다. 그 경우 보통은 정체를 드러내기 꺼리는 중요한 인물이 배에 타고 있었을 확률이 높으니까.

‘약삭빠른 안드레아 공작이 또 일을 꾸미나 보군.’

반듯하게 앉아 양손을 맞잡은 다니엘은 차근차근 생각을 정리한 후 입을 열었다.

“감시하는 놈들도 없었다면, 로시발트를 성까지 데려온 건 누구지?”

“마틸다의 세 동생이요. 정신을 잃었다 깨어 보니 누나는 사라지고 로시발트 경은 피를 흘린 채 쓰러져 있더랍니다. 둘째가 간단한 의학 지식이 있어서 급히 지혈해 데리고 왔습니다.”

“그 아이들이 없었다면 하녀가 사라진 건 한참 뒤에나 알았을 테고, 로시발트는 죽은 채로 발견되었겠군. 개판이네.”

직설적인 질책이었으나 이렇게 된 상황에 억울해할 수도 없었다. 도미닉은 과오를 인정하며 더 깊이 고개를 조아렸다.

“면목 없습니다.”

“로시발트 경이 그 근방에서 황실 근위대를 봤다던데.”

“저도 기사단 서임식이 있던 날 같은 얘기를 들었습니다. 그때라도 바로 경비를 더 강화했어야 했는데, 명백히 제 실수입니다.”

이미 벌어진 일의 책임 소재를 따지며 왈가왈부하는 건 시간 낭비. 그보다 해결 방법을 고민하는 편이 훨씬 가치 있는 일이다.

어긋난 퍼즐의 답을 찾기 위해 다니엘은 계속해서 도미닉에게 질문을 던지며 머릿속을 정리해 나갔다.

"범인이 황제라면, 그 하녀를 데려간 이유는 뭘까?"

"저도 그 점이 이상한데……. 혹시 황태후 쪽은 아닐까요? 그 늙은 여우가 잘못된 보고를 받고 착각했을 수 있지요."

그럴지도. 성안 곳곳에 깔린 황실 근위대와 황제의 수행원 중 누가 황태후의 끄나풀인지 알겠는가. 그들 중 누군가가 성 밖을 드나드는 도미닉의 뒤를 밟았을 수도 있다. 그러다 하녀를 발견하고, 무언가 오해했을 수도.

"네 말은, 황태후 측에서 마틸다라는 하녀를 내 여자로 오해해 데려갔다는 건가?"

"황태후가 그 부분에 유독 예민한 거 아시지 않습니까? 증거가 없어도 정황만으로도 충분히 움직이고도 남을 여자입니다."

충분히 가능한 일이다. 번득 스치고 지나간 생각이 살짝 어이없어 다니엘의 잔잔한 표정에 실금이 갔다.

"네 추측이 맞다면, 우리한텐 딱히 나쁘지 않은 상황 아닌가? 프리다에게로 향할지 모르는 황태후의 관심을 그 하녀가 대신 막아 주고 있는 거잖아."

"그러…… 네요."

늦은 동의의 의미를 묻듯 다니엘이 저를 주시하자, 도미닉이 씁쓸하게 입술을 비틀었다.

"무시하세요. 잠시 저답지 않은 고민을 했을 뿐입니다."

할 말이 있으면 해 보라며 다니엘이 도미닉을 향한 시선을 유지했다. 그제야 도미닉이 아픈 턱을 만지작거리며 성겁게 미소 지었다.

"제가 원래 이런 놈이 아닌데, 아무래도 공작 부인께 전염이 됐나 봅니다."

"사설은 치우고 본론만."

도미닉이 긴 한숨을 내쉬며 뒷짐을 지었다.

"마틸다한테 좀 미안해서요. 사실 그 아인 아무 죄도 없잖아요. 제 오해 때문에 다리를 절게 됐는데, 이젠 주군의 여자라는 오해까지 받고 잡혀갔을지도 모른다니……. 원망을 들어도 할 말이 없네요."

차가운 심장, 도미닉 몰리가 '죄책감'이라. 제 작은 아내의 광활한 영향력이 공작 성 곳곳에 퍼지다 못해 도미닉마저 물들여 놓은 모양이다. 다니엘의 입에서 옅은 실소가 터져 나왔다. 어울리지 않는 침통한 얼굴로 서 있는 도미닉을 바라보던 다니엘이 천천히 입을 뗐다.

"어릴 적에 내가 가장 두려워했던 악몽이 뭔 줄 알아?"

능글대지 않는 침울한 도미닉이 보기 싫어 다니엘은 시선을 책상 위로 내렸다.

"형과 리카르도 아저씨가 죽고, 세상에 나 혼자 남는 꿈이었어."

어머니가 돌아가신 이후 다니엘은 자주 그 꿈을 꾸었고, 다음 날이면 두 사람을 미치도록 원망했었다.

"꿈에서 깨어나면 무서워 죽을 것 같았어. 이럴 거면 차라리 어머니를 따라 죽어 버리게 내버려 두지, 왜 나를 끝끝내 살려 내 이 귀찮은 삶을 이어 가게 하는 거냐고 발광했던 거 기억나?"

"나지. 너 어떻게 될까 봐 아버지랑 번갈아 가며 망보느라 며칠이나 못 잤는데. 나중엔 그냥 확, 저걸 절벽에서 밀어 버려? 그런 상상도 했었다고."

동시에 픽 웃은 두 사람이 서로를 마주 보았다. 치열하게 버텨 냈던 옛 기억에 젖는 것도 잠시. 다니엘의 담담한 목소리가 방 안을 울렸다.

"고마워, 형. 허영덩어리에 고집 세고, 이기적인 나를 포기하지 않아 줘서."

"갑자기 웬 닭살 돋는 소리야?"

진저리를 치며 눈을 찡그리는 도미닉을 다니엘이 차분히 가라앉은 눈으로 바라보았다.

"그래서 프리다를 만나게 해 줘서."

진심이 담긴 다니엘의 고백에 놀란 도미닉이 얼빠진 사람처럼 눈을 끔벅였다. 여기저기 퍼렇게 멍든 도미닉의 얼굴이 언짢아 다니엘은 또 화가 치밀어 올랐다. 예전에도 도미닉과 리카르도를 볼 때면 가끔 이유 없이 화가 나곤 했었다. 오직 다니엘만을 위해 사는 두 사람이 이해되지 않아서 그랬던 거 같다.

그런데 같은 마음이 되고 보니 어렴풋이나마 알 것도 같다. 다니엘을 포기하지 못한 두 사람의 심정이 어떠했을지. 저도 그들처럼 어떤 순간이 와도 프리다를 포기하지 못할 거라는 것도.

"보답이라고 하긴 뭐하지만, 형과 아저씨가 받아야 할 벌이 있다면 내가 대신 받고, 들어야 할 원망이 있다면 내가 다 들어. 형이 그딴 거 듣게 안 해."

"다니엘, 너…… 왜 이런 얘기를 하는 거야?"

글쎄. 저도 잘 모르겠다. 그냥 해 둬야 할 것 같은 예감이 들어서?

저를 심각하게 쳐다보는 도미닉의 눈길을 외면한 다니엘이 책상을 짚으며 일어섰다.

"보일드 남작과 나눌 얘기가 있으니 그만 나가 봐."

"다니엘……!"

"나가서 본인이 친 사고나 수습하지, 도미닉 몰리."

돌연 싸늘해진 다니엘이 창문을 향해 몸을 돌리자 도미닉도 별수 없이 입을 닫았다. 다니엘의 등에 미련 가득한 눈을 두던 그는 결국 한마디도 더 꺼내지 못하고 밖으로 나갔다. 마음이 복잡해진 도미닉은 밖에 선 보일드 남작과 눈인사도 나누지 않고 복도를 벗어났다.

방으로 들어온 보일드 남작이 문을 닫는 순간, 등을 돌리고 있던 다니엘이 창밖에 눈을 둔 채 말했다.

"보일드 남작. 내 건강에 대한 비밀을 유지하는 조건으로 베네토 공국에서 찍어 낸 금화 오십만 두카트를 제안하지."

그 돈이면 첼리노의 손바닥만 한 영지와 저택을 잃는다고 해도, 평생 먹고사는 데는 문제가 없을 것이다. 즉각 돌아오리라 생각했던 '알겠다'는 대답 대신 침묵이 길게 이어지자 다니엘이 뒤를 돌았다. 언제나처럼 단정한 모습으로 서서 그를 보고 있던 보일드 남작이 덤덤한 말투로 물었다.

"몸은 괜찮으십니까?"

기다렸던 대답이 아닌 불편한 질문에 다니엘도 질문으로 응수했다.

"거절인가?"

슈테판은 예민하지 않은 사람은 알아채지 못할 옅은 한숨을 내쉬었다.

"주신다면 감사히 받겠지만, 침묵의 대가를 제안하시는 거라면 거절하겠습니다."

"어째서? 그대에겐 금화보다 내 약점이 더 필요한가?"

이번엔 좀 더 짙은 한숨이 뒤따랐다. 뚜벅뚜벅 걸어온 슈테판은 책상 위에 서류 한 묶음을 올려놓은 다음 뒤로 물러섰다.

"제게 필요한 건 영주의 부재 시 공작령의 일을 대신 결정해 주실 분뿐입니다."

어제 오후, 슈테판의 눈앞에서 도끼에 밑동을 찍힌 나무처럼 쓰러지던 공작의 모습이 아직도 생생하다. 아내에게 말도 못 하고 혼자 끙끙대며 걱정하고 있었더니……. 뭐? 비밀 유지 조건으로 두카트? 약점이 필요하냐고?

"스스로 판단하시기에 본인의 건강이 염려할 수준이라 여겨지신다면, 만약을 대비해 안주인인 공작 부인께 인장의 사용 허가를 내려 주시길 부탁드립니다. 영주님이 안 계셔도 영지민들은 먹고살아야 하니까요."

저도 모르게 말속에 짜증을 섞었다는 걸 깨달은 슈테판은 심호흡으로 감정을 다스렸다. 이어지는 다니엘의 얘기에 금세 의미 없는 일이 되고 말았지만.

"곧 황실 법원에서 재판에 출석하라는 통보가 올걸세. 그들이 증거로 내미는 서류를 불태우고, 절반이 넘는 법관들이 이 일에 반대하도록 손썼는데도 소용없었어. 그 말이 뭘 뜻하는 줄 아나?"

슈테판에게는 드물게 화가 조절되지 않는 날이 있는데, 오늘이 그날인 듯싶었다. 리하르트 공작의 말 한마디 한마디가 다 짜증이 나는 걸 보면.

"황태후 폐하의 의지가 그만큼 강하다는 거겠지요. 하실 말씀 끝나셨으면. 나가 보겠습니다. 저는 황제 폐하의 점심 식사를 살피러 가야 합니다.”

영지 문제도, 황태후에게 앙심을 사는 것도 엄연히 내 문제고, 공작 당신이랑 아무 상관도 없다고. 당장이라도 쏟아 내고픈 불만을 목 안으로 꿀꺽 삼킨 슈테판이 돌아서려다 말고 끝내 한마디를 덧붙였다.

“제게 관심 두실 시간 있으시면, 의사나 만나 보십시오.”

리하르트 공작에게 한바탕 거하게 내지르고 복도를 지나는 길, 창을 타고 더운 공기가 훅 밀려들었다. 답답함을 느낀 슈테판은 목 끝까지 채운 셔츠를 당겨 틈을 벌렸다.

잠시 걸음을 멈춘 사이, 이번엔 가슴을 탁 트이게 할 만큼 청량한 바람이 불어와 송골송골 땀이 배어난 이마에 닿았다. 인지할 새도 없이 헛웃음이 터져 나왔다.

“하, 진짜.”

이놈의 공작 성은 바람마저도 그와 밀고 당기기를 한다. 숨 막히게 사람 목을 조일 땐 언제고, 금세 언제 그랬냐는 듯 시원하게 돌변해 땀을 식혀 주다니. 허탈하게 웃던 슈테판은 창문 밖으로 고개를 돌렸다.

녹음이 짙어진 숲 너머, 끝도 없이 펼쳐진 산과 산들이 한 방향으로 줄지어 선 광경이 장관이었다. 슈테판은 공작령의 풍경을 좋아하는 마틸다의 말을 떠올리며 천천히 창가로 다가갔다.

“슈테판. 난 유트레히트가 좋아요. 이렇게 아름다운 곳에서 우리 아이를 낳고 키울 수 있게 된 것도요. 가끔 우리를 여기에 보내 준 황태후 폐하께 감사드리고픈 심정이라니까요.”

아내의 말대로 공작령 유트레히트는 아름다운 곳이다. 평생 수도 첼리노를 벗어나 본 적이 거의 없는 슈테판은 나날이 이 장엄한 풍광에 매료되는 중이었다. 두 계절을 보내고 있는 지금, 다가올 가을과 겨울은 어떤 풍경으로 눈을 즐겁게 해 줄지 무척 기대되었다. 그날들을 이곳에서 보낼 수 있을지는 모르겠지만.

"후우."

햇살에 따끈히 달궈진 창틀을 양손으로 짚은 슈테판은 긴 숨을 내쉬었다.

"곧 황실 법원에서 재판에 출석하라는 통보가 올걸세."

리하르트 공작이 나섰음에도 일이 거기까지 진행되었다는 건 황태후의 경고가 말로만 끝나지 않을 거라는 뜻. 골치 아파질 일이 줄줄이 계속된다는 의미다.

그런데 정작 화가 나는 순간은 공작에게 다른 얘기를 들었을 때였다.

"금화보다 내 약점이 더 필요한가?"

말본새하고는. 대체 어디가 얼마나 안 좋아야 그 덩치가 그리 어이없이 단숨에 쓰러지나 싶어 밤새 걱정했더니. 뭐가 어쩌고 어째?

'성질대로면 확 그냥⋯⋯.'

창틀을 붙든 손가락에 절로 힘이 들어갔다.

"후우⋯⋯. 참자. 참아."

일이 있든 없든 그 어떤 날에도 흐트려 본 적 없는 머리를 짜증스레 넘긴 슈테판은 긴 심호흡으로 들끓는 심화를 다스렸다. 어차피 재판이 시작되면 대리인을 세우거나 자신이 수도로 올라가거나, 둘 중의 하나.

사실 딱히 수도에 일을 맡길 사람이 마땅치 않다. 있다 해도 이미 이 일의 뒤에 황태후가 있다는 소문이 났을 테니 도와주겠다 나서는 사람도 없을 터. 결국, 직접 가야 한다.

"빌어먹을. 귀찮아 죽겠네, 정말."

그에게 예법 교육을 받던 용병들이 밥 먹듯 내뱉던 거친 언사가 돌연 입 밖으로 쏟아져 나왔다. 몸이 무거워진 마틸다를 두고 가야 하는 건 걱정이지만, 당분간 리하르트 공작의 거만한 낯짝을 보지 않아도 된다고 생각하니 기분이 나아졌다. 신경질을 내고 난 후 한결 날카로움이 덜해진 그의 눈에 보라색 망토의 행렬이 보였다.

행렬의 가운데에 섞인 리하르트 공작 부인의 차양이 나풀거리는 모자를 본 순간, 찌푸려져 있던 슈테판의 눈가와 입가가 동시에 부드럽게 풀어졌다. 불현듯 공작 성에 사는 이가 성격 나쁜 까칠한 공작뿐만은 아니라는 깨달음이 찾아왔다. 어쩔 수 없이 관두게 되더라도, 아직 그에겐 공작 성의 집사장으로서 해야 할 소명이 있다는 것도.

임산부는 잘 먹어야 한다며 매일 아침 신선한 산양 젖과 갓 딴 과일을 챙겨 주는 인심 좋은 주방장. 따로 부탁하지도 않았건만, 그냥 한번 만들어 봤다며 딱 봐도 공을 들인 게 분명한 아기 침대를 들고 온 목수 출신의 용병. 머리맡에 두면 편한 잠을 이룰 수 있다며 마틸다에게 말린 허브 주머니를 건네는 하녀들.

언젠가부터 바이마르에서 실려 오는 수레에 어김없이 들어 있는 갖가지 출산용품들. 슈테판 몰래 그것들의 주문서를 끼워 넣어 보낸 사람은 따로 알아볼 것도 없이 리하르트 공작 부인일 것이다.

"슈테판. 공작 부인께서 스카디 홀에서 가장 볕이 잘 드는 방을 골라 아기방을 꾸미라고 하셨어요. 필요한 건 뭐든 말하래요. 어쩜 그렇게 성정이 천사 같으신지."

자신과 아내가 여기에 누구의 명을 받고 왔는지 모를 리 없건만, 리하르트 공작 부인은 그들을 가족처럼 챙겼다. 도착한 날부터 지금까지 내내. 심지어 남편의 유난으로 외출이 자유롭지 못한 상황임에도 물심양면으로 정성을 다해 준다. 이런 사람들을 곁에 두고 어떻게 나쁜 마음을 가진단 말인가. 적어도 정상적인 사고를 하는 사람이라면 말이다.

"후우."

짧은 탄식으로 여러 상념을 정리한 슈테판은 손가락으로 머리칼을 쓱쓱 가지런히 뒤로 넘겼다. 저 연약한 공작 부인도 제 할 일을 하는데 멀쩡한 자신이 게으름을 피울 수는 없는 법. 재킷을 단정히 여민 슈테판은 반듯하게 허리를 세웠다. 리하르트 공작은 아는지 모르겠다. 자신이 얼마나 분에 넘치는 아내를 얻었는지.

"그것마저 모르면 구제 불능이고."

슈테판은 번드르르 잘생긴 낯짝을 지닌 거만한 인간이 머무는 방을 향해 비웃음을 날렸다. 이내 방향을 튼 멘하임 성의 집사장은 본분을 다하기 위해, 또 한 명의 골칫거리가 있는 브라반트 홀로 뚜벅뚜벅 걸어갔다.

후각을 잃어버릴 것만 같은 독한 약물 냄새가 진동하는 의무실 안. 무수한 죽음을 보아 온 다니엘은 도미닉의 염려가 결코 빈말이 아니었다는 걸 깨달았다.

사전에 출혈이 심했다는 얘기를 듣지 않았다 해도 뮤리엘의 상태가 심각하다는 건 한눈에 알 수 있었다. 햇볕에 잘 그을린 까무잡잡한 피부를 지녔던 여기사가 프리다처럼 창백한 얼굴이 되어 있었으니까.

뮤리엘의 상처를 살피던 안톤이 손등으로 땀을 훔치며 몸을 일으켰다. 의사의 진찰을 방해하지 않기 위해 고요히 서 있던 다니엘이 안톤에게 물었다.

"독이 얼마나 퍼진 건가?"

"좀 더 두고 봐야겠지만 다행히 평소 독에 내성을 쌓아 오신 분이라 거기에 희망을 걸고 있습니다. 문제는 출혈입니다. 조금만 더 일찍 발견했다면 좋았을 텐데……."

안톤은 그래도 성까지 오는 길에 피를 더 흘리지 않은 것만 해도 천만다행이라며 가슴을 쓸어내렸다.

"그 집 둘째 녀석이 아주 똑똑하게 조치를 잘했습니다. 조금만 더 피를 쏟았다간 성에 도착하기 전에 목숨을 잃으셨을지도 모릅니다."

"둘째?"

"네. 요제프라고……."

다니엘의 반문에 안톤이 '어라?' 하고 놀라며 의무실 안을 둘러봤다.

"이 녀석이 어디 갔지? 마틸다의 동생 중 둘째 요제프가 제법 눈썰미가 있는 편입니다. 내년에 자작나무 집 고드릭을 대학에 보내고 나면, 그놈을 가르쳐 보자고 마님과 얘기 중이었는데……."

들은 기억이 있다.

"둘째 동생이 머리가 꽤 좋은지 공부를 시키고 싶대요. 검은 줄무늬 자작나무 집 둘째하고 맞먹을 정도로 영특하답니다."

"마틸다 동생도 그 집 둘째처럼 의술을 배우고 싶어 한답니다."

프리다가 올해 첼리노의 대학에 보내려던 자작나무 집 둘째 아들과 맞먹을 만큼 영특한 하녀 마틸다의 동생. 다니엘은 버려두었으나, 프리다가 필사적으로 지켜 온 리하르트 공작의 영지에서 살아가는 사람들의 이야기를. 지키고 싶지 않아 방치했고, 지킬 수 없을 것 같아 외면했었다. 더는 저로 인해 생길지 모르는 허무한 죽음을 보기 싫어서.

그저 황실에서 시키면 시키는 대로, 말 잘 듣는 개처럼 조용히 살았다. 그런데도 왜 여전히 제 주변은 핏빛인 걸까. 지끈대는 관자놀이를 꾹 누르며 얼굴을 찌푸리자 안톤이 걱정스러운 표정으로 다니엘을 살폈다.

"영주님, 잠깐만 앉아 보십시오. 안색이 좋지 않으십니다."

"그냥 지나가는 통증이다. 난 괜찮으니 로시발트 경이나 돌봐."

"영주님은 삼 년이나 의식을 잃으셨던 분입니다. 별거 아닌 통증이라도, 특히 두통은 그냥 무시하시면 안 됩니다."

"됐어."

의사의 만류를 뿌리친 다니엘의 시선이 침상에 누워 있는 뮤리엘에게 닿았다. 창백한 여기사의 얼굴 위로 차갑게 식어 가는 어머니를 붙든 채 벌벌 떨던 제 모습이 겹쳐졌다. 잔뜩 겁에 질려, 오열 대신 뚝뚝 눈물만 쏟아 내던 열세 살의 다니엘 리하르트가.

눈을 한 번 깜박이자, 소년이 사라졌다. 그러나 이번엔 단장이 끊어질 듯

우는 프리다의 환영이 나타났다. 현실이 아니란 걸 알면서도 프리다의 슬픔이 생생하게 느껴졌다. 저리 슬퍼하겠구나. 이 모든 걸 알게 된다면, 온몸이 바스러지도록 울다 무너지겠구나. 결국 내가 프리다를…… 내 작은 아내를 저리 울게 만들겠구나.

눈물을 쏟으며 괴로워하는 프리다의 환영이 계속 그를 괴롭혔다. 머리가 깨질 것 같았다. 다니엘은 콧속으로 밀려드는 역한 냄새를 손등으로 막으며 겨우 한마디를 내뱉었다.

"로시발트 경을 잘 부탁한다."

그는 숨 쉴 수 있는 공기를 찾아 뛰듯이 밖으로 걸어 나왔다. 그리고 자신이 오늘 그다지 운이 좋지 않다는 사실을 깨달았다.

빌어먹게도 파랗고 맑은 하늘 아래. 이 순간, 다니엘이 가장 보고 싶지 않았던 사내가 햇살에 반짝이는 눈부신 금발 머리를 바람에 흩날리며 서 있었다. 파란 하늘과 같은 빛깔의 망토를 펄럭이며.

눈을 감은 채 내리쬐는 햇살을 향해 얼굴을 들고 있던 레오폴드가 서서히 고개를 내렸다. 기품 있는 자태와 어울리는 선선한 미소를 입가에 건 그가 스르르 눈을 떴다. 레오폴드는 시야를 하얗게 물들였던 태양의 잔상이 서서히 걷힌 자리에 나타난 다니엘을 물끄러미 바라보았다.

담담한 척 굴려 애쓰고 있으나 피로감이 역력한 얼굴. 땀에 젖은 이마에 달라붙은 검은 머리칼. 본심을 숨기지 못하고 저도 모르게 콜다르로 향하는 손. 보기 드물게 동요하고 있는 다니엘을 바라보던 레오폴드가 씩 웃으며 절레절레 고개를 저었다.

"너무하십니다. 형님이 그리워 찾아온 아우를 이리 죽일 듯이 노려보시다니."

살벌한 기운을 느낀 근위대장이 황제를 보호하려 앞으로 나서려 하자, 레오폴드가 오른손을 들어 그를 만류했다.

"내 명령 없인 아무도 움직이지 마."

싱글싱글, 신이 난 눈빛을 다니엘에게 고정한 레오폴드가 정중히 가벼운 묵례를 보냈다.

"그럼 준비가 된 듯하니 슬슬 대화를 나눠 보실까요?"

여름에 어울리는 다소 후끈한 열기를 품은 공기가 각기 다른 색을 지닌 두 사람의 머리칼을 스치며 지나갔다.

비겔란 호수가 보이는 숲에 들어오자 언제 따가운 햇볕이 비췄냐는 듯 주변의 온도가 내려갔다. 으스스해진 프리다가 어깨를 떨자 리카르도가 재빨리 제 망토를 벗어 프리다의 어깨에 둘러 주었다.

"고마워요, 몰리 경."

문득 주변을 보니 울창한 나뭇가지가 햇살을 가려 준 덕에 얼굴을 가리지 않아도 괜찮을 성싶었다. 모자를 벗은 프리다는 그녀의 주변을 빈틈없이 에워싸고 있는 기사단원들에게 골고루 미소를 건넸다.

기사단의 감시를 받으며 뒤를 따라오던 오르한이 프리다의 옆에 도착했다. 푹 눌러쓴 후드 아래로 주변의 경관을 둘러본 그는 마음에 든다는 뜻인지 팔짱을 낀 채 선선히 고개를 끄덕였다.

"습기도 적고, 온도도 높지 않고. 여기가 제일 괜찮아 보입니다."

비겔란 호수가 보이는 절벽 앞에 선 오르한이 슬쩍 어깨만 돌린 채로 프리다를 보며 말했다.

"한여름에도 지금과 비슷한 온도를 유지할 수 있다면, 구근을 보관할 창고의 위치는 여기가 좋겠습니다."

"큼큼."

오르한의 불량한 자세가 맘에 들지 않은 리카르도가 인상을 찌푸리며 헛기침을 해 댔다. 하지만 당사자인 오르한은 듣는 척도 하지 않고 숲의 끝으로 몇 걸음 더 걸어갔다.

짙은 초록색으로 둘러싸인 산과 그 산이 고스란히 비칠 만큼 맑은 호수가 발밑에서 반짝거렸다. 그가 서 있는 곳은 지대가 높은 편이었지만, 빙 둘러보니 호수와 숲의 경계가 바로 맞닿은 곳도 있었다.

여기서 호수로 뛰어들어도 충분히 걸어서 나올 수 있는 지형이란 걸 확인하고 난 오르한은 수영을 하고 싶어 몸이 근질거렸다.

자연 염전이 만들어질 정도로 소금기가 많아 물빛이 시시각각 변하는 투르크의 호수와 달리 티 없이 맑은 호수의 빛깔이 생경해 눈이 떨어지지 않았다. 스베르겐 제국이 넓다는 건 알았지만 동쪽과 남쪽 지방의 자연환경이 이토록 차이가 나는 줄은 몰랐다.

유트레히트는 알타스 산맥에 자리 잡은 시골구석치곤 제법 눈이 가는 곳이 많았다. 기온이 건조해 나무보다 바위가 많은 투르크의 산과는 전혀 다른 풍경도 맘에 들었다. 숲에 들어오기 전까지 내리쬐던 뜨거운 햇살을 단숨에 치워 낸 차가운 냉기를 품은 공기도.

숨을 깊이 들이마신 오르한은 그의 동료 중 유일하게 동행을 허락받은 메랄에게 투르크 말로 감탄을 전했다.

「정말 끝내주게 멋진 곳이군. 그렇지?」

「아직 감동하기엔 일러요. 더 좋은 곳이 많으니까.」

당연히 메랄이 답할 거라 기대했는데, 뜻밖에도 호수처럼 맑은 여인의 목소리가 들려왔다. 목덜미에 힘줄이 바짝 설 정도로 놀란 오르한이 벼락이 내리치듯 빠른 속도로 뒤를 돌았다. 그림자를 드리운 후드 안쪽에서 빛을 튕겨 낸 짙은 초록빛 반짝임이 잠깐 나타났다 사라졌다.

'메랄의 목소리를 착각했나?'

오르한은 이마까지 덮은 후드 아래로 눈을 치켜뜨고 동료를 돌아봤다.

그러나 메랄은 입을 쩍 벌린 채 어안이 벙벙한 표정으로 공작 부인을 바라보고 있었다.

'역시.'

제 짐작이 틀리지 않았음을 깨달은 오르한의 시선이 목소리의 주인인 프리다에게로 돌려졌다. 벗은 모자를 만지작대며 뿌듯한 표정으로 웃고 있는 하얀 여자. 짧은 헛웃음을 터트린 오르한이 황당해하며 입을 열었다.

"투르크 말을 할 줄 아십니까?"

프리다의 옆을 지키고 있던 리카르도는 오르한의 질문을 듣고서야 그녀가 방금 꺼낸 이상한 말이 투르크어라는 걸 깨달은 것 같았다. 안 그래도 애정이 가득 차다 못해 뚝뚝 흘러넘치는 리카르도의 눈빛에 금세 존경과 감탄이 더해졌다.

"세상에나. 조금 전 투르크 말로 얘기하신 겁니까? 아니, 몸도 성치 않으신 분이 그 어려운 말은 또 언제 배우셨답니까? 정말 대단하십니다."

"몰리 경도, 참. 대단하긴요. 그저 간단한 대화 정도만 할 줄 아는 거예요."

겸손을 떨면서도 발그레 뺨을 붉히는 모습에서 뿌듯해하는 감정이 그대로 묻어났다. 슬그머니 오르한을 마주 보는 눈빛 또한 초롱초롱하면서도 살짝 들떠 보였다. 마치 잘했다는 말을 기대하는 아이처럼.

그녀가 제게서 칭찬을 듣길 원한다는 걸 깨달은 오르한은 웃음을 참기 위해 입술을 꾹 깨물었다.

정확한 어휘력과 문장 실력을 갖춘 것에 비해 발음이 조금 어설펐지만, 그건 말하지 않아야겠다. 그가 한 말을 이해하고, 적절한 답을 했다는 것만으로도 충분히 훌륭한 솜씨인 건 맞으니.

"투르크어는 익히기 쉽지 않은 편인데 대단하시네요. 혹 주변에 아는 투르크인이 있으셨나요?"

"어릴 적 투르크 상인들이 집에 오가곤 했었는데, 그들이 가르쳐 줬어요."

잔뜩 신이 난 프리다가 메랄을 돌아보며 발랄하게 눈을 찡긋거렸다.

"메랄의 스베르겐어 실력이 워낙 뛰어나, 그동안은 통 쓸 일이 없었지 뭐예요."

"하하. 그러셨군요."

메랄이 식은땀을 흘리며 어색하게 입매를 끄집어 올렸다. 그의 머릿속은 자신이 혼잣말로라도 실수한 적은 없었던가를 고민하느라 복잡한 상태였다. 예를 들어 투르크 말로 욕을 지껄였다든가, 저도 모르게 기밀 사항을 흘렸다거나 하는.

고상하신 공작 부인께서 투르크 욕을 알 리는 없겠으나, 워낙 종잡을 수 없는 분이라 불안감을 감출 수가 없었다. 부디 그 상인들이 고운 말, 바른 말, 그리고 적당한 말만 잘 골라 알려 주었기를 바랄 뿐이다.

그나저나 귀족 출신인 공작 부인의 집을 드나들던 투르크 상인이라고? 설마……? 메랄의 뇌리에 벼락처럼 스쳐 지나간 생각이 오르한에게도 찾아온 것 같았다.

"과거 하크본 가문에 드나들던 상인이라면……?"

머리에 쓴 터번을 바로잡던 메랄이 뜨악해진 표정으로 말끝을 흐리는 오르한을 돌아봤다.

'뭐야, 저 인간 왜 저래? 설마 여기서 외조부 얘기를 꺼내려는 건 아니지?'

오르한의 외조부 압둘라 님이 평범한 상인 행세를 하며 로슈만 대륙 여기저기를 떠돌아다녔다는 건 유명한 이야기. 아주 높은 확률로 공작 부인이 말하는 투르크 상인은 그분일 가능성이 크다.

지금이야 나이도 많으시고, 술탄의 장인이라는 중요한 위치를 고려해 투르크를 벗어나는 위험한 일은 하지 않으시지만. 대신 그 방랑벽을 고스란히 물려받은 외손자가 그분보다 더 열심히 휘젓고 다니신다.

바로 저 투르크의 5 왕자 '오르한' 님이. 쓸데없는 소리 하지 말며 눈썹을 씰룩여 봤지만, 오르한은 메랄의 시선을 무시한 채 결국 그 이름을 내뱉어 버렸다.

"제 생각엔 투르크의 거상 압둘라 님일 것 같군요."

'맙소사.'

메랄은 눈을 질끈 감아 버렸다. 뷰란이 이 자리에 없어서 다행이다. 있었다면 '이 미친 왕자님이!' 어쩌고저쩌고해 가며 난리를 피워 댔을 것이다. 어쨌든 일은 벌어졌다. 남은 건 압둘라 님과 그 외손자의 관계를 유추해 낼 만한 인간이 근처에 없길 바라는 수밖에.

메랄의 간절한 바람을 담은 눈길이 주변을 날카롭게 살피기 시작했다. 천만다행으로 그들 주위를 둘러싸고 있는 기사들은 단장인 리카르도 말고는 딱히 두 사람의 대화에 흥미를 보이지 않았다.

"어머. 압둘라 아저씨를 알아요?"

문제는 모르는 게 없는 공작 부인의 입에서 반가운 기색이 역력한 압둘라 님의 이름이 나왔다는 거지만. 왕실의 외척이라는 권력을 유지하기 위해 두 딸을 술탄에게 연달아 시집보낸 야심가. 피도 눈물도 없다 알려진 투르크 최고 부자 '압둘라 이스메트 바야르' 님을 '아저씨'라고 부르며 말이다. 여하튼 이 공작 부인도 보통 사람은 아니다 싶어 멍하니 쳐다보는데 갑자기 그들이 지나온 숲길 쪽이 소란스러워졌다.

"이거 좀 놔요! 마님을 꼭 뵈어야 한다고요, 마님! 리하르트 공작 부인 마님!"

변성기가 지나지 않은 소년의 절박한 음성에 이어, 기사들의 당황하는 목소리가 나무 사이를 지나왔다.

"이놈들이 여기가 어딘 줄 알고 소란이야? 어이, 거기 그 녀석 좀 잡아. 잡으라고."

프리다 주위를 둘러싸고 있던 기사들이 삽시간에 소란이 벌어진 곳으로 달려갔다.

"놔, 놓으라고! 할 얘기가 있단 말이야. 마님! 우리 누나를 찾아 주세요. 마틸다 누나가 잡혀갔어요. 우리 누나가 사라졌다고요."

"이놈들아. 가만있어! 공작 부인은 너희 마음대로 만날 수 있는 분이 아니야."

297

소리가 들리는 방향으로 돌아선 프리다는 실랑이하는 상황을 확인하려 눈을 가늘게 좁혔다.

'마틸다?'

나무 사이사이를 비집고 도망 다니는 사내아이 둘과 그들을 잡으러 뛰어다니는 기사들. 프리다가 소란이 벌어진 쪽으로 걸어가려 하자, 리카르도가 그녀의 앞을 막았다.

"여기 계십시오. 기사들이 알아서 할 겁니다."

"몰리 경. 방금 저 아이들이 마틸다가 사라졌다고 하지 않았어요?"

리카르도가 걸음을 멈추지 않는 프리다의 앞을 막으며 재차 그녀를 말렸다.

"이 자리에 계십시오. 제가 알아보겠습니다."

난데없이 벌어진 소란을 감상하던 오르한은 나무 기둥에 기대고 서서 팔짱을 꼈다.

'이놈의 공작 성은 하루도 조용한 날이 없군.'

까치발을 들어도 시야 확보가 불가능한 성벽 같은 사내를 앞에 두고도, 연신 주위를 기웃거리려 애쓰는 프리다의 모습에 입꼬리가 자꾸 들썩였다. 그녀보다 키나 몸집이 최소 두 배, 아니, 세 배쯤 큰 사내를 앞에 두고도 저리 씩씩하다니. 볼수록 눈이 가는 여자다.

'그나저나…… 투르크 말을 할 수 있을 줄이야.'

외조부의 이름을 기억하고 있는 것도 신기하다. 마치 어릴 적 유모가 들려주던, 현실성이라곤 손톱만큼도 없는 터무니없는 내용의 신화를 눈앞에서 확인한 기분이랄까. 다니엘 리하르트의 동정을 염탐하러 올 때만 해도 이런 것까지 기대하진 않았는데. 이젠 원래의 목적보다 이쪽이 더 재밌어지려 한다.

고개를 떨구며 피식 웃던 오르한이 순식간에 오른쪽으로 몸을 틀어, 전속력으로 달려오는 아이의 몸을 휙 낚아챘다. 숲으로 뛰어든 사내 녀석들은 둘이 아니고 셋이었다. 그중 제일 작은 요 녀석이 기사단의 눈을 피해 수풀 속으로 숨어드는 걸 진즉에 눈여겨보고 있었다.

"얌전히 있자, 꼬맹이야."

"놔! 놓으란 말이야. 마님, 우리 누나를 찾아 주세요! 엉엉. 누나가, 누나가 없어졌어요. 엉엉."

"알았으니까 호수로 던져 버리기 전에 진정해."

"겁을 주니까 더 그러는 거잖아요. 우선 아이를 내려놓고 찬찬히……."

순간, 이마를 덮고 있던 오르한의 후드가 이리저리 팔다리를 크게 휘젓는 아이의 손을 미처 피하지 못하고 홀러덩 넘어가 버렸다.

"어?"

땀에 젖은 머리칼 사이에 드러난 선명한 청록색 눈동자와 마주한 프리다가 헉 소리를 내며 입을 막았다. 버둥거리는 아이를 어깨 위로 거꾸로 매단 오르한도 놀라긴 마찬가지. 두 사람이 서로를 바라보며 동시에 눈을 크게 떴다.

부하가 급히 전해 온 소식을 들은 도미닉이 들고 있던 펜을 펜대에 꽂으며 되물었다.

"주군께서 황제와 함께 성 밖에 나가셨다고?"

"네. 의무실에서 나오시자마자 바로 발자크를 타고 나가셨습니다."

다니엘이 발자크를 타고 나가는 일이야 별스러울 것 없었으나, 황제와 함께 나갔다니?

"뒤따른 자는?"

"그것이…… 두 분이 아무도 따르지 말라고 하신 데다 순식간에 성을 빠져나가시는 바람에 아무도 제대로 따라붙지 못했다고 합니다."

탁. 벌떡 일어서는 도미닉의 힘을 이기지 못한 의자가 뒤로 나동그라졌다. 도미닉이 냉기가 뚝뚝 흐르다 못해 사지를 얼려 버릴 듯한 싸늘한 목소리로 말했다.

"네놈들이 받아 가는 돈이 얼만데 기껏 한다는 소리가 '주군의 행방을 모른다'? 어디서 그딴 쓰레기 같은 소식을 들고 와?"

도미닉이 내뿜는 살벌한 기운에 놀란 용병들이 저도 모르게 한 걸음 뒤로 물러섰다. 용병들 사이에서 도미닉은 '차가운 심장'이라는 고상하고 미화된 별명보다 주로 '악귀'로 불렸다. 잘만 하면 떼돈을 벌 수 있다는 소문에 여기저기서 지원해 온 자들도 웬만해선 버티지 못하고 나가떨어지는 게 리하르트 공작의 비밀 호위 일이다.

실력은 당연히 최상이어야 하고, 무엇보다 입이 무거워야 한다. 리하르트 공작에 관해 사소한 얘기라도 흘러 나갈 시 쥐도 새도 모르게 사라진다는 소문이 파다했다. 다른 건 몰라도 이 소문만은 부풀려지지 않은 사실이라는 게 업계의 정설이었다.

"한 시간 내로 주군의 행방을 찾아와."

"하지만 황제께서 아무도 따르지 말라고 하셔서 황실 근위대도 모두 성안에 남아 있습니다."

"근위대가 성에 남든 떠나든 죽어 자빠지든, 그게 너희랑 무슨 상관인데? 네놈들은 황제가 아니라 내 명령만 수행하면 돼. 잔말 말고 주군을 찾아. 못 찾아오면……."

다양한 색으로 멍든 얼굴 때문인지 보통 때보다 더 험악한 인상이 된 도미닉이 살벌하게 으르렁댔다.

"네놈 뼈부터 갈아 마셔 버릴 줄 알아."


흑마 두 마리가 빗질이 잘 된 때깔 좋은 갈기를 휘날리며 거침없이 평지를 내달렸다. 나무가 빽빽한 숲속에서조차 속도를 거의 줄이지 않은 채 달려가던 두 말은 굽이굽이 이어진 협곡이 보이는 언덕에 다다라서야 멈췄다.

"워, 워."

아슬아슬하게 말을 멈춘 레오폴드는 저와 달리 숨소리를 흐트러트리지 않는 다니엘을 보며 기가 막힌 듯 실소를 터트렸다.

"하아, 하아. 삼 년 전에 정말 바위에 머리를 부딪혀서 의식을 잃었던 거 맞아? 그냥 세상만사 귀찮아서 '에라 모르겠다, 잠이나 자자' 한 거 아니고?"

대꾸할 가치를 느끼지 못한 다니엘이 훌쩍 말에서 뛰어내렸다. 그가 쥐고 있던 고삐를 놓자 발자크가 알아서 또각또각 목을 축일 물을 찾아 숲으로 들어갔다. 말에서 내린 레오폴드도 고삐를 휙 말 등에 던지곤 입으로 장갑을 물어 벗었다.

"모른 척해 줄 테니까 솔직히 말해. 정말 못 깨어났던 거 맞냐고."

"하고 싶은 말이 뭐야?"

언덕 위로 불어오는 세찬 바람에 눈을 찡그렸다 뜬 다니엘이 어느새 짙어진 붉은색 눈동자를 번득이며 레오폴드를 바라봤다.

"내 인내심이 꺼지기 전에 빨리 말하는 게 좋을 거야. 잠시 후면 내가 황제 폐하를 언덕 아래로 밀어 버리고 싶어질 거 같거든."

"예나 지금이나 그놈의 허세는."

콧방귀를 뀐 레오폴드는 답답한 가슴이 툭 터지는 시원한 풍광을 내려다보며 양팔을 활짝 폈다.

"내가 수행원도 없이 우리 단둘이 나오자고 한 이유가 뭐겠어? 이 몸이 오늘 멀쩡하게 돌아가지 못하면, 유일한 동행자인 형님이 황제 시해자가 된다는 거 몰라?"

"영광스러운 명예가 되겠군."

큭큭 웃으며 팔짱을 낀 레오폴드가 바람을 맞으며 크게 숨을 들이마셨다.

"허세 그만 떨어. 예전이면 몰라도 지금은 지킬 게 많은 분이 그리 목숨을 대수롭지 않게 여기면 쓰나. 사랑하는 아내를 생각하셔야지. 그 가녀린 분을 반역자의 아내로 만들 수는 없잖아?"

입꼬리를 슬쩍 치켜올린 레오폴드가 고개만 돌린 채 다니엘을 보며 말했다.

"상상해 봤어? 천사 같은 리하르트 공작 부인이 여기저기 찢겨 하얀 살갗이 드러난 거적때기를 걸치고, 새하얀 머리칼에 온갖 오물을 덕지덕지 묻히고 있는 모습."

차츰 핏빛으로 변해 가는 다니엘의 눈동자를 보는 레오폴드의 입가가 점점 더 가늘게 휘어졌다.

"난 상상해 봤는데……."

완전히 붉어진 다니엘의 눈을 응시하던 레오폴드가 마지막으로 크게 입꼬리를 비틀며 피식 웃었다.

"짜릿하더라고."

산악 지대의 날씨란 본디 변화무쌍한 법이다. 짙푸른 알타스 산자락과 맞닿은 하늘 끝이 언제 맑았나 싶게 거뭇거뭇 어두워졌다.

일부러 화를 돋우던 레오폴드가 작정한 듯 먹구름을 등지고 돌아서 다니엘을 마주 보았다. 다니엘은 화려한 망토와 섬세한 금발 머리가 산기슭을 거슬러 올라온 바람에 세차게 나부끼는 광경과 어두워지는 먼 하늘을 한눈에 담았다. 레오폴드가 헝클어진 머리칼 사이로 비릿한 미소를 흘리며 말했다.

"귀부인을 두고 하는 상상치곤 너무 품위가 없었나? 아, '반역자의 아내'가 싫으면 다른 걸 골라 보든가."

뭐가 그리 우스운지 레오폴드의 입꼬리가 피식피식 들썩였다. 제 입으로 내뱉으면서도 어이가 없다는 듯.

"자신이 부리던 침실 하녀가 남편의 정부라는 것도 몰랐던 '어리숙한 아내'는 어때? 심지어 남편이란 작자는 성 근처 영지에 정부를 숨겨 두고 드나든 것도 모자라 측근들을 시켜 철저히 보호까지 했다지?"

점점 거세지는 바람에 묻혀 레오폴드의 말소리가 중간중간 끊겼지만 상관없었다. 들어 봐야 개소리일 뿐. 레오폴드는 아주 기분이 좋아 보였다. 싱글대는 표정만 보더라도 그가 지금 얼마나 즐거운지는 충분히 알 수 있었다.

"기가 막힌 건 그게 다가 아니야."

다니엘은 굳이 레오폴드가 누리는 기쁨을 방해하지 않고, 고요히 그 앞을 지켰다. 진심으로 신이 나 어쩔 줄 모르는 레오폴드를 보는 게 무척 오랜만이었으니까.

"남편은 병약한 아내를 위한다는 핑계로 성의 맨 꼭대기에 있는 침실에 그녀를 머물게 했다더군. 오랜 세월 출입을 통제해 온 터라 대다수 사용인이 존재 여부조차 몰랐던 옛 뮌하임 후작 부인의 방에 말이야."

말을 마친 레오폴드는 어깨를 들썩거리며 키득키득 웃었다.

"일이 되려면 하늘이 돕는다더니. 페트리샤의 하녀가 뮌하임 성의 과거사를 알고 있을 줄 누가 알았겠어?"

하하하.

레오폴드의 웃음소리가 무성한 푸른 나뭇가지를 흔드는 돌풍에 섞여 허공으로 흩어졌다.

"대체 무슨 마음으로 아내를 그 끔찍한 방에다 밀어 넣은 거야? 오래전 남편의 집착을 견디다 못한 후작 부인이 그 방 테라스에서 스스로 몸을 던졌다는 거 몰랐어?"

못내 궁금했던지 이유를 묻는 표정이 제법 진지했다.

"꼼꼼하고 빈틈없는 우리 형님께서 그 수상한 방에 관해 알아보지 않았을 리 없는데. 그게 좀 이상하더라고."

소문이란 원래 말하는 놈 입에서 부풀려지는 법이라 믿을 게 못 되지만, 몰랐으면 모를까 알았다면 찝찝했을 텐데. 게다가 한창 아내에게 눈 돌아가 있는 거 아니었어?

설혹 아내에게 별다른 감정이 없었다 해도 다니엘이 이미 제 사람이 된 여자를 소홀히 다뤘을 리는 더더욱 없다. 페트리샤의 하녀가 들려준 얘기와 최근 공작 성에서 벌어진 일을 짜 맞춰 가며 이야기를 만드는 와중에도 그 부분이 못내 미심쩍었다.

레오폴드 입장에선 사람들이 실컷 물고 뜯을 솔깃할 만한 이야깃거리를 던져 주게 되었으니 손해 볼 것 없으나 궁금했다. 돌다리도 두들겨 보고 건너는 신중함에 병적인 깔끔함을 갖춘 다니엘이 몰랐을 리도 없지만, 알았다면 대체 왜? 지금까지 들은 바에 의하면 멘하임 성에 대한 소문은 오래된 장소에 깃든 전설이 보통 그러하듯 뒤죽박죽이었다.

누구는 후작 부부가 더없이 서로를 사랑하는 좋은 부부였다고 했고, 페트리샤의 하녀처럼 후작이 미치광이였다고도 했다. 귀족들 사이에 떠도는 풍문을 알아보고 온 빈더만 자작도 역시 같은 얘기를 전했다. 그중 일관된 내용은 단 한 가지. 후작 부인이 자신의 방에서 몸을 던져 죽었다는 것.

성안에 다른 방이 없는 것도 아니고, 평생 저주받았다는 헛소문에 신물이 나게 시달렸을 하크본 가문의 아내를 굳이 그곳에 머물게 하다니. 말이 퍼져 나가는 즉시 다들 입방아를 찧어 댈 거란 걸 예상 못 했을 리 없는데…….

'설마…… 정말로 몰랐나?'

번득 찾아온 결론에 레오폴드의 눈이 번쩍 커졌다. 영지에 머무는 날보다 전쟁터에 나가는 날이 많았고, 이 산골짜기에 애착을 가졌을 리 없으니 정말 아무것도 몰랐을지도. 멘하임 후작이 대단하게 널리 알려진 사람도 아니니 그랬을 수도 있다.

그러나 천하의 다니엘이 저도 어렵지 않게 알게 된 주변 얘기를 몰랐다는 것 역시 믿을 수 없기는 마찬가지.

시시각각 변해 가는 날씨처럼 레오폴드도 혼란에 빠졌다. 그러나 이 허접 쓰레기나 다름없는 대화에서 원하는 정보를 얻어 낸 다니엘은 그저 묵묵히 감정의 변화가 그대로 드러나는 레오폴드의 얼굴을 바라보고 있을 뿐이었다. 이로써 하녀를 데려간 건 황태후가 아니라 황제임이 밝혀졌다. 구역질나는 헛소리를 들어야 하긴 했지만, 나름 괜찮은 소득이었다. 솔직히 레오폴드의 소행임을 알고 나니, 마음이 놓이기도 했고.

황태후라면 자신이 원하는 답을 얻을 때까지 하녀를 고문하다 이용 가치가 없다고 판단하는 즉시 죽였을 테니까.

제 손으로 사람을 죽여 본 적 없는 소심한 레오폴드라면 적어도 그 하녀를 해하진 않을 것이다. 지금처럼 상스러운 말이나 내갈기며 저를 도발하는 게 전부겠지.

그렇다고 프리다를 모욕한 것에 전혀 동요하지 않았다는 건 아니다. 어떤 식으로든 처절히 갚아 줄 요량으로 방법을 고민 중이다. 다시는 그딴 생각을 할 수 없게 머리를 베어 버린다든가.

'확 두 눈을 뽑아?'

앞을 보든, 보지 못하든 머릿속으로 생각을 그리는 데는 문제가 없다는 걸 알지만 이성적인 판단은 잠시 뒤로 미뤄 두었다. 저 파란 눈이 더는 프리다를 보지 못하게 만들고 싶다는 충동도 함께.

빠른 속도로 가까워져 오는 범상치 않은 구름과 여전히 혼란스러워하고 있는 레오폴드를 번갈아 바라보던 다니엘이 물었다.

"데려가신 하녀는 어디에 있습니까?"

급히 예의를 갖춘 까닭은 이렇게라도 하지 않았다간, 레오폴드가 황제라는 사실을 잊어버리고 냅다 콜다르를 휘두를지도 몰라서였다. 얼떨떨한 표정의 레오폴드가 눈을 가리는 머리칼을 치워 내며 답했다.

"어디 있긴. 귀한 분이라 고이 모셔 뒀지. 내가 형님의 여자를 고문이라도 했을까 봐 걱정돼?"

"다리가 불편한 아이입니다. 사고를 당한 지 얼마 안 돼 계속 의사의 도움이 필요하니, 적절한 치료를 받을 수 있게 해 주십시오."

레오폴드가 미간을 찌푸리며 찬찬히 다니엘의 표정을 살폈다.

"뭐야? 정말 그 하녀랑 잤어?"

소스라치게 놀라는 레오폴드의 머리 위로 어느새 비바람을 품은 먹구름이 다가와 있었다.

프리다와 눈이 마주친 오르한은 잽싸게 후드를 눌러썼다.

'봤나? 봤겠지?'

고개를 푹 숙인 채 눈치만 보고 있는데 난데없이 맑은 하늘이 울기 시작하더니 숲이 빠르게 어두워졌다.

우르릉우르릉.

담담히 난리 통에 바닥으로 떨어진 모자를 집어 머리에 쓴 프리다는 길게 한숨을 내쉬며 주위를 둘러보았다. 프리다를 만나기 위해 숲으로 뛰어들었던 세 명의 소년 중 둘은 기사단원의 손에, 막내로 보이는 한 녀석은 오르한에게 붙들려 버둥대고 있었다.

"나 좀 내려 줘요. 힘들다고요."

"우린 공작 부인께 부탁을 드리려던 것뿐이에요."

"캑캑. 아저씨, 숨 막혀요!"

여전히 힘이 넘치는 아이들을 바라보던 프리다가 단호히 외쳤다.

"모두 조용!"

세 소년은 동시에 입을 꾹 다물었다.

"지금부터 성까지 가는 동안 얌전히 군다면, 너희가 하는 얘기를 하나도 빠짐없이 들어 주겠다. 할 수 있겠지?"

솔직히 프리다는 당장 아이들을 불러 모은 후 자세한 사정을 듣고 싶었다.

'마틸다가 사라지다니.'

몸도 불편한 아이가 혹여 험한 일을 당하고 있는 건 아닐까 싶어 마음이 무겁고 조급해졌다. 하지만 날씨가 영 심상치 않았다. 어두워진 하늘에서 당장이라도 비가 쏟아질 것만 같았다. 우선은 아이들을 데리고 이곳을 벗어나는 게 먼저였다.

"그럼 얌전히 따라오겠다고 약속한 거다?"

알았다며 부지런히 고개를 끄덕이는 아이들에게 빙긋 웃어 준 프리다는 리카르도를 불렀다.

"몰리 경, 단원들에게 아이들을 안전하게 데리고 주방으로 가라고 하세요. 아델에게 먼저 사람을 보내 따끈한 수프를 끓여 놓으라고 하시고요."

"알겠습니다."

어수선한 틈을 타 오르한이 슬며시 뒷걸음질을 쳤다. 그 모습에 스치듯 눈을 준 프리다는 별다른 언급 없이 서둘러 공작 성으로 향했다. 언제 비가 쏟아지고 벼락이 내리칠지도 모른다는 생각에 걸음이 바빠졌다.

그런데 서둘러 숲을 벗어나 마리안 홀로 걸어가던 프리다가 다시 긴 한숨과 함께 돌연 걸음을 멈추었다. 멀리 허브밭을 나서고 있는 뷔테인 남작 부인과 하녀 일행을 바라보는 프리다의 눈빛이 서늘해졌다. 지난번에 들은 하녀의 말이 곱씹을수록 기가 막혔다.

"미치광이 남편 때문에 스스로 목숨을 끊은 후작 부인의 유령이 아직도 성안을 돌아다니고 있다고요."

뮌하임 후작 부인의 유령? 성에 저주가 내렸다고?

'웃기고 있네. 유령 발끝도 못 봤다.'

아름답고 소중한 내 땅을 두고 그따위 얼토당토않은 소리를 하다니. 거듭 생각해도 괘씸하다. 하지만 그날, 그 자리에서는 헛소문이라며 웃어넘기는 아량을 보였어야 했다. 그러지 못하고, 찾아온 손님을 한순간이나마 냉대한 건 명백히 안주인답지 못한 행동이었다.

먼저 뷔테인 남작 부인에게 사과하고, 다음엔 깊은 대화를 해 봐야겠다고 마음먹었다. 더불어 우리 사이에 풀어야 할 오해도 있고.

지난번 일로 다니엘이 곤란해지기 전에 한 번쯤은 제대로 짚고 넘어가는 게 좋겠지. 문득, 남편에게 그날 일에 대해 여태 설명하지 못했다는 걸 깨달았다.

"다니엘. 나 사고 쳤어요. 어떡해요?"

"난 사랑해. 어떡하지?"

느닷없는 고백으로 사람 혼을 쏙 빼놓으니, 말할 틈이 있었어야지. 뒤이어 한없이 다정하고, 집요했던 그날 밤의 남편이 떠올라 낯이 뜨거워졌다. 당혹스러운 건 숨도 못 쉬게 달려드는 다니엘이…… 전혀 무섭지 않았다는 거.

"사랑해……. 사랑해. 프리다."

정숙, 품위, 기품과는 거리가 아주 먼. 말도 못 하게 낯부끄러운 짓을 서슴없이 하는 다니엘을 제지하지 못한 건, 그가 쉼 없이 쏟아 내던 그 고백 때문이었다.

"후우……."

프리다는 길게 숨을 내쉬며 점점 뜨거워지는 몸을 진정시켰다. 머리가 어떻게 되어 버린 게 분명하다. 마틸다가 사라졌다는 이때. 언제 하늘에서 비가 쏟아지고 벼락이 내리칠지 모르는 급박한 상황에서 이런 민망한 생각이나 하고 있다니.

고개를 들어 바삐 걸어가는 뷔테인 남작 부인과 하녀를 바라보았다. 다행히 그들을 눈에 담는 순간, 머리가 차갑게 식어 갔다.

저주라니. 감히 내 땅에서, 내 앞에서 그런 말을 입에 올려?

"몰리 경."

"네. 주군."

"저분들을 정중히 마리안 홀의 응접실로 모셔요."

침착해지려 애써 봤지만 음성에 서늘한 기운이 담기는 건 막기 힘들었다. 오죽하면 리카르도가 흠칫 어깨를 떨었을까. 찰나지만 그는 프리다의 목소리에서 다니엘의 것과 비슷한 싸늘한 냉기를 느꼈다.

"아이들과 얘기가 끝나는 대로 갈게요. 할 얘기가 있으니 꼭 내가 올 때까지 기다리라고 하세요."

뷔테인 남작 부인을 바라보던 리카르도가 난감한 표정을 지었다. 바로 어제, 마리안 홀에 가지 말라고 엉엉 울며 뷔테인 남작 부인을 붙들던 하녀가 떠올라서였다.

"노력은 해 보겠습니다만……."

"만약 이번에도 마리안 홀에 오기 싫다고 버틴다면."

목소리에 이어 기운까지 냉랭해진 프리다가 단호히 말했다.

"끌고라도 오세요."

아델이 뭉근히 끓여 낸 수프를 한 그릇씩 담아 아이들에게 건넸다. 서로 눈치만 보던 소년들이 슬그머니 프리다와 눈을 마주쳐 왔다. 한껏 다정하고 인자한 미소를 지은 프리다가 어서 먹으라며 고개를 끄덕였다.

"식기 전에 얼른 먹으렴. 더 먹고 싶으면 꼭 말하고."

프리다의 말이 끝나기가 무섭게 제일 먼저 수프 그릇을 들고 마시던 막내가 윗입술에 잔뜩 수프를 묻힌 채 물었다.

"더 먹어도 돼요?"

동생의 반응에, 쭈뼛거리던 두 소년도 일제히 수프 그릇에 입을 댔다. 세 아이가 나란히 앉아 수프를 마시는 모습이 귀여워 절로 웃음이 났다.

"그럼. 아델의 특제 수프를 한 그릇만 먹는 사람은 한 번도 못 봤거든. 너희들이 달랑 한 그릇만 먹는다면 아델이 섭섭해할걸. 그렇지, 아델?"

프리다의 웃음기 어린 물음에 아델이 큰 수프 냄비를 나무 국자로 휘휘 저으며 대답했다.

"당연하죠. 한창 클 나이인데 최소한 다섯 그릇은 먹어야지."

아델의 말에 서두르듯 여기저기서 꿀꺽꿀꺽 목 안으로 수프를 삼키는 소리가 들렸다. 잠시 후 아델이 갓 구워 낸 뜨끈한 빵까지 식탁 위에 올리자 아이들의 눈이 일제히 휘둥그레졌다.

마음 같아선 천천히 식사를 즐기게 하고 싶었지만, 응접실에서 그녀를 기다리고 있을 뷔테인 남작 부인이 신경 쓰였다. 프리다는 소년들의 배가 적당히 찼다 싶을 때쯤 조심스레 입을 뗐다.

"누나가 사라졌다는 게 무슨 말이야? 잡혀갔다는 건 또 무슨 얘기고."

자신을 요제프라고 소개했던 마틸다의 둘째 동생이 들고 있던 빵을 슬 며시 접시 위에 내려놓았다. 다른 두 아이도 급격히 어두워진 얼굴로 입 에 든 빵을 우물거렸다.

"저도 자세한 건 모르겠어요. 자다가 밖에서 무슨 소리가 들려 눈을 뜬 건 기억나는데…… 누군가가 바로 눈을 가리고 입도 천으로 막았어요. 양 손도 다 묶었고요."

그 순간이 떠올랐는지 막내가 갑자기 몸을 부르르 떨며 둘째 형의 품에 안겼다. 요제프가 동생의 등을 토닥이며 말을 이어 갔다.

"문밖에서 싸우는 소리가 들렸는데, 곧 잠잠해졌어요. 셋이 힘을 합쳐서 손에 묶인 끈을 풀고 나와 보니 기사님이 피를 흘린 채 쓰러져 있더라고요."

"기사님?"

놀란 프리다는 아이들 가까이 몸을 숙이며 되물었다.

"지금 기사님이라고 했니?"

"네. 집에 자주 오시는 뮤리엘 기사님이요. 피를 너무 많이 흘리셔서 우선 지혈부터 하고, 옆집에 도움을 청하느라 정신이 없었는데……. 그때 보니까 누나가 없더라고요. 분명 기사님하고 한 방에서 잤는데 누나만 사라졌……."

프리다가 갑자기 벌떡 일어나자 당황한 요제프가 입을 다물었다. 사색이 된 프리다가 힘없이 팔을 허공에 휘저으며 리카르도를 불렀다.

"모, 몰리 경. 뮤리엘 좀 찾아봐요. 어서요. 뮤, 뮤리엘이 다쳤대요. 우리 뮤리엘이……."

"고, 공작 부인. 진정하십시오."

급히 다가온 리카르도가 휘청이는 프리다를 붙들었다. 자신이 말을 잘못한 건가 싶어 얼굴이 파랗게 질린 요제프가 떠듬떠듬 중얼거렸다.

"그, 그게, 기사님은 지금 의무실에 계시는데……."

"의무실? 뮤리엘이 지금 이 성안에 있다는 말이니?"

"예? 예. 저희가 오늘 새벽에 기사님을 모시고 왔거든요. 도미닉 아저씨가 급한 일이 있으면 자기를 찾으라고 하셔서……."

프리다가 다급히 저를 붙잡은 리카르도의 팔을 흔들었다.

"몰리 경, 도미닉 지금 어디 있어요? 얼른 불러와요, 얼른!"

그런데 분위기가 이상했다. 아이들의 입에서 분명 뮤리엘이 다쳤다는 얘기가 나왔는데, 의무실에 있다는데…….

'왜 다들 이렇게 차분하지?'

주방 안에서 갈피를 잡지 못하고 뒤숭숭한 건 오직 자신뿐. 여느 때라면 그녀보다 먼저 흥분해 사람을 불렀어야 정상인 리카르도가 난감하지만 침착한 표정으로 그녀를 보고 있었다. 설마…….

"뮤리엘이 다친 거, 리카르도 님도 알고 있었어요?"

"……죄송합니다, 주군."

불현듯 뇌리를 스친 깨달음에 프리다가 무너지듯 의자에 털썩 주저앉았다. 리카르도만이 아니었다. 아델까지 그녀의 시선을 외면하며 고개를 돌렸다.

"나만 모르고 있었던 거예요?"

하녀를 돌봐 달라는 뜻밖의 요청에 놀란 레오폴드는 의아한 얼굴로 턱을 쓸었다.

"다른 사람도 아니고, 다니엘 리하르트가 정부를 뒀다고?"

모친이 이날까지 이 잡듯이 주변을 뒤지는 동안 실수로라도 침대에 여자를 들였다는 소식을 흘린 적 없는 다니엘이다.

어머니는 음흉한 다니엘이 저희 모르게 꼭꼭 숨겨 둔 거라 말하곤 하셨지만, 그건 모르고 하는 소리. 아버지와 라우라 님의 자식인 다니엘은 애초에 목적을 위해선 사랑도 수단으로 여기는 바이첸들과는 부류가 다르다.

그 사실을 인정하기 싫어, 되지도 않는 헛수고에 시간과 돈을 들이는 모친이 한심해 종종 비웃곤 했다. 그런데 뭐지, 이 반응은?

혼란을 숨기지 못하는 레오폴드의 모습에 다니엘은 터져 나오는 헛웃음을 감추기 위해 바람을 피하는 척하며 천천히 고개를 숙였다. 기실 작정하고 삐뚤게 보지 않는다고 해도, 얼마든지 의심을 살 만한 상황이 되어 버렸다.

명확한 이유 없이 하루아침에 성에서 사라진 하녀. 그 하녀의 집을 보기에 따라 정성스럽다고 할 정도로 살피는 영주의 최측근. 더불어 뭘 하는지 모르지만 수시로 성 밖을 드나드는 영주. 프리다를 머물게 한 성 꼭대기의 침실에 얽힌 이런저런 더럽고 지저분한 이야기들.

이런 얽히고설킨 얘기들은 금세 부풀려지기 마련이고, 이내 불순한 의도를 담은 지저분한 소문이 된다. 프리다가 듣는다면, 다니엘의 진심을 온전히 믿어 줄지도 의문이다.

"잡혀 온 하녀 말로는 너와 몰리가 자신을 황태후의 첩자라고 오해해서 잡아 둔 거라고 하던데."

그런데 다름 아닌 레오폴드가 의혹조차 가져 본 적 없다는 듯 단호히 그를 믿어 줄 줄이야. 좀처럼 찡그려진 미간을 풀지 못하는 레오폴드에게 다니엘이 장난기를 감추고 짐짓 심각하게 질문을 건넸다.

"그 하녀, 황태후가 보낸 첩자가 아닌 건 확실합니까?"

레오폴드가 즉각 콧방귀를 뀌었다.

"첩자 좋아하네. 어머니가 그렇게 허접한 용인술을 쓰는 분이었다면, 내가 황제의 관을 쓸 수 있었을 리 없잖아. 검증된 인간들만 데리고 일하는 분인 거 몰라?"

얼굴에 드러난 뜨악한 감정이 진짜 그걸 몰라서 하는 말이냐고 묻고 있었다.

"그 방면으론 나보다 네가 더 잘 알 텐데?"

레오폴드의 말이 끝나자마자 먼 하늘에서 번쩍, 섬광이 비쳤다 사라졌다. 그리고 곧바로 우르르 쾅- 맑은 하늘에 천둥이 쳤다.

무심결에 다니엘의 능력을 인정하는 말을 내뱉은 게 짜증 나는지 레오폴드가 발에 채는 돌멩이를 걷어찼다. 멀리 굴러가 언덕 아래로 떨어지는 돌멩이를 흘깃대던 그가 하늘을 쳐다봤다.

"날씨 한번 요란하네. 여긴 또 언제 이렇게 어두워졌어?"

이제 두 사람의 머리 위쪽까지 메운 먹구름을 발견한 레오폴드가 고개를 들고 이리저리 주변을 두리번거렸다. 그때 나지막하고 차분한, 돌아가신 아버지 브루노 리하르트 공작의 음성과 똑 닮은 목소리가 들려왔다.

"언제까지 모친을 겁내며 도망만 다닐 참이십니까?"

검은 머리칼이 바람에 날리자 이목구비가 뚜렷이 드러난 얼굴 역시, 아버지의 모습 그대로였다.

"동쪽 국경의 상황이 어지럽고, 가뭄도 이미 시작되었습니다. 그만 제자리로 돌아가 본분을 다하십시오. 이 제국의 주인은 모친인 황태후가 아니라, 바로 폐하십니다."

주제넘은 조언에 화를 내는 게 맞는데 돌아가라는 말에 덜컥 겁부터 났다. 레오폴드는 얼떨결에 진심을 드러내 버렸다.

"그러다 어머니가 나까지 죽이면? 그 자리에 네가 앉기라도 하게?"

다니엘의 입가가 슬며시 꿈틀댔다. 그걸 가장 두려워하는 네 속마음쯤 이미 다 알고 있었다는 듯 재수 없는 미소였다. 뜨끔해진 레오폴드는 허세를 들킨 어린아이처럼 변명만 늘어놓고 말았다.

"뭐야, 그 웃음은? 어머니가 못 할 거 같아? 끝내 라우라 님을 죽이고, 아버지도 서서히 말려 죽인 분인데 아들이라고 다를 거 같냐고!"

번쩍.

순식간에 어둑해진 하늘 위에서 두 번째 섬광이 내리치더니 비가 쏟아졌다. 감정이 복잡해진 다니엘은 비를 피하는 대신 상념에 빠졌다. 어쩌다 가끔, 아주 가끔. 자신과 레오폴드가 왜 이렇게 어긋나 버렸을까 되짚어 보곤 했다.

아홉 살이 되던 그해. 자신과 어머니가 리하르트 공작 성으로 들어가지 않았다면 어땠을까. 그래서 저는 그저 그런 사생아답게, 레오폴드는 자존감에 상처 입지 않은 귀한 귀족 도련님으로 쭉 컸다면? 각자 서로의 위치에서 몰라도 되는 건 외면해 가며 분수를 지키고 자랐다면?

후드득 떨어지는 빗방울을 맞으며 다니엘이 느리게 눈을 감았다 떴다.

"솔론족의 침입이 전년보다 빈번해진 탓에 백성들이 농사일에 전념하지 못하고 있습니다. 이 상황이 지속되면 아무리 변경백이라도 힘에 부칠 겁니다. 쉔달 성의 지원이 시급하니, 황성으로 돌아가시면 그것부터 해결하시는 게 좋겠습니다."

다니엘과 마찬가지로 비를 피하지 않고 맞던 레오폴드가 젖은 머리칼을 쓸어 넘기며 코웃음을 쳤다.

"황태후께서 잘 알아서 하실 텐데 내가 왜? 그분 욕심 몰라? 어쭙잖게 정무에 관심을 보였다간 나도 죽은 목숨이야."

할까 말까 망설이듯 입술을 달싹이던 레오폴드가 내용이 가진 심각성에 비해 대수롭지 않은 듯 툭 한마디를 더 내뱉었다.

"살리카 법까지 손볼 작정이신 것 같아. 난 후사가 없고 주위에 사내라곤 씨가 말랐으니, 여차하면 바이첸가의 여식을 양녀로 들여 쉔달 성에 앉히려는 거겠지."

뷔테인의 영지에 머무르고 있을 때, 빈더만 자작이 넌지시 그에게 알려왔다. 챔벌린 백작이 살리카 법의 조항 하나하나를 면밀히 조사하고 있다고. 노회한 챔벌린은 차마 황태후가 황제의 자리에 제 가문의 여식을 앉힐 생각을 하고 있다고는 상상하지 못했을 것이다.

제 어머니는 그런 분이다. 본인 가문의 권력을 지키기 위해서라면, 남편도 자식도 눈 깜짝 않고 해치울 수 있는 무서운 사람. 정부와 사생아를 순순히 별채에 받아들이는 세상없을 인자한 아내인 척 굴었지만, 그 수모를 잊지 않고 어떻게든 복수하고 마는 집요한 인간.

레오폴드는 종종 그런 어머니의 피가 제 몸에 흐르고 있다는 생각에 절로 몸이 떨렸다. 다니엘에게 속내를 다 까발리고 나니 수치스러웠지만, 나름 후련하기도 했다. 문득, 이 땅에서 제 마음을 오롯이 이해해 줄 사람이 다니엘뿐이란 사실에 실소가 터져 나왔다.

"혹 다른 뜻을 품고 있었다면 포기해. 엉덩이가 가벼운 하인리히라면 몰라도 아비인 변경백은 절대 널 도와서 반역을 일으킬 사람이 아냐. 하긴 모르지. 변경백이 죽고 하인리히가 그 자리를 물려받는다면 상황이 달라질지."

빗줄기는 점점 거세졌다. 두 사람 모두 온몸이 흠뻑 젖어 감에도 아무도 그 자리를 떠나지 않았다. 담담히 레오폴드를 바라보던 다니엘이 쏟아지는 빗줄기를 뚫고 소리쳤다.

"올해는 전과 상황이 다를 겁니다. 투르크와 손잡고 자금이 두둑해진 솔론족이 쉽게 물러나지 않을 테니까요."

솔론 놈들이 투르크와 손을 잡았다고? 새로운 소식을 접한 레오폴드가 시야를 가리는 물기를 재빨리 거둬 냈다.

"그게 사실이야?"

"연이은 전투에 가뭄까지 심해져 백성들의 원성이 높아지면, 제아무리 변경백이라도 오래 버티기 힘듭니다."

제 질문에 답하는 대신 할 말만 내뱉는 다니엘을 응시하던 레오폴드가 한 번 더 빗줄기를 닦아 내며 피식거렸다.

"백성들의 원성을 가라앉힐 방법이야 많지. 예를 들면……."

축축하게 젖은 머리칼을 이마 위로 넘긴 레오폴드가 다니엘을 똑바로 마주 보았다.

"삼백 년 만에 제국에 강림하신 성녀님의 출현이라든가."

고요히 서 있던 다니엘이 매섭게 눈을 치켜올렸다.

'이제야 반응을 보이는군.'

레오폴드가 엄지로 아랫입술을 쓸며 비릿하게 미소 지었다. 길게 휘어지는 입꼬리 사이로 비가 스며들었다.

"제국의 백성들은 다 죽어 가는 남편을 살려 내고, 생명력이 사라져 가던 척박한 산골을 비옥한 토지로 만드신 위대한 성녀님을 환영하느라 원성을 쏟아 낼 틈도 없을걸."

"너, 대체 어디까지 할……."

우르릉.

이성을 잃은 다니엘이 한 걸음 앞으로 나서는 순간, 뇌성이 울리더니 하늘이 환하게 밝아졌다.

"피해!"

쾅!

번쩍하는 벼락의 불빛과 순식간에 반으로 갈라지는 나무 위로 다니엘의 얼굴이 겹쳐졌다. 그 장면이 그날 레오폴드가 본 마지막 기억이었다.

기약 없던 황제의 여행을 끝내게 만든 건 어이없게도 '아이리스' 꽃이었다. 원래 계획대로라면, 올여름 황태후 궁의 미라벨 정원 화단을 장식할 아이리스 꽃의 종류는 다섯 가지.

그런데 황태후의 명으로 평소보다 한 달이나 먼저 정원의 꽃을 교체하는 공사가 시작됐다. 이 별거 아닌 일로 첼리노의 귀족 사회가 발칵 뒤집혔다. 황실 정원사들이 부랴부랴 확보한 흰색과 보라색, 두 종류의 아이리스만을 정원에 심었기 때문이다.

미라벨 정원을 장식하는 꽃은 '꽃의 도시' 첼리노의 상징이자 돈벌이. 매년 그러했듯 시세 차익을 노리고 미리 첼리노의 꽃 시장에서 다섯 가지 종류의 아이리스를 고루고루 주문해 두었던 일부 귀족들은 큰 손해를 입었다. '꽃 투기'는 일부 귀족 간에만 공유된 정보로 몰래 해 온 짓이라 어디다 억울하다고 하소연할 수도 없는 노릇. 더군다나 황태후의 변덕으로 발생한 일이다 보니 말도 못 하고 끙끙 속만 끓이는 상황이 되어 버렸다.

그중 발 빠른 몇몇 귀족들이 자기들이 입은 손해를 하급 귀족이나 영지민들에게 떠넘기는 일까지 발생하자 자연스레 민심이 뒤숭숭해졌다.

아이러니한 건 백성들의 원망이 그들을 착취한 영주나 정원 일을 지시한 황태후가 아닌 황제를 향했다는 거였다. 사냥을 핑계 삼아 성을 떠난 황제가 계절이 바뀐 후에도 돌아오지 않고 있으니, 심기가 불편해진 황태후가 정원에 괜한 화풀이를 한 거라는 소문이 퍼져 나갔다.

첼리노의 이른 여름을 들썩이게 만든 문제의 아이리스 꽃이 흐드러지게 핀 미라벨 정원 한편. 고풍스러운 돔 형태의 벽돌 지붕 아래 놓인 하얀 테이블 옆에 앉은 황태후의 눈매가 미세하게 찌푸려졌다. 근래 들어 변경백의 깃발을 단 전령들이 쉔달 성에 자주 드나들었다. 그 이유가 적힌 보고서를 읽는 황태후의 얼굴이 점점 굳어 갔다.

봄에 잠시 소란스럽다 정리되었어야 할 전투들이 계속되고 있는 데다 가뭄마저 일찍 찾아왔다는 소식이 연일 빗발쳤다. 변경백에게 좀 더 자세한 상황을 파악해 보고하라고 했더니 즉각 아들을 보내겠다는 답신이 돌아왔다.

'하필 하인리히 업다이크를 첼리노로 보내겠다니. 변경백의 심경에 변화라도 생긴 건가?'

부친의 뒤를 이어 스베르겐의 변경백 위와 후작 작위를 물려받은 업다이크 후작은 부러질지언정 휘는 법이 없는 꼿꼿한 성정으로 입이 무겁고 명예를 중히 여기며 자존심이 무척 강한 남자였다. 변경백이 된 이후, 선조들과 마찬가지로 첼리노의 중앙 정치에 철저히 무관심으로 일관한 그는 사심 없이 오직 국경을 지키는 일에만 전념해 왔다.

문제는 부친과 성정이 판이한 아들 '하인리히 업다이크'다. 눈치 빠르고 야심 많은 차기 변경백인 하인리히가 지난 삼 년 새 첼리노에 뻗친 영향력은 실로 놀라운 수준이었다.

더 심각한 건 그 모든 일이 마그리트의 눈을 피해 은밀히, 꽤 성공적으로 이루어졌다는 사실이다. 보일드 남작의 영지 다툼 소송 건이 황실 법원에서 어렵게 통과된 이후에야 눈치챘을 정도니까.

'이참에 변경백 작위를 거둬들여야 하나?'

생각만으로도 지끈, 골치가 아파 눈가에 진한 주름이 파였다. 아름답지만 향기가 거의 나지 않는 아이리스 꽃처럼 제국의 평화도 여전히 불완전 상태. 더는 황제의 빈자리를 두고 볼 여유가 없었다.

마그리트가 검토를 마친 서류를 뒤로 넘기던 찰나 온화한 기운을 품은 바람이 불었다. 시원한 흰 빛깔과 기품 있는 은은한 보랏빛 꽃잎을 흔드는 여름 바람을 등에 업고 황태후의 보좌관 클리마 백작이 정원으로 들어왔다. 정원의 입구를 빠르게 통과한 그는 주위에 눈 한번 주지 않고 아이리스 화단을 지나쳤다.

"황태후 폐하, 조금 전 유트레히트에서 전서구가 도착했습니다."

금색과 붉은색이 조화를 이룬 화려한 드레스를 입은 황태후는 보던 서류에서 눈을 떼지 않은 채 담담히 입을 열었다.

"백작의 숨소리가 급하군. 전서구가 황제께서 곧 돌아온다는 소식이라도 들고 왔던가?"

황태후의 물음에 클리마 백작이 쭈뼛쭈뼛 입을 뗐다.

"송구합니다. 언제 환궁하겠다는 말씀은 없으셨습니다."

꿀꺽 침을 삼키며 호흡을 고른 클리마 백작이 바로 말을 이어 갔다.

"다만, 환궁 시 귀한 손님을 모시고 올 테니 준비하라는 전갈을 보내셨습니다. 어쨌든 돌아오시겠다는 뜻을 밝히신 건 이번이 처음입니다. 첼리노의 민심이 심상치 않다 전했으니 조만간 돌아오실 겁니다."

"별다른 내용도 없는 소식이나 전하자고 자네가 숨을 헐떡이며 달려왔을 리는 없고. 본론을 말하게."

"황제 폐하께서 함께 오실 손님을 모실 곳으로 '벨뷔 궁'을 지정하셨습니다. 즉시 단장에 들어가라는 명입니다."

"벨뷔 궁?"

내내 서류에 고정되어 있던 황태후의 눈이 그제야 클리마 백작에게 돌려졌다.

"벨뷔 궁을 단장하라니? 그곳은……."

적잖이 의외의 소식이었는지 황태후 마그리트는 그녀답지 않게 말끝을 흐렸다. 스베르겐어로 '빼어난 경관'을 뜻하는 '벨뷔'라는 이름에 걸맞게 그

곳은 쉔달 성 내에서도 경관이 아름답기로 손에 꼽혔다. 다만 벨뷔 궁이 명성을 얻은 건 현재가 아닌 전 황제 로보프 3세 때 얘기.

효심이 깊었던 로보프 3세는 어머니를 위해 궁을 짓고 정원에 인공 연못을 판 다음 아름다운 아치 다리를 세웠다. 더불어 창가 어디에서나 첼리노를 감싸고 도는 슈프렌 강이 보이는 독특한 구조로 궁을 완성 지었다. 모친이 돌아가신 후, 로보프 3세가 누구에게도 그곳을 허락하지 않아 이후로는 주인 없는 텅텅 빈 궁으로 남은 지 오래.

심하게 한적한 위치에 있는 탓에 레오폴드가 황제가 된 후에는 사람들의 관심에서 완전히 멀어졌다. 어느 한 사람 한가로이 전망이나 감상하자고 그 외진 곳에 머물려 하지 않았기에.

'혹시……?'

언짢은 기색을 역력히 드러낸 황태후가 클리마 백작에게 물었다.

"설마 함께 온다는 손님이 뷔테인 남작 부인을 말하는 건 아니겠지?"

"거기까진 언급하지 않으셨습니다."

탁.

황태후가 주먹 쥔 손으로 테이블을 쳤다. 문진에 눌려 있지 않았던 서류 몇 장이 팔랑대며 바닥으로 떨어져 내렸다.

"그 여자를 옆에 두지 말라고 몇 번을 말했건만."

차라리 다른 여자를 만날 것이지 왜 하필 뷔테인 남작 부인을 찾아가는 건지 답답할 노릇이다.

'어리석기는.'

지금이야 후사가 없는 탓을 고스란히 황후에게 묻는다지만 뷔테인 남작 부인을 가까이하게 되면 얘기가 달라진다. 남작 부인은 세상을 떠난 남편과의 사이에서 아들을 낳은 여자다. 그런데 그녀와 황제 사이에서 계속 자식이 없다면, 의심의 눈초리가 황제를 향하게 될 것이다.

이미 비슷한 얘기가 남작 부인의 입에서 나온 적도 있다. 일부러 먼 곳으로 쫓아낸 것도 다 그래서였는데 왜 거기까지 찾아가 입방아에 오르지 못해 안달인지. 쿡쿡 쑤시는 머리를 짚은 황태후가 지친 목소리로 중얼거렸다.

"황제의 명이니 따라야지. 내일부터 벨뷔 궁을 수리하게. 그리고 업다이크 후작 영식이 곧 첼리노에 도착한다니 사람을 붙여 놔. 어떤 귀족들과 자주 만나는지 세세히 확인해서 남김없이 보고하고."

"알겠습니다, 폐하."

만약 정말로 그 여자를 벨뷔 궁에 들인다면 뷔테인 남작 부인은 제법 아름다운 무덤에 묻히게 될지도 모르겠다. 살랑살랑 부는 여름 바람에 실려 온 아이리스의 진하지 않은 꽃향기가 금세 사라진 순간. 문득 떠오른 기억을 따라 마그리트의 입술에서 씁쓸한 조소가 흘러나왔다.

"마그리트. 당신은 독초야. 주변 사람들을 질식시켜 말라 죽게 만드는 끔찍한 독초라고."

남편의 말대로 그녀는 독초일지도 모른다. 하지만 무색무취한 쓸모없는 꽃이 되어 정원이나 장식하느니, 기꺼이 모두가 두려워하는 독초로 사는 편이 낫겠지. 머리를 짚은 손을 내린 마그리트는 다시 차분히 테이블 위의 서류 한 장을 집어 들었다.

"도미닉, 당신 얼굴이 왜……."

급히 주방으로 불려 온 도미닉을 본 순간, 프리다는 잠시 할 말을 잃고 말았다. 도미닉도 노랗고 퍼렇고 보랏빛이 도는 제 얼굴이 창피했는지 프리다의 눈길을 똑바로 마주하지 못하고 연신 딴청을 피웠다.

손바닥을 가슴에 꾹 대고 놀라 가빠진 호흡을 진정시킨 프리다가 리카르도를 돌아보며 말했다.

"몰리 경, 기사들에게 아이들을 숙소에 데려다주라고 하세요. 되도록 주변을 물려 주시고요."

말을 마친 그녀는 나란히 앉아 있는 세 소년에게 다정한 미소를 건넸다.

"너희들은 이제 아무 걱정 하지 말고, 잘 먹고 편하게 지내면 돼. 마틸다 누나는 내가 꼭 찾아 줄 거니까. 알았지?"

천진하게 고개를 끄덕인 아이들은 리카르도를 따라 주방을 나섰다. 아이들의 안내를 기사에게 부탁한 뒤 리카르도가 주방 문을 닫고 들어오자 아델도 눈치껏 자리를 피했다. 리카르도와 도미닉, 프리다만 남은 주방 안에 일순간 정적이 감돌았다. 제 시선을 회피하는 몰리 부자를 찬찬히 바라보던 프리다가 힘없이 의자에 앉으며 물었다.

"뮤리엘은 어디를 얼마나 다친 거예요? 애들 말로는 피를 흘리며 쓰러져 있다던데. 많이…… 안 좋아요? 그래서 못 보게 하는 거예요?"

몇 분 전, 뮤리엘에게 가겠다고 나서는 프리다의 앞을 리카르도가 막았다. 당분간은 의사의 치료를 방해하지 않는 게 좋겠다는 리카르도의 만류에 프리다는 하얗게 질린 채 그 자리에 굳어 버렸다.

제 질문에 쉬이 답하지 못하는 도미닉을 보고 있자니 자리에 앉아 있는데도 다리가 점점 더 후들거리고 몸에서 힘이 쭉 빠졌다. 프리다는 맞잡은 두 손을 꼭 움켜쥔 채 말했다.

"말해 줘요, 도미닉. 뮤리엘의 상태가…… 심각해요?"

침묵하던 도미닉이 굳은 표정으로 말했다.

"마음의 준비를 하시는 게 좋을 것 같습니다."

"세상에……."

충격을 이기지 못한 프리다가 휘청이는 몸으로 왼팔을 뻗어 식탁을 짚었다. 놀라 크게 떠진 눈에서 순식간에 후드득 눈물이 떨어졌다.

평소와 다름없이 성 밖에 다녀오겠다는 인사를 남기고 떠난 뮤리엘이 어쩌다 사경을 헤매는 지경이 된 걸까? 다리를 다친 마틸다는 누가, 왜, 어디로 끌고 갔다는 걸까? 모든 게 다 의문투성이다. 오른손으로 눈물을 훔치던 프리다가 끝내 참지 못하고 울먹였다.

"왜요? 뮤리엘에게 왜 그런 일이 일어난 거예요? 마틸다의 동생들이 한 얘기는 다 뭐고요? 도미닉, 당신 얼굴은 왜 그 모양인데요? 대체 이 성안에서 나 모르게 무슨 일들이 벌어지고 있는 거냐고요?"

붉게 충혈된 보라색 눈동자를 마주 보고 있는 도미닉도 소리를 지르고 싶긴 마찬가지였다. 도미닉의 인생 서른 해를 통틀어 오늘처럼 곤란한 날이 또 있었던가 싶다.

'내가 분명 귀띔이라도 해 주자고 했는데! 우이씨. 다니엘, 이 자식. 돌아오기만 해 봐라.'

도미닉이 입을 떼지 못하고 있자 리카르도가 나름 거든다고 나섰다.

"진정하세요. 공작 전하께선 부인께서 충격받으실까 봐 염려하시어 입단속을 하신 것뿐입니다."

"네? 그러면 다니엘이 일부러 나만 모르게 하라고 지시했다는 건가요?"

"그, 그게……."

그리고…… 여느 때처럼 일만 더 키웠다.

'아이고, 아버지. 그냥 가만히나 계세요, 쫌!'

아버지에게 소리 없이 눈빛으로 타박을 건넨 도미닉이 프리다를 달랬다.

"미리 말씀드리지 못해 죄송합니다. 저희 또한 마틸다가 사라진 것과 로시발트 경의 부상 모두 오늘 아침에 알게 되었습니다. 상황을 파악하는 중이라 미처 부인께 알릴 겨를이 없었습니다."

덜커덕덜커덕.

오후부터 내리던 비바람이 본격적으로 몰아닥치자 주방 창문이 요란한 소리를 내며 삐걱거렸다. 프리다는 절대 이대로 넘어가지 않겠다는 의지를 내보이며 조목조목 따지고 들었다.

"핑계 대지 말아요. 도미닉. 더는 날 속일 생각도 하지 말고. 내게 알릴 겨를이 없었다는 그 소식을 아델도 알잖아요. 이 성의 안주인인 나만 모르고 있었어요."

"부인, 우선 진정하시고⋯⋯."

"공작 부인께서 모르는 게 과연 그것뿐일까요?"

이번엔 또 누가 눈치 없이 끼어드는 거야? 휙 돌아선 도미닉은 주방 문 앞에 선 금발의 미녀에게 사납게 눈을 부라렸다.

'저 여자가 왜 여기에 온 거야?'

페트리샤를 친절히 주방 안으로 에스코트하는 아메티스 기사단원을 발견한 도미닉이 고개를 돌려 아버지를 노려봤다.

"도대체 기사단 교육을 어떻게 하신 거예요? 낄 자리 안 낄 자리 구분 못해요? 저 여자를 왜 이리로 데리고 오는 건데?"

눈을 찡그리며 작은 목소리로 투덜대자, 리카르도가 웅얼거리며 대꾸해 왔다.

"꼴에 저희도 기사라고 여자만 보면 친절하게 구는 것까지 나보고 어쩌라고. 그러는 넌 왜 기척도 못 느꼈는데?"

"창문은 삐걱대지 공작 부인은 다그치지. 내가 이 판국에 무슨 정신이 있어서 문밖 기척까지 신경을 써요?"

부자간에 날 서린 소곤거림이 오가는 도중, 페트리샤를 알아본 프리다가 천천히 자리에서 일어났다. 눈이 마주치자 페트리샤가 먼저 가볍게 무릎을 굽혀 프리다에게 예를 갖췄다.

"말씀 나누시는 데 실례가 되었다면 사죄드리겠습니다. 하지만 기다려도 통 오시질 않아서요. 공작 부인이 계시는 곳으로 안내를 부탁했는데⋯⋯ 설마 이런 곳에 계실 줄은 몰랐네요."

조소를 머금은 페트리샤가 눈을 들어 주방을 쭉 훑어 내렸다. 겉으로는 깍듯하게 예의를 갖추고 있었지만, 입가에 서린 비웃음까지 숨기기엔 역부족이었다. 뭐가 마음에 안 드는지 페트리샤는 주위를 둘러보며 연신 눈살을 찡그렸다. 그런 페트리샤를 바라보는 프리다의 시선이 착잡해졌다.

"공작 부인께서 모르는 게 과연 그것뿐일까요?"

안주인이라며 거들먹거리더니, 일개 손님인 자신도 아는 일을 여태 모르고 있었냐는 명백한 핀잔. 프리다는 손등의 뼈가 도드라지도록 세게 주먹을 움켜쥐었다. 창피하고, 비참하고, 억울했다.

하지만 아무리 속이 상해도 뷔테인 남작 부인을 내내 주방에 세워 놓을 수는 없는 일. 게다가 그녀는 자신이 불러들인 사람이다. 눈물로 범벅 된 벌게진 눈가를 감추는 건 어차피 불가능했기에 프리다는 최대한 빨리 호흡을 가다듬었다. 말하는 목소리가 떨리지 않기를 바라며 차분히 사과부터 건넸다.

"오래 기다리게 해서 미안해요. 급히 살필 일이 생긴 탓에 미처 연락을 드리지 못했네요. 자리를 옮겨서 얘기 나누시죠."

"아니요. 여기도 나름 괜찮네요. 색다르고."

사뿐사뿐 프리다 앞으로 다가온 페트리샤가 식탁 가까이 서서 싱긋 웃었다.

"부인께서 개의치 않으신다면 그냥 여기서 얘기해도 됩니다."

뒤편에 나란히 선 리카르도와 도미닉을 흘끗 돌아본 그녀가 다시 프리다를 지그시 쳐다보며 말했다.

"하지만 기왕이면 단둘이 있고 싶네요. 제가 지금부터 저 두 사람이 꽤 불편해할 내용의 이야기를 할 거라서요."

입꼬리만 살포시 올린 억지 미소로 본심을 가린 도미닉이 프리다 곁으로 한 발 다가왔다.

"제가 곁에 있겠습니다. 불편한 감정쯤은 충분히 감수할 수 있으니 뷔테인 남작 부인께선 걱정하지 않으셔도 됩니다."

"왜요? 내가 갑자기 돌변해 공작 부인을 공격하기라도 할까 봐?"

비꼬듯 묻는 말에 도미닉 역시 특유의 빈정거림으로 답해 주었다.

"죄송하지만, 뷔테인 남작 부인께선 뮌하임 성의 안주인께 해를 끼칠 분인지 아닌지 아직 검증되지 않았습니다. 황제 폐하의 곁을 오래 지키셨으니 이 정도 유난은 넓은 마음으로 이해해 주시리라 믿습니다."

피식, 입매를 씰룩인 페트리샤가 양팔을 우아하게 옆으로 활짝 펼쳤다.

"단검이라도 숨기고 있을까 봐 걱정되나 본데, 정 궁금하면 샅샅이 뒤져 보든가."

"사람을 해치는 무기가 꼭 단검만 있는 건 아니지요."

"내가 공작 부인을 해칠까 봐 걱정되는 게 아니라 댁들이 감추고 싶은 진실을 털어놓을까 봐 겁이 나는 건 아니고?"

페트리샤의 연이은 도발에도 도미닉은 굳건히 비열한 표정과 냉소로 응수했다.

"설마 뷔테인 남작 부인께서 알고 계신 것이 모두 진실이라 믿으시는 건 아니겠지요? 막말로……"

여기서 멈춰야 한다는 걸 알면서도 도미닉은 기어이 하지 않아도 될 말까지 덧붙이고 말았다. 평소라면 대수롭지 않게 능글대며 넘겼을 일이나 불현듯 짜증이 치밀어서였다.

"황제가 던져 준 개뼈다귀나 물어뜯고 사시는 분께서 제대로 아는 진실이 있기는 할지 의문이네요."

"도미닉! 너무 무례하잖아요."

무례를 넘어 야만에 가까운 도미닉의 태도에 진심으로 놀란 프리다가 큰 소리로 그를 말렸다. 리카르도 역시 아들의 팔을 붙들며 그를 진정시켰다.

"도미닉, 그만해라."

도미닉은 아버지의 손에 끌려 한 발 뒤로 물러섰다. 본인 역시 심했다는 걸 알고 있다. 왜 선을 넘었는지도 어렴풋이 깨닫는 중이다.

거세지는 바람과 빗줄기 속으로 사라져 행방을 알 수 없는 다니엘. 처음 만난 이후 줄곧 그에게 신뢰만을 보여 주던 프리다의 실망한 얼굴. 그녀에게 어디서부터 어디까지 설명해야 할지. 설득은 될지, 이해는 해 줄지 모르겠다는 초조함.

한꺼번에 밀어닥쳐 온 현실이 평정을 유지해 주는 차가운 심장을 녹인 것 같다. 식히고 식혀도 정제되지 않은 분노가 자꾸만 목 끝을 간질이며 끓어올랐다. 어떻게든 감정을 추스르려 애쓰고 있는데 득달같이 빈정대는 목소리가 들렸다.

"진실이든 아니든, 적어도 난 누구와 달리 알고는 있지."

양손을 가지런히 앞으로 모은 페트리샤가 싸늘히 웃으며 도미닉을 응시했다.

"당신이 황제가 계시는 브라반트 홀에서 난동을 피우다 죽을 뻔했던 건 진실? 아니면 거짓인가? 당신을 구하겠다고 리하르트 공작이 황실 근위대 전부와 대련을 했던 건? 마리안 홀의 꼭대기에 뮌하임 후작이 아내를 감금했던 끔찍한 방이 있었다는 건? 어때? 내가 알고 있는 게 정말로 그저 개뼈다귀야?"

말문이 막힌 도미닉 앞으로 다가간 페트리샤가 도도하게 고개를 치켜들고 그를 올려다보았다.

"그 잘난 입으로 대답해 보시지. 내가 아는 게 모두 거짓이라고."

팽팽히 대치하는 두 사람 사이로 프리다가 끼어들었다. 프리다는 먼저 페트리샤를 구슬렸다.

"뷔테인 남작 부인. 도미닉의 거친 언사에 대해선 내가 대신 사과할게요. 부디 너그럽게 이해해 주세요."

그러곤 뒤를 돌아 도미닉을 나무랐다.

"도미닉, 그만해요. 내가 혼자 있는 게 정 걱정되면 로잘린을 불러 주고, 당신은 물러나 있어요."

"하지만……."

"명령이에요, 도미닉. 그동안 나를 혼자 힘으론 진실과 거짓도 구분 못 하는 모자란 여자로 봐 왔던 게 아니라면, 당장 이 방에서 나가요. 당신이 계속 이곳에 머문다면 날 모욕하는 것으로 받아들이겠어요."

단호한 시선으로 도미닉에게 일갈한 프리다는 리카르도에게도 같은 눈빛을 보냈다.

"몰리 경도 마찬가지예요. 나갈 건지, 여기 남아서 날 모욕할 건지 결정하세요."

서로 눈치만 보던 부자는 프리다의 싸늘한 눈빛을 버티지 못하고 결국 그 자리를 떠났다.

"로잘린이 올 때까지만 여기 있겠습니다."

프리다는 그 와중에도 끝까지 버티려고 용쓰는 도미닉을 겨우 문밖으로 밀어냈다. 겨우 조용해진 주방과 달리 문밖은 여전히 웅성거리는 소리로 소란스러웠다. 프리다는 긴 한숨을 내쉬며 페트리샤의 앞으로 돌아왔다.

"제 침실 하녀가 곧 도착할 겁니다. 남작 부인께서도 데리고 온 하녀와 동석하셔도 됩니다."

"전 상관없어요. 나를 왜 의심하는지 모르겠지만, 문 뒤에 저런 위험한 인간들을 두고 공작 부인께 해를 끼칠 만큼 용감하지도 못하고요."

어깨를 으쓱 끌어 올린 페트리샤가 입술을 장난스레 삐죽였다.

"아무튼 겨우 조용해졌네요. 우리 이제 앉아서 얘기 나눌까요?"

페트리샤가 등받이가 있는 의자를 골라 앉자 프리다도 그녀의 맞은편에 앉았다. 물끄러미 프리다를 주시하던 페트리샤의 입꼬리가 미세하게 꿈틀댔다. 창문은 덜컥거리고, 문밖은 시끄럽고, 머릿속도 그만큼 혼란할 게 뻔한데 리하르트 공작 부인은 제법 침착해 보였다. 이 자리에서 바로 쓰러져 실려 나간다 해도 이상할 것 없는 창백한 얼굴을 하고도.

하지만 아무리 봐도 레오폴드가 이 여자의 어디에 흥미를 느낀 건지는

모르겠다. 돌연 묘한 느낌이 들었다. 어쩌면 외모가 아니라 다니엘의 아내
여서가 아니었을까.

'그러거나 말거나.'

돌돌 말린 머리끝을 만지작대던 페트리샤가 먼저 입을 열었다.

"보기와 달리 은근 당찬 성정을 가지셨네요."

"제 성격이 궁금해서 오신 건 아닐 텐데요."

살짝 비꼬는 투로 시비를 걸었더니 보랏빛 눈동자가 단번에 싸늘해졌다.

'성깔도 있으시고.'

페트리샤가 씩 웃으며 말했다.

"혹시 다리가 불편한 여자를 찾으세요? 키는 공작 부인보다 조금 크고,
갈색 머리던데."

"마틸다를 보셨어요?"

궁금했을 대목을 바로 치고 들어가자 내내 침착했던 보랏빛 눈동자가 단
박에 커졌다.

'역시, 아직 애송이네.'

거울에 비추듯 감정을 있는 대로 드러내는 프리다의 순수한 모습에 안도
하면서도 못내 입맛이 썼다.

"이름은 모르겠지만, 황실 근위대가 어젯밤에 웬 여자를 하나 데려왔더
라고요. 처음엔 황제께서 새 여자를 침실에 들이시나 했는데……."

황제가 던져 준 개뼈다귀나 물어뜯고 산다는 말이 딱 어울리는 제 처지
가 처량해서.

"알고 보니 리하르트 공작님의 정부라더군요. 성 밖에 집까지 따로 얻어
주고, 최측근인 도미닉이란 자를 시켜 돌보게 할 정도로 총애하는."

프리다는 놀라는 것도 아니고, 당황하는 것도 아닌 모호한 표정을 지었
다. 말이 없는 걸 보면 충격을 받은 건 확실한데 반응이 그녀의 예상과 달랐
다. 빛을 잃은 보랏빛 눈동자가 고요히 아래로 가라앉았을 뿐 그게 사실이

냐 따지지도, 그럴 리가 없다 부정하지도 않았다.

'되게 차분하네.'

괜스레 뻘쭘해진 페트리샤는 눈을 피해 버렸다.

벌컥.

순간, 로잘린이 문을 부술 듯이 열며 뛰어 들어왔다.

"마님, 괜찮으세요? 어디 다친 데는 없으세요?"

핏기 없는 얼굴로 굳어 있는 프리다를 발견한 로잘린이 페트리샤의 팔을 확 꺾으며 으르렁댔다.

"당신이야? 우리 마님을 이렇게 넋이 빠지게 만든 인간이!"

"꺄악!"

페트리샤가 비명을 질렀지만, 프리다는 아무 소리도 듣지 못한 듯 로잘린을 말리지 않았다. 그저 무심히 초점을 잡지 못한 시선을 비가 들이치는 창가로 돌렸다.

우르르 쾅쾅!

먹구름으로 완전히 뒤덮인 하늘은 계속 울어 댔고, 앞이 보이지 않을 정도로 굵어진 빗줄기는 점점 더 강하게 창문을 때렸다. 로잘린이 들어간 이후 잠시 소란해진 주방 안에선 다시 아무 소리도 새어 나오지 않았다. 식당 앞을 떠나지 못하고 서성이던 리카르도가 귀를 문에 바짝 붙였다.

"대체 무슨 얘기를 하시는 걸까?"

반대편 벽에 기댄 채 손톱을 물어뜯고 있던 도미닉이 비가 내리는 창문을 살피며 투덜댔다.

"헛소리 아니면 잡소리겠지. 황제의 여자가 여기 와서 좋은 소리를 지껄일 리 없잖아요. 그러게 애초에 왜 여기까지 오게 만들어요? 옷만 번지르르하면 개나 소나 다 기사냐고. 개뿔. 하는 짓은 초짜 용병만도 못한 것들이."

아들의 날카로운 반응에 문에 귀를 붙이고 있던 리카르도가 미간을 찌푸렸다.

"너 왜 이렇게 까칠해? 무슨 걱정이라도 있는 거냐?"

앞이 보이지 않을 정도로 비가 쏟아지는 창밖을 흘끔대던 도미닉이 꽉 닫힌 창문 앞으로 걸어가 창틀에 팔을 짚고 섰다.

"다니엘이 황제와 단둘이 나갔다는데 행방을 못 찾겠어요. 젠장, 대체 이 빗속에 어디를 간 거야?"

왜 이리 마음이 불안한지 모르겠다. 다니엘이라면 이깟 폭풍우쯤 쉽게 뚫고 돌아오리란 걸 알면서도, 왜 심장이 자꾸 두근거리는 건지 알 수가 없다. 꼭 그날 같다. 노팅겐과의 마지막 전투를 앞두고 출정하던 날. 괜스레 마음이 불안해 다니엘의 옆을 살피고 또 살폈는데도, 결국 일이 터졌던 그 진저리 쳐지는 날.

창틀을 붙든 손가락에 꽉 힘을 주고 있는데 복도를 달려오는 급박한 발소리가 들렸다. 도미닉은 후다닥 팔을 떼고 몸을 일으켰다. 다니엘을 찾으러 보냈던 부하 중 한 명이 비에 흠뻑 젖은 채 그를 향해 달려왔다.

"좀 나와 보셔야겠습니다."

저 자식. 다니엘을 찾았다고 하면 될 걸 왜 저렇게 사람을 불안하게 만들어?

"무슨 일이야?"

입 밖으로 내뱉은 도미닉의 음성이 미세하게 떨리고 있었다.

"발자크가……."

성질은 더러워도 웬만한 인간보다 더 영특한 다니엘의 애마. 기다리고 있던 이름이 반가워 도미닉이 성큼 부하에게 한 발짝 다가섰다.

"발자크가 돌아왔어? 주군은 어디 계시나?"

"그게……."

비에 젖어 시퍼렇게 식은 얼굴로 숨을 헐떡이던 부하가 창을 가리키며 소리쳤다.

"발자크만 돌아왔습니다."

번쩍.

쾅!

마리안 홀의 앞뜰에 내려친 번개를 정통으로 맞은 나무 한 그루가 '우지 끈' 소리를 내며, 정확히 반으로 쪼개졌다.

하늘에 구멍이라도 뚫린 것처럼 밤새 퍼붓던 장대비는 다음 날 새벽이 되어서야 그쳤다. 거짓말처럼 비가 뚝 끊긴 하늘에 태양이 일찍 고개를 삐죽 내밀자 곧 선명한 무지개가 피어났다. 천천히 창가로 다가간 페트리 샤는 오른손을 들어 손바닥 한 뼘 넓이만큼 벌어져 있던 커튼을 옆으로 젖혔다.

도무지 현실 같지 않은 쾌청한 하늘이 그녀의 얼굴 위로 쏟아졌다. 언제 비바람을 내렸냐는 듯 구름 한 점 없는 맑고 파란 하늘이 다소 뻔뻔해 보일 정도였다. 폭풍 같았던 지난밤이 꿈이었나 잠시 의심이 들었지만, 선연히 아파져 오는 오른쪽 어깨가 그건 아니라고 즉시 답을 해 왔다. 페트리샤는 인상을 구기며 목과 어깨를 주물럭거렸다.

"아우, 삐쩍 마른 년이 힘만 세 가지고."

공작 부인의 하녀에게 잡혀 꺾였던 팔이 아직도 쿡쿡 쑤셨다. 새벽까지 이어진 난리 통에 의사에게 보일 생각조차 못 하고 지나갔는데 아무래도 통증이 오래갈 듯싶었다.

"무식한 것."

몇 마디 더 불퉁스러운 투덜거림을 내뱉으며 어깨를 주무르는데 뒤편에서 희미한 기척이 느껴졌다.

"음……."

미세한 신음을 들은 페트리샤는 목이 아픈 것도 잊고 재빨리 고개를 돌렸다. 천둥 번개가 무섭도록 내려치던 간밤. 비에 홀딱 젖은 채 의식을 잃고 실려 왔던 레오폴드가 힘겹게 가슴 위로 팔을 들어 올리고 있었다. 부리나케 침대맡으로 다가간 페트리샤가 그에게 말을 걸었다.

"레오폴드, 정신이 들어요?"

느릿느릿 눈을 뜬 황제는 온 얼굴을 찡그리며 어깨를 뒤척였다. 침대 위로 몸을 숙인 페트리샤는 그의 손과 목, 얼굴을 만지며 체온을 확인했다. 밤새 벽난로를 지피고, 따뜻이 데운 물주머니를 침대 안에 넣어 둔 덕인지 얼음장 같던 몸에 온기가 돌았다.

일단 최악의 상황은 모면했구나 싶어 안도의 한숨을 내쉰 그녀는 황제의 이마를 가린 머리칼을 넘겨 주며 눈시울을 붉혔다.

"레오폴드. 나 누군지 알아보겠어요?"

어제 다니엘과 단둘이 말을 타고 나간 레오폴드는 폭풍우 속에 행방불명이 되었다. 그 소식을 들던 순간을 떠올리자 새삼 진저리가 쳐졌다. 두 사람을 찾아 성을 나선 이들이 되돌아오기까지. 그 끔찍한 기다림의 시간이 몇 시간 만에 끝났기 망정이지, 조금이라도 더 길어졌다면 심장이 멎었을지도.

살 떨리는 긴장감에 입술이 바짝바짝 타들어 가는 것만 같았다. 이렇듯 온전히 호흡이 돌아오고, 사람의 온기가 느껴지는 레오폴드를 보게 되자 왈칵 눈물이 터졌다. 페트리샤의 목소리는 이제는 거의 흐느낌에 가까웠다.

"레오…… 폴드……. 말 좀 해 봐요, 흑흑. 내가 얼마나 놀랐는지 알아요?"

그녀의 뺨을 타고 떨어진 눈물이 레오폴드의 턱을 적시며 목을 타고 흘러내렸다.

꼴깍.

레오폴드의 목울대가 불거졌다 꺼지며 천천히 입술이 벌어졌다.

"다…… 엘……."

"네?"

말꼬리가 흐려지는 낮은 목소리를 알아듣기 위해 페트리샤는 손바닥으로 눈물을 훔치며 그의 입술 가까이 귀를 가져다 댔다.

"레오폴드, 다시 말해 줘요. 뭐라고요?"

꼴…… 깍.

조금 전보다 오래, 그리고 뚜렷하게 불거졌던 목울대가 가라앉은 다음 훨씬 명확해진 말소리가 새어 나왔다.

"다니…… 엘."

"다니엘? 리하르트 공작이요?"

미간을 일그러트린 레오폴드가 페트리샤의 드레스 자락을 어설프게 움켜쥐며 물었다.

"그 자식…… 죽었어?"

잠깐 졸았던 것 같다. 번쩍 눈을 뜬 프리다는 소스라치듯 놀라 몸을 일으켰다.

"어?"

뭔가가 어깨를 타고 흘러내리는 느낌에 아래를 보니 낯익은 검은 재킷이 바닥에 떨어져 있었다.

"그냥 두십시오."

어느새 다가온 도미닉이 긴 팔을 뻗어 재킷을 집어 들었다.

그 모습을 물끄러미 바라보던 프리다는 재킷의 주인을 찾아 방을 두리번거렸다. 그녀가 리카르도를 찾고 있음을 눈치챈 도미닉이 재킷을 탁자에 올려놓으며 말했다.

"아버지는 억지로 내보냈습니다. 부인께서 잠드신 틈에라도 좀 쉬어야 할 것 같아서요."

"……잘했어요."

하긴 리카르도를 그대로 놔뒀다간 다니엘이 깨어날 때까지 곁을 지키고 있을 태세였으니. 담담히 고개를 끄덕인 프리다의 시선이 침대로 옮겨졌다. 웃돈을 두둑이 얹어 주고 구한 크고 튼튼한 갈색 침대 위에 누운 남자가 오늘따라 유난히 낯설어 보였다.

의식이 없는 남편을 돌본 세월이 자그마치 삼 년. 따져 보니 의식이 돌아온 다니엘과 지낸 시간은 불과 반년도 되지 않았다. 분명 지금 눈앞의 모습이 더 익숙해야 정상인데 아무리 봐도 자신이 아는 다니엘 같지 않고 어색했다.

'내가 아는…… 다니엘?'

문득, 남편에 대해 뭘 아느냐고 스스로에게 물어보았다.

"당신을 구하겠다고 리하르트 공작이 황실 근위대 전부와 대련을 했던 건? 마리안 홀의 꼭대기에 뮌하임 후작이 아내를 감금했던 끔찍한 방이 있었다는 건? 어때? 내가 알고 있는 게 정말로 그저 개뼈다귀야?"

뷔테인 남작 부인이 도미닉에게 던진 질문 중 프리다가 아는 내용은 단 하나도 없었다.

"알고 보니 리하르트 공작님의 정부라더군요. 성 밖에 집까지 따로 얻어 주고, 최측근인 도미닉이란 자를 시켜 돌보게 할 정도로 총애하는."

게다가 마틸다가 다니엘의 정부라니? 입에 올릴 가치도 없는 얼토당토않은 헛소리다.

그러나 그건 아는 게 아니라 믿는 것일 뿐. 왜 다니엘이 그런 말도 안 되는 오해를 받았는지 모르겠다. 어쩌다 제 앞에 다시 의식 불명 상태가 되어 누워 있는지도. 모든 것이 혼란스러웠다.

'이런 때일수록 정신을 바짝 차려야 해, 프리다.'

양손을 들어 뺨을 가볍게 톡톡 두드린 프리다는 허리를 펴고 자세를 바로잡았다. 옆을 지키고 있던 도미닉이 그런 프리다를 안쓰럽게 바라보며 말했다.

"주군 곁엔 제가 있을 테니 잠깐이라도 눈을 붙이고 오십시오. 너무 무리하셨습니다. 부인께선 쉬셔야 합니다."

"쉬어야 하는 건 도미닉이죠. 그 비를 다 맞으며 다니엘과 폐하를 찾으러 숲을 뒤지고 다녔잖아요. 그러고도 뜬눈으로 밤을 새웠으면서."

사람들을 통솔해 성을 떠난 도미닉은 다행히 얼마 지나지 않아 두 사람을 찾았다. 다니엘의 애마 발자크가 일행들을 주인이 있는 곳으로 안내했다고 한다.

두 사람은 벼락을 맞아 쪼개진 나무 아래 깔려 있었다. 그날 저녁 멘하임 성 앞뜰에서 벼락을 맞은 나무보다 두 배는 큰 거목이었는데, 두 사람을 덮친 건 천만다행으로 나무가 쪼개지며 튕겨 나온 파편이었다.

"말도 마. 어마어마하게 큰 나무였어. 영주님을 덮친 게 이파리가 무성한 나뭇가지였기에 망정이지. 반대편으로 넘어간 기둥이었으면 두 분 모두 내장이 다 터졌을걸."

도미닉과 함께 돌아온 기사 중 한 명이 프리다가 근처에 있는 줄도 모르고 떠들어 대는 소리를 들었다. 나뭇가지라 해도 장정 셋이 힘을 써야 들 수 있을 만큼 컸다고. 그 아래 깔린 상태로 밤을 넘겼다면 싸늘히 식은 시신을 보게 됐을 거라고도.

밤사이 두 사람이 죽을 뻔했다는 사실에 프리다의 몸이 으스스 떨려 왔다. 프리다가 어깨를 웅크리며 팔을 감싸 안자 도미닉이 다시 재킷을 펼쳐 프리다의 어깨 위에 걸쳐 주었다.

"악천후를 견디고 밤을 새우는 건 제겐 익숙한 일입니다. 하지만 부인은 아니지 않습니까?"

익숙하긴. 입술이 시체처럼 퍼렇게 질린 채 나타나 놓고. 심경이 복잡해서인지 그 딴엔 염려스러워서 하는 얘기임을 알면서도 프리다의 대꾸에 약한 신경질이 실렸다.

"내게도 다니엘을 돌보는 건 익숙한 일이에요. 잊었어요? 지난 삼 년간 내가 뭘 하며 살았는지?"

"그때와 지금은 상황이……."

"어쨌든 우리 둘 다 멀쩡한 것 같군요. 잘됐네요."

도미닉의 말을 막은 프리다는 고개를 젖히고 그를 올려다보았다.

"당신에게 물어볼 말이 산더미 같아요. 참고 있기 힘들었는데, 당신이 괜찮다니 더 기다릴 것 없이 바로 시작하죠."

가냘픈 목소리였지만 자리를 피하게 두지 않겠다는 단호함이 담겨 있었다.

"앉아요. 짧게 끝날 얘기 아닌 거 도미닉도 알잖아요. 나, 할 말이 아주 많아요."

한 번은 겪어야 할 일이라는 걸 알기에 도미닉도 고집을 피우지 않고 순순히 고개를 끄덕였다.

"서서 듣겠습니다. 말씀하십시오."

앉으라고 다시 권하는 대신 프리다는 하얀 이불을 덮고 있는 다니엘에게로 고개를 돌렸다. 겨우 혈색이 돌아온 고요한 낯빛에 잠시 눈을 두었다가 도미닉을 마주 봤다. 불안한 마음을 내려놓고, 머릿속에 구겨 넣었던 의문 중 제일 궁금했던 질문을 꺼냈다.

"뷔테인 남작 부인 말이 다니엘이 여기서 일했던 하녀를 정부로 삼아 성 밖에 숨겨 두고 드나들었다더군요. 최측근인 당신을 시켜 돌보게 했다던데. 어떻게 생각해요?"

"생각해 볼 가치도 없는 개소리……."

도미닉은 마른침을 삼키며 요즘 들어 쉽게 욱해지는 제 감정을 내리눌렀다. 골똘히 뭔가를 고민하던 도미닉이 한결 침착해진 목소리로 물었다.

"혹시 뷔테인 남작 부인이 마틸다의 행방을 아는 눈치였습니까?"

"황실 근위대가 다리가 불편한 여자를 데리고 있다고 했어요. 내 생각엔 마틸다인 것 같아요."

그럼 그 집에서 있었던 일은 황제의 소행이었군.

'그나마 황태후 측이 아닌 걸 다행이라고 해야 하나?'

다니엘은 나서지 말라고 했지만, 이렇게 된 마당에 더 감출 일도 아니었다. 무엇보다 자신의 오해로 시작된 일이니 프리다에게도 직접 해명하는 게 맞다. 씁쓸히 입술을 비튼 도미닉이 입 안의 살을 꽉 깨물며 천천히 그동안 있었던 일을 설명했다.

"마틸다의 일은 제 실수입니다."

도미닉은 차분히 보일드 남작이 수도로 보냈던 편지 안에서 '마틸다'라는 이름을 발견한 것. 그 이름이 보일드 남작 부인을 가리키는 것임을 알지 못한 그가 '하녀 마틸다'를 황태후가 보낸 첩자로 오해해 지하실에 가둔 것. 마틸다가 다리를 절게 된 것까지. 모두 다 자신 때문에 벌어진 일이라고 털어놓았다.

"그러니까……."

안 그래도 하얀 프리다의 얼굴이 당장 쓰러진다고 해도 이상하지 않을 만큼 창백하게 질려 갔다. 저 보라색 눈동자에 앞으로 더는 그를 향한 신뢰가 담기지 않겠구나 싶어 못내 입맛이 썼다.

"마틸다가 평생 다리를 절면서 살게 된 이유가…… 두 사람의 이름이 같다는 걸 몰랐던 당신의 사소한 오해 때문이란 건가요?"

"……죄송합니다."

입이 열 개라도 할 말이 없었다. 제 손으로 발목을 부러트린 건 아니라 해도, 마틸다가 다친 건 결국 저 때문이니까.

"나중에야 진실을 알고 마틸다를 성 밖으로 내보냈는데, 그 사실을 안 황제 측에서 뭔가를 착각한 것 같습니다. 전부터 주군의 주변을 쭉 감시해 온 황실이니 제가 안톤을 데리고 주기적으로 방문했던 게 오해를 샀을 수도 있고요. 분명히 말씀드리지만, 주군에게 정부가 있다는 건 터무니없는 소리입니다."

"도미닉, 그걸 내가 모를 것 같아요? 내가 지금 다니엘과 마틸다의 관계를 의심해서 묻는 것 같냐고요!"

프리다는 작은 주먹을 꼭 쥐고 가녀린 몸을 덜덜 떨며 진심으로 분노했다. 온몸의 떨림은 추위가 아니라 경악에 가까운 노여움 때문이란 걸 한눈에 알 수 있었다.

"어떻게 그럴 수가 있어요? 다친 아이를, 그것도 무고하게 상처 입은 아이를 그대로 성 밖으로 내보내다니요? 그때라도 나한테 말을 했어야죠. 사과라도 할 수 있게. 미안하다, 용서해 달라고 내가 빌 수라도 있게!"

자신을 타박하는 말을 들으면서도, 도미닉은 조금도 서운하지 않았다. 프리다는 이 와중에도 그녀를 속였다는 사실에 대한 서운함보다는 상처받은 아이에 대한 속상함과 안타까움을 먼저 드러냈다. 이토록 심성 고운 그녀에게 상처를 주었다는 죄책감이 날카로운 비수가 되어 도미닉의 심장을 찔렀다.

"도미닉……. 마틸다는 삼 년이나 함께 얼굴을 맞대고 산 우리 가족이에요. 사람이라면, 감정을 가진 인간이라면…… 그럴 순 없는 거잖아요."

"부인……."

어찌할 바를 모르고 당황하던 도미닉은 침대에서 느껴지는 기척에 놀라 고개를 그쪽으로 비틀었다. 다니엘이 덮고 있던 하얀 이불이 들썩이더니 이내 바닥으로 떨어졌다.

"이제…… 그만해."

어느 틈에 침대맡에 허리를 세우고 앉은 다니엘이 이마를 감싼 채 나지막이 중얼거렸다.

"내가 시킨 거야, 프리다."

지친 사내의 낮고 서늘한 음성이 무겁게 바닥으로 내려앉았다.

"전부 다 내가 시킨 거라고."

매일 보던 천장, 익숙한 감촉의 침대, 기분 좋은 향기. 죽지 않고 살아 돌아왔다는 사실에 다니엘은 난생처음으로 안도의 한숨이 내쉬어졌다. 그렇게 내쉰 숨을 들이마실 틈도 없이 귀에 익은 목소리가 들렸다.

"……어떻게 그럴 수가 있어요? 그때라도 나한테 말을 했어야죠……. 미안하다, 용서해 달라고 내가 빌 수라도 있게!"

프리다가 화를 내고 있었다. 도미닉의 기척이 느껴졌지만, 말소리는 들려오지 않았다. 평소 말 못 해 죽은 귀신이라도 붙은 것처럼 떠드는 인간인데, 아마 화난 프리다 앞에서 등신처럼 쩔쩔매고 있는 모양이다. 넋이 완전히 빠진 건지 그가 일어나는 기척도 알아채지 못하고 있었다. 다니엘은 슬며시 팔로 침대를 밀고 일어나며 등을 세웠다.

"……!"

무릎 아래쪽에서 느껴지는 감각이 영 심상치 않았다. 벼락을 맞은 나무가 갈라지는 걸 보며 레오폴드를 덮쳐 안고 쓰러졌는데……. 쉴 새 없이 등을 후려치던 나뭇가지와 이파리, 조각난 나무 기둥의 파편까지. 아마 그때 무언가에 다리를 다쳤는지도 모르겠다.

'머리에 이어 이젠 다리인가? 가지가지 하는군.'

그나마 힘이 들어가는 손을 들어 이마를 감싼 그는 조용히 침대맡으로 등을 기댔다.

"도미닉……. 마틸다는 삼 년이나 함께 얼굴을 맞대고 산 우리 가족이에요. 사람이라면, 감정을 가진 인간이라면…… 그럴 순 없는 거잖아요."

"부인……."

제법 앙칼진 프리다의 목소리가 반가워 심각한 상황과 어울리지 않게 입매가 조금 휘어졌다.

'가족이라…….'

내 착한 아내께선 참 마음이 바다와 같이 넓기도 하시지. 프리다가 생각하는 '가족'의 테두리 안엔 아마 수십 명쯤 되는 인간들이 북적대고 있을지도.

'설마 수백 명은 아니겠지?'

영 가능성 없는 상상은 아니다 싶어 온몸이 욱신대는 와중에도 쓴웃음이 났다. 지난 시간 마틸다라는 하녀가 그녀에게 보여 준 마음의 최소 절반은 목숨 줄을 쥐고 있는 권력자에 대한 순종이었을 것이다. 모시는 대상을 따라 언제든 바뀔 수 있는 밑바닥에 사는 힘없는 인간들의 본능. 어쩌면 지금쯤은 황제의 협박과 회유에 넘어가 진짜로 '다니엘 리하르트의 숨겨진 정부' 행세를 하고 있을지도 모른다.

나중에 아는 체라도 하려면 얼굴은 기억이 나야 할 텐데……. 기억을 더듬다 보니, 문득 레오폴드는 어찌 되었을까 궁금해졌다.

딱히 살아 있길 바라는 건 아니지만, 이 판국에 죽어 버리면 그것도 골치 아프긴 매한가지라. 그들의 머리 위로 내려치는 섬광을 본 순간 레오폴드를 감싼 건 역시 몸에 밴 습관 같은 거였다. 평생을 그 자식의 목숨을 살리며 살아왔으니까.

"백성들의 원성을 가라앉힐 방법이야 많지. 예를 들면…… 삼백 년 만에 제국에 강림하신 성녀님의 출현이라든가."

하지만 되는 대로 아무 말이나 지껄이던 짜증 나는 낯짝을 생각하니 후회막심이다. 나무에 깔리게 놔둬 버릴걸.

'레오폴드 녀석, 비리비리한 놈이라 충격이 컸을 텐데.'

그래도 운이 좋은 녀석이니 살았겠지 하며 걱정을 떨쳐 냈다. 지금은 이 방 안의 일부터 해결하는 게 먼저였다. 다니엘은 지끈대는 이마를 누르며 입을 열었다.

"이제…… 그만해."

망할 나무 파편이 제대로 등을 갈겼는지 팔을 들썩일 때마다 골이 울렸다.

"내가 시킨 거야, 프리다."

그의 목소리를 들은 두 사람이 제게로 몸을 트는 소리가 들렸다. 보아하니 다 들킨 것 같은데, 도미닉 혼자 모조리 덤터기를 쓰게 할 수는 없었다. 도미닉이 딴소리를 늘어놓기 전에 한 번 더 쐐기를 박았다.

"전부 다, 내가 시킨 거라고."

"다니엘……!"

그의 이름을 부르는 아내의 목소리가 평소보다 높고 떨렸다. 프리다는 도미닉을 채근하며 드러냈던 분노를 여전히 떨쳐 내지 못하고 있었다. 약간 서러웠다. 저는 살아서 프리다를 다시 보게 되어 이토록 반가운데 말이다.

천천히 이마를 감싼 손을 내리고 고개를 돌렸다. 다니엘이 좋아하는 연한 보랏빛 눈동자가 부드럽고 따스한 기운 없이 붉게 핏발 선 채로 그를 바라보고 있었다. 잠을 이루지 못했는지 작고 뽀얀 얼굴에 피로감이 역력했다.

'걱정은 했나 보군.'

거칠한 낯빛에 마음이 짠하면서도, 지친 모습을 마주하니 서운함이 다소 사라졌다. 저를 좋아한다던 그녀의 마음을 의심했던 건 아니지만, 확인받는 기분이 나쁘지 않아서. 아마도 적잖이 긴장하고 있었던 듯하다. 그녀에게 말을 걸고 싶어 서둘러 침을 삼킨 목울대가 예상보다 크게 출렁인 걸 보면. 다니엘은 아련히 가라앉은 눈을 프리다에게 고정한 채 팔을 뻗었다.

"이리 와. 프리다."

약간의 움직임에도 등에 엄청난 통증이 찾아왔다.

'빌어먹을.'

습관적으로 터져 나오는 욕설을 꿀꺽 목 안으로 삼켰다. 아무리 아파도 저를 염려해 밤새 곁을 지킨 아내를 안아 주지 못할 정도는 아니었다. 프리다가 순순히 안겨 주기만 한다면. 간절함을 담아 팔을 앞으로 더 내밀었다.

"주군, 괜찮으십니까?"

이 판국에 눈치 없이 끼어드는 도미닉의 낯짝을 쳐다볼 여유가 있을 리가.

"도미닉, 넌 나가."

다니엘을 응시하고 있던 프리다가 버석하게 마른 입술을 삐죽였다. 그렁그렁 맺힌 눈물방울이 아슬아슬하게 매달린 눈을 보고 있자니 마음이 더 급해졌다. 다니엘의 입술이 한 번 더 열렸다.

"꺼지라는 말 안 들리나, 도미닉 몰리?"

인내심을 더 발휘하지 않겠다는 의미를 깨달았는지 푹 한숨을 내쉰 도미닉이 방을 나갔다. 열린 문틈으로 시끌벅적한 소리가 들려왔지만, 문이 닫힘과 동시에 정적이 찾아왔다. 다니엘은 미동 없이 고요히 앉아 있는 아내에게 다시 손짓을 보냈다.

"프리다, 어서."

그러자 결국 프리다의 눈에서 눈물이 떨어졌다. 아니, 쏟아져 내렸다. 일부는 방울진 채로 떨어졌지만, 대부분은 마치 빗물이 강을 이루듯 한데 모여 뺨을 타고 흘러내렸다. 핏기 없이 창백하던 얼굴이 이내 발그레한 홍조로 물들었다. 프리다는 콧물을 훌쩍이고, 끅끅 소리를 내며 서럽게 울었다.

제 딴에는 참아 보려 애를 쓰는 것 같은데 목에서 자꾸 이상한 소리가 나오자 당황한 것 같기도 했다. 꼭 쥐고 있던 손을 들어 입을 막는 순간, 누가 시작 신호를 보낸 것처럼 그때부터 프리다의 어깨가 격하게 들썩였다.

"흑흑. 엉엉엉, 엉엉……."

다니엘은 뻗었던 팔을 천천히 거두었다. 자신과 프리다 사이의 거리라고 해 봐야 겨우 두어 걸음. 그의 재촉에도 짧은 거리를 좁히지 못한 채 울고만 있는 아내의 감정이 무엇인지 어렴풋이 알 듯하여 목이 메어 왔다.

다니엘처럼 프리다도 두려웠던 거다. 이렇게 다시 서로를 마주 보지 못하게 될까 봐.

창문 밖으로 날이 환하게 밝은 걸 보면, 프리다는 의식이 없는 그의 곁을 밤새 꼬박 지켰음이 틀림없다. 도미닉과 하녀에 대한 이야기를 나눈다는 건 다니엘이 한 일들을 알게 되었다는 뜻. 로시발트 경의 일도 알았겠지? 다 알고 난 프리다는 어떤 마음으로 제 옆을 지켰을까?

그가 밉고, 의심스럽고, 그러다가도 신뢰와 미련을 버리지 못해 간간이 부정도 해 보고. 또 혹시나 하며 못내 마음을 졸였으려나. 중요한 건 수많은 상념이 얽히고설킨 힘든 밤을 보낸 그녀가 서글프게 울지언정 그의 곁을 떠나지 않았다는 것이다.

적어도…… 프리다는 아직 그를 좋아하고 있다. 모든 것이 엉망진창인 이 와중에도. 그를 찾아온 깨달음이 반가워 두근두근 다니엘의 심장이 뛰었다. 점점 더 크게 들썩이는 아내의 어깨를 물끄러미 바라보던 다니엘이 울컥 치미는 감정을 목 안으로 삼킨 후 입술을 뗐다.

"프리다."

펑펑 울고 있던 프리다가 그의 음성을 들었다는 답으로 다소 야멸차게 몸을 옆으로 돌렸다. 내내 굳어 있던 눈매가 풀어지며 입술이 기쁘게 열렸다.

"프리다, 오늘도 내가 좋아?"

그제야 다니엘을 돌아본 프리다가 울먹이며 소리쳤다.

"엉엉. 미, 미워요. 흑. 정말 미워 죽겠어. 당신 밉다고요. 흑흑흑."

"훗."

다니엘은 빙긋이 웃으며 언젠가 넌 정상이 아니라고 하던 도미닉의 말을 떠올렸다. 눈물과 콧물로 뒤범벅된 채 그를 보고 있는 프리다가 같은 말을

하는 것 같아서. 귀부인답지 않은 투박한 손길로 눈물을 마구 훔쳐 낸 프리
다가 그를 노려보며 외쳤다.

"내, 내가 지금 어떤 마음인 줄 알아요? 할 수만 있다면 베개로 당신을 마
구 내려치고 싶은 심정이라고요!"

벌떡 의자를 박차고 일어난 프리다가 씩씩대며 다니엘 곁으로 다가왔다.

"마틸다는 정체 모를 인간들이 잡아갔다지, 함께 있던 뮤리엘도 다쳐서
상태가 심각하다는데……. 난 뭐가 어떻게 된 건지 영문도 몰랐다고요. 그
런데 사람들은 계속 이상한 소리나 해 대고……."

어제 식당에서 들은 뷔테인 남작 부인의 말에 놀라긴 했다. 하지만 다니엘
에게 물어보면 금방 모든 상황을 알 수 있을 거라 여기며 마음을 다잡았었다.

'숨겨 둔 정부? 뮌하임 성의 저주? 죄다 헛소리야, 프리다.'

당신이 그렇게 단호히 말해 줄 거라 믿었다.

'로시발트 경은 강한 사람이니 금방 일어날 거야. 내가 최고의 치료를 받
게 해 줄 테니까 걱정하지 마, 프리다. 사라졌다는 하녀도 금세 찾아서 네 앞
에 데려다줄게.'

자신이 들었던 어이없는 얘기들을 털어놓으면 이런 대답을 해 줄 거라고.
불쑥불쑥 고개를 쳐드는 혹시나 하는 의심을 밀어내고, 굳건히 다니엘 당신
을 믿었는데. 프리다는 턱에 대롱대롱 매달린 물기를 손등으로 닦아 내며
매섭게 눈을 치켜떴다.

"이 꼴로 나타난 주제에 당신이 좋냐고요? 그걸 지금 질문이라고 해요?"

하룻밤 새 너무 많은 일을 겪다 보니 머리가 뒤죽박죽이었다. 물어야 할
말, 들어야 할 말이 너무 많아 어디서부터 시작해야 할지도 모르겠다. 저는
이렇듯 남편을 어떻게 대해야 할지 몰라 혼란스러워 미치겠는데. 정작 다니
엘은 뭐가 좋은지 잔잔하지만 분명하게 웃고 있다.

심지어 도미닉이 꺼내 놓은 그 끔찍한 진실을 다 자신이 한 일이라고 실
토해 놓고도. 침대맡에 등을 기댄 채 비스듬히 고개를 기울인 다니엘이 그

녀를 향해 다시 팔을 뻗었다.

"가까이 오라니까."

거리가 좁혀진 탓에 그녀의 팔목이 다니엘의 손에 잡혔다. 끌려가겠구나 예상한 프리다는 팔에 바짝 힘을 주었다. 하지만 그녀의 팔을 잡은 다니엘은 옅은 미소를 지은 채 고요히 바라만 보았다.

"베개 줄까? 지금 칠래?"

"자, 장난할 기분 아니에요."

잡힌 팔목을 빼려 하자 그녀를 붙잡은 손이 조여 오는 게 느껴졌다.

"여기, 내 옆에 있어."

그래도 다니엘이 힘을 세게 준 건 아니라 아프진 않았다.

"내게 실망이 클 테니 오늘은 더 가까이 오라곤 안 해. 그러나 당신이 내게서 떨어져도 되는 거리는 딱 이 정도야."

프리다가 미처 닦지 못한 눈물 한 방울이 '뚝' 다니엘의 손등으로 떨어졌다. 마음 같아선 품에 끌어안고 제 손으로 눈물을 닦아 주고 싶은데 몸이 뜻대로 움직여 줄지 확신이 없어 참을 수밖에 없었다. 그게 짜증 나 다니엘의 손에 힘이 들어갔다.

"내가 아무리 미워도, 죽이고 싶을 만큼 싫어져도 이 이상은 안 돼. 정 싫어지면…… 차라리 죽여 버려."

냉혹한 그의 말에 촉촉이 젖은 보랏빛 눈동자가 휘둥그레 커졌다. 다니엘은 그런 프리다에게 놀라지 말라며 다정히 웃어 주었다.

가끔, 아니, 그보다는 더 자주 프리다가 모든 걸 알게 되는 날을 상상했었다. 그 순간에 아내가 제게 보여 줄 표정, 행동, 목소리. 하나하나를 떠올리며, 그에 반응하는 자신의 모습도 함께 그려 갔다.

그런데 다리에 문제가 생겼다는 걸 알게 된 지금에서야 왜 이 방법을 떠올리지 못했었나 싶어 실소가 터졌다. 이리 쉬운 해결책을 두고 고민을 거듭했던 자신을 비웃으며 시험 삼아 무릎을 구부려 봤다. 역시나 깨어날 때

느꼈던 둔한 감각 그대로다. 지금 당장은 움직이기 힘든 정도지만, 대충 봐도 쉽게 나을 부상은 아닌 것 같은.

그런데도 다니엘의 마음은 평온하기만 했다. 잇새로 픽 싱거운 헛웃음을 흘린 다니엘이 프리다의 팔목을 놓고, 맞잡은 손가락 사이로 깍지를 꼈다.

"조금만 기다려 줘, 프리다. 하나도 남김없이 다 말해 줄게."

깍지 낀 손을 살짝 힘주어 당기자 프리다가 거부하지 않고 스르르 끌려왔다. 용기가 났다. 저에게 밉다고 말하는 프리다의 말이 진심이 아니라는 확신이 들었다.

"그러니까 내 옆에서 떨어질 생각 하지 마. 나 이제 당신 못 쫓아가."

그래도 확인받고 싶었다.

"지금 내 다리에 감각이 없거든."

내가 널 강제로 붙잡지 않아도 될 이유가 생겼음에도. 당신이라면 아픈 나를 두고 절대 떠나지 않을 걸 알면서도 듣고 싶었다.

"말해 줘. 프리다."

그 말을 꼭.

"오늘도 어제와 다를 바 없이 날 좋아한다고. 내일도 오늘과 같을 거라고."

다리에 감각이 없다는 말을 들은 프리다는 뻣뻣하게 굳어 있는 다니엘의 종아리를 빤히 바라보았다. 그러곤 지금 하는 말이 사실이냐고 묻듯 그를 바라보며 가늘게 눈을 좁혔다.

"다리에 감각이 없다는 게 무슨 말이에요?"

그를 믿지 못하고 의구심을 드러내는 아내의 표정에 쓴웃음이 지어졌지만, 그것도 잠시. 평소와 달리 얼룩덜룩 붉어진 얼굴을 보고 있자니 목 안이 쓰라렸다.

그러면서도 저를 위해 흘린 눈물로 발그레해진 프리다의 낯빛이 싫지만은 않았다. 서늘하게 노려보는 눈빛에 호의가 담기지 않았다는 걸 알면서도.

입 안에 머금은 자조를 집어삼키는데 문득 의문이 들었다. 간밤에 그녀가 흘린 눈물은 과연 모두 저만을 위한 것이었을까? 생사를 알 수 없는 침실 하녀와 사경을 헤매는 로시발트의 소식도 그녀를 눈물짓게 했을 것이다.

저 아닌 누구에게든, 프리다의 아주 작은 눈물방울 하나라도 빼앗기고 싶지 않다는 대책 없는 소유욕이 들끓었다.

"말한 대로야. 나무에 깔리면서 받은 충격 때문에 마비가 온 것 같아."

그간의 경험으로 봤을 때, 부러진 곳은 없으니 크게 걱정할 부상은 아닐 거란 말을 덧붙이려다 입을 다물었다. 프리다의 눈가에 다시 자리 잡은 눈물방울이 끝내 아래로 떨어져 그의 옷을 적셔서. 저를 걱정하며 우는 그녀가 반가웠던 것도 잠시, 막상 프리다가 눈물을 멈추지 못하자 이번엔 심장이 덜컥 내려앉았다.

프리다를 보고 있으면 이렇듯 마음을 종잡을 수가 없다. 그가 치렀던 어떤 전투보다 어렵고, 세상에 무수히 존재하는 단어 중 무엇으로도 정의할 수 없는 복잡한 여자. 다니엘에게 프리다는 지나치게 어렵고, 여전히 복잡한 존재다. 눈물이라도 닦아 주고 싶어 깍지 낀 손을 풀자 프리다가 그의 곁에서 빠르게 멀어져 갔다.

"의, 의사를 불러올게요."

무너지듯 몸을 앞으로 숙인 다니엘이 제게서 등을 돌리려는 프리다의 손을 아슬아슬하게 다시 붙들었다. 중심을 잃고 침대 위로 팔을 짚으면서도 그녀를 잡은 손을 놓지 않았다.

"가지 마."

팔을 당겨 프리다를 품에 안은 다니엘이 풍성한 그녀의 머리칼을 감싼 채 속삭였다.

"여기 있어."

쏟아지듯 밀려오는 그가 버거워 프리다는 조심히 팔을 밀었다. 하지만 다니엘이 버티기로 작정한 이상 그를 밀어내기란 애초에 불가능한 일이었다.

자포자기한 심정으로 힘을 빼는데, 숨 쉴 틈 없이 맞닿은 가슴을 타고 다니엘의 심장 소리가 전해졌다.

쿵쿵쿵쿵.

그의 심장이 고삐가 풀린 말처럼 내달리고 있었다.

"내 옆에서 떨어지지 말라고 했잖아."

살갗을 타고 넘어오는 빠른 진동에 놀란 프리다는 달래듯 그의 등을 쓸어내리며 말했다.

"다니엘, 진정하고 숨 천천히 쉬어요. 우선 의사부터 불러요. 우리 자세한 얘기는 당신 몸 상태부터 확인하고 난 다음에 해요."

이성적이고 합리적인 프리다의 설득에도 다니엘은 그녀를 감아 안은 손을 풀지 않고 더 바짝 힘을 줬다. 마치 하나가 되었을 때처럼 두 사람의 몸이 빈 곳 없이 맞물렸다. 프리다의 귓가에 답을 재촉하는 그의 뜨겁게 달아오른 숨결이 밀려들었다.

"대답부터 해."

"다니엘……."

"얼른."

떼쓰는 아이처럼 재촉하는 그의 요구에도 프리다는 쉽게 입이 떨어지지 않았다.

"……모르겠어요. 나, 정말 뭐가 뭔지 모르겠어요."

몇 번이나 입술을 열었다 다문 뒤에 나온 건, 그녀다운 꾸밈없는 대답이었다.

"다니엘, 솔직히 오늘은 너무 혼란스러워요."

아무래도 오늘은 그를 좋아한다는 말을 듣기는 틀린 듯싶다. 다니엘은 그녀의 어깨 위에서 '훗' 외마디 실소를 흘렸다. 그녀가 처음으로 제게 고백했던 날이 떠올라서.

"꼭 말하고 싶었어요. 좀 빠른 감이 없잖아 있지만, 제가 공작님을 정말 좋아하고 있는 건 사실이거든요."

"이유가 뭡니까? 그런 감정을 느낄 만큼 부인께서 저에 대해 잘 아시는지 미처 몰랐습니다."

"공작님에 대해 많은 걸 알게 되면 오히려 좋아하지 않게 될지도 모르죠."

그녀는 고백이라고 했지만, 결연한 보랏빛 눈동자에 깃든 감정은 적에게 던지는 선전 포고에 가까웠다.

'할 수만 있다면 영영 모르게, 그래서 프리다가 살아가는 나날들이 언제나 눈부시고 아름답기만을 바랐는데……'

희미하게 시작되었던 미소에 어느덧 짙은 쓸쓸함이 배어 나왔다. 프리다를 안은 팔에서 힘을 뺀 그는 거리를 두고 그녀를 빤히 마주 보았다. 손끝으로 프리다의 얼굴 여기저기 엉겨 붙은 머리칼을 조심스레 치워 주던 다니엘이 빙긋 웃으며 말했다.

"모르는 게 나아. 나에 대해 알아봐야 당신은 점점 실망만 하게 될 테니까."

프리다가 못마땅하다는 감정을 여실히 드러내며 그를 노려보았다.

"다니엘, 그렇게 말하지 말아요."

"진심이야. 사실이고."

이쯤에서 재촉을 관두고 프리다에게 머릿속을 정리할 시간을 주어야 할 것 같았다. 리하르트 공작 부인께선 누가 밀어붙인다고 마음에도 없는 소리를 하시는 분이 아니니까. 진중히 가라앉은 그의 목소리가 서로를 마주 보고 있는 두 사람의 공간을 타고 흘렀다.

"돌려 말하지 않을게, 프리다. 내 주변 상황뿐만 아니라, 나 역시 당신을 계속 숨 막히게 할 거야. 그래서 언제나 난 당신에게 뭔가를 숨길 수밖에 없어."

프리다가 입을 벙긋거리자 다니엘은 제 말부터 들어 달라며 그녀를 말렸다.

"우리가 오랫동안 함께하려면 적당한 거리를 두는 게 나았을지도 몰라. 하지만 난…… 그럴 수 없었어. 앞으로도 그러지 않을 테고."

그의 손에 붙들린 가녀린 어깨가 은은한 봄바람에 쓸리는 호수의 물결처

럼 작고 얌전히 출렁였다. 손안에 느껴지는 작은 동요를 다독이며 다니엘은
그가 할 수 있는 최선을 제시했다.

"내가 약속할 수 있는 건, 당신이 물어보면 뭐든 정직하게 답하겠다는 것
뿐이야. 그러니까 프리다……."

다니엘은 그녀를 물끄러미 바라보다 엄지를 들어 프리다의 눈가에 남은
눈물을 부드럽게 훔쳤다. 그 손길에 담긴 제 진심이 아주 작게라도 전해졌
기를 바라며.

세상에 단 한 사람, 그녀에게만은 좋은 남자이고 싶었는데. 제겐 그마저
도 쉽지 않다. 도무지 방법을 모르겠다. 자조와 비탄, 그리고 애원이 담긴 부
탁을 건네는 것 말고, 대체 뭘 어떻게 해야 할지.

"제발 나를 놓지 마."

어느 틈엔가 프리다는 그에게 지독히도 어렵고, 아프도록 버거운 존재가
되어 버렸다.

사흘째 누워만 있다는 리하르트 공작과 달리 황제는 회복이 빨랐다. 그는
의식이 돌아온 다음 날부터 침대에 앉아 빈더만 자작이 들고 온 서류를 읽
었다.

황제의 주치의도 가벼운 타박상과 몸살 기운을 제외하면 크게 걱정할 건
없다고 말했다. 밍밍한 수프 따윈 질색이니 오늘 저녁 식사부터는 여느 때
처럼 준비하라는 황명도 떨어졌다. 그럼에도 챔벌린 백작은 분을 참지 못하
고 씩씩댔다.

"폐하, 이번 일은 결단코 그냥 넘어가시면 안 됩니다. 감히 폐하를 이토록

위험한 상황에 처하게 했다니요! 리하르트 공작에게 반드시 이 책임을 물으셔야 합니다."

"천하의 챔벌린 백작도 이제 늙나 봅니다."

코웃음 치는 황제의 얼굴 군데군데 생겨난 작은 생채기를 발견한 챔벌린이 인상을 썼다. 기실 쓰러진 나무가 두 사람을 덮칠 때, 다니엘이 레오폴드를 감싸 모든 충격을 고스란히 받았다. 그 덕에 얼굴을 제외한 황제의 몸엔 상처 하나 없었다.

"먼저 성을 나가자 청한 것도 나고, 호위 없이 둘만 나가자고 한 것도 나라니까요. 몇 번이나 말한 것 같은데 귀가 어두워지신 겁니까? 아니면 기억력이 떨어지셨으려나?"

그동안 유독 리하르트 공작에게만은 알게 모르게 너그러운 태도로 일관해 오던 황제는 또다시 두루뭉술 넘어갈 작정인 듯싶었다.

'그럴 순 없지.'

득달같이 한발 앞으로 나선 챔벌린은 준비해 온 말을 다다다 내뱉었다.

"그러니 리하르트 공작은 더더욱 폐하의 안위에 각별히 신경을 썼어야 합니다. 어떠한 이유도 폐하의 신체를 이리 상하게 한 것에 대한 변명이 될 수는 없습니다."

심드렁한 얼굴로 귀를 후비는 황제 앞에서 그는 더욱더 목소리를 높였다.

"감히 이런 무도한 짓을 저지르고도 사죄조차 청하러 오지 않는 것 보십시오."

"다리를 다쳤다는데 어떻게 옵니까? 네발로 기어서?"

"기어서라도 와야지요. 의지만 있다면 예까지 오는 게 무슨 대수겠습니까? 평소에도 밥 먹듯이 황실을 능멸하는 공작입니다. 더는 공작의 무례를 묵과하지 마십시오. 필히 쉔달 성에 알리고 합당한 죗값을 물어야 합니다."

보던 서류에서 눈을 뗀 레오폴드가 밟으면 '버석' 소리가 들릴 듯한 건조한 미소를 지으며 고개를 돌렸다.

"쉔달 성에 알려 합당한 죗값을 물어라……. 내가 이해가 안 돼서 그러는 데, 우리 백작께선 과연 누구에게 공작의 죄를 물릴 권한이 있다고 여기시는 걸까요?"

눈치가 빠른 챔벌린은 금세 자신의 실수를 깨닫고 말을 얼버무렸다.

"그, 그것이 아니오라……."

"눈앞에 뻔히 그대들이 입만 열면 '제국의 태양'이라고 나불대는 황제를 두고 말이지."

레오폴드 역시 귀족들에게 황제인 저보다 모친인 황태후의 말이 더 무게를 가진다는 것쯤 모르지 않는다. 평소라면 일일이 따지기 귀찮아서라도 대충 눈감아 주고 넘어가는 그였지만, 챔벌린은 오늘 몹시 재수가 나빴다.

따지고 보면 눈을 뜬 이후부터 내내 레오폴드의 기분이 아주아주 거지 같다는 걸 깨닫지 못했으니, 그의 잘못이 영 없는 것도 아니다. 대놓고 신경질도 모자라 손에 든 서류를 서서히 구기고 있는 황제의 모습에 옆에 서 있던 빈더만 자작은 슬며시 뒤로 물러났다.

레오폴드 볼슈타크 2세가 리하르트 공작 영식일 때부터 모셨으니 그를 봐온 지 어언 십 년. 그 긴 세월이 흐르도록 황제의 본래 모습이 무엇일지 아직도 모르겠다.

기품 있고 인자하며 주변인을 까탈스럽지 않게 대하는 온화한 성품이 그의 것인지. 수틀리면 기어이 상대의 숨이 끊어질 때까지 목을 물어뜯고 마는 야수의 성질인지. 뭐가 됐든 오늘 챔벌린 백작은 잘못 걸렸다.

가뜩이나 좋지 않던 황제의 심기는 빈더만 자작이 아까 건넨 보고서로 인해 더 엉망이 된 게 틀림없다. 보고서에는 근래 쉔달 성에서 터진 '아이리스 꽃 파동'이 첼리노 귀족 사회에 심상치 않은 동요를 가져왔다는 내용이 적혀 있었다.

그로 인해 수도의 민심이 흉흉해지고 있으며, 더불어 길어지는 황제의 외유로 인해 황실에 대한 반감까지 커지고 있다는 것도 함께.

동부 지역에서 시작된 가뭄의 여파가 아직 수도에 영향을 미치지 않았음에도 벌써 이 모양이라니. 빈더만 자작은 보고서 끝에 서둘러 환궁하는 게 좋겠다는 의견도 덧붙여 두었다.

황제가 황태후 몰래 은밀히 교황청에 문의한 일에 대한 답을 기다리고 있다는 걸 알지만 더 머뭇댈 시간이 없었다. 한시라도 빨리 환궁해 수도의 민심을 잡지 않았다간, 황제를 향한 원성이 걷잡을 수 없이 커지게 된다.

괜찮은 척 굴어도 성치 않은 몸에 이어 머릿속까지 터지기 직전인 황제의 성미를 건드렸으니……. 챔벌린 백작은 오늘 곱게 이 방을 나가지는 못할 게 분명하다. 아니나 다를까. 손에 든 서류를 냅다 집어 던지는 것으로 황제의 화풀이가 시작되려던 찰나.

똑똑.

누군가가 문을 두드렸다.

'아무튼, 운 하나는 기가 막히게 좋은 노인네 같으니라고.'

오늘은 저 인간이 몰아세워지는 꼴을 좀 보나 했더니. 새삼 챔벌린의 행운에 감탄하며 문 밖을 확인한 빈더만 자작은 즉각 황제 곁으로 돌아와 방금 문을 두드린 이의 정체를 알렸다.

"폐하, 리하르트 공작 부인께서 알현을 청하셨습니다."


황제를 만나기 전, 프리다는 차분히 옷매무새를 가다듬었다. 그녀가 드레스 자락을 당겨 주름을 펴는 걸 본 로잘린이 얼른 다가가 치맛단과 머리 장식을 꼼꼼히 살펴 주었다.

"고마워, 로잘린."

단정한 미소로 감사를 전한 프리다는 들뜸 없이 침착한 손길로 손을 모아 쥐었다. 완벽한 리하르트 공작 부인으로 보이기 위해 자신을 가다듬는 프리다를 보며, 로잘린은 옅은 미소로 감탄했다.

'역시, 우리 공작 부인이야. 전하께서 푹 빠질 만해.'

놀랍도록 대범하게 일을 저지르고 가끔은 사고뭉치 같은 공작 부인이지만, 이럴 땐 영락없는 명문가의 귀족 여인이다.

'아무렴. 그 무시무시한 다니엘 리하르트를 사로잡은 분인데 뭐가 달라도 다르지.'

전에도 멋지다고 생각했지만, 며칠 전 눈빛 한 번으로 천하의 리하르트 공작을 꼼짝 못 하게 하는 걸 본 순간, 그녀는 로잘린의 우상이 되었다. 평생 이분을 주군으로 모시겠다고 홀로 다짐도 했다. 존경심이 뚝뚝 묻어나는 눈으로 보고 있는데, 황제의 방에서 나온 사내가 문을 연 채로 공작 부인에게 어깨를 숙였다.

"리하르트 공작 부인, 황제께서 알현을 허락하셨습니다. 안으로 드십시오."

로잘린의 눈길이 황제의 방으로 들어가는 프리다의 뒤통수를 끝까지 따라갔다. 그러다 식은땀을 뻘뻘 흘리며 방을 나서는 노인과 잠시 눈이 마주쳤다. 거의 은발이 된 갈색 머리. 회색 눈. 지팡이를 짚은 불편한 걸음걸이.

황태후의 최측근, 울리히 챔벌린 백작. 쉔달 성에서 황태후를 염탐하던 시절 종종 본 자라 금세 기억이 났다. 무심히 시선을 내리깔며 예의상 고개를 숙이는데 그가 걸어가며 툴툴대는 소리가 들렸다.

"부부가 하나같이 예의와 법도를 모르니 공작 성이란 곳이 이 모양 이 꼴이지. 쯧쯧."

황제의 침실 문이 완전히 닫히기 전이니 공작 부인 들으라고 하는 소리다. 공작 부인이 안으로 들어서길 기다리며 문을 붙들고 있던 빈더만 자작도 슬며시 인상을 찌푸릴 정도였다.

'저 망할 인간이 감히 누구한테!'

로잘린은 앞치마 속에 넣어 둔 작은 수저를 꼭 움켜쥐었다. 표창을 쓸 수 없게 된 이후로 감각을 잃지 않기 위해 종종 만지작대느라 넣어 두었는데 이리 쓰게 될 줄이야.

황제의 침실 문이 완벽히 닫힌 걸 확인한 로잘린이 두건 아래로 내리깔고 있던 눈을 슬쩍 돌려 복도에 보초를 선 경비들을 살폈다. 당연한 얘기지만 공작 부인을 따라온 깡마른 침실 하녀에게 눈을 주고 있는 이는 없었다.

로잘린은 지팡이를 짚고 걸어가는 백작과의 거리를 가늠하며 두어 걸음 뒤로 물러섰다. 복도를 장식한 황실의 깃발 옆에 선 그녀는 창을 넘어온 바람이 깃발을 날리는 순간을 기다려 손에 든 수저를 백작의 종아리를 향해 날렸다.

"아이쿠!"

철퍼덕.

챔벌린 백작이 나자빠졌다는 것쯤 보지 않아도 알 수 있었다. 돌멩이로 새를 잡다 도미닉의 눈에 띄어 용병이 된 그녀의 실력은 백발백중이니까.

"아이고, 허리야. 누가 복도에 이런 걸 흘려 놓은 거야! 뭘 보고만 있어? 당장 의사를 불러와. 아윽. 내 다리."

그러게, 주둥아리를 조심했어야지. 로잘린은 고개를 더 깊이 숙여 씩 벌어지는 입매를 감췄다.

레오폴드는 예복이 아닌 짙은 감색 로브를 걸친 채 프리다를 맞았다.

"어서 오세요, 공작 부인. 아시다시피 건강을 회복 중인지라 격식을 갖추어 맞지 못함을 너그러이 이해해 주시기 바랍니다."

황제께 예를 갖추고 일어난 프리다는 살포시 고개를 저었다.

"이해라니요, 폐하. 건강이 좋지 않으시다는 걸 알면서도 이리 늦게 찾아뵈어 송구할 따름입니다. 저야말로 감히 무례를 용서해 주십사 청합니다."

"보일드 남작이 매일 들어 공작 부인의 사과를 전했습니다. 다 아는 처지에 인사는 이만 생략하죠. 앉으십시오."

레오폴드가 손을 까닥이자 빈더만 자작이 다가와 프리다가 앉을 의자를 빼 주었다.

"차를 준비해 오겠습니다."

두 사람을 방에 남겨 둔 채 자작이 자리를 비우자, 레오폴드가 다니엘의 근황을 물었다.

"형님은 좀 어떠십니까? 다리를 못 움직이신다고 들었는데, 상태가 여전한가요?"

"의사 말로는 뼈를 다친 건 아니니 조만간 회복될 거라고 했습니다."

"다행한 일입니다."

잠깐의 침묵이 흘렀다. 레오폴드는 지친 모습의 프리다 앞에서 잠시 숨을 골랐다. 어차피 조만간 만나 대화를 나눌 작정이었지만, 막상 눈앞에 두고 보고 있으려니 저답지 않게 마음이 불편하다.

의식이 돌아오고 난 이후, 다니엘이 다리를 다쳐 그를 보러 올 수 없게 되었다는 말을 들었을 땐 차라리 살 것 같았다. 눈앞에 없으니 그나마 머리를 식힐 수 있어서.

속도 모르고 당장 와 보지 않는다며 무례하다 떠드는 챔벌린의 주둥아리를 틀어막아 버릴까 심각하게 고민했었다. 이로써 두 번째다. 다니엘이 코앞에서 그를 덮쳐 목숨을 구한 횟수가. 첫 번째는 날아오는 화살을 대신 맞겠다고 덤비더니, 이번엔 벼락 맞은 나무에 대신 깔렸다.

'개자식. 자기가 무슨 불사신이라도 되는 줄 알지.'

아무리 감추고 싶어도 더러운 기분이 자꾸만 표정에 드러나 미치겠다. 손을 들어 버석하게 마른 얼굴을 쓸어내리는데 다행히 빈더만 자작이 들어왔다. 찻잔을 내려놓고, 차를 권하고, 상대가 차를 마시는 걸 기다리고. 어떻게든 버텨 봤지만, 그에게 허락된 잠깐의 평화는 눈 깜짝할 새 끝났다.

더는 시선을 피할 곳도, 핑계도 없어진 레오폴드는 그림처럼 다소곳이 앉아 있는 프리다에게 눈을 두었다. 처음 봤을 때부터 하염없이 눈이 갔던 새하얀 여자. 다니엘의 아내는 오늘도 그의 시선을 붙들었다.

"몸이 불편하시다는 걸 알면서도 폐하께 급히 드릴 청이 있어서 왔습니다."

저를 끊임없이 혼란하고 갈등하게 만드는 다니엘과 달리, 담백한 그녀는 평온한 낯빛 뒤에 뜻을 숨기는 법이 없다.

"말하세요. 공작 부인께서 제게 처음으로 하는 청이시니 제가 들어 드릴 수 있는 거였으면 좋겠네요."

"데리고 계신 아이는 제 남편의 정부가 아닙니다."

돌려 말할 줄도 모른다.

"설혹 그렇다 해도 폐하께서 데리고 계실 까닭은 없지 않으신가요? 그만 풀어 주십시오. 어린 동생들이 누나를 많이 기다리고 있습니다."

지금처럼.

'기껏 머리 쓴 사람을 허탈하게 만드는 재주가 있지.'

다른 때라면 더 말을 빙빙 돌리다 결국 '안 되겠네요'로 마무리했겠지만, 그런 여유도 시간이 있을 때나 부리는 거고. 망할 놈의 아이리스 꽃이 뭐라고. 수도가 발칵 뒤집혔다니, 이제 장난은 그만하고 돌아가야 했다. 상황을 진정시킬 뭐라도 손에 들고 말이다.

"그녀가 형님의 여자가 아니라는 증거는 있으십니까?"

"진실이 아니니 증거가 있을 리 없겠지요."

한 치의 의심도 해 보지 않은 게 분명한 맑은 눈빛을 보고 있으려니 헛웃음이 터졌다.

"흠흠."

예의를 갖춰 웃음을 갈무리한 레오폴드가 거의 빈 거나 마찬가지인 찻잔을 들며 말했다. 헛소리를 늘어놓기 전, 뭐라도 해야 부끄러움도 모르는 뻔뻔한 낯짝을 진정시킬 수 있을 것 같아서.

"뭔가 오해가 있으신 듯한데 제가 그녀를 데려온 건 황실의 안위를 위해서입니다."

"황실의…… 안위요?"

다니엘이 들었다면 '미친 개소리'라고 일축할 법한 말이었건만, 프리다는 우아한 고갯짓 한 번으로 의아한 기색을 내비치는 게 다였다.

"만에 하나 그 여인이 형님의 자손을 품었을 경우를 대비해 보호하려는 겁니다."

"보호요?"

"제 모친이 먼저 찾아 해하기 전에."

"해한다고요?"

"네. 아시겠지만 현재 황실엔 후사를 이을 아들이 없습니다. 제가 황제 노릇을 제대로 하지 못해서요."

프리다는 제 발로 덫으로 걸어 들어가는 줄도 모르고 레오폴드가 하는 말에 바짝 귀를 기울였다.

"만약의 경우, 제가 후사 없이 변고를 겪게 되면 다음 황위를 두고 꽤 시끄러운 싸움이 벌어질 겁니다. 리하르트 공작 역시 그 안에 휘말릴 게 뻔하고요."

입술을 댄 찻잔을 내려놓는 그의 동작에 달라붙는 눈길이 퍽 진지했다.

"현재로선 공작이 가장 유력한 차기 황제 후보기도 하지요."

"하지만……."

"사생아라는 약점쯤이야 황제의 확실한 공표가 있는 경우 얼마든지 덮고 갈 수 있는 문제입니다. 제가 차기 황제로 리하르트 공작, 혹은 리하르트 공작의 자손을 지명해 정통성을 갖춰 주기만 한다면."

느슨하게 다리를 꼰 레오폴드는 불거진 무릎 위에 양손을 가지런히 올렸다. 한결 편해진 자세로, 한층 더 뻔뻔하게 헛소리를 내지르기 위해.

"저는 반쪽이라도 리하르트 가문의 핏줄이 흐르는 자에게 황위를 물려줄 참입니다. 유감스럽게도 그 점에서 모친과 제 의견이 갈리고 있습니다. 그래서 보호하려던 겁니다."

"폐하의 뜻은 이해했습니다. 하지만 잘못 짚으셨어요. 마틸다는…… 데려가신 아이는 남편과는 아무 관계도 없습니다."

이젠 진실이 무엇이든 프리다의 견고한 믿음을 깨부수어 버리고 싶다는 충동이 더 거세게 들끓었다.

"다니엘을 믿는 겁니까? 아니면 그 하녀를?"

"둘 다 믿어요."

단호히 대답한 프리다는 저를 비웃는 황제의 시선을 피하지 않고 마주했다. 그가 어떤 말로 저를 흔들더라도 물러나선 안 된다. 여기서 더 마틸다를 힘들게 할 수는 없었다. 누나를 기다리고 있는 세 소년의 초롱초롱한 눈동자를 떠올리며 떨리는 마음을 다잡았다.

"폐하는 지금 괜한 오해로 힘없는 백성을 무고하게 감금하고 계십니다. 그 과정에 제국에서 가장 뛰어난 기사인 로시발트 경의 생명 또한 벼랑 끝으로 내몰렸습니다. 더는 제 영지를 혼란에 빠트리지 말아 주세요. 부탁입니다."

절절하네. 레오폴드는 희미하게 입매를 비틀며 창가로 눈을 돌렸다. 며칠 전 큰 비가 내린 뒤. 오늘도 여전히 구름 한 점 없는 파란 하늘과 뜨거운 햇살, 건조하고 더운 공기가 감도는 나른하고 평온한 오후였다.

제국 어딘가에선 백성들이 그와 똑같은 하늘을 바라보며 황제를 원망하고 있을 것이다. 비가 안 와도 황제 탓, 비가 많이 와도 황제 탓을 하며. 왜 이 거지 같은 자리에 앉지 못해 그 난리들을 피워 대는지 도통 알 수가 없다. 그 자리를 지키려 이리 안달하는 자신도.

갑자기 기분이 축 처진 탓인지 더는 시답지 않은 얘기를 하는 것도 지겨웠다. 레오폴드는 이마를 가리는 머리를 쓸어 올리며 지친 목소리로 물었다.

"내가 공작 부인의 부탁을 들어주면, 그대도 내 제안을 받아 줄 겁니까?"

"제가 해 드릴 수 있는 거라면요."

"황제의 제안은 대부분 거부 자체가 불가능합니다. 그래도요?"

"들어 보고 결정하겠습니다."

신중하시긴. 프리다답지 않은 다소 정치적인 대답이었지만 크게 걱정되진 않았다. 지킬 게 많은 그녀는 결국 그의 제안을 들어줄 수밖에 없을 테니까. 그 점이 다니엘과 그녀의 가장 큰 차이점이기도 하고.

"그대가 거부한다면, 난 그 하녀가 다니엘의 정부라는 소문을 온 제국에 퍼트릴 겁니다. 내 모친께서 알 수 있게. 그러면 아마 한 달도 버티지 못하고 목숨을 잃게 되겠죠."

"폐하!"

화를 내는 모습도 썩 나쁘진 않네. 피식 웃으며 자리에서 일어난 레오폴드는 그녀가 오기 전까지 보고 있던 서류를 다시 들었다. 그러곤 빈더만 자작이 놓고 간 그 빌어먹을 보고서를 그녀 앞에 흔들어 보였다.

"국경의 전투가 길어지고 있으니 지원군을 보내 달라는 동쪽 지방 귀족들의 요청서입니다. 이틀에 한 번꼴로 쉔달 성에 전서구가 도착한다더군요."

정작 목숨 걸고 싸우는 변경백은 가만있는데 날파리들이 윙윙 난리를 쳐 댄다고 짜증을 냈는데, 그 쓸모없는 것들이 간만에 그에게 도움이 될 모양이다. 프리다 앞에 보고서를 놓아 준 레오폴드가 담담히 말했다.

"리하르트 공작의 회복이 빠르다니 다행입니다. 다리가 낫는 즉시 국경으로 보내려고 했거든요."

"다니엘을 전쟁터에 보낸다니, 말도 안 돼요!"

레오폴드는 새하얗던 낯빛과 맑은 눈빛이 동시에 불그스름해지는 걸 감상하며 느긋하게 의자에 앉아 팔을 기댔다.

"너무 놀라지 말아요. 나도 몸도 성치 않은 형님을 전쟁터로 내몰고 싶진 않습니다. 그래서 대신 당신이 할 수 있는 일을 제안할 예정입니다."

며칠 만에 처음으로 약간이나마 기분이 상쾌해진 그는 삐딱하게 고개를 기울이며 빙긋 웃었다.

"내 조건은 보름 뒤, 그대가 나와 함께 쉔달 성으로 가는 겁니다."

'쉔달 성으로 가자고?'

레오폴드의 말을 이해하지 못한 프리다는 물끄러미 그의 얼굴을 응시했다. 정돈되지 않은 금색 머리칼이 거슬리는지 황제는 손을 들어 자주 이마 위로 쓸어 넘겼다. 그때마다 손등과 이마에 생긴 붉고 푸르무레한 색의 작은 상처 자국이 드러났다. 자세히 보니 말끔한 얼굴 곳곳에 붉은 점 같은 생채기가 드문드문 있었다.

황제가 다쳤으니 어마어마한 큰일이긴 하나, 따지고 보면 자업자득이다. 다니엘이 입은 부상에 비하면 사나흘이면 나을 황제의 작은 생채기쯤 무슨 대수인가 싶은 고약한 마음이 생겼다.

'그러게 왜 사람을 끌고 나가서는.'

요 며칠 연이어 터지는 사건들로 인해 프리다는 제대로 심사가 꼬여 버렸다. 평온하던 그녀의 일상을 하루아침에 뒤틀어 놓은 황제에게 호의를 베풀 여유도 없었다. 미운 걸로 따지면 다니엘도 만만치는 않았으나 건강이 우려될 만큼 나빠지고 있어 원망보단 걱정이 앞섰다.

다리에 감각이 없어진 다니엘은 좀처럼 침대 밖으로 나오지 못했고, 이상하게 잠이 많아졌다. 첫날은 그나마 의식을 오래 붙들고 있던 거였다. 지난 사흘간 눈을 뜨고 잠시 얘기를 나누다가도 말이 없어졌다 싶어 돌아보면 이내 잠들어 있기 일쑤. 뼈가 상하지 않았으니 괜찮을 것 같다던 안톤도 오늘 아침엔 제법 난감해하는 것 같았다.

복도로 잠시 도미닉과 프리다를 불러낸 그는 다리 말고 몸의 다른 부분에도 마비가 오지 않는지 잘 관찰하라는 당부를 남겼다. 그 말을 듣고 방으로 돌아왔을 때 다니엘은 또 잠들어 있었다.

"다니엘, 일어나 봐요. 당신 나랑 얘기하기 싫어서 자는 척하는 거 아니죠?"

그럴 리 없다는 걸 알면서도 한번 기분이 가라앉자 그녀답지 않게 점점 날카로워져만 갔다. 보다 못한 도미닉이 바람이라도 쏘이고 오라며 그녀를 쫓아내다시피 밀어냈다. 다니엘의 침실을 나와 향한 곳은 뮤리엘의 방. 방으로 옮겨진 뮤리엘의 상태 역시 다니엘과 다를 바 없었다. 숨만 쉬며 누워 있는 모습이 마치 삼 년 전의 다니엘을 보는 것 같았다.

돌연 분노가 치밀었다. 불쌍한 마틸다. 사랑하는 나의 뮤리엘.

'죄짓지 않고 평범하게 살아가던 그들이 왜 고초를 겪어야 하는데? 어째서 다쳐야 하는데?'

황제고 다니엘이고 죄다 보기 싫었다.

'당신들이 뭔데? 황제면 다야? 힘 있는 귀족이면 그래도 되냐고?'

차마 다리를 다친 다니엘에게 터트릴 수 없어 참았던 분노까지 한꺼번에 끓어올랐다. 무작정 황제를 보러 달려왔는데 보고 나니 더 못마땅하다. 전엔 몰랐는데, 보면 볼수록 얄밉고 재수 없는 인간이다. 아랫입술 안의 여린 살을 이로 꾹 누른 프리다는 제국의 귀족이 가져서는 안 될 불충한 속내를 드러내지 않으려 애썼다.

백번 양보해 마틸다를 데려간 건 오해로 인해 발생한 일이라고 치자고. 그렇다면 뮤리엘은? 애먼 사람을 생사를 오가게 만들어 놓고, 뭐? 마틸다가 다니엘의 정부라는 가짜 소문을 퍼트리겠다고? 다친 다니엘을 전쟁터에 내보내겠다는 협박까지? 내가 여기서 할 일이 얼마나 많은데, 쉔달 성에는 왜 가?

표정이야 어떻게 숨긴다 쳐도 이미 상해 버린 감정을 사그라트리는 건 어려웠다. 속으로 몰리 경이 알려 준 욕지거리 몇 개를 더 내뱉은 후에야 겨우 진정되었다.

프리다는 부루퉁하게 부풀리던 볼에서 얼른 바람을 뺐다. 치밀어 오르는 화를 가까스로 다스린 프리다가 천천히 입을 뗐다.

"농담이 지나치십니다, 폐하."

레오폴드의 입술에서 픽, 희미한 휘파람 소리가 터져 나왔다.

"어느 부분이 농담으로 들렸을까요?"

황제는 그 말과 함께 한쪽으로 기울이고 있던 고개를 아래로 푹 숙이며 쿡쿡 웃었다.

"하긴 부인께서 사교계에 드나든 적이 없으니 황실 사람들을 어찌 대해야 하는지 모를 수도 있겠다고 이해는 합니다만……."

정말 재밌어서 웃었던 건 아니었는지 레오폴드의 미소는 금세 갈무리되었다.

"황제가 직접 입 밖으로 내뱉은 말입니다. 혹 제 의도가 진짜로 실없는 농지거리를 나누는 거였다 해도 부인께선 그리 들으면 안 된답니다."

다시 프리다와 마주한 황제의 표정엔 잔잔하지만 서늘한 냉기가 흘렀다. 레오폴드는 긴장감에 꼴깍 침을 삼키는 프리다를 지그시 응시하며 말했다.

"제 실수군요. '제안'이라는 호의적인 단어를 써서는 안 됐는데. 특히나 부인처럼 솔직한 대화를 즐기시는 분껜 '경고'나 '명령'이라고 단도직입적으로 말해야 한다는 걸 깜박했네요."

무너졌던 자세를 바로잡은 레오폴드의 눈빛이 돌연 단호해졌다.

"그럼 경고부터 할까요?"

차가운 기운을 내뿜는 황제는 전혀 다른 머리칼과 눈동자 색을 가졌음에도 그녀에게 쌀쌀맞게 굴던 과거의 다니엘을 연상시켰다. 길지 않은 침묵이 흐른 뒤 황제의 입술이 열렸다.

"하녀의 목숨을 구하고 싶다면 서두르는 게 좋을 겁니다. 현재는 제 사람들이 부인의 하녀를 지키고 있지만 언제 어떻게 될지 저도 장담할 수 없어서요."

"그게 무슨 말씀이세요? 조금 전엔 황실의 안위 때문에 데려갔으니 보호할 거라고 하셨잖아요."

화를 완전히 삭이지 못한 프리다가 당장이라도 벌떡 일어설 듯 어깨를 쑥 올리며 따졌다. 나름 황제의 권위를 내세운 레오폴드가 싸늘하게 대하고 있음에도 조금도 기죽지 않고 또박또박.

"제게 분명 그리 말씀하셨습니다. 잊으실 만큼 시간이 오래 지나지도 않았는데요, 폐하."

"진정하세요. 유감스럽게도 근위대엔 저를 지키는 사람만 있는 게 아닙니다. 철두철미하신 황태후께서 심어 둔 자객들도 여럿 있지요. 황제가 아닌 오직 황태후에게만 충성하는 자들이."

"자객이요? 황태후께서 왜 그런……."

얼떨결에 되묻던 프리다가 갑자기 입을 다물었다. 자신이 오늘 꽤 여러 차례 앵무새처럼 황제가 한 말을 되풀이하고 있음을 자각했기 때문이다.

"근위대뿐만이 아닙니다. 그들은 어디에나 있습니다. 아마 펜하임 성 주변에도 있을걸요."

싸늘함을 풍기던 황제는 돌연 장난기를 드러내며 설핏 인상을 구겼다.

"피도 눈물도 없는 데다 잔인하기가 이루 말할 수 없는 놈들이죠."

겁을 먹으라고 하는 말 같기는 한데 황제가 콧등을 찡그리며 웃는 바람에 심각하게 와닿지 않았다. 프리다의 표정을 읽은 레오폴드는 차갑게 굴려던 본래 의도를 잊고 픽 웃고 말았다.

"이런, 이런. 경고치곤 또 과하게 친절해져 버렸네요. 아무래도 제가 부인께 많이 약한 것 같습니다."

너스레를 떠는 황제를 불만스레 빤히 쳐다보던 프리다가 물었다.

"지금 하신 말씀이 경고라면, 제게 쉔달 성으로 가자고 하신 건 명령이 되나요?"

"아마도요."

"까닭을 여쭈어도 될까요? 제게 왜 그런 명령을 하시는지 이해가 잘 되지 않아서요."

레오폴드는 눈을 가리는 금색 머리칼을 뒤로 넘기다 말고 이마를 짚은 채 웃음을 터트렸다, 속내가 고스란히 드러나는 낯빛과 순진무구한 대꾸가 꽤 마음에 들어서. 그냥 하는 말이 아니라, 자신은 정말 프리다에게 약한 구석이 있는 모양이다.

"부인, 황제의 명령은 이해하는 게 아니라 따르는 겁니다."

하지만 그 말을 끝으로 레오폴드가 웃음기를 지워 내자 두 사람을 감싸고 돌던 느슨한 공기가 단박에 차가워졌다. 프리다는 문득 같은 아버지를 둔 두 남자의 가장 큰 차이점을 깨달았다.

감정의 기복이 적은 다니엘과 달리 황제는 변화무쌍하게 기분을 바꿔 드러내며 사람을 긴장시키는 재주가 있었다.

"황제의 명령을 받은 사내는 두 발로 걷지 못해도 전쟁터에 나가야 하고, 여인은 남편이 있더라도 황제의 침대에 들어야 한답니다."

다소 선정적인 비유에 프리다의 눈매가 득달같이 일그러졌다. 싸늘한 표정으로 그녀를 감상하던 레오폴드가 그럴 것 없다는 듯 가볍게 고개를 저었다.

"예를 든 것뿐이니 그리 언짢아하실 것 없습니다."

누가 다니엘의 아내 아니랄까 봐 정색하는 모양새도 꼭 그 인간을 닮았다. 대놓고 싫어하는 티를 내는 모습이 같잖아 굳이 한마디를 덧붙였다.

"그리고 첼리노선 보통 이런 경우 황제의 관심에 감사를 표합니다. 조만간 그곳 생활에 익숙해지셔야 하니 참고하세요."

결국 의자를 박차고 일어선 프리다가 레오폴드를 마주 보며 소리쳤다.

"무례하십니다, 폐하."

어지간히 화가 났는지 프리다는 벌게진 낯으로 온몸을 바들바들 떨었다.

"폐하께 정말 실망입니다. 거리를 떠도는 부랑자나 무뢰한도 폐하보다 무도한 짓을 저지르진 않을 겁니다. 죄 없는 백성을 잡아 두고, 사람을 상하게 하시더니. 이젠 결혼한 여인을 모욕하는 짓까지 하시나요?"

지지 않고 대거리를 하는 프리다를 물끄러미 바라보던 레오폴드가 곤란해하며 턱을 만지작댔다.

"겨우 이 정도에 실망이면 안 되는데……."

재미난 구경은 틀림없으나 문제는 점점 피곤이 밀려오는 몸이었다. 그는 뻐근해진 목덜미를 주무르며 자리에서 일어났다.

"오늘은 그만 돌아가시는 게 좋겠습니다."

레오폴드는 무수히 많은 질문이 넘쳐흐르는 하얀 얼굴에서 눈을 거둬들이고 돌아섰다.

"제가 부인께서 진짜 거부할 수 없는 명령을 내리기 전에."

쥐 죽은 듯 조용한 다니엘의 침실에 도미닉의 잔잔한 목소리가 울려 퍼졌다.

"바람 좀 쐬고 오시라고 내보냈더니 공작 부인께서 사고를 치시려나 봅니다. 로시발트 경에게 들렀다가 바로 브라반트 홀로 쳐들어가셨다네요."

방 안이 조용한 탓에 쪼르르 잔에 물을 따르는 소리가 크게 들렸다. 물잔을 든 도미닉은 침대에 누워 있는 다니엘을 우두커니 바라보다 잔을 협탁 위에 내려놓았다. 옅은 한숨을 내쉰 그는 짐짓 툴툴대며 침대 옆에 가까이 다가가 섰다.

"다 들었으면 일어나는 게 어때? 공작 부인을 저대로 뒀다간 거기고 여기고 쑥대밭이 될 것 같은데. 걱정 안 돼?"

부인과 관련된 일이라면 날부터 바짝 세우고 보는 녀석이 아까부터 내내 묵묵부답이다.

아침나절 안톤의 진찰을 받고 잠이 든 다니엘은 점심시간이 한참이나 지난 지금까지 깨어날 기미를 보이지 않고 있다. 그것이 의미하는 바를 짐작하고도 도미닉은 애써 태연히 말을 걸었다.

"화는 나 미치겠는데 정작 화풀이할 상대인 네가 이러고 있으니 뭐라고 할 수도 없지, 속 터지는 상황에서 할 말을 못 하니까 사람이 비쩍비쩍 말라가잖아. 차라리 사고 치게 두고 뒷수습하는 게 맘 편할 것 같은데. 어때?"

여전히 답이 없는 다니엘을 내려다보던 그는 의자가 크게 휘청일 만큼 털썩 주저앉았다.

"걱정 마. 혼자 보내진 않았으니까. 아버지는 곁에 못 오게 하셔서 로잘린이 따라갔어. 다 알고도 말 안 해 줬다고 한바탕하신 뒤론 아버지랑 눈도 안 마주치셔. 어지간히 화가 나신 것 같아."

조그만 몸에서 얼마나 분기를 쏟아 내시는지 아버지는 제대로 변명도 못 하고 물러나고 말았다. 도미닉이 양손으로 벅벅 얼굴을 문지르며 어깨가 푹 내려앉을 만큼 긴 한숨을 내쉬었다.

"언젠가 로시발트 경이 공작 부인은 '초식동물의 탈을 쓴 맹수'라더니, 그 말이 딱 맞더라. 그렇게 화내시는 모습, 나도 처음 봤어. 넌 상상도 못 할 거다."

도미닉 역시 상상도 못 한 일이 한 가지 있었다. 다리에 마비가 왔다고 했을 때부터 불안하긴 했지만, 또 이 꼴이 된 다니엘을 보게 될 줄은 몰랐다.

"공작 부인 화내는 거 보고 싶지 않냐?"

팔을 뻗어 다니엘의 어깨를 흔들지 못하는 이유는 그 이후를 감당하기 무서워서였다. 그것마저 했는데도 다니엘이 일어나지 않을까 봐.

지난 시간 동안 꽤 자주 두통을 느끼는 다니엘을 보면서도 외면했던 것은 두려움이 앞서서였다. 다니엘의 몸에 이상이 생겼다는 걸 인정하고 싶지 않아서.

"눈 좀 떠 봐. 이 자식아."

도미닉이 머뭇머뭇 다니엘의 어깨를 향해 손을 뻗는 순간, 방문이 열렸다. 벌컥.

"다니엘, 우리 얘기 좀 해요. 도미닉, 당신도 함께요."

기세등등한 공작 부인이 나타나셨다. 도미닉이 반쯤 뻗었던 팔을 거둬들이며 진한 탄식을 내뱉었다.

"우선, 제 얘기부터 들어 주세요. 다니엘이…… 다시 의식을 잃은 것 같습니다."

"다니엘이…… 다시 의식을 잃은 것 같습니다. 삼 년 전처럼요."

도미닉에게 이 말을 들은 지 이틀이 지났다. 그 말을 들은 당일 저녁, 프리다는 반신반의하며 다니엘이 깨어나기를 기다렸다.

피곤해서 그러는 거겠지, 다시 의식을 잃었을 리 없다 부정하며. 다친 몸으로 그 비를 맞았는데 아무리 다니엘이라도 지치는 게 당연하다고 되뇌며 밤을 꼬박 지새웠다. 침대에 엎어진 채로 잠이 든 그녀를 다음 날 아침 일찍 찾아온 도미닉이 깨웠다.

"눈 좀 붙이고 오세요. 제가 옆에 있겠습니다."

그렇게 말하는 도미닉의 낯빛도 한숨도 자지 못한 듯 거칠했다. 자기 방으로 돌아가지 않고 다니엘의 집무실에서 밤을 보낸 게 틀림없었다. 프리다가 고개를 저어 싫다고 하자 도미닉은 순순히 물러났다. 두어 번 그와 로잘린이 번갈아 가며 식사와 물을 가지고 들어왔지만, 프리다는 입을 대기는커녕 돌아보지도 않았다.

다니엘은 여전히 눈을 감은 채 숨만 쉬고 있었고, 다시 찾아온 밤은 유난히 고요했다. 오늘 아침이 되어서야 지난밤이 몹시 조용했던 이유를 알았다. 도미닉이 의사와 리카르도, 로잘린을 제외한 모든 이들에게 3층 출입을 통제했기 때문이었다. 한술도 뜨지 않은 수프 그릇과 굳은 빵을 본 도미닉이 한숨을 쉬며 프리다의 옆에 와 섰다.

"이러다 부인까지 병을 얻으시면 큰일 납니다. 식사하세요. 안 넘어가도 드셔야 합니다. 가뜩이나 몸도 약한 분이……."

"어떻게 이럴 수가 있죠, 도미닉?"

이틀 동안 네, 아니오, 혹은 가벼운 고갯짓만으로 의사를 표현하던 프리다가 입을 열자 도미닉은 하려던 말을 참았다. 그는 어렵사리 열린 말문이 이어지길 기다리며 걱정스럽게 프리다를 바라보았다. 식사를 거른 건 물론이고, 공작 부인은 침대에 눕지도, 제대로 자지도 않았다.

다니엘이 금세 자리를 털고 일어날 거라 의심치 않는 아버지는 혹여 공작 부인이 어찌 될까, 복도를 서성이며 오직 그것만 노심초사 중이었다. 왜 다니엘은 괜찮다고 여기는지 도미닉은 그것마저도 짜증 났다.

"또 의식을 잃는다는 게 말이 돼요? 깨어난 지 얼마나 됐다고."

침대 위의 다니엘에게 시선을 고정한 프리다가 혼잣말하듯 힘없이 중얼거렸다.

"왜 다니엘에게만 이런 일이 계속 일어나는 걸까요? 대체 왜⋯⋯."

왜긴. 다니엘이 제 몸 하나 아낄 줄 모르는 멍청이라 그렇지. 도미닉은 할 수만 있다면 당장이라도 달려들어 저 멍청한 자식의 코뼈를 부러뜨려 버리고 싶은 심정이다. 불끈 쥐어진 주먹을 애써 펴고, 옅은 날숨을 내쉬며 끓어오르는 화를 가라앉혔다.

"깨어난 이후에도 계속 꽤 심한 두통이 있었습니다. 후유증이 있는 와중에 이번 일로 큰 충격을 받았으니, 몸에 이상이 없다면 그게 오히려 이상한 일이겠지요."

도미닉이 애써 무덤덤하게 답하며 저를 바라보는 보라색 눈동자를 향해 채근하듯 물었다.

"다니엘의 몸 상태가 좋지 않았던 거, 전혀 눈치 못 채셨습니까?"

아내잖아. 누구보다 저 자식 옆에 오래 머물렀던 사람. 가장 가까운 곳에서 자세히 볼 수 있었던 유일한 사람. 그러니 당신이 가장 먼저 알아봐 줬어야지. 많이 아프냐고. 괜찮냐고. 몸을 아끼라고 잔소리하며 돌봐 줬어야지. 당신 말은 잘 듣는 놈이었잖아.

불시에 치미는 섭섭한 속내가 눈빛에 드러나고 말았다.

공작 부인을 탓할 일이 아니란 걸 알면서도 서운한 감정이 마구 쏟아져 나왔다. 그걸 쏟아 낼 곳은 여기가 아니라고 스스로를 타일러 봐도 소용없었다.

"여기저기 들쑤시고 다니며 참견하실 시간에 다니엘에게 더 관심 좀 가져 주시지 그러셨습니까? 저 꽉 막힌 놈이 부인에게만은 진심이었던 거 아시면서 왜⋯⋯. 젠장."

도미닉은 제멋대로 지껄여지는 입을 꾹 다물기 위해 피가 나도록 아랫입술을 깨물었다. 빗속에서 다니엘을 찾은 지도 어느덧 일주일. 그간 제대로 잠을 이루지 못하다 보니 도미닉도 몸이고 정신이고 엉망이긴 마찬가지였다. 정작 어디든 들이박으며 화풀이하고 싶은 사람은 공작 부인이 아니라 도미닉이었는지도 모르겠다.

　"죄송합니다."

　버석한 얼굴을 쓸어내린 도미닉은 참담한 기분으로 사과를 건넸다.

　"조금 전에 제가 한 얘기는 신경 쓰지 마십시오. 헛소리였습니다."

　"헛소리라기엔 진심이 아주 많이 느껴지던걸요."

　차분히 답한 프리다의 시선이 다니엘에게 돌려지는 걸 보며 도미닉이 한 번 더 사과를 건넸다.

　"정말로 헛소리였습니다. 부인을 탓하려던 게 아니라, 그냥 속상해서 저도 모르게……."

　"지금 생각하니 로즈메리 차를 건네는 게 다였던 것 같네요."

　"네?"

　프리다는 앉은키가 쑥 내려앉을 만큼 긴 한숨을 내쉬었다.

　"도미닉 말대로예요. 내가 좀 더 관심을 가졌어야 했는데 대수롭지 않게 여겼어요. 나와 달리 강한 사람이니까 두통쯤이야 무슨 문제가 되겠나 싶었던 것 같아요. 다니엘은…… 나한테 안 그랬는데."

　다니엘은 그녀가 조금이라도 몸이 안 좋으면 심하다 싶을 만큼 간섭하고 안달을 냈었다.

　"만약 내가 머리가 아프다고 했다면 다니엘은 하루에도 몇 번씩 의사를 보내고, 밖에도 나가지 못하게 말렸을 거예요. 실제로도 그랬으니까."

　다니엘이라면 그녀처럼 차나 몇 번 권하고 말진 않았을 것이다. 그녀의 방 앞에 경비들을 잔뜩 세워 외출도 못 하게 엄포를 놓고, 나을 때까지 돌봐줬을 것이다. 하루가 멀다고 울었으니 눈물이 마를 만도 한데 프리다의 눈시울이 또 뜨끈해졌다.

"솔직히 다니엘이 그러는 거, 좀 귀찮을 때도 있었어요. 왜 저렇게 유난을 떠나 싶기도 했고."

어느새 차오른 눈물이 앞을 가려 남편의 모습이 흐릿해졌다. 물기에 섞여 출렁이는 모습이 꼭 몸을 일으키려고 애쓰는 것 같았다. 울컥해진 프리다는 침대 위의 이불을 꼭 쥐었다.

"내 방에 저주가 깃들었다는 소리를 들었을 때 겉으론 태연한 척했지만, 솔직히 살짝 놀랐어요. 다들 그러더라고요. 다니엘이 다 알면서도 그 방을 내게 줬을 거라고. 그래야 날 본인 뜻대로 감시할 수 있으니까. 그럴 수도 있겠다 했어요. 이 남자, 집착이 조금 있는 편이잖아요."

"……조금이 아니라 아주 많죠."

두 사람은 동시에 피식 옅게 미소 지었다. 프리다의 뺨을 타고 주르륵 눈물이 흘러내리자 이번엔 고요히 잠든 다니엘이 뚜렷이 보였다. 폭풍우처럼 몰아붙여 그녀의 혼을 쏙 빼놓던 남자는 어디 가고, 말 잘 듣는 아이처럼 순한 모습의 남편이 영 낯설었다. 삼 년 전에도 이랬는데, 왜 그때와 전혀 다른 느낌인지는 모르겠다.

"나는 왜……."

머릿속에 짙은 안개가 꽉 들어차 하고 싶은 말이 있어도 적절한 단어가 떠오르지 않았다. 길을 잘못 든 단어들이 갈 길을 찾지 못하고 이곳저곳을 방황하며 헤매고 다녔다.

"꼭대기 방에 대해 드릴 말씀이 있습니다."

입을 닫고 귀를 여는 편이 나을 것 같아 프리다는 말없이 고개를 끄덕였다.

## 10. 바보…… 멍청이

오랜만에 번듯하게 예복을 갖춰 입고 식탁에 앉은 레오폴드 앞에 묽은 수프 한 그릇이 놓였다.

"치워."

접시를 놓은 시종이 미처 두 발짝도 멀어지기 전에 레오폴드가 손을 까딱 흔들었다. 맞은편에 앉아 있던 페트리샤가 수저를 들다 말고 침착하게 레오폴드를 달랬다.

"그러지 말고 며칠 더 부드러운 음식으로 식사해요, 레오폴드. 그러다 뒤늦게 탈이라도 나면 어떡해요?"

"난 멀쩡해. 내내 괜찮았는데 이제 와 탈 날 일도 없고."

"하인들이 그러는데 며칠 사이 리하르트 공작의 상태가 갑자기 나빠진 것 같대요. 당신도 너무 자신하지 말아요."

수프를 그대로 두라는 페트리샤의 손짓에 레오폴드에게 다가오던 하인은 걸음을 멈추었다. 페트리샤의 말에 레오폴드가 그런 일이 있었느냐고 묻듯 눈썹을 삐딱하게 치켜올렸다.

"다니엘이?"

"네. 자세한 건 모르지만 공작 부인이 벌써 며칠째 그 방에서 꼼짝도 하지 않는대요. 식사도 공작 부인 것만 들어가고. 공작의 침실이 있는 층 전체에 호위들이 쫙 깔렸다고 하더라고요."

"……그래?"

어쩐지 그렇게 성이 난 채 가 놓고도 별말이 없더라니. 개자식. 그러게 왜 잘난 척은 하고 난리야? 누가 저보고 대신 다쳐 달랬다고. 레오폴드는 짜증스레 손을 휘휘 저었다.

"난 그 자식과 달리 튼튼하니까 다신 이딴 거 올리지 마. 뭐 해? 당장 치우라니까."

멈춰 섰던 시종이 빠르게 다가와 그 앞에 놓여 있던 희묽은 수프 그릇을 들고 사라졌다. 고개를 절레절레 흔들며 같이 수저를 내려놓는 페트리샤를 보고 레오폴드가 시큰둥하게 말했다.

"나 따라서 수도에 돌아갈 거면 짐이나 싸. 늦어도 보름 뒤엔 여길 뜰 거야."

깜짝 놀란 페트리샤가 눈을 크게 뜨고 그를 향해 소리쳤다.

"정말이요? 나 다시 첼리노에 가도 되는 거예요? 그래도 돼요?"

"말했잖아. 데려간다고."

신이 나 어쩔 줄 모르던 페트리샤가 갑자기 심각한 얼굴로 그를 살폈다.

"그럼 내 영지는요? 설마 그거…… 도로 뺏어 가는 건 아니죠?"

"원래 그대 것도 아니잖아. 엄밀히 말해 황실이 대여해 준 거지. 그대에게 소유권이 넘어간 건 아니었다고."

"내가 살아 있는 동안은 내 것이라고 약속했잖아요. 당신이 하란 대로 공작 부인에게 미주알고주알 있는 것 없는 것 다 털어놨다고요."

"그래서 데려간다고 하잖아."

말간 수프가 치워진 식탁 위에 소스를 듬뿍 뿌린 잘 익은 고기가 담긴 접시가 올려졌다. 레오폴드는 나이프를 들어 우아한 동작으로 고기를 썰었다.

"오래 살아서 단물 계속 빼 먹고 싶으면 앞으로도 내 말 잘 들어."

레오폴드는 붉은 육즙이 뚝뚝 흐르는 고기를 기품 있게 씹어 천천히 삼킨 뒤에야 입을 열었다.

"돌아가면 쉔달 성에 머물 곳을 마련해 줄 테니 성녀님 옆에 딱 붙어서 일거수일투족을 모두 내게 보고해. 그게 그대의 새 임무야."

"성녀요? 무슨 성녀요? 제국에 아직도 그런 게 있어요?"

그녀답지 않게 천진하게 묻는 페트리샤에게 레오폴드는 심드렁하게 대답했다.

"그런 거라니. 말조심해, 페트리샤. 정부와 실컷 놀다 온 황제 대신 백성의 관심을 한 몸에 받아 주실 분이니까."

우리에겐 은인이지. 그는 잔에 채워진 포도주를 혀로 음미한 후 꿀꺽 우아하게 목으로 넘겼다.

밤이 깊었으나 해가 지지 않은 하늘은 여전히 대낮처럼 환했다. 곤히 잠든 다니엘을 보며 프리다는 이젠 그가 쉽게 깨어나지 못할 거란 사실을 인정할 수밖에 없다는 걸 깨달았다.

"당신이 다시 깨어난 뒤로 이렇게 오래 자는 거 처음 봤어요."

생각해 보니 많이 지치고 힘들었을 텐데, 왜 그동안은 한 번도 이런 모습을 보여 주지 않았을까.

"내가…… 걱정돼서 그랬어요?"

당신이 잠든 동안 내게 무슨 일이라도 생길까 봐?

"아프면 아프다고 말 좀 해 주지 그랬어요."

원망하려던 건 아닌데, 그렇게 들렸으면 어쩌나 걱정이 되었다.

"바보…… 멍청이."

도미닉이 들려준 이야기 속 다니엘은 정말 모자란 남자였다.

"뭰하임 후작이 미치광이였는지 아닌지는 저도 정확히 모릅니다. 다만 후작 부인이 그 방의 테라스에서 몸을 던진 이유는 따로 있습니다. 후작 부인은 남편이 아닌 다른 사내와 정을 통해 자식을 낳았습니다. 그게 소문날까 무서워 평생 겁에 질려 살았고, 끝내 미쳐서 스스로 목숨을 끊은 겁니다."

"네? 그걸 도미닉이 어떻게 알아요?"

"다니엘이 그 방에서 후작 부인의 일기를 발견했어요. 후작은 부인이 낳은 아이를 자신의 후계자로 만들고 싶어, 사실을 숨긴 것 같습니다. 부인의 물건을 하나도 버리지 않고 놔둔 걸 보면…… 무척 사랑했을지도요."

왜 진작 털어놓지 않았느냐고 묻자, 도미닉은 다니엘이 한 말을 그대로 전했다.

"멋대로 떠들게 그냥 내버려 둬. 후작이 스스로 미치광이란 오명을 쓰면서까지 지켜 주려던 후작 부인의 명예를 우리가 구정물에 던질 필요는 없지."

바보 같은 다니엘.

"그 방에 머무시게 한 건 부인을 보호하기 위해서입니다. 혹 부인께서 아이라도 가지시게 될 경우 황태후가 손을 쓸까 봐. 미리 대비하려고 그랬던 거죠. 아시겠지만 호위를 두기에 그보다 적당한 곳은 없으니까요."

그녀의 남편은 정말 바보였다.

프리다와 다니엘, 둘만 남은 조용한 방 안. 프리다는 홀로 다니엘에게 말을 걸고 대답하며 한참을 떠들었다.

"나 입 무거워요. 당신이 뭰하임 후작 부인에 관한 얘기를 들려줬다고 해도 비밀은 꼭 지켰을 거라고요."

섭섭한 듯 양 볼에 잔뜩 바람을 넣고 투덜거리기도 하고.

"아! 뮤리엘한테는 털어놨겠네요. 하지만 그 정도는 이해해 줘야 해요. 뮤리엘과 난 비밀이 없는 사이라 어쩔 수 없거든요. 당신과 도미닉 같다고 보면 돼요."

그녀의 말을 들을 수 없는 남편에게 굳이 양해를 구하기도 했다.

"그런데 뮤리엘과 난 다퉈 본 적이 없어요. 서로에 대해 다 아는데 그럴 일이 뭐가 있었겠어요? 이런 건 다니엘 당신도 좀 배워야 해요."

두어 번 더 핀잔을 주며, 모자란 반편이라고 타박도 했다.

"그렇게 입을 꾹 다물고 있는 게 능사가 아니라고요, 바보 같은 리하르트 공작님."

기회는 이때다 싶어 귀부인답지 못한 말 몇 마디를 골라서 귓가에 입술을 바짝 대고 조용히 쏘아붙였다. 입은 뒀다 뭐 하냐고 툴툴대며 성질도 부리고. 그러다 가만히 잠든 다니엘을 들여다봤다.

표정이 사라진 담담한 얼굴을 따라 흐르는 선이 너무 고와 쉬이 눈이 떨어지지 않았다. 적당히 까무잡잡한 건강한 피부와 굴곡 없이 매끈하게 날이 선 콧날. 프리다는 저도 모르게 흐뭇해져 미소를 머금은 채 중얼거렸다.

"참 잘생겼다. 내 남편."

이러고 있으니까 꼭 삼 년 전, 그날로 돌아간 것만 같다. 하크본 백작가로 실려 온 리하르트 공작을 처음 봤던 날.

"그러고 보니 눈을 감고 있는 것도 그때랑 똑같네요."

잠든 남편의 얼굴이 무시무시한 소문과 달리 그다지 험상궂지 않은 외모여서 무척 놀랐었다.

"아, 머리칼은 지금보다 짧았던 것 같아요."

이마를 덮지 않던 앞머리가 백작가를 떠날 때 즈음엔 눈을 가릴 만큼 길어졌으니 제 기억이 맞을 것이다. 유달리 하인들을 경계하는 도미닉 때문에 프리다가 작은 가위를 들고 직접 남편의 머리칼을 잘라 주었던 기억도 났다.

물끄러미 다니엘을 바라보던 프리다는 의자에서 일어나 침대 위로 몸을 숙였다. 그의 이마로 손을 뻗어 미간을 덮은 머리칼을 가지런히 위로 올려 넘겼다.

"이제 와 고백하지만 난 머리칼 자르는 데 영 소질이 없어요. 기억나죠? 당신이 일어나던 날 삐죽빼죽 엉망이던 머리. 내 솜씨였어요."

민망해진 프리다는 배시시 웃으며 다니엘의 볼을 감쌌다. 따뜻하고 기분 좋은 온기가 프리다의 손안으로 스며들었다. 엄지로 슬며시 뺨을 비벼 봤지만 다니엘은 미동도 하지 않았다.

"잠든 남편을 앞에 두고 중얼중얼 혼자 떠드는 일은 다신 없을 줄 알았는데⋯⋯."

예고 없이 왈칵 솟은 눈물이 프리다의 뺨을 타고 도르르 흘러내렸다. 턱 끝에 눈물방울이 맺히는 순간, 등 뒤로 문이 열리는 소리가 들렸다. 쓱쓱 아무렇게나 턱을 문대며 물기를 닦아 낸 그녀 뒤에서 도미닉이 길게 한숨을 쉬었다.

"오늘은 방에 가서 주무시라니까 왜 또 여기 와 계십니까? 이러다 부인까지 쓰러지십니다."

프리다는 아무 일도 없던 것처럼 다소곳이 의자에 앉았다.

"눈을 떴을 때 내가 안 보이면 다니엘이 얼마나 섭섭하겠어요."

훌쩍 콧물을 들이마신 프리다는 손수건으로 남은 눈물 자국을 말끔히 지워 냈다.

"여긴 나한테 맡기고 도미닉이나 가서 쉬어요. 오늘도 많이 바빴을 텐데."

문득, 그가 자리를 비웠던 이유가 생각나 프리다는 코를 마저 훌쩍대며 그를 올려다봤다.

"아, 보일드 남작에게 다니엘의 상태가 어떤지 알렸어요?"

"부상이 심해 당분간 업무를 보지 못할 것 같다는 정도로만요. 인장을 찍어야 하는 서류가 몇 가지 있으니 내일 오전엔 공작 부인을 꼭 뵈어야 한다고 전해 달라더군요."

공작 부부가 둘 다 이러고 있으니 성의 일은 모두 도미닉과 보일드 남작의 몫이 되었다.

다니엘이 하던 일은 물론 뮤리엘의 일까지 모두 떠맡게 된 도미닉은 딱 봐도 초주검 상태. 영문도 모르고 격무에 시달리고 있을 보일드 남작도 아마 비슷할 것이다. 자세히 보니 도미닉이 며칠 사이 심하게 푸석푸석해져 있었다.

"도미닉이야말로 잠은 자는 거예요?"

프리다가 안쓰러운 눈빛을 보내자 도미닉은 말문이 막힌 듯 잠시 그녀를 내려다보다 입을 열었다.

"제 걱정 하실 때가 아닙니다. 지금 부인 안색이 어떤 줄 아십니까?"

네 꼴을 봐라. 그 몰골로 지금 누굴 걱정하는 거냐. 대놓고 묻는 투에 프리다가 피식 웃으며 다니엘이 누워 있는 침대로 다시 눈을 돌렸다.

"당연히 엉망이겠죠. 그런데요, 이쯤은 돼야 다니엘이 우리가 얼마나 걱정했는지 알고 미안해하지 않을까요?"

그러나 이렇게 말하면서도 짐짓 심각하던 도미닉의 표정이 약간 신경 쓰였다. 프리다는 고개를 쭉 빼고 멀리 창문에 비치는 제 모습을 흘깃댔다.

'그렇게 별론가? 그래도 머리는 아침에 로잘린이 빗겨 준 건데.'

양손으로 쓱쓱 머리를 매만지던 프리다가 도미닉에게 물었다.

"나 많이 꾀죄죄해요?"

빤히 보던 도미닉이 바람 빠지는 소리를 내며 웃었다.

"아니라곤 말 못 하겠네요. 하지만 제 눈에 어찌 보이든 무슨 상관입니까? 어떤 모습을 하고 계셔도 다니엘 눈엔 예쁘고 고우실 텐데."

공작 부인은 다니엘이 이미 제 사람이라고 마음에 품어 버린 여자. 콩깍지가 쓰였을 테니 그녀가 거적때기를 두르고 있어도 아름답다고 할 놈이다.

"도미닉도 참……."

프리다는 황당하다는 듯 눈가를 찡그리면서도 부드럽게 휘어지는 입꼬리를 감추지 못했다. 싫지 않은 표정의 프리다에게 도미닉이 짓궂게 말을 보탰다.

"어릴 적부터 워낙 편파적인 눈으로 세상을 보던 녀석이라 매사에 객관

성이 떨어지는 놈이었죠."

고로 도미닉의 눈에는 별로라는 뜻이었다. 순진해도 눈치 하나는 빠른 프리다는 눈을 게슴츠레 뜬 채 도미닉을 노려봤다. 잠시 서로를 마주 보던 두 사람은 곧 동시에 웃음을 터트렸다. 입가에 미소를 드리운 두 사람의 시선이 함께 다니엘에게 돌려졌다.

때마침 커튼 너머로 구름에 가려져 있던 태양이 모습을 드러내자 창문으로 스며 들어온 볕이 다니엘의 얼굴에 닿았다. 차분히 숨을 쉬는 그의 코와 입 주변에서 허공을 부유하던 먼지가 느리게 흩어지는 걸 보며 프리다가 물었다.

"도미닉, 다니엘은 어떤 소년이었어요?"

"……."

도미닉은 대답하기 곤란한 질문을 들은 사람처럼 한참이나 말을 잇지 못했다. 프리다가 아련한 표정으로 다니엘을 바라보는 도미닉의 팔을 가볍게 당겼다.

"앉을래요?"

순순히 끌려온 도미닉이 그녀의 옆에 앉았다.

"다니엘은……."

프리다는 조용히 시작되는 도미닉의 말에 귀를 기울였다.

"……타고나길 까칠했습니다. 조그만 게 오지게 건방을 떨며 엄청나게 재수 없게 굴었죠. 한마디로 자기가 잘난 걸 아는 놈이었어요."

프리다는 다니엘을 편하게 부르는 도미닉의 무례를 지적하지 않았다. 주군이 아니라 동생 다니엘을 떠올리는 그의 친근한 태도가 싫지 않아서였다.

"잘난 척하는 꼬마 다니엘이라니. 무척 귀여웠을 것 같아요."

단박에 눈을 찡그리던 도미닉이 이내 입술을 한쪽으로 비틀며 못 이기는 척 고개를 끄덕였다.

"뭐, 그런 면도 있기는 했지요."

곰곰이 기억을 더듬어 보니 편파적이고 객관성이 떨어지는 건 자신도 마찬가지인 듯하다.

"도미닉, 다니엘을 친동생이라고 생각하고 형제처럼 지내렴."

어느 면을 보나 살가운 구석이라곤 없는 녀석이, 라우라 님의 그 한마디로 도미닉의 동생이 되었다.

"열 살이 되기 전에 이미 웬만한 기사들의 인정을 받을 만큼 검을 다루는 실력이 뛰어났어요. 머리도 좋아서 보는 사람들마다 물건이라며 탐을 냈다고 합니다. 오죽하면 돌아가신 선대 리하르트 공작께서 사내는 큰물에서 놀아야 한다며 손수 공작 성으로 데려오셨겠어요."

저 잘난 걸 아는 놈이 맘껏 드러내지도 못하고 성질을 죽이고 살아야 하니 오죽 답답했을까. 마그리트, 그 늙은 여우의 부추김에 으쓱할 수밖에 없던 다니엘이 나름 이해되었다.

"재수 없이 굴긴 해도 어릴 때는 말씀하신 대로 귀여웠어요. 순진한 구석도 있었고. 라우라 님이 그렇게 돌아가시지만 않았어도, 저리 거칠고 답답한 놈으로 크진 않았을 겁니다."

말을 마친 도미닉은 긴 한숨을 쉬었다. 라우라 님을 잃고 난 후, 실어증에 걸린 채 방에 틀어박혀 있던 다니엘을 떠올리니 돌연 가슴이 먹먹해졌다.

"황태후는…… 전부 보게 했어요. 라우라 님은 물론, 다니엘이 알고 지내던 사람들이 자신 때문에 죽어 가는 광경을."

"세상에……."

믿을 수 없는 말을 들은 프리다는 두 눈을 휘둥그레 뜨며 입을 틀어막았다.

"사람은 너무 큰 공포를 겪으면 맞설 마음이 사라지거든요. 그걸 노린 거죠. 싹을 틔우지 못하게 어릴 때부터 밟아 놓자, 아마 그런 계획이었을 겁니다."

나름 성공한 계획이었다. 어쨌든 여태껏 다니엘 리하르트를 황제의 개로 살게 했으니까. 잠들어 있는 다니엘을 바라보는 도미닉의 시선에 측은함을 넘어선 절절한 애정이 담겼다. 그는 뭔가를 결심한 듯 결연한 눈빛으로 프리다를 응시했다.

"이번 일로 크게 실망하신 거 압니다. 제가 뭐라고 하든 구차한 변명이 될 거라는 것도요. 하지만 부인, 다니엘은 다시 깨어난 이후 전과 달랐습니다. 부인이 공작령에서 하고자 하시는 일, 그 모든 걸 함께 이루며 살아가는 꿈을 꾸고 있었어요."

도로 공사는 물론 공작령의 일을 하나하나 다 챙겼다.

처음 보았다. 마지못해 사는 게 아니라 주변을 챙기고 삶에 미련을 가지는 다니엘의 모습은.

"다만 혹시라도 부인이 다칠까 조급한 마음이 앞서서……."

"나도 알아요. 다 알아요, 도미닉."

프리다는 옆에 앉은 도미닉의 손등을 토닥이며 고개를 끄덕였다. 모두 다 이해했다고 말할 순 없어도 크게 화가 난 건 아니었다.

"도미닉, 나는요. 언제나 오늘, 또 오늘이…… 소중했어요."

그저 이 모든 상황이 조금 슬펐다.

"내겐 내일이 없을지도 모르니까. 오늘을 헛되이 보내지 말고, 열심히 살아야 한다고 생각했거든요."

그가 자신을 위하는 과정 중에 누군가는 상처를 받게 된 이 어이없는 현실이.

"그래서 항상 바빴어요. 당신 말대로 여기저기 들쑤시고 참견하고 다녔죠."

"부인, 그때는 제가 실언을……."

"안다니까요."

프리다는 제 말을 끊지 말라며 밉지 않게 도미닉을 흘겼다. 사실 자신은 은연중에 사람들의 기억에 남고 싶었던 건지도 모른다. 그렇게라도, 내가 죽고 난 다음에도 누군가 자신을 기억해 주기를 바라며. 그런데 다니엘이 저를 진짜 아내로 대하는 건 약간 두려웠다.

"좋았어요. 다니엘과의 하루하루. 그런데 동시에 두려웠어요. 내가 세상을 떠나고 난 뒤에 너무 오래 슬퍼하면 어떡하지? 빨리 잊는 것도 싫지만. 그 사람이 오래 괴로워하는 것도 싫거든요."

어쩌면 그의 마음을 조금은 버거워했는지도 모르겠다.

"그런데 다니엘은…… 언제나 내게 미래를 얘기해 줬어요."

그녀를 하루라도 더 살게 하려고.

"스물한 번째 생일이 되면 선물로 금광 하나를 줄게요. 스물두 번째 생일에 또 하나. 생일마다 하나씩 당신에게 선물하겠습니다."

자신 옆에 있게 하려고.

"나조차도 내심 두려워하는 미래를 다니엘은 당연하게 말해 줬어요. 우리가 다가오는 내일도 함께할 거라고."

그래서 그랬던 것 같다. 건강이 조금만 나빠져도 유난을 떨고, 툭하면 외출 금지를 하고. 힘든 일은 자신이 다 가져가 버리는 것도 모자라 크고 작은 사건을 숨기기까지.

마틸다와 뮤리엘에겐 미안하지만, 프리다는 그를 오래 미워할 수 없다는 걸 깨달았다. 그리고 이젠 자신이 다니엘 대신 모두를 지켜야 한다는 것도. 결심을 굳힌 프리다는 도미닉을 불렀다.

"도미닉, 우리 우선 마틸다부터 구해 와요."

"네?"

"그거부터 해결하고, 나머지는 차차 생각해요."

고개를 갸웃하며 의문을 표하던 도미닉이 순간 미간을 좁히며 놀란 목소리로 물었다.

"설마, 브라반트 홀로 쳐들어가자는 말씀입니까?"

"아니요. 난 내 방식대로 마틸다를 구해 올 거예요."

나답게. 느리게 지는 창밖의 태양을 바라보던 프리다가 천천히 자리에서 일어나 단호히 그에게 명령을 내렸다.

"도미닉, 수도에 무슨 일이 있는지 알아봐 줘요. 황제께서 최근에 어디로 서신을 보냈는지도 모두 확인해 보고요. 서둘러요."

일주일 만에 레오폴드 앞에 다시 나타난 프리다는 그에게 노란빛이 은은하게 도는 차 한 잔을 건넸다. 푸른 계열의 민트 아니면 모친이 즐겨 마시는 붉은 히비스커스차만 봐 온 레오폴드에겐 다소 생소한 빛깔이었다. 찻잔 가득한 노란 빛깔이 퍽 고와 그의 눈길이 오래 머물렀다.

"드셔 보세요, 폐하."

멀뚱히 찻잔을 내려다보고 있던 그는 프리다가 말을 걸자 퍼뜩 고개를 들었다.

"말린 국화를 우려낸 차인데 숙면에 도움이 된다고 합니다."

숙면을 도와준다는 말이 극심한 불면증에 시달리는 레오폴드의 관심을 끌었다.

'이깟 차 한 잔이?'

그러나 웬만한 방법은 이미 다 동원해 본 그였던지라 설마 하는 의심이 더 강하게 들었다. 페트리샤와 빈더만 자작 등 극히 일부만 아는 그의 불면을 언급하는 것도 언짢았다.

"황제의 건강에 관한 일은 하나부터 열까지 극비 사항이건만, 대체 누가 부인께 그런 얘기를 흘린 걸까요?"

극비 사항이란 곧 개나 소나 다 안다는 얘기와 다를 바 없다는 것 역시 알고 있었다. 다만 지난주, 보름 뒤에 첼리노로 출발하겠다고 알렸음에도 모르는 척 조용히 처박혀 있다가 이제야 나타난 프리다가 마음에 들지 않아

시비를 건 것뿐이다. 다니엘이 여태 달려오지 않는 것도 찜찜했다.

'생각보다 건강이 더 안 좋은가?'

하지만 아예 걸을 수 없게 되었다면 모를까. 쉔달 성에 함께 가자던 레오폴드의 제안을 공작 부인이 전했다면 목발이라도 짚고 와 한바탕 난리를 피우고도 남았을 인간이다. 조용한 걸 보면 애초에 제 얘기를 전하지 않았다는 뜻. 감히 황제의 말을 귓등으로 들었나 싶어 괘씸했다가, 혹 다니엘의 회복이 더딘가 싶어 걱정도 되고.

이 와중에 앞에 앉은 여인이 너무 차분해 보여, 그건 그거대로 짜증이 났다. 그래도 잠을 잘 자게 해 준다는 말에 속는 셈 치고 차 한 모금을 목 안으로 넘겼다. 레오폴드는 진하지 않은 향과 담백한 맛이 마음에 들어 말을 잇기 전 한 모금을 더 머금었다.

"이미 알게 되신 건 어쩔 수 없으나, 쉔달 성에 가시면 알아도 모르는 척하는 법에 익숙해지셔야 합니다. 그래야 살아갈 수 있는 곳이니까요."

프리다에게 쉔달 성을 거론한 건 그가 제안했던 일을 잊지 말라는 경고이자 스스로에게 하는 분풀이였다. 그녀의 답을 기다리느라 아직 짐을 싸라는 명도 내리지 못한 자신이 등신 같아서.

페트리샤는 첼리노에 드레스를 주문한다느니, 영지로 사람을 보내 짐을 싸 오라고 한다느니 하며 들떠 있다. 정작 황제인 자신은 말만 꺼내 놓고 책한 권도 챙겨 넣지 못하고 있는데 말이다.

다니엘은 어떤 반응을 보일까 궁금해하며, 혹은 겁내 하며. 상념으로 씁쓸해진 기분을 달래기 위해 또 한 모금. 레오폴드가 반 이상 비운 찻잔을 내려놓자 도통 무슨 생각을 하는 건지 알 수 없는 표정으로 앉아 있던 프리다가 그제야 입을 열었다.

"제게 폐하의 건강에 대해 알려 준 이는 따로 없습니다. 그저 '보호'라는 허울 좋은 구실을 앞세워 무고한 백성을 가두고 계시니, 편히 잠을 이루실리가 없다고 여겼을 뿐입니다."

세상에서 제일 여리게 생겨서는 아주 툭하면 모진 독설이다.

'그것까지도 라우라 님을 닮았다니까.'

입가에 허탈한 미소가 생기려다 말았다. 어차피 보는 사람도 믿지 않을 억지 미소 따위 지어서 무엇 하나. 이제는 될 대로 되라는 심정이다.

"그리 거창한 핑계 없이도 원래 잘 못 잡니다."

삐딱하게 기대앉아 귓불을 당기는 동작에 누가 봐도 짜증스러운 기색이 역력했다. 이쯤 귀찮은 내색을 보였으면 그만할 법도 하건만, 다니엘의 아내는 지칠 줄을 몰랐다.

"폐하, 마틸다를 돌려보내 주세요."

'무슨 개소리야?'

피멍울이 생기도록 세게 입술을 물지 않았다면, 귀부인 앞에서 차마 입에 담지 말아야 할 상스러운 욕설을 했을지도 모른다. 생채기가 거의 사라진 황제의 말끔한 얼굴이 볼썽사납게 일그러졌다.

"하녀를 돌려보내는 조건은 이미 말한 걸로 아는데요."

쓴 물을 목 안으로 몇 번 삼키고 나니 그나마 목소리가 평소와 같아졌다.

"이제 출발까지 일주일 정도 남았군요. 나중에 귀찮은 일 만들지 마시고, 남편부터 설득하세요. 부인의 남편, 만만한 사내가 아니잖아요?"

다니엘이 깽판이라도 치는 순간, 모든 게 수포로 돌아가게 생겼는데 지금 그깟 하녀가 문제야? 안 그러려고 해도 자꾸만 목소리에 신경질이 실렸다.

"서두르세요. 내가 보기엔 남편 설득할 시간도 부족할 것 같은데. 만에 하나 황제의 앞길을 막아선다면, 그 순간 리하르트 공작은 반역자로 몰려 즉결 처분입니다."

첫 발상은 장난에 가까웠으나, 이젠 정말로 프리다가 필요하다.

무슨 수를 써서든 데려가려고 마음을 먹긴 했는데 막상 제 발로 따라나선다 해도 걱정이다. 다니엘이 작정하고 앞을 막으면, 현재 병력으로는 딱히 묘안도 없고. 지레 겁먹고 애먼 여인에게 엄포를 놓고 있는 상황이 창피해 입술을 물어뜯었다.

'젠장.'

그 자식과 불편한 얼굴을 맞대야 한다고 생각하니 머리마저 지끈지끈 아파져 왔다. 잔뜩 인상을 구기고 있는 그 앞에서도 프리다는 전혀 기죽지 않았다.

"오늘 내로 마틸다를 풀어 주세요. 그리만 해 주시면 리하르트 공작은 제가 맡겠습니다."

말뿐인 약속 따위 누군들 못 할까. 욱하는 마음에 레오폴드의 목소리가 커졌다.

"부인을 어떻게 믿으라는 겁니까? 막말로 다니엘이 못 보낸다고 버티면 옳다구나 그 뒤에 숨을 거면서."

적나라하게 드러내 버린 속내에 그녀와 마주한 시선을 돌렸다.

"믿으셔야 할걸요. 아쉬운 건…… 폐하시잖아요."

제대로 들은 게 맞는지 귀를 의심해야 할 정도로 당돌한 말이었다. 황당함에 떡 벌어진 입을 다물지 못하는 황제를 향해 프리다는 지난 며칠간 그녀가 알게 된 사실을 하나씩 늘어놓았다.

"하크본 백작가, 쉔달 성, 그리고 교황청까지. 폐하의 전서구가 아주 바쁘게 움직였더라고요."

황제가 그녀를 첼리노로 데려가려는 까닭을 알았으니 검 자루는 이제 프리다가 쥐게 되었다. 그리고 자신은 그 검을 가차 없이 휘두를 생각이었다. 내 사람들을 지킬 수만 있다면 아무리 무거워도, 팔이 부러져도 놓지 않을 작정이다.

"수도가 꽤 시끄럽다죠? 아이리스 꽃 파동으로 민심이 뒤숭숭해진 데다 국경 상황도 좋지 않아서. 그냥 돌아가기 민망하신 상황이라는 거 이해합니다."

상황이 이렇게 되기까지 실컷 놀다 빈손으로 돌아가려니 창피했을 것이다. 귀족들의 따가운 눈초리가 걱정도 됐을 테고. 프리다도 수도와 국경의 상황이 좋지 않은 건 걱정이었다. 그러나 적어도 덕분에 자신의 존재가 쓸모 있어진 건 다행이다.

"성녀의 후손인 저를 앞세워 백성들의 관심을 돌려 보려 하시는 거죠?"

황제가 그녀에게 원하는 건 꼭두각시 노릇. 하크본 가문의 배경과 프리다의 혹할 만한 외모라면 충분히 주목을 받고도 남을 테니 나쁜 생각은 아니다.

이미 교황청에 그녀를 성녀로 인정해 줄 수 있는지에 대해 문의했을 것이다. 그 일로 갑론을박이 벌어진다면, 한동안 스베르겐 귀족들과 백성들은 신이나 몇 날 며칠이고, 아니, 계절 하나가 지나도록 떠들어 댈지도 모른다. 고로 황제는 그녀가 매우, 몹시 필요한 상황. 프리다는 충분히 협상의 여지가 있다고 판단했다.

"꼭두각시 노릇은 열심히 해 드리겠습니다. 잘할 수 있을지 모르겠지만 최대한 민심을 잠재울 수 있도록요. 폐하께서 하라고 하시는 일은 뭐든 하겠습니다."

꼴깍.

그녀는 티 나지 않게 조심히 침을 한 번 삼킨 후 말했다.

"대신 저도 폐하께 제안할 것이 두 가지 있습니다. 단 하나라도 싫다고 하시면, 전 유트레히트에서 꼼짝도 하지 않을 겁니다."

프리다는 이 협상에서 전혀 아쉬울 것 없다고 주장하며 매섭게 눈을 치켜떴다.


프리다가 레오폴드와 독대한 다음 날. 황제가 일주일 뒤 쉔달 성으로 돌아가겠다고 공표하자 그 준비로 공작 성이 연일 들썩였다. 여정에 필요한 목록을 확인하던 보일드 남작은 공작 부인이 찾는다는 말에 급히 몇 가지 서류를 챙겨 집무실로 달려왔다.

문을 열자 공작의 책상에 앉아 서류를 보던 공작 부인이 고개를 들고 싱긋 웃었다.

"어서 와요, 보일드 남작. 많이 바쁠 텐데 빨리 왔네요."

"급히 봐 주셔야 할 서류가 있어서요."

슈테판에게도 그렇지만 공작 부인에게도 적잖이 힘든 나날이었던 것 같다. 애써 웃는 눈가가 거뭇하니 꽤 지쳐 보였다.

'공작 전하의 부상이 정말 심각한가 보군.'

열흘 전쯤이었던가. 도미닉이 폭우 속에서 찾아낸 공작이 깨어났다는 소식을 들은 것이 마지막. 슈테판이 아는 건 공작의 건강이 좋지 않아 집무를 볼 수 없다는 것뿐이다. 자세한 내막은 알지 못했으나 공작가의 사람들이 제게 입을 다무는 거야 하루 이틀도 아니다.

무엇보다 지금은 그걸 알아볼 여유가 없었다. 이 와중에 황실 법원에서 출석 통지라도 오면 어쩌나 그것만이 걱정일 뿐. 그의 일상은 어제도, 오늘도, 내일도 언제나 매일 바쁘니까.

"올여름 가뭄을 대비해 시작한 저수지와 수로 공사가 마무리되어 잔금을 지급해야 합니다. 읽어 보시고, 오늘 중으로 승인 부탁드립니다."

"올해는 가뭄이 예상보다 빨리 시작되었다고 하는데, 일정을 맞추게 되어 다행이네요. 작년에는 얼마나 고생했는지 몰라요."

언제나처럼 꼼꼼히 서류를 검토할 줄 알았는데 프리다는 의외로 바로 서명을 마쳤다. 평소와 다른 속도에 잠시 얼떨떨해하던 슈테판은 바로 다음 서류를 내밀었다.

그 서류도 역시나 빠른 속도로 공작 부인의 서명을 받았다. 다음, 또 그다음……. 다섯 번째 서류까지 일사천리로 진행되자 슈테판도 더는 참을 수가 없었다.

"더…… 안 읽어 보십니까?"

일 처리가 빠른 공작과 달리 공작 부인은 모든 내용을 살피고 비교하며 검토하느라, 종종 긴 시간을 보내곤 했다. 그런데 오늘만 보면 리하르트 공작과 맞먹는 수준이다. 슈테판이 의아한 빛을 감추지 못하자 프리다가 피식 웃으며 서명을 마친 펜을 펜대에 꽂았다.

"우리 집사장님이 어떤 분인데요. 공작 성에 오신 이후로 실수하시는 거 한 번도 못 봤어요. 부족하다고 느껴 본 적도 없고요. 다니엘도 종종 남작님을 칭찬하곤 했는걸요. 업무 처리가 빠른 거 하나는 정말 맘에 든다고."

말해 놓고도 이게 아니다 싶었는지 살짝 당황한 프리다가 황급히 한마디를 덧붙였다.

"물론 다른 일도 잘하신다고 했어요."

항상 못마땅한 얼굴로 저를 대하던 공작이 그런 말을 했다고? 영 미덥지 못하다는 표정을 짓는 슈테판을 공작 부인이 뜬금없이 아련한 눈빛으로 바라봤다.

"왜 그렇게…… 보시는……."

옅은 보라색 눈동자가 갑자기 물기로 젖어 들었다. 당황한 슈테판은 급히 주머니를 뒤져 손수건을 찾았다.

"부, 부인. 왜 이러십니까? 혹시 공작 전하께서 많이 안 좋으십니까?"

"어머, 미안해요. 나도 모르게 그만."

그가 건넨 손수건으로 눈물을 닦은 프리다는 크게 심호흡을 했다.

'정신 차려, 프리다. 떠나기 전에 할 일이 한두 가지가 아니라고.'

의자 등받이에 반듯하게 허리를 세운 그녀가 부드럽게 미소 지으며 입을 열었다.

"사실 전 보일드 남작님을 잘 몰라요. 하지만 보일드 남작 부인의 안목을 믿습니다. 남작 부인처럼 훌륭한 여인과 오랜 시간 함께하신 분이니 남작님 역시 좋은 분일 거라고요."

프리다가 부인 마틸다를 언급하자 슈테판이 살짝 긴장하는 게 느껴졌다. 서로를 아끼고 사랑하는 이 좋은 부부들이 지금 공작 성에 있어 줘서 얼마나 다행한 일인지. 프리다는 안도의 한숨을 삼켰다.

"황태후의 명령으로 이곳에 오신 거 알아요. 다니엘을 감시하기 위해서요."

지금부터 하려는 일은 그녀 혼자서는 할 수 없는 일.

"하지만 상관없어요. 두 분도 이젠 공작 성의 가족이니 전 남작님을 믿을 겁니다."

도움을 받고 도움을 주며 함께해 나가야 한다.

"보일드 남작님, 절 도와주세요. 저도 성심성의껏 남작님을 돕겠습니다."

"저를…… 돕다니요?"

"남작님의 영지 소유권 소송 때문에 곤란하시죠? 제가 황실 법원에 대신 출석하겠습니다."

그나마 이들에게 작은 도움을 줄 수 있게 되어 기뻤다. 그거라도 없었다면 도저히 발길이 떨어지지 않았을 테니.

"제가 곧 쉔달 성에 가야 할 것 같아요. 제가 없는 동안 남작님께 멘하임 성을 부탁드려도 될까요?"

프리다의 말을 이해하지 못한 슈테판이 갈색 눈썹 한쪽을 찡긋 추켜올렸다.

"부인께서 쉔달 성에는 무슨 일로……?"

영지에 사는 백성들이 가장 견디기 힘든 계절은 물론 겨울이지만, 수고스럽기로 따지면 여름이 최고다.

귀족들의 여름도 크게 다르진 않다. 유난스러운 쉔달 성의 사교계도 여름이 되면 시원한 곳에 있는 별장을 찾아가는 귀족들의 행렬로 한풀 꺾일 정도다.

슈테판이 남부 지방에서 여름을 보내는 건 처음이지만, 이곳의 계절도 제국 대부분과 크게 다르진 않을 것이다. 홍수, 가뭄, 더위 그리고 전염병과 싸워 가며 한 계절을 보내게 될 게 뻔하다.

그런데 이 바쁜 시기에 성의 안주인이 자리를 비운다고? 제국의 어느 귀부인보다 자신의 영지를 열심히 돌보는 리하르트 공작 부인이? 자그마치 두 해에 걸쳐 홍수에 대비하는 공사를 해 온 분이?

'별일이군.'

의아해하던 슈테판은 그나마 가능성이 있는 핑계를 찾아 되물었다.

"혹 황제께서 돌아가시는 길에 동행하시는 겁니까?"

하지만 이것도 이상하긴 마찬가지다. 첼리노에서라면 황제의 길동무를 자처하는 귀족이 허다하겠지만 여긴 산골짜기 리하르트 공작령이다. 가장 가까운 곳에 사는 귀족이라고 해 봐야 말을 타고 며칠을 가야 하는 바이마르의 안드레아 공작이 전부인 시골 중의 시골. 제국 내에서 가장 귀족들을 보기 힘든 곳.

실리를 중요시하는 리하르트 공작 부인이 몇 발짝만 걸어도 귀족이 발에 채는 수도와 같은 예의를 구태여 갖출 리도 없지만, 무엇보다 공작이 허락했을 리 없다. 그래도 혹시 몰라 설마 하는 심정으로 질문을 또 한 번 건넸다.

"리하르트 공작 전하가 아닌 공작 부인께서 황제 폐하의 귀환 길에 동행하신다는 건가요?"

슈테판의 물음에 프리다는 잠시 뜸을 들이다 입을 뗐다.

"다니엘은…… 당분간 아무 데도 못 갈 거 같아요."

"네?"

차마 입이 떨어지지 않아 프리다는 책상 위의 서류만 물끄러미 내려다보았다. 아직 인장이 찍히지 않은 종이 위에 적힌 '프리다 클라우드 리하르트'라는 정갈한 필체의 서명이 눈에 들어왔다.

'프리다, 마음을 굳게 먹어. 너는 리하르트 공작 부인이야.'

이 땅의 안주인으로서 마땅히 해야 할 일임을 알면서도 매 순간 흔들리고 있는 자신이 부끄러워 괜스레 서류의 끄트머리를 손톱 끝으로 긁어 댔다. 그녀에겐 이렇게 망설이며 낭비할 시간이 없었다.

마틸다는 황제와 협상을 마친 그날로 풀려나 동생들을 만났다. '보호'하기 위해 데려갔다던 황제의 말이 영 거짓은 아니었는지 많이 놀랐을 뿐 다행히 다친 곳은 없었다.

"미안해. 마틸다. 네게 뭐라고 용서를 구해야 할지 모르겠어. 정말 미안해."

그 어떤 말로도 마틸다가 겪은 고초를 위로할 수 없겠으나 프리다는 최대한 진심을 담아 눈물로 용서를 빌었다. 심신이 안정될 때까지 얼마든지 성에 머물러도 좋다고 했지만, 마틸다는 다음 날 바로 성을 나갔다. 마틸다의 안전이 걱정된 프리다는 아메티스 기사단원 열 명을 함께 딸려 보냈다. 도미닉에게 돈은 얼마가 들어도 좋으니 개인 용병을 몇 명 더 붙이라는 지시도 내렸다.

황제는 약속을 지켰으니 이젠 프리다의 차례. 며칠 뒤 프리다가 황제와 함께 성을 떠나는 일뿐이다. 가능하다면 몰리 부자 몰래. 프리다가 모든 사실을 솔직하게 털어놓으면 몰리 경은 몰라도 합리적인 성격을 지닌 도미닉은 그녀를 도와줄지도 모른다. 그러나 훗날 다니엘이 깨어나 사실을 알게 되었을 때를 생각하면 모르는 편이 나을 것 같았다.

'다니엘이…… 깨어날 때.'

그날이 언제일지, 과연 오기는 할지 모르지만 당연한 듯 되뇌어 보자 마음이 훨씬 가벼워졌다. 프리다는 책상 위로 얌전히 손을 맞잡은 채 고개를 들었다.

"보일드 남작, 오늘 우리가 이곳에서 나누는 얘기는 오직 그대와 나 두 사람만의 비밀이어야 합니다. 보일드 가문의 명예를 걸고 제가 되었다 할 때까지는 비밀을 지키겠다고 맹세해 주겠어요?"

혼란스러운 표정으로 가만히 프리다를 바라보던 슈테판이 천천히 고개를 끄덕였다.

"그러겠습니다."

부드러운 미소로 고맙다는 인사를 대신한 프리다의 보랏빛 눈이 고요히 감겼다 떠졌다. 장시간 마음을 다잡은 덕에 그녀가 듣기에도 말소리가 제법 차분했다.

"다니엘이 이번 사고로 큰 충격을 받은 것 같아요. 사고 이후 잠시 깨긴 했는데 열흘 넘게 아예 의식이 돌아오지 않고 있어요. 삼 년 전처럼요."

그녀의 말을 이해하지 못한 듯 잠시 멍하니 있던 슈테판이 미간을 좁혔다.

"그게…… 무슨 말씀이십니까? 그러면 공작 전하께서 여태 깨어나지 못하고 계신다는 겁니까?"

"네. 아직까지는요."

프리다는 스스로에게 한 번 더 다짐하듯 황급히 다음 말을 덧붙였다.

"물론 꼭 깨어날 거예요. 전에도 그랬으니까요. 삼 년이나 걸리긴 했지만, 어쨌든 도로 의식을 찾았잖아요. 기다리고 있다 보면 언젠간 꼭 다시 일어날 거라고 믿어요. 다니엘은 강한 사람이니까요."

"맙소사. 그래서 계속 모습을 안 보이셨던 거군요. 전 그런 것도 모르고……."

진심으로 놀란 슈테판은 이마를 짚은 채 연신 '맙소사'를 중얼거렸다. 그나저나 공작 전하가 그 상태인데 공작 부인께서 성을 떠나시겠다고?

'대체 뭐가 어떻게 돌아가는 거야?'

말문이 막힌 슈테판은 멍한 표정으로 프리다를 바라보는 것 말고는 아무것도 할 수가 없었다.

"여러모로 상황이 안 좋은 지금, 나까지 성을 비우게 되어 걱정이 많지만 남은 분들을 믿고 다녀올게요. 쉔달 성에 간 김에 남작의 일도 돕고요. 다만 몰리 부자 몰래 성을 나가야 해서…… 남작이 나를 좀 도와줘야겠어요. 방법은 내가 다 생각해 뒀는……."

"자, 잠시만요."

저도 모르게 오른팔을 앞으로 쭉 뻗은 슈테판이 프리다의 말을 막았다. 평소의 그였다면 하지 않을 무례한 행동이었으나 도무지 납득이 가지 않아 물을 수밖에 없었다.

"공작 부인께서 대체 왜 느닷없이 쉔달 성에 가시겠다는 겁니까? 몰리 부자 몰래 성을 나간다는 건 또 무슨 소리시고요?"

침착한 척 굴고 있지만, 속내를 감추는 재주가 없는 공작 부인의 야울한 표정만 봐도 이번 일이 온전한 그녀의 뜻이 아님은 알 것 같다.

'그렇다면 도대체 왜?'

불현듯 슈테판은 사고 이후 공작의 간호에만 전념하던 공작 부인이 유일하게 만난 외부인이 누구인지 깨달았다. 펜하임 성의 안주인이 본인의 의지로는 절대 하지 않을 일을 억지로 하게 만들 수 있는 사람. 그런 힘을 가진 사람은 이 성에 딱 한 명뿐이다.

"설마…… 황제 폐하께 협박을 당하고 계십니까?"

슈테판의 파란 눈동자가 다니엘과 비교해도 절대 뒤지지 않을 살벌한 분노로 너울거렸다.

표면적으로 황제의 귀환 준비는 별 탈 없이 진행되었다. 만일을 대비해 성의 곳간을 그득그득 채워 놓은 유능한 집사장 덕분에 따로 사들일 것도 없어 필요한 품목을 수레에 싣기만 하면 끝이었다.

다만 영주인 리하르트 공작이 오랜 기간 모습을 보이지 않은 탓에 별별 흉흉한 소문이 돌았다. 그 때문인지 황제가 떠나는 전날에도 환송 연회는 없었다.

황제가 뮌하임 성을 떠나는 당일 아침. 황제를 배웅하기 위해 뮌하임 성에서 머무는 이들 대부분이 나와 수십 대의 마차와 수레 앞에 일렬로 쭉 늘어섰다.

그 행렬의 맨 앞에 있는 사람은 영주 리하르트 공작이 아니라 공작 부인이었다. 나풀대는 차양이 달린 모자를 쓴 프리다가 다가와 공손히 황제 앞에 허리를 숙였다.

"리하르트 공작은 거동이 불편하여 나오지 못했습니다. 부디 공작의 무례를 용서해 주시기 바랍니다."

"공작의 건강이 빨리 회복되어야 할 텐데 걱정이군요."

"폐하께서 이토록 염려해 주시니 금세 일어나겠지요. 계시는 동안 편히 모시지 못해 죄송합니다. 부디 무탈히 돌아가시길 바랍니다."

레오폴드의 심란한 눈길이 마리안 홀의 창가를 쭉 훑었다. 다니엘은 현재 허리에 통증이 심해 두 발로 걸을 수 없는 상태라고 했다. 그 말을 전해 듣고도 레오폴드는 끝내 그를 만나러 가지 않았다. 아니, 못 했다고 해야 하려나.

"송구하오나 폐하. 공작이 아무에게도 다친 모습을 보이고 싶어 하지 않습니다."

이 말을 마친 후 굳이 보태어진 프리다의 한마디 때문에.

"아마도 폐하께 가장 보이고 싶지 않을 겁니다."

구태여 찾아가지 않은 건 그 자식의 마지막 자존심을 지켜 주고 싶어서였다. 다니엘이 들었다면 비웃었을지 모르지만. 마리안 홀의 창문을 떠난 시선을 프리다에게 고정한 레오폴드가 손을 까닥 흔들었다.

"리하르트 공작 부인만 남고 한 놈도 빠짐없이 스무 걸음씩 뒤로."

일사불란하게 움직이는 황실 근위대에 밀려 뮌하임 성 사람들도 슬금슬금 뒤로 물러났다. 순식간에 두 사람의 주변이 비워졌다. 고래고래 소리를 지르거나 입 모양을 읽지 않는 한 두 사람의 대화를 엿듣는 건 불가능하다는 걸 알면서도 레오폴드는 한껏 소리를 낮췄다. 그러는 자신이 등신 같아 저절로 쓸쓸한 미소가 지어졌다.

"다니엘과는 확실하게 얘기가 된 겁니까?"

"네, 폐하. 걱정 안 하셔도 됩니다."

지나치게 빠르고 단호한 대답에 헛웃음이 터져 나온 레오폴드의 입가가 비틀렸다.

'웃기시네. 얘기가 되긴 뭘 돼. 다니엘이 잘도 허락했겠다.'

종종 깜짝 놀랄 만큼 대책 없는 짓을 저지르곤 하는 공작 부인의 심중이 짐작되어 기가 막혔다. 본인이 지금 누구를 상대하고 있는지 제대로 알기나 하는 건지.

금세 다시 짜증 섞인 표정으로 돌아온 레오폴드가 눈살을 찌푸렸다.

"다니엘을 너무 과소평가하시는 거 아닙니까? 다리 좀 불편하다고 얌전히 부인께 속아 넘어가 줄 거라 여기셨다면 오산입니다."

지난번 독대 때 프리다는 레오폴드에게 먼저 성을 떠나라고 했다. 그러면 자신이 닷새 내로 일행에 합류하겠다고.

보아하니 야반도주라도 할 생각이신가 본데 당최 누구를 망신 주려고 그 따위 얼토당토않은 계획을 세운 건지.

"나중에 가 못 가게 될 줄 몰랐다, 뒤꽁무니를 빼실 작정이었다면 저를 너무 우습게 보신 거고요."

실은 다니엘과 맞닥트리기 싫어 고분고분 프리다의 말을 따르고 있는 자신에게 내는 신경질이었다. 저야말로 잔뜩 겁을 먹고 뒤꽁무니를 빼고 있으니까. 레오폴드는 재킷을 삐져나온 소맷단을 만지작거리며 혀를 찼다.

"감당 못 할 일은 벌이지 않는 게 상책입니다. 그놈이 어떤 인간인데 이리 어설프게……."

"어떤 인간이긴요? 위험 속에서도 제 몸보다 황제 폐하를 먼저 지켜 낸 용감한 인간이죠."

싸늘히 대답한 프리다는 바로 레오폴드에게 예를 갖추는 척 고개를 숙인 채 중얼거렸다.

"제가 약속을 지키지 않으면 목을 베십시오. 폐하께 그럴 용기가 있으신지는 모르겠지만요."

요 며칠 프리다는 계속 이런 식으로 레오폴드를 긁어 댔다. 담담하고 차분한 목소리와 눈빛으로 그의 속을 아주 벅벅. 발칙한 말을 듣고도 레오폴드는 화를 내는 대신 코웃음을 쳤다.

발톱을 세운다는 건 그에게 불만이 있다는 거고, 그건 적어도 다니엘을 떠날 결심이 변하지 않았다는 뜻이니까.

"부인의 예쁜 목을 베어서 제가 어디에 쓰겠습니까?"

빙긋이 웃은 레오폴드는 프리다가 고개를 들기를 기다렸다가 그녀와 똑바로 눈을 마주쳤다.

"닷새 뒤. 약속한 곳에서 뵙겠습니다, 부인."

프리다는 황제의 뒤를 따르는 수레가 모두 시야에서 사라질 때까지 꼿

꿋하게 그 자리를 지켰다.

황제가 떠난 후 뮌하임 성은 빠르게 평온을 찾았다. 이틀 동안 다니엘의 병간호를 공작 부인이 전담해 준 덕에 도미닉은 맘 놓고 도로 공사 현장을 돌보고 올 수 있었다. 먼지를 뒤집어쓴 꾀죄죄한 몰골로 성에 도착한 도미닉은 뻐근한 목덜미를 주무르며 아버지에게 물었다.

"별일 없었죠?"

"온종일 자빠져 노는 거 말고는 할 게 없는데 무슨 별일이 있었겠냐."

공작 부인의 화가 풀리지 않은 탓에 아직도 곁을 지키는 걸 허락받지 못한 리카르도는 비싼 제복을 입고 허브밭을 일구는 게 다였다.

"아버지 말고, 성에 별일 없었냐고요."

"없었다니까. 어제 투르크 상인들이 떠난 것 말고는 성에 드나든 자들도 없었어."

리카르도는 그나마 르한이라는 자가 있을 때는 구근 농사에 대해 상의도 하며 시간을 보냈는데 이젠 더 할 일이 없어졌다며 구시렁댔다. 그동안 쌓인 보고서를 읽던 도미닉이 아버지의 투정은 듣는 둥 마는 둥 심드렁하게 물었다.

"공작 부인께서는요?"

"똑같아. 매일 방에만 계셔."

우당탕.

그때 복도가 요란하게 울리더니 벌컥 열린 문안으로 안톤이 뛰어 들어왔다.

"깨, 깨어나셨습니다. 깨어나셨다고요."

열린 문을 꼭 쥐고 있던 안톤의 한쪽 무릎이 바닥으로 풀썩 꺾였다.

"로, 로시발트 경의 의식이 완전히 돌아왔습니다. 이틀 전부터 상태가 좋아지길래 혹시나 했는데……."

"뭐? 그게 사실이야?"

리카르도가 숨이 턱 끝까지 차오른 안톤을 부축하는 사이, 도미닉은 성큼성큼 문밖으로 걸어 나갔다. 조금씩 빨라지는 걸음은 얼마 안 가 뜀박질이 되었다. 쏜살같이 계단 하나를 올라 복도 끝으로 내달린 그는 뮤리엘의 방문을 힘껏 열어젖혔다.

안톤의 말대로였다. 침대맡에 등을 기대고 앉은 뮤리엘이 한 소년이 건네는 물을 마시고 있었다. 도미닉이 문을 여는 소리에 화들짝 놀란 소년이 순간 받쳐 들고 있던 물그릇을 놓쳤다. 간발의 차이로 그릇을 받아 든 뮤리엘이 문가에 선 그를 쏘아보며 낮게 갈라진 목소리로 투덜댔다.

"도미닉, 우리 요제프 놀랐잖아요."

"하아!"

허탈한 탄식과 함께 문짝을 부술 듯이 쥐고 있던 도미닉의 손이 맥없이 툭 아래로 떨어졌다. 손으로 이마를 감싸려던 그는 먼지 묻은 제 손바닥을 발견하곤 다시 한숨을 내쉬었다. 도미닉이 그를 바라보며 빠르게 눈을 깜박이고 있는 소년을 불렀다.

"요제프, 가서 손 씻을 물을 가져와."

"네. 금방 다녀올게요. 도미닉 아저씨."

소년은 도미닉이 문으로 바짝 붙으며 열어 준 공간으로 후다닥 뛰듯이 걸어 나갔다. 올해 열두 살이 된 마틸다의 둘째 동생 요제프는 옆에 두고 의술을 가르쳐 보고 싶다는 안톤의 제안으로 성에 남았다. 전부터 공부에 관심이 많았던 요제프도 성에 남고 싶다는 뜻을 밝혔다.

처음엔 어린 동생의 의견에 반대하던 마틸다도 프리다가 책임지고 잘 돌봐주겠다고 약속하자 마지못해 고개를 끄덕이곤 두 동생만 데리고 성을 나섰다. 종종걸음으로 복도를 내달리는 요제프의 등에 대고 도미닉이 소리쳤다.

"요제프, 공작 부인께 로시발트 경이 깨어났다는 소식부터 먼저 알려 드려. 손 씻을 물은 그다음에. 부인께선 3층에 있는 전하의 침실에 계실 거다."

"예. 도미닉 아저씨."

걷다 말고 휙 몸을 돌린 소년은 꾸벅 허리를 숙여 우렁차게 대답한 후 재빨리 계단으로 올라갔다. 아직 성의 지리에 익숙하지 않은 요제프가 걱정되어 복도로 나선 도미닉은 목을 쭉 빼고 아이의 걸음을 좇았다. 그는 다니엘의 침실이 있는 방향으로 돌려지는 아이의 발뒤꿈치를 확인하고서야 방으로 돌아와 문을 닫았다.

붕대가 감긴 허리가 불편한지 뮤리엘이 기댄 등을 뒤척이며 물었다.

"요제프가 누나는 집에 가고 자기만 성에 남았다고 하던데, 그게 무슨 소리예요?"

희미하게나마 뮤리엘의 의식이 돌아온 건 며칠 전부터였다. 흐릿한 의식의 중간중간 프리다의 목소리를 들은 것 같다. 꿈인지 현실인지 모를 몽롱한 상태로 며칠을 보내고 난 후 눈을 떴더니 전혀 기대하지 않았던 사람들이 주변에 보였다.

깨어나면 당연히 프리다가 곁에 있을 거라고 예상했던 뮤리엘은 요제프를 보고 적잖이 놀랐다. 동시에 마틸다의 집에서 쓰러졌던 치욕스러운 그날 밤의 기억이 머리로 쏟아져 들어왔다.

"이토록 솜씨 좋은 자가 지키고 있을 줄은 몰랐군. 리하르트 공작이 아끼는 여자라더니. 신경 좀 쓰셨나 보네."

표창을 던진 놈이 남긴 말은 곱씹을수록 마치 마틸다가 리하르트 공작의 여자라는 얘기처럼 들렸다.

"그것들이 마틸다를 두고 이상한 소리를 하던데……."

세워 앉은 허리가 욱신욱신 쑤셔 왔다. 허리에 푹신한 베개라도 받치면 나아질까 싶어 꿈틀대던 뮤리엘은 힘이 쭉 빠진 채 너덜너덜해진 팔을 보며 한숨을 푹 내쉬었다. 요제프가 놓친 물그릇을 받아 든 건 정말 본능적인 행동이었을 뿐. 힘 빠진 팔은 몸의 움직임을 지탱하지 못하고 이내 축 늘어졌다.

돌연 자신을 이렇게 만든 놈들을 가만두지 않겠다는 분노가 치밀었다. 짜증스레 눈을 일그러트린 뮤리엘이 제대로 쥐어지지 않는 주먹을 쥐었다 펴며 말했다.

"마틸다 집에 쳐들어온 놈들, 황실 쪽 인간들 맞죠? 그것들이 왜 이런 짓을 벌였는지 알아냈어요?"

그녀를 향해 다가오는 발소리에 고개를 드는 순간, 도미닉의 긴 팔이 뮤리엘의 앞을 가로질렀다. 마른 흙냄새와 싱그러운 풀 냄새, 그리고 사내의 축축한 땀 냄새가 훅 뮤리엘의 코끝을 파고들었다. 의식을 찾은 후 처음 맡는 진한 인간의 향기에 잠시 정신이 아득해졌다.

도미닉이 멀뚱멀뚱 그를 보고 있는 뮤리엘의 어깨를 가볍게 당겨 안은 후 등 뒤에 베개를 받쳐 주었다.

"이제 막 깨어난 사람이 궁금한 것도 많네. 몸은 괜찮습니까? 어지럽진 않아요?"

"……예에, 괜찮……. 아니, 약간 어지럽긴 한데 심한 건 아니고……."

갑자기 저를 끌어안는 도미닉 때문에 놀란 뮤리엘의 입에서 두서없는 말들이 흘러나왔다. 등 뒤로 두어 개 더 단단하게 베개를 받쳐 준 도미닉이 바로 멀어지지 않고 탐색하듯 그녀의 얼굴을 빤히 응시했다.

뮤리엘의 코앞에 검지를 세운 그가 오른쪽, 왼쪽으로 천천히 손가락을 움직였다. 제 손가락을 따라오는 차분한 회색 눈동자를 확인한 도미닉이 그제야 안도하며 멀어졌다.

"다행히 독이 시력을 상하게 하진 않은 것 같네요. 얼마간은 무리하게 움직이지 말고 감각을 회복하는 데만 집중해요. 안톤이 최대한 해독했다곤 하는데, 아직 몸 안에 독이 남아 있을 겁니다."

잠시 멍하던 뮤리엘은 자신이 제대로 들은 게 맞는지 확인하기 위해 막 들은 단어를 꺼내 되물었다.

"독?"

"네. 로시발트 경이 맞은 표창에 독이 묻어 있었습니다. 그래서 오랫동안 의식을 회복하지 못했던 겁니다."

"오랫동안? 내가 며칠씩 의식을 잃고 누워 있기라도 했다는 건가요?"

똑…… 똑.

때마침 들려온 소심한 노크 소리에 두 사람 모두 문으로 눈을 돌렸다. 빠끔히 열린 문틈으로 들어온 요제프가 쭈뼛거리며 도미닉 앞으로 다가왔다.

"아저씨, 마님께서 방에 안 계셔서 뮤리엘 기사님이 깨어나셨다는 얘기는 못 전했어요. 그런데……."

긴가민가하다는 표정으로 손에 들린 봉투를 내려다보던 소년이 도미닉에게 그것을 건넸다.

"문 앞에 이런 게 떨어져 있던데, 이거 아저씨 이름 맞죠? '도미닉에게'라고 적혀 있어서 들고 왔거든요."

또래보다 많은 글을 읽을 줄 아는 요제프는 제가 본 것이 맞는지 확인받고 싶었다. 그래서 우선 보자마자 후다닥 편지부터 전하려고 들고 오는 길이었다. 요제프가 건넨 봉투를 받아 든 도미닉이 유심히 봉투의 앞뒷면을 살피며 물었다.

"이게 문 앞에 있었다고?"

"네. 문을 두드려도 기척이 없어 조심히 열어 봤더니 바로 앞에 놓여 있었어요. 아저씨 이름 맞죠?"

"맞아. 고맙다, 요제프."

잘했다며 요제프의 머리를 한번 쓰다듬어 준 도미닉은 즉시 밀랍 인장을 떼어 내고 편지를 펼쳤다. 찡그린 그의 미간이 찬찬히 편지를 읽으며 점점 더 좁혀지더니 이내 얼굴이 새하얗게 질려 갔다. 심상치 않은 분위기에 슬금슬금 뒷걸음을 치는 요제프에게 도미닉이 다급히 물었다.

"로잘린은? 항상 마님 곁을 따라다니던 그 하녀 누나도 없었어?"

"네. 없던데요. 영주님 혼자 주무시고 계셔서 조용히 나왔어요."

"도미닉. 대체 무슨 일인데 그래요?"

"젠장."

대꾸 없이 외마디 소리와 함께 복도로 달려 나간 도미닉은 계단을 두 개씩 뛰어 올라 다니엘의 침실 앞까지 달렸다. 벌컥 문을 열어젖히고 안으로 들어간 그의 눈에 보이는 거라곤 정갈하게 정돈된 방과 고요히 잠든 다니엘뿐.

"제기랄. 빌어먹을. 망할!"

리하르트 공작 부인이 성을 떠났다는 현실을 받아들이지 못한 그의 입에서 쉴 새 없이 욕설이 터져 나왔다.

하루 전 묀하임 성에서 출발한 오르한의 일행은 바이마르가 아닌 수도 방향으로 쉴 새 없이 달렸다. 꼬박 하루, 그리고 반나절을 달리는 동안 잠시 눈을 붙인 것 말고는 변변한 휴식 한번 취하지 않던 그들은 계곡가에 다다른 뒤 말을 멈춰 세웠다.

고삐를 쥔 채 말에게 물을 먹이고 있는 야무르 옆으로 다가온 뷰란이 계곡 위에 놓인 마차를 심란한 표정으로 바라보았다.

"야무르, 너도 알다시피 우리가 왕자님 모시고 다니며 별별 희한한 일은 웬만큼 다 겪어 봤잖아. 그렇지?"

"……."

어차피 하루에 한마디도 하지 않는 날이 허다한 야무르의 입이 열릴 거란 기대 자체가 없었다. 뷰란은 개의치 않고 둘이 있을 때면 언제나 그러하듯 혼자 떠들었다.

"더는 뭘 하셔도 놀랄 일이 없겠구나 여겼는데, 내가 우리 왕자님을 너무 얕본 모양이다. 하다 하다 다니엘 리하르트의 부인을 데리고 야반도주라니."

"야반도주가 아니라 약속한 장소까지 호위하는 거라고 들었는데."

뷰란이 말한 단어가 마음에 들지 않았던지 좀처럼 열리지 않는 야무르의 입이 떨어졌다.

"언행을 조심해, 뷰란. 왕자님은 조만간 투르크의 술탄이 되실 분이다. 추문으로 번질 말을 한다면 네놈의 혀부터 뽑아 버리겠다."

한번 떨어진 야무르의 입이 평소답지 않게 연이어 열렸다. 야무르 역시 초조해하고 있다는 증거였다. 무뚝뚝한 말투만큼 진중한 시선이 연신 그들이 지나온 자리를 살폈다. 피식 웃은 뷰란이 동료의 넓은 등판을 탁 소리가 나도록 후려쳤다.

"긴장 풀어, 인마. 하루 반나절이나 거리를 벌려 놨는데 아무리 다니엘 리하르트라 해도 이 정도 거리는 못 좁혀. 그나저나 저 여인은 왜 이런 짓을 벌이는 거야? 설마…… 리하르트가 손찌검이라도 하는 거 아냐? 그래서 도망치는 건가?"

어지간히 목을 축였는지 고개를 들고 투레질하는 말의 갈기를 쓸며 야무르가 대답했다.

"다니엘 리하르트는 진짜 사내다. 여자에게 손대는 못난 놈이 아냐."

"그럼 대체 이 상황은 뭐냐고? 게다가 리하르트 그 인간, 다쳐서 누워 지낸다며? 저 여자는 왜 다친 남편을 두고 외간 남자의 도움까지 받아 가며 은밀하게 도망을 가는 건데?"

워낙 연약해 보여 반나절도 못 버티고 쓰러질 줄 알았는데 다니엘의 아내는 제법 잘 견디고 있었다. 수풀 속에 세워진 마차를 물끄러미 바라보던 야무르가 이내 고개를 돌리고 말의 고삐를 당겼다.

"그럴 수밖에 없는 사연이 있겠지."

자고로 나약한 인간이 기어이 용기를 냈을 때는 이유가 있는 법이니까.

물가에 내놓은 어린아이 같다는 건 이럴 때 쓰는 말인가 보다.

'이거야 원, 불안해서 두고 볼 수가 있나.'

오르한이 마차에서 내려와 바닥을 딛자마자 휘청대는 프리다를 부축하려 손을 뻗었다. 그러자 로잘린이 매섭게 그를 노려보며 앞을 막아섰다.

"마님 곁에서 최소한 다섯 걸음은 떨어져 있으라고 했을 텐데."

하얀 이를 드러내고 으르렁거리는 모습이 꼭 잘 단련된 사냥개 같았다.

'이리 뛰어난 호위를 두고 왜 애먼 나를 협박한 거야?'

오르한은 짜증스레 혀를 차며 뒤로 물러섰다. 프리다가 진이 모조리 빠져나간 힘없는 목소리로 로잘린을 불렀다.

"로잘린, 나 물 좀."

"여기요. 천천히 드세요, 마님."

"욱."

가죽 주머니에 든 물 냄새가 역겨워 프리다가 고개를 틀자 로잘린이 급히 프리다의 등을 쓸었다.

"마님, 시원한 공기를 들이마셔 보세요. 기분이 한결 나아지실 거예요. 짐챙길 시간이 조금만 더 있었으면 약이라도 챙겨 오는 건데."

오르한은 저도 모르게 코웃음을 쳤다.

'짐 챙길 시간 좋아하네. 들키지 않고 빠져나온 것만도 다행인 줄 알아야지.'

기가 막힐 일을 벌인 공작 부인을 생각하면 자업자득이라고 비웃고 싶었다. 그러나 하얗다 못해 새파랗게 질린 얼굴을 보고 있자니 저러다 죽는 거 아닌가 걱정이 앞섰다.

"이렇게 가다간 반나절도 더 못 버팁니다. 거리도 웬만큼 벌려 놨으니 오늘부턴 천천히 쉬면서 갑시다."

"아니요. 최대한 거리를 더 벌려야 해요. 도미닉이라면 이쯤은 금세 따라잡아요. 조금만 쉬고 바로 출발해요."

"도미닉 몰리가 아니라 다니엘 리하르트가 말을 달려온다 해도 못 따라

잡습니다. 하늘을 날아온다면 모를까."

어깨를 축 늘어트리고 있던 프리다가 어이없다는 듯 코웃음을 쳤다.

"다니엘과 바람을 가르는 애마 발자크의 소문을 못 들어 보셨나 봐요? 우리 다니엘이 알았다면 진즉에 이 마차 앞을 막아서고도 남았을걸요."

흥, 콧방귀를 뀐 오르한이 거만하게 팔짱을 꼈다.

"그리 잘난 남편을 두고, 왜 다른 사내의 뒤를 따라가십니까?"

파리한 얼굴이 되어 다 죽어 가던 여자가 눈을 부릅뜨고 그를 쏘아보며 말했다.

"오르한 왕자님이 상관하실 일은 아닐 텐데요."

야멸차게 쏘아붙인 프리다는 평평한 바위에 앉아 잠시 숨을 고른 후 로잘린을 돌아보았다.

"로잘린, 나 계곡에서 시원한 물 좀 떠다 주겠어?"

"여기에 마님만 혼자 두고 갈 수는 없습니다. 차라리 저와 함께 계곡에 다녀오는 건 어떠세요? 제가 업어 드릴게요."

프리다는 업히라며 냅다 등을 보이는 로잘린을 말렸다.

"걱정하지 말고 다녀와. 바로 요 앞인데 뭘. 무슨 일이 생기면 소리 지를게. 로잘린이라면 바람처럼 날아오고도 남을 거리잖아."

마음이 놓이지 않는지 좀처럼 옆을 떠나지 못하던 로잘린은 프리다가 계속 괜찮다고 안심시킨 뒤에야 걸음을 뗐다. 다부진 눈을 다시 오르한에게 고정한 프리다가 입을 열었다.

"전 왕자님과 제가 아주 합리적인 계약을 맺었다고 생각했는데요."

"스베르겐에선 그런 일방적인 요구를 '계약'이라고 하나 보군요. 투르크에선 '협박'이라고 합니다만."

얼떨결에 당한 일을 생각하니 또 기가 찼다. 계획대로라면 오르한의 일행은 오늘쯤 바이마르에 도착해 있어야 했다. 스베르겐의 수도 첼리노로 향하는 이 산길이 아니라.

다니엘 리하르트와 그의 주변을 둘러보려던 애초의 계획은 한시도 눈을 떼지 않고 그들을 좇는 감시 때문에 수포가 되었다. 그나마 오르한은 리카르도나 공작 부인이 찾으니 밖에 나가기나 했지. 나머지 세 사람은 꼼짝없이 숙소 주변에만 머물러야 했다.

다니엘과 황제가 다쳤다는 소문이 들려오기도 했지만, 진의를 파악하기도 힘들었다. 결국 소득 없이 시간만 보내고 있을 수도 없어 돌아가기로 결정을 내렸다.

메랄이 공작 부인께 바이마르로 돌아간다는 인사를 하고 오겠다던 날 오후, 비겔란 호수 옆에서 프리다를 만났다. 오르한은 떠나기 전 마지막으로 리카르도와 구근과 허브에 대한 이야기를 나누던 중이었다.

"르한, 내일 성을 떠난다고 들었어요. 마지막으로 물어볼 것도 있고 해서 잠시 얘기를 나누고 싶은데요."

"인사도 못 드리고 가나 했는데 부인을 뵙고 가게 되어 다행입니다."

이리 화끈하게 뒤통수를 맞을 줄도 모르고 은근 반가워했던 자신이 어이없어 머리를 쥐어뜯고 싶은 심정이다.

"몰리 경. 내 호위는 로잘린이면 충분하니 자리를 피해 주겠어요?"

어쩐지 리카르도 몰리를 차갑게 내친다 싶더라니. 오르한은 계곡 쪽으로 가다 말고 자신을 돌아보는 로잘린의 사나운 눈초리를 의식하며 몇 걸음 뒤에 있는 나무 기둥에 등을 기댔다.

"처음부터 내가 누군지 알았으면서, 일부러 아는 체를 안 했던 겁니까?"

"그럴 리가요."

앙큼을 떠는 모습이 제법 뻔뻔해 믿을 뻔했지만 이젠 그녀에 대해 어느 것도 속단하지 않기로 했다. 놀랍게도 공작 부인은 오르한의 정체를 아주 정확하게 알고 있었으니까.

"호라산 지방에서 나는 청록색 돌을 닮은 눈동자를 가진 왕자님에 대해 들은 적이 있어요. 그 왕자님이 당신 맞죠? 진짜 이름이 뭐예요?"

이별의 아쉬움을 감추고 나름 반가운 인사를 건네는 오르한에게 공작 부인은 다짜고짜 이렇게 물었다. 곱씹을수록 기가 막힐 노릇이다. 이 오르한이 제반 토막이나 될까 싶은 조그만 여자의 손바닥에서 휘둘리고 있었다니.

"아니면 내 신분을 이용할 적절한 때를 노리고 있었습니까?"

지칠 대로 지친 프리다는 짜증스러운 되물음에 힘없이 고개를 저었다.

"아닙니다. 이번 일만 아니면 모르는 척 넘어갔을 거예요. 압둘라 아저씨가 술탄의 장인이라는 것도 당시엔 몰랐으니까요. 당신처럼 진한 청록색 눈동자가 흔치 않아서 떠본 것뿐이에요."

다니엘의 아내는 기억력만 좋은 게 아니라 추리력까지 뛰어나신 모양이다.

"정말 왕자님이실 줄은 몰랐고, 알았다 해도 이제 와 굳이 아는 체를 할 까닭도 없지 않나요?"

당돌한 표정이 마치 '네가 제 발 저려 이실직고해 놓고 왜 이제 와 난리냐'고 말하는 것 같았다.

'결국 지레 겁먹고 다 털어놓은 내가 등신이란 소리네.'

오르한은 치밀어 오르는 욕설을 참기 위해 입술을 꽉 씹었다. 그는 여자에게 계약을 가장한 거부할 수 없는 협박을 받게 된 이 상황에 몹시 자존심이 상해 있었다. 그 때문인지 신비롭다고 여겨 관심이 갔던 보랏빛 눈동자도 전만큼은 예뻐 보이지 않았다.

그때 정말 날아갔다 왔나 싶게 쏜살같이 계곡에 다녀온 로잘린이 물이 가득 담긴 주머니를 프리다에게 건넸다. 꿀꺽꿀꺽 몇 모금을 삼킨 프리다는 입술에 묻은 물을 닦으며 길게 숨을 내쉬었다.

여전히 가죽 주머니의 냄새가 역하긴 했지만, 그나마 물맛이 시원해 참을 만했다. 마차를 오래 타서인지 등, 허리, 엉덩이, 허벅지까지 안 아픈 곳이 없이 쿡쿡 쑤셨다. 프리다 또한 이대로 계속 일정을 강행하는 건 무리란 걸 안다.

하지만 굳게 마음먹고 나온 길이다. 뮤리엘에게 작별 인사를 건네고, 크고 따뜻한 다니엘의 손을 한참이나 놓지 못하고 망설이다 겨우겨우 떠나왔다. 도미닉에게 남긴 편지에 이 상황을 잘 설명해 두었고 만일을 위해 대비책도 마련해 두었다.

하지만 도미닉이라면 어떻게든 그녀의 뒤를 쫓아올지도 모르는 일. 못 이기는 척 돌아가고 싶은 제 본심을 말리기 위해서라도 최대한 공작령에서 멀어져야 한다.

공작령을 떠나왔다는 실감에 갑자기 눈물이 차오르며 눈가가 뜨끔거렸다. 손으로 눈을 꾹꾹 누르자 로잘린이 얼른 다가와 마시고 남은 물로 프리다의 손을 꼼꼼히 닦아 주었다.

"물을 더 채워 올게요, 마님."

그녀는 오르한을 한 번 더 매섭게 노려보는 것으로 경고를 던진 후 계곡으로 달려갔다. 목을 축이고 난 뒤 한결 기분이 나아진 프리다가 다소곳이 무릎 위에 손을 올린 채 오르한을 마주 보았다.

"말씀드렸다시피 왕자님이 어떤 목적을 가지고 이곳에 왔는지는 제가 알 바 아닙니다. 단지 전 닷새 안에 약속한 장소에 가야 하고, 왕자님은 신분을 들키지 않고 공작령을 빠져나가셔야 했죠."

정체를 들킨 후 오르한은 더는 그녀 앞에서 후드를 이마 위로 깊게 눌러쓰지 않았다. 믿어지지 않을 정도로 짙은 청록색 눈동자를 보며, 프리다는 이 모든 게 운명이 아닐까 생각했다.

하필 이때 뮤리엘과 다니엘이 다친 것도. 상상 속에서만 존재하던 먼 나라의 신비한 왕자님이 제 앞에 나타난 것도. 투르크와 솔론족 간의 은밀한 거래가 적힌 첩보를 발목에 단 전서구가 도미닉에게 가기 전 프리다의 창문에 먼저 들른 것까지. 운명이라 여기니 받아들이기가 한결 쉬웠다.

"서로 간의 이해가 맞아떨어진 상황이었을 뿐이니, 너무 억울해하지 않으셨으면 좋겠네요."

"억울한 게 아니라……."

차마 창피하다고 말할 순 없었던 오르한은 입을 꾹 닫았다.

"아무튼 약속은 꼭 지키십시오. 황제가 있는 곳까지 무사히 데려다주면 내가 여기 왔다는 사실에 대해선 입 다무는 겁니다."

"왕자님이 이곳에 오신 이유에 대해서도 침묵하겠습니다. 약속대로요."

도미닉은 모를 것이다. 공작 성으로 오는 전서구 대부분이 먹을거리가 풍부한 공작 부인의 창문을 먼저 찾는다는 걸. 신이 모든 순서를 정해 놓은 게 아니고서야 이토록 많은 일이 차례차례 하나의 결과를 향해 흘러가는 것이 과연 가능할까 싶을 정도다.

"왕자님과 솔론족 간의 거래를 모른 체해 드리는 것만으로도 제가 큰 양보를 하고 있다는 걸 알아주셨으면 좋겠네요."

다니엘과 도미닉은 이미 그 거래를 알고 있으니, 벌써 대비 방안도 준비했을 것이다. 구태여 그녀가 나서지 않아도 될 일이니 긁어 부스럼을 만들 필요도 없었다.

"목소리를 낮추십시오."

자세한 내막을 알지 못하는 오르한이 프리다의 거침없는 말에 눈가를 찡그리며 로잘린이 있는 계곡 방향을 흘깃댔다.

'설마 로잘린이 아무것도 모르고 여기까지 따라왔다고 여기는 건가?'

왕자님께서 의외로 순진한 구석이 있다 싶어 설핏 웃음이 나왔다. 로잘린은 입 모양만으로 사람이 하는 말을 읽어 내는 재주를 가지고 있었다. 황제가 성을 떠나던 날. 프리다와 황제의 대화를 모두 알아들은 그녀는 프리다 옆에서 한 발짝도 떨어지지 않겠다고 고집을 피웠다.

"마님께서 하시는 일을 절대 방해하지 않겠습니다. 그저 제가 곁에서 모실 수 있게 허락해 주세요. 전 그거면 됩니다."

어차피 혼자 떠날 용기는 없어 누구를 데려가야 하나 고민이있는데 로잘린이 나서 줘서 정말 다행이었다. 이 또한 운명 같았다. 어느새 물을 채워 온 로잘린이 이번엔 주변에 널린 나뭇가지를 집어 들었다.

"따끈한 수프를 드시면 속이 편안해지실 거예요. 잠시만 계세요. 제가 후

딱 만들어 올게요.”

“괜찮아, 로잘린. 바로 떠나야지.”

“금방이면 돼요. 자고로 배 속을 채워야 마차 멀미가 덜해지는 법이에요.”

바지런을 떨며 마차에서 짐을 내려 움직인 로잘린은 금세 불을 피워 냈다. 가져온 작은 솥에 이것저것 집어넣어 뭔가를 만드는 솜씨가 예사롭지 않아 눈이 갔다. 나무 타는 향기와 어우러지는 고소한 음식 향기를 맡고 있는 프리다에게 오르한이 물었다.

“겁 안 납니까?”

빙그르르 그에게로 돌아온 보라색 눈동자가 ‘내가 뭘 겁내야 하는데요?’라고 묻고 있어 헛웃음이 나왔다.

“내가 여기 온 목적, 다 알고 있다면서요? 그런데도 겁이 안 나요? 당신의 영지가, 이 제국이 조만간 전쟁의 불길 속에 빠져들 텐데.”

깜박깜박.

천진하게 눈을 감았다 뜬 프리다는 겁을 먹기는커녕 그를 보며 살포시 웃었다.

“겁은 왕자님이 나겠죠. 목적을 이루기 위해선 제 남편과 싸워야 하는데…….”

오르한의 뒤로 보이는 청명한 여름 하늘에 잠시 눈길을 준 프리다의 입매가 부드럽게 휘어졌다.

“들어 보셨죠? ‘무패의 리하르트’라고. 다니엘은 절대 지지 않아요.”

뮌하임 성의 대장장이는 오랜만에 도미닉의 손에 멱살이 잡혔다. 함께 온 마구간지기 역시 같은 일을 당했는지 가슴 부분의 천이 너덜너덜해져 있었다.

"알아듣게 얘기해. 성안에 편자를 단 말이 하나도 없다는 게 무슨 소리야? 머리통을 부숴 버리기 전에 똑바로 말하라고."

이 상황이 어이없고 억울하긴 대장장이도 마찬가지였다.

"말했잖아. 마님께서 성안의 말편자를 모두 새 걸로 교체하라는 지시를 내리셨다니까. 황제 폐하가 떠나시고 나서 바로 시작하라고 하셨어. 내가 며칠 동안 이거 다 떼어 내느라 죽는 줄 알았다고."

말편자가 즐비한 대장간 안을 훑던 도미닉이 내던지듯 쥐었던 멱살을 풀고 양손으로 머리를 감싸 쥐었다.

"미치겠네. 뭐가 이렇게 치밀해? 대체 사전에 얼마나 철저히 준비했길래."

그러다 퍼뜩 뭔가 떠오른 듯 옆에 선 마구간지기의 늘어진 옷을 잡아당겼다.

"내가 오늘 타고 온 말. 도착한 지 얼마 안 됐으니 그건 아직 안 건드렸을 거 아냐? 그거라도 빨리 준비해."

"저기, 그게……."

대장장이가 불길하게 뒤통수를 긁적거리며 말했다.

"조금 전에 그 말의 편자도 뗐어. 마님께서 당분간 말을 탈 일이 없을 테니 서두르지 말고 꼼꼼하게 만들라고 하셔서 죄다 녹여 새로 만드는 중이야."

"아우, 진짜."

쨍그랑!

도미닉의 발에 걸어챈 만들다 만 편자가 벽으로 날아갔다. 벽에 세워 둔 갑옷에 맞은 편자는 다시 검으로, 그러다 솥으로……. 이리저리 튕겨 다니며 삽시간에 대장간 안을 엉망으로 만들고서야 땅으로 떨어졌다.

'친애하는 도미닉에게'로 시작하는 편지를 읽은 순간부터 지금까지. 머릿속엔 오직 공작 부인을 쫓아가서 당장 데리고 와야 한다는 생각뿐이다.

그런데 이 깜찍할 만큼 치밀한 여인이 뭔 일을 어떻게 해 놓은 건지 성에서 단 한 발짝도 나갈 수가 없다. 나간다 한들 다시 데려올 수 있을지도 모르겠지만. 도미닉은 멀뚱히 서서 그를 보고만 있는 사내들에게 냅다 고함을 질렀다.

"멍청하게 서 있지만 말고 방법을 찾아봐, 방법을!"

평소 직접적으로 얼굴을 붉히며 따지는 법이 드문 도미닉의 신경질에 주변이 급격히 분주해졌다. 도미닉은 바닥에 엎어진 의자를 세워 털썩 주저앉았다.

"돌겠네. 정말."

그나마 위안이라면 로잘린도 같이 사라졌다는 거 하나다. 적어도 그 아이가 있는 한 극심한 위험에 빠질 리는 없으니까. 대체 어디로 간 걸까? 도미닉이 미리 숨겨 둔 용병들이 성을 빠져나가는 자들의 일거수일투족을 감시하고 있는데 대체 뭘 타고, 어떻게?

'생각을 해, 도미닉. 머리를 쥐어짜 보라고.'

다리를 덜덜덜 떨며 머리를 부여잡고 있을 때, 누군가가 대장간으로 들어서며 도미닉을 급히 불렀다.

"도미닉 아저씨! 좀 와 보세요. 얼른요. 영주님이 이상해요!"

프리다가 오르한의 일행과 함께 여정을 시작한 지 닷새째가 되던 날. 정찰을 위해 앞서갔던 야무르가 흙먼지 바람을 일으키며 돌아왔다. 바퀴가 멈춘 마차에 잠시 닿았던 눈길을 거둬들인 야무르는 그가 알아 온 것들을 보고했다.

"언덕 너머 계곡가에 황제의 일행이 머물고 있습니다. 조금 서둘러 산을 넘으면 해지기 전에 닿을 거리에 제법 큰 마을도 보입니다. 주변 경계도 삼엄하니 산적 걱정은 안 하셔도 될 것 같습니다."

오르한은 구름이 잔뜩 낀 하늘로 고개를 들었다. 온종일 날씨가 심상치 않더니 멀리 보이는 구름의 색이 거뭇거뭇했다. 먼 길을 가는 자들에겐 햇살이 쨍쨍 내리쬐는 무더위보다야 흐린 날이 낫긴 하나, 폭우라면 말이 달라진다.

황제가 먹구름과 마을을 지척에 두고도 그곳에서 머물고 있다는 건 아주 간절히 기다리는 사람이 있다는 뜻이다. 말에서 훌쩍 내린 오르한은 야무르에게 고삐를 넘겨주었다.

"좀 쉬고 있어."

마차를 모는 뷰란에게도 같은 지시를 내리자 그가 기다렸다는 듯 말고삐를 놓고 내려왔다. 부하들이 나무 뒤로 사라지자 오르한이 마차의 문을 똑똑 두드렸다.

"잠시만 기다려 주세요."

하녀의 응답에 이어 부스럭거리는 작은 소리가 들리더니 이내 마차 문이 열렸다. 앞서 나온 로잘린이 뒤따라 내리는 프리다의 팔을 부축했다. 그녀가 땅에 발을 디디는 것을 확인한 오르한이 손을 들어 길 끝에 보이는 언덕을 가리켰다.

"저 언덕 아래에 황제의 일행이 있답니다. 이제 어쩌시겠습니까?"

오르한의 손끝이 가리키는 곳에 눈을 두던 프리다가 로잘린을 돌아보며 말했다.

"잠깐만 자리를 비켜 주겠니?"

"네, 마님. 말에게 물을 먹이고 있겠습니다."

로잘린이 마차를 끄는 말을 살피러 간 후 프리다가 오르한을 마주 보며 물었다.

"무슨 말인가요?"

지친 기색이 뚜렷한 새하얀 얼굴을 바라보던 그는 담담히 입을 열었다.

"마음이 변했는지 묻는 겁니다. 지금이라도 오던 길로 돌아가겠다고 하면, 도로 뭰하임 성 근처까지 데려다줄 수도 있습니다."

고요히 그를 응시하던 프리다가 피곤이 덕지덕지 묻은 낯빛에 기품 있는 미소를 드리운 채 가볍게 고개를 숙였다.

"이곳까지 안전하게 데려와 주셔서 감사합니다, 오르한 왕자님. 여기서

부턴 로잘린과 둘이 가겠습니다. 약속을 지켜 주셨으니 저도 왕자님을 뵌 일에 대해 입을 다물겠습니다."

자신의 요구를 들어주지 않으면 오르한을 인질로 잡아 투르크에 배상금을 요청하겠다고 협박하던 때와는 사뭇 다른, 정중하고도 뻔뻔한 생색이었다.

"빈말이라도 다시 뵙길 바란다고 할 순 없겠네요. 왕자님과 제가 또 만날 일이 생긴다면 결코 반가운 사이는 아닐 테니까요."

프리다에게 등 떠밀려 이 기막힌 여정을 시작한 이후 오르한은 처음으로 진심을 담아 웃었다.

"아쉽네요. 전 어떤 상황에서도 공작 부인이 매우 반가울 것 같은데."

외조부의 허풍이라고 여겼던 하크본 가문의 딸을 보게 되어 솔직히 반가웠다. 심지어 상상보다 꽤 아름답기도 했고. 그를 협박한 건 괘씸하나 당찬 성격도 마음에 들었다.

"마지막으로 묻죠."

구태여 '마지막'이란 단어까지 붙여 가며 질문을 던진 건 미련 가득한 눈빛이 마음에 걸려서였다.

"돌아가고 싶어요?"

자신이 가야 할 길이 아닌, 떠나온 길 쪽으로만 머무는 보라색 눈동자가 처연해 보여서.

"……."

그러나 가냘픈 주먹을 꼭 쥐고 입술을 깨물지언정 프리다는 끝내 고개를 끄덕이지 않았다.

'훗, 저러다 울겠네.'

프리다는 천천히 고개를 저었고, 오르한은 조금 더 기다려 주었다. 몇 분, 그리고 또 몇 분이 지났다. 충분히 흔들릴 시간을 주었음에도 프리다는 의지를 굽히지 않았다. 오르한은 결국 투르크를 떠나온 이후 한 번도 써 본 적 없는 점잖은 왕실 예법에 맞춰 인사를 건넸다.

"그럼 가시는 곳까지 무탈하시길 바랍니다. 리하르트 공작 부인."

가벼운 묵례로 답을 대신한 프리다는 누가 잡을세라 쏜살같이 로잘린이 끄는 마차를 타고 언덕 너머로 사라졌다. 두 사람이 안전히 목적지에 다다를 것임을 알면서도 오르한은 쉬이 눈을 돌리지 못했다. 그의 옆으로 다가온 뷰란이 마차를 모느라 뻐근해진 어깨를 주무르며 투덜댔다.

"괜히 시간만 버리고, 소득도 없이 돌아가려니 영 마음이 그러네요."

마차가 사라진 언덕 위 먹구름을 응시하던 오르한의 입가가 씁쓸하게 구겨졌다가 이내 우습다는 듯 가늘게 휘어졌다.

"소득이 하나쯤은 있는 것도 같고."

"예에? 그게 뭔데요?"

"글쎄, 다니엘 리하르트의 약점?"

저 작은 여자가 다니엘 리하르트를 죽음의 불구덩이로 뛰어들게 할지도 모르겠다. 왠지 그런 생각이 들었다.

아홉 달 후. 스베르겐 제국력 322년. 볼슈타크 2세 재위 8년, 봄.

제법 시끄러운 한 해 뒤에 찾아온 봄이 절정에 치달았다. '꽃의 도시'라는 명성에 걸맞게 수도 첼리노의 곳곳이 형형색색으로 물들었고, 그 아름다움의 중심엔 사방이 훤히 트인 평지에 자리 잡은 쉔달 성이 있었다. 어느 계절에나 채광이 좋아 화사한 분위기를 자아내는 쉔달 성이지만 특히 봄이 되면 극강의 아름다움을 뽐냈다.

봄은 지난해 여름 이후 아홉 달 내내 소란의 중심이었던 '벨뷔 궁'에도 찾아왔다. 진한 코랄빛 벽지 사이, 우아한 주름이 잡힌 노란 커튼으로 장식된 좌우

대칭이 완벽한 창문으로 연일 따사로운 햇살이 쏟아져 들어왔다. 벨뷔 궁의 복도를 걷는 하인리히의 머리칼 위에도 반짝반짝 완연한 봄 햇살이 뿌려졌다.

마치 보석을 가루 내어 여기저기 날려 놓은 것처럼 빛을 뿜으며 걷던 그는 걸음을 멈추고 창문 밖으로 고개를 돌렸다. 내부 정원이 한눈에 담기는 거대한 아치 창문이 나란히 배치된 복도 밖은 온통 흰색과 보라색. 봄 정원의 주인공인 '크로커스'가 만개한 풍경이 실로 장관이다. 하인리히는 고개를 옆으로 튼 채 피식, 그를 비추는 햇살처럼 화사한 미소를 지었다.

"어쩜 골라도 꼭 자기 닮은 걸⋯⋯."

사람들 말대로 만개한 새하얀 꽃과 그 사이에 드문드문 자리 잡은 보라색 꽃이 한데 어우러지는 모습이 영락없는 리하르트 공작 부인이다. 가던 길을 멈추고 완전히 창가로 돌아선 하인리히는 올봄 수도에서 가장 주목받는 정원을 바라보며 쯧쯧 혀를 찼다.

"늙은 여우 눈에 안 띄게 조용히 살라고 했더니. 누가 일 벌이기 좋아하는 다니엘 자식 아내 아니랄까 봐 내 말은 죽어도 안 들어 먹어요."

올해 '라넌큘러스'로 꾸며진 황태후의 미라벨 정원은 지난해에 있었던 '아이리스' 파동의 여파로 큰 주목을 받지 못했다. 과거의 명성을 배제하고 순수하게 사람들의 관심을 받고, 입에 오르내린 횟수만으로 따진다면 '미라벨 정원'보다 이곳 벨뷔 궁의 정원이 단연코 이슈의 중심. '보고 있으면 마음이 편안해지는 장소'라는 루이즈 황후의 평가도 명성을 높이는 데 한몫 거들었다.

무엇보다 귀족들의 관심이 지난해 여름부터 벨뷔 궁에 머무는 리하르트 공작 부인에게 떠나질 않으니, 그녀가 가꾼 정원도 자연스레 주목을 받았다. 전혀 예상하지 못했던 일들의 연속이었던 첼리노에서의 지난 시간이 떠오른 하인리히는 잠시 창틀에 기대 숨을 골랐다.

작년 여름 그가 쉔달 성에 도착했을 때, 황제가 교황청에 하크본 가문의 후손인 리하르트 공작 부인을 성녀로 인정해 달라고 요청했다는 소문이 돌았다. 뒤늦게 그 사실을 들은 황태후가 반대 의사를 밝혔다는 얘기가 그 뒤를 이었고. 이미 황제가 리하르트 공작 부인과 함께 수도로 오고 있다는 소식이 그다음이었다.

볼슈타크 2세의 '신의 한 수'. 사람들은 리하르트 공작 부인을 그렇게 불렀다.

"아주 부부가 쌍으로 입에 오르내리지 못해 난리지."

투덜대던 하인리히도 프리다가 황제의 '신의 한 수'라는 말에는 반론을 가지지 않았다.

'리하르트 공작 부인은 과연 재림하신 성녀인가?'

지난 몇 년간을 통틀어 첼리노를 가장 크게 들썩이게 만든 주제였으니까. 이를 두고 벌이는 황제와 황태후의 신경전을 보느라 여태껏 귀족 사회가 들썩이고 있다.

동요한 건 귀족들뿐만이 아니었다. 백성들은 공작 부인을 두고 벌어진 일련의 사건에 대한 궁금증으로 혹독한 여름 가뭄과 겨울 한파를 잊었다고 한다.

그 공로를 생각하면 교황이 그녀를 '성녀'가 아니라 '천사'로 인정해야 한다는 우스갯소리가 나돌 정도였다. 한때 자신들이 그녀를 '마녀'라고 비난했었다는 사실은 아예 잊은 눈치다. 초반에는 황태후의 편을 드는 이들이 많았다.

"일은 죄다 모친에게 미루고 정부랑 실컷 놀다 와서 민망했나 보지. 그래도 그렇지. 다 죽어 가는 여자를. 심지어 이미 결혼한 여자를 성녀로 인정해 달라는 게 말이 돼?"

귀족이고 백성이고, 황제의 편을 드는 이는 드물었다.

"아무리 상대가 황제라도 그렇지. 남편이 두 눈 시퍼렇게 뜨고 살아 있는데 여자 혼자 몸으로 외간 사내를 따라오는 게 말이 돼? 남사스러워서 원. 성녀는 무슨. 그 여자는 마녀가 분명해. 황제의 혼을 쏙 빼놓은 마녀라고."

상황이 반전된 건 황제가 귀환 길에 들렀던 몇몇 마을에서 생긴 소소한 사건에 살이 붙어 퍼지기 시작하면서부터였다.

"자네 들었나? 리하르트 공작 부인이 지그문트 자작의 땅에 퍼진 전염병을 싹 고쳤다더군."

"어허, 이 사람아. 그뿐만이 아냐. 리하르트 공작 부인이 지나가는 땅에선 병이 사라진대."

"하크본 가문의 딸치곤 드물게 오래 사는 것도 이상해. 내 일가 중에 북부에서 살다 온 놈이 있는데 공작 부인이 스물이 넘었다는 얘기를 듣고는 깜짝 놀라더라니까. 오히려 그 집 딸이 아직도 살아 있었냐고 되묻더라고."

"정말 성력이 있는 거 아냐?"

온갖 소문을 등에 업은 황제와 프리다가 첼리노에 도착했을 즈음, 수도의 민심은 반반이 되었다. 아홉 달이 지난 지금은……

"다니엘 자식, 너 각오해. 내가 수고비까지 톡톡히 계산해서 모조리 받아 낼 거니까."

하인리히는 그 나름대로 프리다에 대한 지저분한 소문이 더 커지는 걸 막느라 첼리노에 어마어마한 돈을 뿌렸다.

"후우……"

크게 숨을 들이마시자 몸 안의 모든 장기에 은은한 꽃향기가 스며드는 기분이다. 하인리히가 나른한 봄바람을 맞으며 드물게 찾아온 짧은 한가함을 즐기고 있던 순간.

벌컥.

그새를 못 참고 복도 중간에 있는 방문이 열리는 소리가 들렸다.

"하인리히! 부른 지가 언젠데 이제야 오는 거예요? 내가 말한 건 알아봤어요?"

저를 보자마자 득달같이 쏟아지는 질문을 들으며 하인리히는 정원에 고정된 눈을 천천히 돌렸다. 한껏 상기된 프리다가 그를 향해 걸어오며 물었다.

"뭐라던가요?"

우아하게 머리를 틀어 올리고 있는 자태가 이젠 제법 쉔달 성에 드나드는 고상한 귀부인들처럼 보였다. 앞뒤 안 가리고 덤벼들고 보는 저놈의 성질머리만 아니라면.

'그나저나 로잘린 녀석, 솜씨가 점점 좋아지네.'

그의 시선이 프리다를 따라 방을 나온 로잘린에게 닿았다. 하긴 손에 든 건 뭐든 자유자재로 부릴 줄 아는 녀석이니 빗질쯤이야. 하인리히가 적성을 찾은 듯 나날이 발전 중인 로잘린에게 감탄하는 사이. 프리다가 뛰듯이 종종걸음을 치며, 창틀에 기댄 채로 여유롭게 웃고 있는 그의 코앞까지 다가왔다.

"왜 말이 없어요? 사실 맞대요? 똑바로 알아봤어요?"

"제 입이 열리길 원하신다면 먼저 공작 부인께서 질문을 멈춰야 하지 않을까요?"

"하인리히! 장난 그만하고 당장 말해요."

한 번 본 사람은 누구나 감탄한다는 보석 아메티스를 닮은 눈동자가 그를 보며 불을 뿜었다. 픽 입꼬리를 들썩인 하인리히는 그제야 등을 창틀에서 떨어트리고 자세를 바로잡았다. 그는 접은 팔을 프리다 쪽으로 내밀었다.

"리하르트 공작 부인, 제 팔을 붙드세요. 많이 지쳐 보이십니다."

"난 멀쩡해요. 그러니 빨리……."

"이런, 오늘도 무척 바쁘셨나 봅니다. 우선 이마에 땀부터 닦으세요."

그가 손수건을 건네자 휙 낚아챈 프리다가 불만 가득한 눈으로 그를 노려봤다. 하인리히는 프리다의 손을 잡아 억지로 팔짱을 끼게 한 후 그녀의 귀 가까이 고개를 숙이고 중얼거렸다.

"자세한 얘기는 방에 들어가서 할까요?"

"다니엘이……."

"쉿, 그만."

찡긋 눈을 깜박인 하인리히가 뭐라 대꾸하려던 프리다의 말을 막았다.

"말했잖아, 프리다. 여긴 벽에도 귀가 달렸어."

프리다는 작은 볼을 불만스레 부풀리며 나지막이 중얼거렸다.

"그쯤은 나도 알아요. 언제나 주변을 경계하고 있다고요."

좀 억울했던지 그녀가 하인리히를 노려보며 구시렁댔다.

"그러게 빨리 대답해 주지 왜 시간을 질질 끌어요? 내가 얼마나 기다렸는지 뻔히 알면서."

그를 타박하면서도 눈으로 갈팡질팡 주위를 살피는 프리다를 보며 하인리히가 씩 웃었다.

"포기해요. 그대의 눈에 띌 솜씨라면 첩자 일 접어야지. 들어가서 얘기합시다. 친애하는 리하르트 공작 부인께서 유일하게 의지하는 이 하인리히 님이 그대가 원하는 걸 모조리 알아 왔으니까."

그는 팔짱 낀 프리다를 이끌며 짐짓 큰 소리로 너스레를 떨었다.

"정원이 참 아름답습니다. 물론 나날이 눈이 부시게 고와지시는 공작 부인의 미모에는 한참 못 미치지만요. 대체 점점 꽃보다 어여뻐지시는 비결이 뭘까요? 하하하."

로잘린이 두 사람이 들어갈 수 있도록 응접실의 문을 열어 주었다. 스치듯 로잘린의 옆을 지나던 하인리히가 목소리를 낮추고 속삭였다.

"오른쪽 복도 끝에 한 놈, 왼쪽 복도 끝에 한 놈이야, 로잘린. 엿듣지 못하게 잘 막아."

그대로 들어가나 싶던 하인리히는 돌연 걸음을 멈추고 한마디를 덧붙였다.

"귀찮다고 죽이진 말고. 아, 차라리 그게 나으려나?"

"하인리히!"

프리다가 눈을 찡그리며 그의 팔을 잡아당겼다. 농담이라고 킥킥대는 하인리히를 보며 로잘린은 치미는 욕설을 조용히 목 안으로 꿀꺽 삼켰다.

'저, 미친 꽃사슴이…….'

도미닉이 그를 언급할 때마다 왜 꽃사슴 앞에 꼭 미친이란 수식어를 붙였는지 알 것 같았다.

'진짜 미친 인간이니까.'

하인리히의 말대로 그는 이 낯선 수도에서 마님이 의지할 만한 유일한 귀족이었다. 그것만 아니었다면 저 재수 없는 주둥이를 진즉에 꿰매 버렸을지도 모른다.

두 사람이 응접실로 들어가자 로잘린은 문을 굳게 닫고 재빨리 뒤를 돌았다. 그러고는 벨뷔 궁 곳곳에 숨어 있는 감시자들의 움직임을 더 세밀히 잡아내기 위해 살포시 눈을 감고 집중했다.

오늘의 감시자는 두 명이 아니라 세 명. 하인리히가 언급한 두 놈 외에 오른쪽 두 번째 창문 밖 나무 위에 한 놈이 더 있다. 그래도 걸리는 족족 손발을 끊어 놨더니 몰래 염탐하는 자들의 수가 많이 줄었다.

부리는 하인보다 첩자가 더 많던 초반에 비하면 셋은 우스운 숫자다. 그리고 진정 주의해야 하는 건 저리 밖에서 맴도는 자들이 아니라 하인으로 가장해 티 나지 않게 조용히 마님의 주변을 드나드는 놈들이다.

그나마 하인리히가 아낌없이 돈을 써 매수한 덕에 자나 깨나 가시를 잔뜩 세워야 했던 지난해와는 달리, 이젠 안심해도 되는 수준으로 줄었다.

마님께 능글거리는 꼴이 얄밉긴 해도 그가 없었다면 창살 없는 감옥이나 다름없는 이곳에서의 생활이 배는 더 힘들었을 것이다. 꼴 보기 싫은 인간이지만 능력은 인정해 주자 마음을 다잡던 순간, 등 뒤로 문이 덜컥 열렸다. 빼꼼히 열린 문틈으로 하인리히가 고개를 삐죽 내밀었다.

"로잘린, 나 오늘 여기서 저녁 먹고 갈 거야. 프리다와 내 식사는 응접실로 부탁해."

제 할 말을 끝내고 문을 닫으려던 하인리히가 다시 고개를 내밀며 속삭였다.

"한눈팔지 말고, 졸지 말고 감시 잘 해. 우리 중요한 얘기할 거니까."

꽝.

"아우, 저…… 그냥…… 확. 후우……."

로잘린은 굳게 닫힌 문 앞에서 깊이 숨을 들이마셨다 내쉬었다. 하인리히에게 감사할 일이 많다는 걸 알면서도, 신기하게도 그를 볼 때마다 살의가 치미는 건 어쩔 수 없었다.


문을 닫고 들어오는 하인리히를 초조하게 바라보던 프리다가 결국 참지 못하고 먼저 입을 뗐다.

"하인리히, 다니엘이 첼리노로 오고 있다는 게 사실이에요? 확실해요?"

방 안을 걸으며 열린 창문이 있진 않은지 꼼꼼히 확인한 하인리히는 고개를 끄덕였다.

"사실입니다. 현재 속도면 열흘 뒤면 첼리노에 도착할 것 같습니다."

책상 위에서 가지런히 정리된 서류 더미를 집어 든 그는 등받이에 장미 덩굴이 수놓인 의자에 앉았다. 서류 맨 앞장에 적힌 글을 읽는 그의 입꼬리가 비스듬히 휘어졌다.

＜스베르겐 제국력 321년. 볼슈타크 2세 재위 7년.

교황청, 황실로부터 현 리하르트 공작 부인이자 하크본 백작의 딸인 '프리다 클라우드 리하르트'의 성녀 승인을 요청받았음을 공식적으로 인정.＞

일 년 가까이 수도를 떠들썩하게 만들었던 사건의 시작을 기록한 것치곤 지나치게 간략하게 요약된 문장이었다. 헛웃음을 흘리는 그의 맞은편에 프리다가 앉았다.

"연락도 없이 왜요? 첼리노에는 황실이 허락한 귀족만 들어올 수 있다면서요? 설마 황제께서 다니엘을 국경으로 보내려는 건 아니겠죠?"

하인리히는 루이즈 황후가 선물했다는 화려한 원탁 테이블에 들고 있던 서류를 내려놓았다. 삐딱하게 목을 꺾은 그는 대리석 테이블을 톡톡 손끝으로 두드리며 의미심장한 미소를 지었다.

"내가 오늘 여기에 오면서 결심한 게 하나 있는데 말입니다."

"결심이라뇨?"

"오늘은 기필코 지난 아홉 달 동안 가졌던 모든 의문을 풀고 말리라. 내가 그리 인내심이 뛰어난 인간도 아닌데 그동안 어떻게 참았나 몰라."

표정이 굳어 가는 프리다를 보며, 하인리히는 씩 이를 드러내고 웃었다. 지난여름, 그는 혼란한 동부 상황을 황실에 알린다는 핑계를 들어, 수도의 협력자들을 규합하기 위해 첼리노에 왔다. 그러니 여기서 프리다를 다시 만난 것도, 이리 오래 머물게 된 것도 모두 예정에 없던 일.

다니엘이 애지중지 곁에 끼고 있던 아내를 황제의 귀환 길에 딸려 보냈다는 것 자체가 이해되지 않았다. 오죽하면 황제가 그녀와 닮은 사람을 데려온 거 아니냐고 의심했을까. 깍지 낀 손을 테이블 위에 올린 그는 그 위에 턱을 올리고 물끄러미 프리다를 응시했다.

"첫 번째. 당신의 질문, '연락도 없이 왜요?'부터 시작합시다. 나도 그 부분이 이상하단 말이야. 다니엘은 왜? 어째서? 황실에는 전령을 보냈으면서 아내에게는 연락도 하지 않고 오는 걸까……."

"다니엘이 전령을 보냈대요? 그럼 황실에서 그이가 수도에 와도 좋다고 허락을 한 거예요?"

프리다는 남편이 이 중요한 일을 그녀에게 알려 주지 않은 것에는 전혀 화를 내지 않았다. 그녀의 관심은 오직 '다니엘이 정말로 오느냐'에만 집중되어 있었다.

'이것도 묘하단 말이지.'

하인리히는 고개를 끄덕이며 눈썹을 찌푸렸다.

"남편이 아내를 보러 온다는데 허락하지 않을 이유가 없죠. 오히려 늦었지. 밖에선 내내 뭐 하느라 유트레히트에 처박혀 있다가 이제 오는 거냐고들 떠들어요. 이혼 얘기도 다시 나오는 것 같고."

지난겨울, 프리다를 성녀로 인정해야 한다는 세력과 결혼한 여인을 성녀로 인정할 수 없다는 세력 간의 갈등이 고조되어 첨예하게 대립했다. 그때 거론된 해결책 중 하나가 리하르트 부부가 이혼해서 프리다가 다시 '하크본'이 되는 거였다.

그 논쟁에 열을 내는 인간이 많아 시중에 장작값이 떨어졌다는 우스갯소리까지 나왔다. 물론 교황청에서 '이혼은 신의 뜻에 어긋나는 행동'이라고 펄쩍 뛰는 바람에 흐지부지됐지만.

"혹시 이번에야말로 진짜 이혼하는 것 아니냐, 다들 그런 소리를 하고 있다고"

처음 그 얘기를 들었을 때처럼 프리다가 펄쩍 뛰며 손사래를 쳤다.

"이혼이라뇨! 말도 안 돼요."

"귀부인이 남편도 없이 홀로 다른 사내를 따라 수도까지 온 것도 말이 안 되긴 마찬가지죠. 다른 놈도 아니고, 다니엘이 아내를 그리 보냈다는 건 나도 못 믿겠다고."

어깨를 프리다 가까이 쑥 기울인 하인리히가 어울리지 않는 심각한 얼굴로 물었다.

"자, 이제 말해 봐요. 당신과 다니엘 사이에 무슨 일이 있었는지. 당신은 왜 여기서 이러고 있고, 다니엘은 왜 거기서 등신처럼 그러고 있었는지. 나도 이제 알아야겠어요. 나한텐 그럴 자격, 있다고 보는데."

하인리히가 사슴처럼 큰 눈으로 그녀의 얼굴을 뚫어져라 응시하며 말했다.

"내가 보일드 남작네 영지를 지켜 내는 데 결정적인 역할을 한 거 알죠? 프리다 당신이 여기서 눈칫밥 안 먹고 사는 것도 다 내 덕이란 것도. 나 아니었으면 성녀는커녕 마녀로 몰려 진즉에 쥐도 새도 모르게 독살당했을지도 모를 일이라고."

"뭐, 뭐예요? 그러니까 지금, 받은 만큼 갚으라는 소리예요?"

하인리히는 단호히, 여러 번 고개를 끄덕였다.

"당연하지. 세상에 공짜가 어디 있습니까? 이자 안 붙여 받는 걸 다행으로 알아요."

"하인리히, 이렇게 속물 같은 사람이었어요?"

휘둥그레 커지는 눈동자를 바라보며 그는 다소 비열해 보이도록 입꼬리를 비틀었다.

"뭘 겨우 이 정도로 놀라시나. 우리 프리다 아가씨, 곱게 크셨나 봅니다."

"프리다, 프리다. 이름 좀 그만 불러요."

신경질을 내 봤지만, 하인리히는 개의치 않고 어깨를 으쓱하는 것으로 답을 대신했다.

"난 내가 정당하게 얻은 권리를 행사하는 겁니다."

지난해 겨울, 하인리히는 프리다를 도와 보일드 남작의 영지를 지켜 냈다. 황실 법원에서 최종 판결이 나던 날. 하인리히는 감사 인사를 건네는 프리다에게 정 고마우면 소원 하나를 들어 달라 말했다.

"소원이요? 하지만 전 업다이크 후작 영식께 드릴 수 있는 것이 없는걸요."

"내 소원은 우리가 서로 편하게 이름을 부르는 겁니다. 업다이크 후작 영식. 리하르트 공작 부인. 매번 부르기 너무 길고 재미없잖아요."

"그래도 어떻게……."

"프리다. 하인리히. 짧고 좋잖아요. 친근하고."

그날 이후, 하인리히는 자유롭게 프리다의 이름을 부를 수 있는 자격을 얻었다.

"대신 보는 눈이 있을 땐 꼬박꼬박 공작 부인이라고 불러 드리잖아요."

말해 놓고 보니 조금 억울해졌다. 아니, 정작 자기는 시도 때도 없이 '하인리히'라고 부르면서. 왜 나는 이름을 부르지 말래?

"그리고 이쯤 친해졌으면, 이름 좀 부르고 그래도 되는 거 아닌가?"

프리다가 황제와 함께 쉔달 성에 도착하던 날. 귀족들 틈에서 하인리히를 발견한 프리다는 눈물까지 글썽이며 반가워했다. 서로에게 까칠하게 굴었던 뭰하임 성에서의 첫 만남이나 배웅도 못 받고 떠나왔던 하인리히의 마지막 날을 떠올리면 크나큰 발전이었다.

"자자. 말 돌리지 말고, 내 질문에 대답이나 해요. 대답 듣기 전까진 벨뷔 궁에서 한 발짝도 안 나갈 겁니다."

하도 정신이 없어 급한 일부터 처리하며 '다음에 묻자, 다음에' 하다 보니 어느새 아홉 달이 지났다. 하인리히가 오늘은 꼭 의문을 풀고 말리라는 굳은 의지를 보이기 위해 꽉 팔짱을 꼈다. 그런 하인리히를 빤히 보던 프리다가 잠시 망설이다 입을 뗐다.

"혹시 기억나요? 내가 여기 오고 한 달쯤 뒤에 당신 앞으로 다니엘의 편지가 도착했던 거."

다니엘의 편지? 여름이 절정에 치달을 무렵. 뒤늦게 다니엘로부터 아내를 부탁한다는 형식적인 편지 한 통을 받긴 했었다. 그걸 가지고 한동안 프리다를 놀렸었고.

"아, 둘이 좋아서 죽고 못 살 땐 언제고 다 늦게 이제야 연락이냐, 사랑이 너무 빨리 식은 거 아니냐, 이렇게 내가 막 놀렸던 그 편지 말하는 겁니까?"

그때 프리다는 뭐가 그리 슬픈지 다정한 안부 인사 한 줄 없는 종이 한 장을, 심지어 그녀 앞으로 온 것도 아닌 편지를 생명줄처럼 부여잡고 펑펑 울었다.

"둘이 부부 싸움을 얼마나 심하게 했기에 그러나 싶었는데."

"사실은 나…… 몰래 나왔어요."

"몰래?"

하인리히가 말꼬리를 올리자 그의 눈썹이 함께 치켜 올라갔다.

"당시 다니엘은 황제 폐하를 구하다 입은 부상으로 삼 년 전처럼 의식이 없는 상태였어요. 난 그 틈에 몰래 성을 빠져나온 거예요."

머리칼을 흔드는 바람 속에서 축축한 공기가 느껴졌다. 굳이 눈을 떠 하늘을 보지 않아도 알 것 같았다. 팔과 무릎에 저릿한 감각이 찾아온 지 반나절이 지났다.

"도미닉."

"네. 주군."

그의 부름에 즉각 답하는 목소리를 듣고서야 천천히 눈을 뜬 다니엘은 언덕을 내려다보며 담담히 입을 열었다.

"여기서 가장 가까운 영지가 지그문트 자작령인가?"

"네. 가깝다고 해도 반나절은 더 가야 합니다."

"……서두르지."

"알겠습니다."

까닭도 묻지 않고 돌아선 도미닉이 휴식의 끝을 알리는 뿔 나팔을 불었다.

"모두 서둘러. 해지기 전에 마을에 도착해야 한다."

부산스러운 움직임에 발자크가 사납게 꼬리를 흔들며 말 머리를 뒤로 돌렸다. 사납긴 해도 제 명령 없인 움직이지 않는 애마의 낯선 행동에 다니엘이 말고삐를 바짝 죄었다.

"왜 그러지? 설마 발자크 너도, 내 아내라는 여자가 궁금한 건가?"

투레질이 심해지자 다니엘이 애마의 갈기를 툭툭 토닥이며 무심히 중얼거렸다.

"참아. 너보다 내가 더 궁금하니까."

다니엘의 일행은 다행히 해가 지기 직전, 지그문트 자작의 저택에 도착했다. 예상보다 더한 환대에도 다니엘은 그저 한마디만 겨우 내놓고 방으로 사라졌다.

"날이 밝는 대로 떠날 테니 잘 곳과 간단한 식사 말고는 준비할 것 없네."

따뜻한 물로 목욕을 마치고 나와 보니 후드득 빗방울이 창문을 때리는 소리가 들렸다. 마른 수건으로 젖은 머리를 닦던 다니엘의 시선이 음식이 가득 차려진 테이블에 머물렀다. 이게 다 뭐냐고 눈으로 묻자 도미닉은 곤란한 표정을 지었다.

"주군께서 간단한 식사 말고는 준비할 것 없다 하시는 바람에 지그문트 자작이 몹시 당황스러워하고 있습니다."

다니엘이 말없이 빤히 바라보기만 하자 도미닉이 짧은 한숨을 내쉬었다.

저리 보는 이유는 단 하나. 알아듣게 설명하라는 뜻이다.

"지난해 리하르트 공작 부인께 큰 은혜를 입어 영지에 사는 백성들이 모두 고마워하고 있답니다. 덕분에 올해도 큰 병 없이 봄을 맞았다고요. 그 은혜를 어찌 갚아야 할지 모르겠다며 식사만큼은 꼭 정성껏 대접하게 해 달랍니다."

식탁을 빽빽하게 채운 음식들을 보던 다니엘은 수건으로 머리의 물기를 몇 번 더 털어 낸 후 의자에 앉았다.

"또 내 아내의 덕을 보는군."

수프 그릇을 집어 든 다니엘은 손잡이 끝에 화려한 문양의 세공이 들어간 수저를 물끄러미 바라보았다. 그의 눈길이 어디에 닿았는지 확인한 도미닉이 즉시 입을 열었다.

"공작 부인께서 당부하고 가셨답니다. 신이 주신 음식을 손으로 먹는 것이 은혜로운 일이긴 하나, 날이 따뜻해진 때만이라도 도구를 사용하라고요."

일행이 지나쳐 온 마을마다 비슷한 상황이 펼쳐진 터라 낯선 장면도 아니었다. 지난해 황제와 함께 리하르트 공작 부인께서 이 마을을 지나가셨다. 그리고 이런저런 당부를 남기셨는데 덕분에 어쩌고저쩌고······.

기실 명령을 내린 것은 황제였을 것이나 평범한 백성들에겐 특이한 외양의 아내가 더 인상 깊었겠지. 말없이 따끈한 수프를 목으로 넘긴 다니엘이 깨끗한 손으로 빵을 집어 들며 말했다.

"앉아서 좀 거들어."

"네."

도미닉이 보기에도 식탁에 차려진 음식의 양은 사내 혼자 먹기엔 과해 보였다. 지그문트 자작은 공작 전하께서 원치 않으실 거라는 도미닉의 만류에도 끝끝내 음식을 쌓아 놓고 나갔다. 이후 문을 걸어 잠그고 복도에 경비를 세우지 않았다면, 아마 의자에까지 음식이 놓였을지도 모른다.

맞은편에 앉은 도미닉은 먹음직스럽게 익은 닭다리를 집어 들었다. 한

동안 음식을 씹는 소리 외엔 적막이 돌던 방 안에 다니엘의 음성이 낮게 내려앉았다.

"여기선 어떻게 지냈대?"

공작 부인에 관해 묻는 거였다. 요즘 두 사람은 그들이 지나온 자리마다 어김없이 남아 있는 공작 부인의 흔적을 되짚는 것으로 하루를 마감하는 중이었다.

"여러 가지 일이 있었답니다. 몸살이 심해 사흘간 머무셨는데 혹 자신과 같은 증상을 보이는 자가 있거든 지천으로 핀 메리골드 꽃을 달여서 먹으라고도 하셨고, 상한 음식을 먹고 복통을 일으키는 자에게 좋은 약재도 여럿 알려 주고 가셨답니다."

도미닉이 포크로 고기를 푹 찍은 후 우물우물 씹었다.

"날이 더워지면 되도록 물을 끓여 먹으라고도 하셨답니다. 처음엔 다들 무슨 헛소리냐고 했는데, 자작 부인이 독실한 신자라 성녀님 말씀을 따라야 한다고 우겼다네요. 결과는 뭐, 보시다시피……."

다니엘은 잔에 든 포도주를 한 모금 머금었다. 비만 오면 시큰거리는 손목이 어김없이 욱신거렸지만, 오늘은 좀 더 견뎌 볼 요량으로 일부러 잔을 놓지 않았다.

통증이 이쯤 심해지면 최소한 이틀은 비가 내린다. 어쩌면 그도 자신의 아내처럼 이곳에서 며칠을 보내게 될지도 모르겠다. 더는 레오폴드에게 경고하는 걸 늦출 수 없어 직접 나선 길이건만, 자꾸만 일정이 느려진다.

그러나 이상하게도 조급한 마음이 들지 않는다. 다시 의식이 돌아온 후 새사람이 된 것 같다는 리카르도의 말이 떠올라, 잘 구운 양고기를 씹다 혼자 실소를 흘렸다.

'새사람이긴 하지. 검 하나 제대로 휘두르기 힘들어진 등신이 되었으니.'

의식이 돌아오고 난 뒤, 여태 손목이 회복되지 않고 있다. 마비가 왔던 다리에 감각을 다시 찾기까지는 자그마치 반년이 걸렸다.

겨우 움직일 수 있게 된 후에도 말을 타기까지는 또 한 달. 검을 들고 가벼운 대련을 시작한 건 이후 또 한 달이 지나서였다. 얼추 사람 구실은 하고 있지만, 이 상태라면 전투를 이끌긴 어렵다.

쓸모없는 인간이 되어 버린 자신에게 실망하고 낙담하다, 다시 독려하기를 반복하며 지난 시간을 보냈다. 더딘 회복에 짜증 내는 다니엘에게 리카르도는 지난번에도 섣불리 몸을 놀렸다가 이리된 거라며 잔소리를 해 댔다. 어설프게 빠른 것보단 차라리 더디더라도 완전히 낫는 게 좋다는 이해할 수 없는 말을 늘어놓기도 했다.

리카르도뿐만이 아니다. 주변이 온통 알 수 없는 말만 지껄이는 인간들로 가득했다. 그중 가장 다니엘을 혼란하게 만든 건 바로 '아내'라는 존재다. 그녀를 떠올리자 고작 한 모금 마신 와인에 취기가 밀려왔다. 이마를 감싸며 팔꿈치를 식탁에 기대자, 의자를 박차고 일어난 도미닉이 득달같이 다니엘의 옆으로 다가왔다.

"왜 그러십니까? 또 머리가 아픈 겁니까?"

아픈들 어쩌라고. 머리 좀 아프다고 죽는 것도 아닌데 대체 왜 이리 유난인지 모르겠다. 다니엘이 손끝으로 머리를 꾹꾹 누르며 물었다.

"그래서, 내 아내의 몸살은 사흘 만에 다 나았다던가?"

"……아니요. 나을 때까지 쉬었다 가시라고 주위에서 다 말렸는데도 기어이 길을 나섰답니다."

고소하다고 느꼈던 수프의 끝 맛이 사라지고 별안간 쓴 물이 목을 타고 넘어왔다. 다시 의식을 찾은 이후, 내내 그의 목구멍에 걸려 있는 정체 모를 불쾌한 이물감이 선명하게 느껴졌다.

"요즘은 특별히 아픈 곳이 없다고 들은 거 같은데."

"네. 쉔달 성에서는 건강하게 지내신다고 합니다."

알 수 없는 더러운 기분에 휩싸인 다니엘은 낮고 무거운 목소리로 차분하게 읊조렸다.

431

"건강하게 잘 지낸다니…… 다행이네."

이틀을 내리퍼붓던 비가 그치고 난 후론 내내 날이 좋았다. 간만에 비를 맞은 크로커스의 보랏빛은 더 싱그러워졌고, 정원을 빙 둘러싼 나무들의 녹음도 짙어졌다.

터벅, 터벅, 터벅.

프리다는 허리까지 내려오는 긴 차양이 달린 모자를 쓴 채 꽃길 사이를 걸었다. 그녀의 느릿한 발걸음과 무거운 머릿속만 아니라면 모든 것이 아름다운 날이었다. 요 며칠 생각에 빠져 정원을 거닐다 깨달았다. 펜하임 성을 떠난 이후 가만히 앉아 상념에 젖어 들었던 날이 단 하루도 없었다는 걸.

무의식적으로 그런 시간을 피하고 싶었던 것 같다. 혹여라도 떠나온 장소와 그곳의 사람들을 그리워하게 될까 봐.

"하아……."

뒤숭숭한 기분이 긴 한숨이 되어 꽃들 사이로 흩어졌다. 그 순간, 꽃밭 사이에서 불쑥 귀에 익은 목소리가 들렸다.

"황후 말로는 이곳에 오면 마음이 편안해진다던데. 정작 우리 성녀님은 그렇지 못한가 봅니다."

크로커스 꽃밭 사이에 누워 있던 레오폴드가 몸을 일으켰다. 접은 무릎에 오른팔을 올린 그는 왼손으로 쓱쓱 햇살을 받아 반짝거리는 금색의 머리칼을 이마 위로 넘겼다.

금장 단추와 매듭으로 장식된 화려한 예복을 흙바닥에 깔고, 그 위에 누웠다 일어나는 일이 흔하다는 듯 예사로운 태도였다. 꽃길을 헤치고 다가간 프리다는 갑자기 나타난 황제를 보고도 놀라기는커녕 시큰둥하게 말을 건넸다.

"그리 누워 계시다 저번처럼 벌레에 물려 곤욕을 치르면 어쩌시려고요. 매번 드리는 말씀이지만 폐하께서 이러시면 저만 욕을 먹습니다."

"감히 누가 우리 성녀님을……."

동방에서 들여온 귀한 천으로 만든 치마를 꼭 쥔 프리다가 거추장스러운 모자를 휙 벗어 들고 그를 노려봤다.

"지긋지긋한 '성녀님' 소리도 인제 그만하세요. 아무리 황제시라 해도 성스러운 이름을 제국을 분열시키는 데 쓰는 건 용납할 수 없……."

"알았어요. 알아들었으니까 그만 진정해요."

훌쩍 자리에서 일어난 레오폴드는 흙먼지가 묻은 예복 재킷을 탈탈 털며 동시에 그녀를 말렸다.

잘 보여 주지 않는 민낯까지 드러내며 파르르 떠는 걸 보니 어지간히 화가 난 것 같다. 흙밭을 걸어 나와 정원 돌길에 서자 프리다가 졸졸 그를 따라왔다.

"원래 목적은 다 이루셨잖아요. 그러니 저를 성녀로 인정해 달라는 요청을 더는 하지 않겠다고 교황청에 편지를 써 주세요."

처음엔 황제의 앞에 서서 그에게로 가는 비난을 막아 주기만 하면 되는 줄 알았다. 제 효용 가치는 딱 그것뿐이니, 민심이 잠잠해질 때까지 길어야 몇 달 정도겠지.

빠르면 겨울이 되기 전에 뮌하임 성으로 돌아갈 수 있을 거라고, 그리 안심했었다. 그 정도면 의식이 없는 다니엘도, 뮌하임 성의 식구들도 제 선택을 이해해 줄 거라 여기며 조금은 대수롭지 않게 나선 길이었다.

수도로 오는 길에 들렀던 마을에선 힘든 상황을 두고 볼 수가 없어 도왔다. 제대로 된 의술을 아는 이들은 죄다 귀족들의 저택에만 모여 있고, 그중에도 사기꾼들이 넘쳐 났다. 말도 안 되는 처방으로 가난한 사람들의 주머니를 터는 인간들이 부지기수였다.

어려서부터 앓아눕는 일이 많았다 보니, 프리다는 자연스럽게 꽤 많은 치료법을 알았다.

허브 밭을 일구며 각각의 효능을 공부했던 것들도 있고. 당장 쉽게 구할 수 있는 재료들을 알려 주고, 무엇보다 손으로 음식 먹는 일을 피하라고 당부한 게 다였다. 그 정도 일로 그토록 빨리 성녀라는 소문이 날 줄은 정말 몰랐다.

황제가 수도를 눈앞에 두고도 주변을 빙 돌아 되도록 많은 영지에 들르는 것도 예상하지 못했다. 한 달 만에 수도에 도착해 보니 귀족들은 두 파로 갈라져 있었다.

그녀가 성녀라고 주장하는 '황제 파'와 성녀 승인을 결사반대하는 '황태후 파'로. 그들은 겨울이 지나고, 다시 봄이 오도록 지겹게도 싸워 댔다.

"약속했잖아요. 봄이 되면 더는 성녀 승인 문제를 두고 교황청을 압박하지 않겠다고……."

"그래서 막 교황청에 편지 보내고 오는 길입니다."

"저, 정말이세요?"

언제 화를 냈냐는 듯 프리다는 금세 초롱초롱 눈을 빛냈다. 아무튼 속내가 훤히 다 드러나는 여자다.

"그 얘기를 해 주려고 온 건데 보자마자 너무 푸대접이네."

싱겁게 웃음을 터트린 레오폴드는 프리다가 벗어 든 모자를 휙 빼앗아 그녀의 머리 위에 도로 씌워 주었다.

"잘 쓰고 있어요. 지난여름처럼 화상으로 고생하지 말고."

프리다가 시야를 가리는 거추장스러운 차양을 손으로 걷어 올리며 재차 물었다.

"뭐라고 썼는데요? 이 지지부진한 논쟁을 멈추자고 하셨어요? 더는 성녀 문제를 언급하지 않겠다고 확실하게 썼어요?"

그녀를 두고 오만 얘기들이 오가도 모른 척하더니. 지난겨울 귀족 회의에서 이혼이 언급됐다는 걸 들은 후론 이리 난리다. 이혼이 그리 싫을까. 아홉 달 내내 편지 한 장 보내지 않는 남편이 뭐 그리 좋아서. 레오폴드는 복잡해진 감정을 다스리지 못하고 삐죽 묻고 말았다.

"다니엘이 이혼을 원할 거란 생각은 안 해 봤어요? 그토록 오기 싫어하는 수도에 걸음 하는 이유가 그거일지도 모르잖아요."

단 한 번도, 꿈에서도 생각해 본 적 없다는 듯 충격받은 프리다의 얼굴을 보니 통쾌하면서도 괜히 입맛이 썼다.

우~ 우~.

쉔달 성의 밤엔 언제나 이렇듯 올빼미 소리뿐이다. 창문을 열어 두면 종종 늑대 울음소리와 온갖 산짐승들이 울어 대던 멘하임 성에 비하면 이곳의 밤은 조용한 편이다. 그 적막이 낯설어 잠을 이루지 못하는 날도 많았는데, 오늘은 다른 이유로 잠들지 못하고 창가에 앉아 한숨만 쉬는 중이다.

"다니엘이 이혼을 원할 거란 생각은 안 해 봤어요?"

꿈에서조차, 혹시나, 만약에라도 가정해 본 적 없었다. 그저 화가 났거나, 아니면 몸이 불편해서 제게 연락을 하지 않는 거라 여겼다.

"어머!"

단정히 모아 안은 무릎에 나방이 내려앉은 걸 보고서야 창문이 열려 있다는 걸 깨달았다. 깊은 밤에도 불을 밝혀 두는 일이 많다 보니 그녀의 방 안엔 종종 벌레들이 날아들었다. 평소엔 해가 질 즈음, 로잘린이 불을 피운 후 꼼꼼하게 닫고 가는데 오늘은 늦은 오후부터 혼자 있고 싶다고 했더니 그대로였던 모양이다.

오후 내내 처량하게 앉아 있던 의자에서 일어나 창으로 걸어가던 프리다는 별안간 창문 안으로 뛰어드는 검은 그림자에 놀라 뒷걸음질을 쳤다.

"까악…… 읍……."

검은 그림자는 프리다가 뒤로 벌러덩 넘어지기 전 아슬아슬하게 그녀의 허리를 끌어안았다. 그녀의 입을 손으로 꾹 막은 채 그림자가 속삭였다.

"놀라지 말아요. 당신 남편입니다."

날짐승이 날아들듯 창문을 뛰어 넘어온 사내는 검은 천으로 눈과 코를 제외한 나머지 얼굴을 몽땅 가리고 있었다. 하지만 프리다는 단번에 그를 알아보았다. 모를 수가 없었다.

"나예요. 다니엘입니다."

그의 목소리였다. 멀쩡히 복도를 걷다가도 한 번씩 뒤를 돌아보게 하던, 특유의 낮고 진중한 환청을 닮은 음성. 검은 천 위로 보이는 차분한 적 갈색 눈동자. 놀라 벌어진 그녀의 입술에 닿는 굳은살이 박인 크고 단단하고 따뜻한 손까지.

지금 그녀의 눈앞에 있는 남자는 분명 다니엘이었다.

프리다는 충격이 가시지 않아 덜덜 떨리는 손을 검은 천을 향해 뻗었다. 손가락에 힘을 줘 얼굴을 가리고 있는 천을 끌어 내리자 날렵한 턱선이, 뒤이어 강인해 보이는 단정한 입매가 드러났다. 틀림없는 다니엘의 얼굴이었다.

온전한 남편의 얼굴을 응시하는 프리다의 눈시울에 눈물이 왈칵 엉겨들었다. 프리다는 자신이 꿈을 꾸고 있는 건 아닐까 의심하며 거뭇거뭇한 수염 자국이 남은 뺨으로 손을 가져갔다. 까칠한 뺨을 스치던 그녀의 손끝이 거칠어진 입술에 닿았다. 딱딱하게 굳어 딱지가 생긴 부분을 엄지로 스치자 그의 입꼬리가 미세하게 꿈틀거렸다.

프리다의 입을 가리고 있던 다니엘의 손등으로 툭 눈물 한 방울이 떨어졌다. 다니엘이 그제야 프리다의 입을 막고 있던 손을 거둬들이며 말했다.

"놀라게 해서 미안해요. 밖에 감시하는 자가 있을지도 모르니 우선 창가에서 떨어집시다."

다니엘이 허리를 잡은 손에 힘을 줘 그녀를 일으켰다. 그 순간, 프리다가 양팔로 그의 목을 꽉 끌어안으며 품 안으로 뛰어들었다.

"맙소사…… 다니엘, 정말 당신이에요?"

믿어지지 않았다. 다니엘이 그녀 앞에 나타나다니. 심지어 마법처럼, 이렇게 갑자기.

"정말 다니엘이 맞아요? 이거 꿈 아니죠?"

프리다가 남편의 가슴으로 파고들자 순간 중심을 잃은 다니엘의 허리가 휘청이는 게 느껴졌다. 당황한 그가 살짝 뒤로 몸을 물리는 게 느껴졌지만, 프리다는 개의치 않고 빈틈없이 더 바짝 남편에게 달라붙었다.

"다니엘, 흑흑…… 내가 얼마나, 걱정했……."

입 밖으로 두서없는 단어들이 마구 쏟아져 나왔다.

"아픈 당신을…… 혼자 두고 와서, 정말 미안…… 흑흑. 다행…… 깨어나서 정말 다……. 흑."

하염없이 눈물이 쏟아지는 탓에 그의 어깨에 파묻힌 입술에선 발음이 정확하지 않고 뭉개진 말들만 연신 흘러나왔다.

"다니…… 엘, 흑흑. 다니엘."

프리다는 아는 단어가 오직 그의 이름 하나뿐인 것처럼 부르고 또 불렀다.

"후우, 꽉 잡고 있어요."

짧은 한숨을 내쉰 다니엘이 그의 목에 매달린 자신을 꼭 감싼 뒤 번쩍 안아 올렸다는 것도. 지칠 줄 모르고 울먹이는 그녀를 침대로 데려와 앉혔다는 것도 인지하지 못했다. 다니엘이 그의 목을 붙들고 있는 프리다의 팔을 조심히 풀어 그녀의 치마 위에 올려 주었을 때가 되어서야 자신이 자리를 옮겼다는 걸 깨달았다.

그녀 앞에 한쪽 무릎을 숙인 다니엘이 눈물로 범벅이 된 프리다의 얼굴을 바라보며 또 옅은 한숨을 흘렸다. 훌쩍이는 프리다를 물끄러미 바라보던 그는 조금 전까지 자신의 얼굴을 가리고 있던 천을 그녀의 손에 쥐여 주었다.

"우선 눈물 좀 닦아요. 그리고 조금만 진정해 줬으면 좋겠는데……."

우~ 우.

창을 타고 넘어오는 올빼미 소리에 창밖의 어둠을 살피던 다니엘이 서둘러 입을 뗐다.

"미안하지만 내겐 시간이 별로 없습니다. 오늘은 할 말이 있어서 몰래 들어온 거라 바로 돌아가야 합니다."

"가, 간다고요? 하지만 방금 막 왔는데……."

깜짝 놀란 프리다가 침대에서 일어나려 하자 다니엘이 그녀의 어깨를 붙들었다. 그러곤 안심하라며 어깨를 쥔 손에 가볍게 힘을 주었다.

"금방 다시 올 겁니다. 바로 올 거예요. 나는 내일 오후가 되면 다른 일행과 함께 공식적으로 쉔달 성을 방문할 겁니다. 그 전에……."

다니엘은 잠시 말을 멈추고 눈물범벅이 된 아내를 응시했다. 연약해 보이는 외모와 달리 그에게 달라붙어 떨어질 줄 모르는 시선에서 만만치 않은 고집스러움이 느껴졌다. 하고픈 말이 너무 많아 어쩔 줄 몰라 하며 꼼지락거리는 손에서는 약간 성마른 성격도 보였다.

그때 눈가에 맺혀 있던 눈물방울이 프리다의 뺨을 타고 주르륵 흘러내렸다. 물끄러미 아내를 내려다보던 그가 턱 끝에 모여 대롱대롱 맺혀 있는 방울들로 손을 뻗었다. 그는 손등으로 프리다의 눈물을 닦아 주며 눈을 맞췄다. 금세 또 눈물이 그렁그렁 맺힌 보랏빛 눈동자를 가득 채우고 있는 자신이 보였다. 아내에게 비친 제 모습이 이렇구나 싶어 시선이 머물렀다.

어두컴컴한 제 머리칼의 색깔을 눈에 담고도 아내의 보랏빛 눈동자는 여전히 신비로웠다. 어두운 밤하늘을 밝히는 유일한 달빛을 바라보듯 프리다에게서 눈을 떼지 못하던 다니엘은 코를 훌쩍이는 소리에 퍼뜩 정신을 차렸다. 더는 시간을 끌 여유가 없었다.

"당신에게 먼저 알려 둘 일이 있어서 잠깐 온 겁니다."

다니엘이 프리다의 눈을 똑바로 마주 보며 말했다.

"내가 지금 기억이 온전치 못합니다."

현 상황을 장황하고 친절하게 설명할 겨를이 있었다면 자신이 아니라 도미닉을 보냈을 것이다. 이런 쪽으로는 확실히 저보다 말재주가 있는 편이니.

"솔직히, 나는 당신이 누군지 전혀 모릅니다."

다니엘은 서서히 차오르는 아내의 눈물이 눈동자 안에 자리 잡은 그를 일그러트리는 것을 보며, 차라리 그랬어야 했다고 후회했다.

휘이익. 탁.

날카로운 바람 소리와 함께 담벼락 아래로 묵직한 검은 그림자가 내려앉았다. 동시에 칠흑 같은 어둠 속에서 '타닥타닥' 부싯돌이 두 번 반짝였다. 다니엘은 바닥에 내려앉은 그 자세 그대로 가만히 몸을 숙인 채 주위의 기척을 살폈다.

슈프렌 강을 흐르는 물소리와 잠들지 않은 자잘한 야생의 움직임에 귀를 기울이던 다니엘이 천천히 몸을 일으켰다. 뒤이어 어둠 속에 몸을 숨기고 있던 로잘린이 나타나 그에게 말고삐를 건넸다.

"별다른 낌새는 없으니 안심하셔도 됩니다."

고개를 돌려 자신이 넘어온 담벼락 너머를 응시하던 다니엘이 말고삐를 쥐고 훌쩍 말 등에 올랐다. 발자크와 달리 잘 훈련된 얌전한 말은 울음소리도 내지 않고 조용히 또각또각 다리를 움직였다. 달빛을 담은 슈프렌 강의 전경을 스치며 지나온 다니엘의 눈길이 로잘린에게 향했다.

"황태후의 감시가 심하다고 들었는데, 좀 잠잠해진 건가?"

"네. 봄이 되면서 확실히 느슨해졌습니다. 뷔테인 남작 부인을 제외하곤 모두 다 매수된 상태라 처음 이곳에 오셨을 때 비하면 거동도 자유로운 편입니다."

"처음 이곳에 왔을 때라면…… 지난해 여름이겠군. 다니엘의 의식도 그즈음에 돌아왔다. 깨어 보니 그의 세상엔 익숙한 것과 낯선 것이 뒤엉켜 공존하고 있었다.

낯익은 이들이 그는 알지 못하는 누군가를 친근하게 입에 올리는 기묘한 상황이 매일, 매 순간 펼쳐졌다. 그래서였는지도 모르겠다. 처음 보는 아내가 예상보다 아주 낯설지는 않았던 걸 보면.

'하긴. 처음 보는 것도 아니긴 하지.'

헐겁게 입을 막았던 손을 조심스레 떼자 드러났던 작고 하얀 얼굴 위로 어릴 적 모습이 겹쳐 보이긴 했다. 하얀 토끼를 닮은, 조그맣던 꼬마 소녀가. 저도 모르게 다시 담벼락 너머를 바라보고 있었는지 말 아래서 로잘린이 그를 부르는 소리가 들렸다.

"공작 전하, 서두르셔야 합니다. 더 늦어지면 오늘 밤 내로 일행과 합류하기 힘듭니다."

맘껏 속도를 낼 수 없는 밤길. 로잘린의 말대로 서둘러 출발해야 뒤따라올 일행에 자연스럽게 섞일 수 있다. 이곳엔 뜸해졌다 해도, 다니엘이 온다는 소식에 특별히 황태후의 첩자들이 바글바글할 길을 지나려면 동이 트기 전까지 만나야 한다.

아는데…… 못내 아쉬운 감정이 찐득찐득한 역청처럼 달라붙어 발길이 쉬이 떨어지지 않는다. 캄캄한 어둠 대신, 한겨울 차갑고 시린 바람을 맞은 아이처럼 양 볼을 붉히며 울던 아내의 모습이 자꾸만 눈앞에 아른거렸다.

"공작 전하, 이젠 정말 가셔야 합니다."

다니엘은 조심스레 그를 채근하는 로잘린의 목소리를 듣고서야 말고삐를 꽉 붙들었다. 그를 '주군'이 아니라 꼬박꼬박 '공작 전하'라고 부르는 로잘린이 조금 낯설었다.

"하녀 일은 적성에 맞나?"

"네? 아…… 네. 마님께선 좋은 분이십니다."

질문과 맞지 않는 다소 뜬금없는 대답에도 웃지 않은 까닭은 자주 들어

440

왔던 말이기 때문이다.

"공작 부인은 좋은 분입니다."

"정말 착한 분이에요."

"무척 용감하시죠."

사전에 짜기라도 한 것처럼 그가 아는 모든 이들이 하나같이 그리 말했다. 첼리노로 오는 길에 들렀던 귀족들의 영지에서도 마찬가지였다. 이쯤 되면 세뇌가 되지 않는 게 이상할지도.

"얼른 들어가 봐. 많이 놀랐을 테니 잘 달래 주고."

제법 남편다운 당부를 남긴 다니엘은 말고삐를 당겨 어둠 속으로 숨어들었다. 말을 타고 걷는 한 걸음 한 걸음이 비를 잔뜩 머금은 흙탕길에 빠진 것처럼 무거웠다.

결국 열 걸음도 못 가 다시 성 쪽으로 고개를 돌리고 말았다. 짙은 어둠 너머 저 멀리, 유일하게 불빛이 새어 나오는 작은 창문에 닿은 그의 눈길이 한참이나 그대로 머물렀다.

공식적으로 리하르트 공작의 일행들이 머물고 있다 알려진 그레이엄 남작의 영지에 들어가기 전, 다니엘이 말에서 내렸다. 여기서부터는 감시자들의 눈을 피해 조용히 움직여야 해 말을 탈 수가 없다. 평소라면 귀찮은 일이라며 인상을 썼겠으나 오늘만은 달랐다. 한참 전부터 걷고 싶었으니까.

말에서 내린 다니엘은 안전한 곳에 말을 묶어 두고 달빛이 닿지 않는 곳을 골라 발소리를 죽이며 걸었다. 긴장의 끈을 놓치지 말아야 한다는 걸 알면서도 내딛는 걸음마다 하나씩 상념이 날아들었다.

도미닉의 말대로 아내는 아주 작은 여자였다. 얼굴이 어찌나 조막만 한지 그의 한쪽 손바닥 안에 모조리 들어오고도 남았다.

그리고 귀가 닳도록 들은 대로 눈이 정말 예뻤다. 입을 막은 손등 위로 보이는 고운 보라색 눈동자가 움직임을 잊은 채 휘둥그레 커지는데, 영락없는

441

보석 아메티스였다. 리하르트 공작가의 기사단이 어쩌다 그리 낯간지러운 이름을 가지게 됐나 했더니만.

"주군께서 지으셨습니다. 아마 공작 부인의 눈동자와 어울린다고 여기셨던 것 같습니다."

리카르도의 말을 들었을 때만 해도 저 인간이 미쳤나 했었는데……. 미친 짓은 그가 아니라 자신이 하고 다닌 모양이다. 그의 주변에 아내의 눈동자 말고는 보랏빛이 나는 보석을 연상시킬 만한 게 없으니 리카르도의 추측이 맞을 것이다. 설혹 있었다 한들 그 눈동자만큼 아메티스와 딱 어울리는 것은 없었을 듯하다.

눈을 맞춘 채 빠히 바라보고 있던 순간에는 잠깐 정신이 아득해졌던 것 같다. 그의 팔에 감긴 가는 허리의 뒤척임을 느끼고서야 다시 눈앞의 형상이 뚜렷하게 잡혔다. 의식을 되찾은 후 생긴 버릇인데, 집중력이 자주 흐트러진다. 도미닉과 대화를 하다가도 잠깐씩 넋을 놓을 때가 있다.

"최대한 상냥하게, 다정히 대하십시오. 눈에 힘주지 말고, 상스러운 욕지거리도 절대 안 됩니다."

별안간 도미닉의 잔소리가 떠올라 걸음을 세웠다. 상냥하게, 다정히. 모두가 잠든 새벽, 몰래 길을 떠나는 다니엘의 뒤에 대고 어찌나 그 말을 떠들어 댔는지 아직도 두 단어가 귓가에 울렸다.

"나는 당신이 누군지 전혀 모릅니다."

그러나 결코 상냥하지 못했던 대화를 떠올리며 얼굴을 쓸었다.

"젠장, 진짜 미치겠네."

일부러 그런 건 아니었다. 놀라게 하려고 위험을 무릅쓰고 몰래 숨어든 게 아니라고. 하지만 제 반 토막도 되지 않아 보이는 작은 여자를 발견한 순간부터 조금씩 하얘지던 머리가 아예 멍해져 버린 걸 어쩌라고.

한때 다니엘이 아내에게 푹 빠졌었다는 리카르도의 말은 어느 정도 사실에 가까울지도 모르겠다. 그렇지 않고서야 심장이 이리 별스럽게 뛸 이유가 뭐겠는가.

"무슨 여자가 그렇게 덥석덥석 안겨 드냐고."

얼굴도 아찔하게 예뻐서는. 아내를 기억하는 몸이 한여름 뙤약볕을 쬔 듯 점점 더 펄펄 들끓었다.

정확히 어디서부터 기억이 사라진 건지는 모르겠다. 노팅겐 공작이 반란을 일으킨 건 기억이 나는데 진압하러 간 건 물론이고, 도미닉을 대신해 다친 것 또한 떠오르지 않았다. 당연히 자신이 결혼했다는 것도 몰랐다. 아홉 달 전, 낯선 방에서 다시 깨어나 들은 가장 황당했던 얘기가 바로 '프리다 하크본'이 제 아내가 되었다는 말이었으니까.

"내가 하크본 백작의 막내딸과 결혼을 했다고?"

그 하얀 꼬맹이랑? 아니, 그 꼬맹이 나이가 몇인데 벌써 결혼이야? 어엿한 성인이 된 여인을 아내로 맞았다는 말에 안도한 것도 잠시. 기함할 얘기는 그때부터 시작되었다.

"세상에서 가장 현명하고 용감한 데다 아름답기까지 한 여인을 아내로 맞으셨으니 주군께선 복 받은 줄 아셔야 합니다."

눈에 보이지도 않는 여인을 두고 리카르도는 매일 찬가를 불러 댔다.

"처음엔 낯설어하시던 주군께서도 결국은 공작 부인께 푹 빠지고 말았답니다. 아내를 바라보는 눈빛이 어찌나 뜨거운지, 보는 저까지 활활 타오를 것만 같은……."

"닥쳐, 리카르도."

리카르도가 제 아내에 대해 언급할 때마다 울먹이던 작은 꼬맹이가 떠올라 괜스레 죄를 짓는 기분이 들곤 했었다. 그의 말을 어디까지 믿어야 할지 몰랐는데, 아름답다는 말은 사실이었다.

갑자기 들이닥친 저를 보고 기절이라도 하면 어쩌나 싶었건만, 꿋꿋하게 정신을 붙들고 있었던 걸 보면 용감하다는 말도 맞는 것 같고. 의외로 당찬 구석이 있다는 것도 맞았다.

생각에 잠긴 채 열을 식히고 있는 그의 곁을 스쳐 지나간 밤바람이 수

풀을 흔들었다. 실체 없이 그의 주위를 떠돌던 '아내'란 존재를 맞닥트린 이 밤. 낮과는 다른 차가운 밤공기도 이미 들떠 버린 그의 심장을 가라앉혀 주지 못했다.

갑갑증이 치민 다니엘은 무심결에 얼굴을 가렸던 천을 벗으려다 멈칫거렸다. 자신이 아내의 손에 그것을 쥐여 주고 나왔음을 뒤늦게 깨달았다. 그는 몇 번째인지 모를 헛웃음을 흘렸다. 대신 장갑을 벗고 맨손으로 답답한 목깃을 끌어 내렸다.

"다니엘. 정말 당신이에요?"

그를 보자마자 눈물이 그렁그렁해진 여자는 대화는커녕 숨쉬기도 힘들 만큼 제 목을 꽉 끌어안았다. 찰나의 거리낌도 없이 그의 품 안으로 뛰어들었다. 너무도 자연스럽게. 바들바들 떨리는 촉촉하고 뜨거운 숨결이 닿았던 자리에 또 손이 멈췄다.

쿵쿵쿵.

제 머리는 몰라도 몸은 확실하게 그녀를 기억하고 있는 게 틀림없다. 아니라면, 다니엘 리하르트의 심장에서 이토록 큰 소리가 날 리 없으니.

주체할 수 없이 들끓는 감정을 억누르며 다니엘은 한쪽 팔로 나무 기둥을 짚었다. 아내를 안아 들던 순간 들렸던 희미한 이명이 다시 찾아왔다.

"꽉 안아요."

"네?"

"내 목. 꽉 안으라고."

"그게 무슨…… 꺄악!"

언제인지는 모르지만 틀림없는 아내와의 기억. 그동안 단 한 번도 떠오른 적 없던 기억이 왜 하필 오늘, 지금에서야 생각나는지 모르겠다. 진짜 목소리를 들어서? 말로만 듣던 그 보랏빛 눈동자를 실제로 마주해서?

어차피 떠올려 본들 유쾌할 리 없는 기억들로 가득 찬 인생. 잊고 산들 무슨 대수겠는가 했었는데, 이젠 찾고 싶어졌다. 잃어버린 시간 속의 자신을.

그리고 아내를 알고 싶다.

"프리다……."

이름을 되뇌는 것만으로도 망할 놈의 심장이 이토록 나대는 까닭이 뭔지도.

애초 날을 넘길 것으로 예상되었던 리하르트 공작 일행의 방문이 해 질 무렵으로 정정되었다. 워낙 외진 곳에 있는지라 웬만한 일은 모르고 지나가기 일쑤인 벨뷔 궁에 그 소식을 들고 온 이는 뷔테인 남작 부인이었다.

"말도 마세요. 환영 준비로 온 성이 아주 떠들썩해요. 정작 아내는 남편이 언제 오는 줄도 모르고 있는데 말이죠. 황태후 폐하는 어쩜 그리 속이 빤히 보이는 짓을 하시는지."

원래대로면 아무리 일정이 당겨졌다 해도 승인을 받은 날까지 기다렸다 수도로 들어와야 한다. 그런데 이번엔 어쩐 일로 황태후가 친히 황제께 리하르트 공작의 이른 도착을 허가해 달라 요청했다고.

"이유야 빤하죠. 눈엣가시 같은 공작 부인을 빨리 데려가라는 거 아니겠어요?"

'아이리스 꽃 파동'으로 위기에 몰렸던 황제는 '성녀 승인 사건'으로 말 그대로 기사회생했다. 황제가 모친에게 반기를 들 기미를 보이자 그동안 바이첸 가문의 기세에 눌려 숨죽이고 있던 귀족들이 하나둘 황제의 편에 선 것이다.

황제는 프리다의 도움으로 귀족들은 물론, 백성들의 지지도 얻게 되었다. 이 와중에 황태후가 살리카 법을 손보려 한다는 소문까지 돌았다.

황위를 이을 사내가 없으니 제 친정인 바이첸 가문에서 여자아이를 골라 차기 황제로 앉히려 한다고.

이 소문은 귀족들이 황태후에게 등을 돌리는 결정적인 계기가 되었다. 챔 벌린 백작이 지금까지도 무마하려 애쓰고는 있으나, 보수적인 귀족 사회에 미친 파급력이 만만치 않다는 후문이다.

상황이 이러니 민심이 황제에게 호의적으로 돌아가게 된 결정적인 구실 이 되어 준 프리다가 황태후의 눈에 예쁘게 보일 리 만무했다.

"그러니 리하르트 공작이라면 학을 떼던 황태후가 순순히 성문을 열자고 할 수밖에요."

페트리샤가 한창 수다에 열을 올리고 있는데 갑자기 루이즈 황후가 찾아 왔다. 예기치 않은 황후의 방문에 미처 자리를 피하지 못한 페트리샤가 어 색하게 인사를 건넸다.

"제국의 어머니 황후 폐하를 뵙습니다."

남편의 정부가 건넨 인사에 가볍게 고개를 끄덕여 준 루이즈 황후는 환 한 미소를 지으며 프리다의 곁으로 다가왔다.

"내가 너무 일찍 왔죠? 원래는 오후에 들르려고 했는데 기다릴 수가 있어 야 말이죠. 그대의 시간을 방해해서 미안해요."

"아닙니다, 폐하. 그런데 이게 다 무슨……."

황후의 뒤로 열 명에 가까운 시녀와 하녀들이 저마다 상자 하나씩을 들 고 나타났다. 마지막에 들어온 상자는 두 명이 앞과 뒤를 받쳐 들어야 할 정 도로 컸다.

"뭐긴요. 당연히 조만간 열릴 환영 만찬에서 입을 드레스죠. 완성되자마 자 가져왔어요. 설마 평소처럼 사제복 같은 드레스를 입고 만찬에 참석하려 는 건 아니죠?"

크고 작은 상자 안에서 나온 물건들은 가지런히 탁자 위로 올려졌다. 마 지막 거대한 상자에 담겨 있던 것은 소매와 치맛단에 보랏빛 크로커스가 수 놓인 연한 노란색 드레스였다.

"와!"

드레스가 옷걸이에 걸리자 로잘린이 감탄을 쏟아 내며 눈을 빛냈다. 루이즈 황후는 좋아 어쩔 줄 모르는 로잘린에게 제 옆으로 오라며 친근하게 손을 까닥였다.

"어때, 로잘린? 예쁘지?"

"네, 황후 폐하. 이렇게 아름답고 우아한 옷은 처음 봅니다."

일개 하녀와 허물없이 구는 황후를 보면서도 주위 누구도 격에 맞지 않는다며 말리지 않았다. 지난가을 황후의 목숨을 구한 공로로, 로잘린은 생명의 은인에 걸맞은 특별 대우를 받고 있었기 때문이다.

"황실 재단사를 보내 준다고 하면 거절할 게 뻔해서 네가 알려 준 치수대로 만들라고 했어. 공작 부인의 머리카락 색과 잘 어울리겠지?"

"그럼요. 첼리노에서 이런 색이 어울릴 만한 분은 오직 저희 마님뿐일걸요."

"맞아. 스베르겐의 귀족 여인들은 대부분 금발이라, 이런 색감의 드레스는 꿈도 못 꾼다고."

제국에서 가장 고귀한 여인인 황후와 일개 하녀가 친구처럼 나란히 서서 드레스 품평이라니. 페트리샤가 가증스럽다는 듯 '흥' 코웃음을 치자, 황후 궁의 시녀장인 오닐 백작 부인이 지그시 노려보며 주의하라고 무언의 경고를 건넸다.

못 본 척 시선을 돌려 버리는 페트리샤를 조금 더 노려보던 오닐 백작 부인의 눈길이 벽에 걸린 초상화 속 여인처럼 말없이 서 있는 프리다에게 향했다. 신이 난 황후와 로잘린을 보며 미소를 짓고 있긴 했지만, 두 사람과 달리 드레스에 큰 감흥을 받은 것 같진 않아 보였다.

드레스의 주인은 덤덤한데 황후와 하녀만 신이 나 떠들고 있다니. 긴 탄식을 삼킨 오닐 백작 부인이 황후 옆으로 다가갔다.

"폐하, 그만 돌아가시지요. 곧 황태후 궁에 드셔야 할 시간입니다. 오늘은 황제 폐하께서도 티타임에 참석하신다고 합니다."

"아…… 그래? 그럼 가야겠네."

남편이 온다는 소식에도 황후는 기쁜 내색 없이 애꿎은 치맛단만 만지작거렸다. 황후의 표정에 누가 봐도 내키지 않아 한다는 걸 알 만큼 적나라한 짜증이 실렸다.

'아주 싫은 티를 팍팍 내시는군.'

페트리샤는 잇새로 새어 나오려는 실소를 꿀꺽 목 안으로 삼켰다. 황후가 자신의 감정을 들키는 걸 두려워하지 않게 된 것 역시 지난가을의 그 사건 이후다. 황제와 황태후 간의 첨예한 대립이 점점 격해지던 가을 어느 날. 매년 으레 치르던 황실 승마 대회에 전년보다 많은 사람이 몰렸다.

말이 대회지 실상은 짜고 치는 도박판이나 다름없는 행사였다. 혈통이 좋은 말 중 하나를 밀어주고, 상금은 귀족들끼리 나눠 가지는 지저분한 뒷거래가 공공연하게 이뤄졌으니까. 대회장에 참석해 황실에 눈도장을 찍고 나면 그뿐. 대부분 다른 목적을 위해 삼삼오오 모여 판을 짜기에 바빴다.

하지만 그날은 달랐다. 평소보다 많이 모인 귀족들의 관심은 한곳에 집중되었다. 현재 첼리노에서 가장 뜨거운 소문의 중심. 공식 석상에 모습을 드러내는 법이 거의 없는 리하르트 공작 부인이 황실과 함께 그 자리에 나타난 것이다.

웅성거리던 행사장은 황실 가족에 이어 긴 차양이 달린 모자로 얼굴을 가린 리하르트 공작 부인이 등장하자 시끌벅적해졌다.

"진짜 성력이 있다던데?"

"그래? 난 황제가 정부로 삼으려고 데려온 거라고 들었는데."

"실은 리하르트 공작과 결혼하기 전부터 황제와 그렇고 그런 관계였던 거 아냐?"

"그렇다면 공작이 그걸 알고도 황태후의 눈을 가리기 위해 결혼해 준 건가? 황제의 사냥개가 아니라 그냥 호구네 호구."

별의별 입방아들을 찧어 대느라 행사장 안이 소란스러워지자 말들이 동요하기 시작했다. 그중 유독 예민해 보이던 흑마가 결국 울타리를 부수며 난동을 부렸다. 그때라도 목숨을 끊어 놨으면 일이 커지진 않았을 텐데. 문제는 그 말이 황태후의 친정인 바이첸 가문의 명마였다는 거였다.

아무도 제지하지 못하고 머뭇거리고만 있을 때, 거센 바람까지 불었다.

행사장 곳곳에서 파란 깃발이 펄럭이자 말은 더 미쳐 날뛰었고, 결국 황실 가족이 앉아 있는 연단으로 달려들었다.

급히 뛰어든 근위대가 황제를 감싸 안고, 바이첸가의 사병들이 황태후를 보호하는 사이. 황후는 오로지 시녀 두어 명에게 둘러싸인 채 달려드는 말발굽에 차일 운명을 기다리고 있었다.

아무도 보호해 주지 않는 볼품없는 황후. 황실의 후사를 잇지 못한, 쇠락해 가는 가문의 딸. 후에 루이즈 황후는 그날 일을 떠올리며, 그때만큼 자신의 비참한 처지를 뼈저리게 느껴 본 적이 없다고 쓸쓸하게 웃었다. 긴박한 순간, 날뛰는 말 등에 올라타 황후를 구한 이가 바로 로잘린이었다.

아무도 자신을 돌봐 주지 않는 순간, 저를 위해 용기를 낸 로잘린에게 감동한 황후는 그날부터 빈번하게 벨뷔 궁을 찾았다. 제법 먼 거리임에도 이틀에 하루는 꼭 프리다에게 들러 이야기를 나누고 갔다.

황후가 아쉬워하며 떠나고 난 후 프리다는 남겨진 드레스 앞에 섰다. 한눈에 봐도 공을 많이 들인 드레스였다. 프리다를 꾸며 줄 생각에 신이 난 로잘린이 나비의 날개처럼 나풀거리는 소매를 들어 올리며 들썩들썩 어깨춤을 추었다.

"마님이 이 드레스를 입고 연회장에 등장하시면, 다들 눈을 떼지 못할 거예요."

페트리샤도 나쁘진 않다며 입술을 삐죽였다.

"뭐, 부인께 어울릴 만한 색깔이긴 하네요."

드레스에 정신이 팔린 두 사람과 달리 프리다의 머릿속은 온통 어젯밤 다녀간 다니엘 생각뿐이었다.

"솔직히. 나는 당신이 누군지 전혀 모릅니다."

다니엘이 기억을 잃었다.

"내 머릿속에서. 많은 기억이 사라졌어요. 그래서 당신의 도움이 꼭 필요합니다."

자신과 결혼한 것도, 두 사람 사이에 있었던 어떤 일도 생각나지 않는다고 했다. 그 말인즉…… 이제부터 다니엘이 보게 되는 제 모습이 그의 기억

전부가 된다는 뜻이다. 결심을 마친 프리다는 성큼 걸어와 보라색 꽃이 수놓인 소매 끝을 꼭 쥐었다.

"로잘린, 나 이 드레스 입혀 줘. 지금 당장."

"높은 산이 없어서 그런가. 첼리노에만 오면 유독 해가 느릿느릿 지는 느낌이 들어요."

도미닉의 말대로 유트레히트였다면 진즉에 산 중턱으로 넘어가고도 남았을 해가 여태 지평선 위에 걸려 있었다.

첼리노로 들어오는 마지막 관문을 통과하자 언덕 아래로 오랜만에 보는 북적북적한 수도의 전경이 펼쳐졌다. 이제 언덕을 내려가 곧게 뻗은 길을 따라 전진하기만 하면 쉔달 성이다. 마지막 일행까지 성문을 통과한 것을 확인한 도미닉이 맨 앞에 선 다니엘의 옆으로 말 머리를 옮겼다.

"모두 통과했습니다. 출발하시죠."

다니엘이 앞서 나가자 도미닉이 뒤를 돌아 일행을 향해 소리쳤다.

"기사단은 2열로 나란히 주군의 뒤를 따른다. 깃발 똑바로 들고, 어떤 소란에도 동요하지 마라."

"네!"

스무 명이 내기엔 지나치게 우렁찬 함성에 성문을 지키는 병사들이 그들을 흘끔댔다. 리하르트 공작이 첼리노에 나타난 건 지난 노팅겐 공작의 반란을 진압하러 떠난 이후 거의 다섯 해 만이다. 오늘 밤 첼리노의 모든 술집이 리하르트 공작의 얘기로 떠들썩해질 것이다.

마지막 언덕을 넘기 전 다니엘과 도미닉은 잠시 말을 멈추고 제국의 수도를 내려다보았다. 수도 첼리노는 100년 전 대대적인 도시 정비에 들어가 지금의 형태를 갖추었다. 쉔달 성을 중심으로 주요 광장들을 연결하는 도로를 넓히고, 구불구불 미로처럼 얽혀 있던 길이 직선으로 보수되었다.

그 덕에 성을 출입하는 군사들은 빠르게 진군할 수 있을 뿐 아니라 적의 침입을 막기도 쉬워졌다.

첼리노는 주위를 방사형으로 감싼 성문만 내리면 얼마든지 외부 침입을 막아 낼 수 있는 완벽에 가까운 요새가 되었다. 비록 안으로는 곪아 터져 아들이 아버지를, 동생이 형을, 조카가 숙부를 죽이는 잔혹한 황위 다툼이 끊이질 않았지만.

지난 세월, 수도의 중심에 자리 잡은 저 화려한 쉔달 성 안에서 독살당한 황제가 과연 몇이나 될까. 온갖 꽃으로 뒤덮인 길이 만나는 중심에 위풍당당하게 서 있는 성의 풍경을 내려다보고 있으려니 뜬금없이 그딴 게 궁금해졌다.

"주군."

도미닉이 그를 불렀다. 아마 또 넋을 놓고 있었던 모양이다. 그가 말없이 발자크의 고삐를 당겨 출발하자 도미닉이 은근슬쩍 다가와 그의 옆으로 붙었다.

"그나저나 공작 부인을 진짜 만나긴 하신 겁니까?"

"아마도."

시큰둥한 다니엘의 대답에 도미닉이 답답하다는 듯 손을 휘휘 저으며 주절주절 떠들어 댔다.

"그런데도 기억나는 게 없어요? 아니, 그렇게 좋아 죽고 못 살던 아내를 봤는데 뭐라도 떠오르는 게 있었을 거 아닙니까?"

"없었어."

무심한 대답에 도미닉이 고개를 돌리고 조용히 욕지거리를 내뱉었다. 다시 깨어난 다니엘은 전과 같았다. 거만하고 담담하고 성질 더럽고, 건강까지 나빠진 터라 예민하고 까칠한 성질머리는 오히려 전보다 더 심해졌다. 자신이 의식을 잃었던 동안 무슨 일이 있었는지 궁금할 텐데도 다니엘은 꼭 알아야 할 정보가 아니면 굳이 지난 일을 묻지도 않았다.

한 가지 달라진 건, 명하니 넋을 놓고 있는 시간이 많다는 거. 전에도 생각이 많긴 했지만 그땐 빠릿빠릿 뭔가 방책을 고민하고 있었다면, 지금은 말 그대로 그저 멍하니 있다는 점이 달랐다. 도미닉과 대화를 하다가도 갑자기 조용해져서 보면 고요히 창밖을 바라보고 있질 않나. 처음엔 잃어버린 기억을 더듬는 중인가 싶었는데 그것도 아니었다.

"보나 마나 좋은 기억도 아니었을 텐데 뭐 하러 찾아. 때가 되면 떠오르겠지. 안 나도 상관없고."

"알고 싶지 않아? 그동안 너한테 무슨 일이 있었는지?"

"별로."

"그럼 왜 그렇게 멍하니 앉아 있어?"

"그냥…… 향기가 좋아서."

하긴 아버지가 공들여 밭을 일군 덕에 나날이 주변에 허브 꽃이 만발해지고 있긴 하지. 공작 부인이 성을 떠난 이후 진짜 농부가 된 것처럼 오로지 그 일에만 전념하고 계시니까. 도통 풍광에는 관심이라곤 없던 놈이 꽃향기가 진해지면 여지없이 창가에 서서 새로울 리 없는 바깥 풍경에 눈을 두었다.

새로 생긴 다니엘의 버릇 때문에 덩달아 도미닉까지 멍해지는 시간이 늘어났다. 그러다 깨달았다. 다니엘은 본능적으로 이곳에 없는 누군가를 그리워하고 있는 걸지도 모르겠다고.

언젠가부터 도미닉은 다니엘이 말없이 창밖을 응시할 때면 조용히 입을 닫았다. 그러면 다니엘은 어떤 날은 몇 분, 또 어떤 날은 몇십 분, 간혹 도미닉을 아예 잊은 듯 한참을 그렇게 있곤 했다. 나중에 물어보니 보일드 남작과 있을 때도 마찬가지라고…….

"보일드 남작의 소송 건은 완전히 해결된 건가?"

마치 도미닉의 머릿속에 들어갔다가 나오기라도 한 것처럼 다니엘이 느닷없이 남작의 일을 물었다. 아마 보일드 가문의 영지가 그들이 지나가는 길 근처여서 생각이 난 것 같다.

"네. 잘 해결됐습니다. 은근슬쩍 양쪽에 발을 걸치고 있던 몇몇 법관들이 황태후가 살리카 법을 손보려 한다는 소문이 나자 완전히 돌아섰다고 합니다. 하인리히 업다이크가 시기적절하게 돈을 뿌려 대기도 했고요."

절대 빼놓으면 안 되는 이름 하나도 얼른 덧붙였다.

"무엇보다 공작 부인께서 애써 주신 덕분이죠. 우리 성녀님은 능력도 좋으셔."

도미닉은 '성녀'라는 단어를 언급하며 비릿하게 웃었다. '우리 마님은 성녀가 아니라 천사'라던 펜하임 성 주방장 아델의 말이 떠올라서였다. 피부 좀 하얗고, 빨리 안 죽었다고 '성녀의 재림'이라니. 그따위 되지도 않는 수작을 부린 황제도 웃기지만, 속는 인간들은 또 뭔지 기가 찰 노릇이다.

"황제가 우리 공작 부인을 협박한 거만 생각하면 진짜 울화가 치밀어서 자다가도 벌떡벌떡 일어납니다."

9개월 전. '친애하는 도미닉에게'로 시작하는 공작 부인의 그 빌어먹을 편지를 읽다 말고 뛰쳐나가기 직전 보일드 남작이 도미닉을 찾아왔었다.

"공작 부인께서 자신은 안전하니 걱정하지 말라고 하셨네. 수도의 소란만 잠재우고 나면 금방 돌아오실 거라고……."

"그래서? 알면서도 가만히 앉아 부인이 성을 나가시는 걸 보고만 있었다는 거야? 이 개자식아!"

순간적으로 힘 조절을 못 하는 바람에 남작의 코뼈를 부러트리고 말았다.

"나도 말렸어. 하지만 이성적으로 따져 봐도 이 방법뿐이라는 데는 동의할 수밖에 없었네. 공작 부인이 지시한 대로 따르세. 그게 모두를 위한 길이야!"

피를 철철 흘리며 소리치는 남작에게 개소리하지 말라고 대꾸한 후 달려 나갔다. 하지만 꼼꼼하신 공작 부인께서는 마구간, 대장간까지 모두 손을 써 둔 상태였다.

"어쨌든 그날 보일드 남작의 코뼈를 부러트리지는 말았어야 했는데……."

만약 더는 못 살겠다고 도망이라도 갔으면 뮌하임 성은 어쩔 뻔했어요? 우리 집사장님, 오래 사셔야 하는데, 비쩍비쩍 말라 가셔서 걱정입니다.”

지난 9개월 동안 유트레히트의 사정도 파란만장했다. 눈만 떴을 뿐 다니엘은 기억이 오락가락. 대체 무슨 독을 쓴 건지 뮤리엘은 멀쩡하다가도 다시 혼절하기를 반복하질 않나. 그 와중에 여름 가뭄이 찾아오고, 바이마르 항구에선 난데없는 불이 났다. 수확 철은 닥쳐오는데 홍수가 나 도로 공사 현장이 무너지고……. 또 뭐가 있었더라.

‘아, 보일드 남작 부인의 출산도 있네.’

이제 와 하는 말이지만 도미닉은 보일드 남작에게 티끌만큼의 불만도 없다. 그 난리를 함께 겪고 나니 동지애가 생겼다고 해야 하나.

“아무튼 잘 해결돼서 다행입니다. 보일드 남작이 없는 공작령이라니. 어휴, 상상만 해도 식은땀이 납니다.”

다니엘에게 금광이라도 하나 던져 주고 종신 계약을 하라고 조언해 볼까 고민하는데 내내 앞만 보고 있던 그가 뒤편으로 고개를 까닥였다.

“식은땀은 저쪽에서 흘리는 것 같은데.”

“……이런!”

말 머리를 돌린 도미닉이 급히 행렬의 맨 끝에 선 기사에게 다가갔다. 다른 기사들과 달리 그 기사는 후드를 머리 위까지 뒤집어쓰고 있었다. 바짝 옆에 붙어 기사의 상태를 살피던 도미닉이 걱정스레 물었다.

“괜찮아요? 정 힘들면 쉴 곳을 찾아볼까요?”

“버틸 만하니까…… 그냥 가요. 다 왔는데…… 쉬긴 뭘 쉬어.”

끙끙 앓는 목소리에서 심각함을 감지한 도미닉이 기사가 타고 가는 말고삐를 억지로 붙든 다음 이마를 가리고 있던 후드를 뒤로 젖혔다. 보랏빛 천에 손이 닿자마자 흥건하게 땀이 배어났다.

“버틸 만하긴. 대체 언제부터 이랬습니까, 로시발트 경? 점심나절엔 괜찮더니.”

"도착해서 쉬면 돼요."

팔을 들 힘도 없는지 뮤리엘이 대충 어깨에 얼굴을 닦으며 말했다.

"말고삐나 놔요, 도미닉. 사람들이 보잖아."

뮤리엘의 말대로 리하르트 공작 일행을 보러 나온 사람들이 갑자기 멈춰선 행렬을 보며 수군댔다. 갑작스레 몰려드는 많은 시선에 도미닉이 눈가를 찡그리며 벗겼던 후드를 다시 뮤리엘의 이마 위로 씌워 주었다.

또각또각.

다니엘이 발자크를 타고 그들 옆으로 다가왔다.

"로시발트 경, 성에 도착할 때까지 견딜 수 있겠나?"

행렬을 멈추라는 지시를 내렸는지 기사들이 더는 나아가지 않고 세 사람 주위를 동그랗게 감쌌다. 뮤리엘은 두 손으로 말고삐를 꼭 쥐며 고개를 끄덕였다.

"견딜 수 있습니다. 죽어도 아가씨를 뵙고 죽을 겁니다."

"죽기는 왜 죽습니까? 그럴 거면 왜 그 고생을 하면서 여기까지 와?"

도미닉의 면박에 뮤리엘이 지친 얼굴로 피식 웃었다.

"수도에 오면 우리 성녀님이 살려 주시겠거니 했지."

"헛소리 집어치우고 물이나 좀 마셔요."

뮤리엘이 목을 축이는 동안 잠시 기다리고 있던 다니엘이 그녀를 불렀다.

"로시발트 경."

"예, 전하."

"성까지 길어야 한 시간이다. 버틸 수 있겠나?"

다 마신 물주머니를 도미닉에게 휙 던지듯 건넨 뮤리엘이 힘겹게 허리를 세우며 대답했다.

"네. 버틸 겁니다. 버틸 수 있습니다."

찬찬히 뮤리엘의 상태를 살핀 다니엘이 단호히 한마디를 툭 던지고 말머리를 돌렸다.

"그럼 버텨."

"네. 전하."

장기에 남은 독으로 인해 오래 살지 못할 것 같다는 의사의 선고를 받은 사람치곤 목소리에서 아직 힘이 느껴졌다. 존경받는 여기사의 마지막 소원이나 들어주자 싶어 데려왔는데 잘못이려나.

어쩌면 어제 보았던 그 여린 얼굴이 또 눈물범벅이 될 일이 생길지도 모르겠다. 저 망할 쉔달 성으로 가는 길은 예나 지금이나 한결같이 거지 같다. 그 사실만은 똑똑히 기억났다.

"폐하, 리하르트 공작이 쉔달 성의 정문을 통과했습니다."

복도에 걸린 카를 1세의 초상화를 보고 있던 레오폴드는 알았다는 의미로 오른손을 가볍게 올렸다 내렸다. 정문을 통과했으면 이제 곧 말에서 내려 수십 개의 대리석 계단을 지나오겠군.

그러고도 알현실까지 오려면 물빛 카펫이 깔린 긴 복도를 한참 걸어야 하니 형님과 재회하려면 아직도 십여 분 정도는 남았다. 그러니 지금 그에게로 다가오는 발소리는 다니엘의 것이 아니었다. 레오폴드의 뒤에서 멈춘 발걸음의 주인은 모친 황태후 마그리트였다.

"다니엘을 다시 쉔달 성에서 보게 되다니. 감회가 새롭습니다."

훗, 그러시겠지. 살 떨리게 징글맞은 동시에 두려운 그 낯짝을 볼 기대에 우리 모친 잠은 안 설치셨는지 몰라.

가벼운 웃음을 흘린 레오폴드는 뒷짐을 진 채 뒤로 돌았다. 아들과 눈이 마주친 황태후가 부드럽게 입매를 풀었다. 여차하면 배 아파 낳은 친자식을 밀어내고, 제 가문의 자손 중 하나를 골라 황위에 올리려 했던 어머니의 미소치곤 어찌나 인자하신지. 레오폴드는 평소 모친을 닮았다는 소리를 듣는 차가운 가면 위에 미소를 얹었다.

"저 또한 어머니와 같은 마음입니다."

"모자의 마음이 서로 같다니 다행입니다. 하면 이 어미가 폐하께 조언을 하나 드려도 되겠습니까?"

"얼마든지요. 아시지 않습니까? 제가 어머니의 말씀을 언제나 가슴 깊이 새기며 산다는 거."

가슴뿐일까, 머리에도 박아 놓고 시시때때로 의미를 되새긴다. 이런 효자가 없다.

"누누이 말씀드렸지만, 사냥이 끝난 사냥개는 버려야 합니다. 그 습성을 버리지 못하고 주인을 물기 전에요."

우리 어머니, 별걱정을 다 하신다니까.

"아…… 그렇군요. 그런데 어머니, 저는 아직 사냥을 끝내지 못했답니다."

바이첸 사냥이 다 끝나고 나면 어련히 알아서 버릴까. 눈꼬리까지 휘어 가며 다정히 웃고 있는데 복도 끝에 있는 문이 오늘따라 유독 거슬리는 '끼이익' 소리를 내며 양쪽으로 열렸다.

미처 지평선 아래로 숨지 못한 태양이 남겨 놓은 붉은 하늘을 등진 '다니엘 요하네스 리하르트'가 그 문안으로 성큼성큼 걸어 들어왔다.

황제의 알현실 앞을 지키는 경비병이 거침없는 다니엘의 고갯짓에 놀라 저도 모르게 벌컥 문을 열어 버린 것이다. 뒤늦게 자신의 실수를 깨달은 그는 밀려드는 난감함에 질끈 눈을 감고 말았다. 리하르트 공작이 오면 지체 말고 들이라는 명령을 받긴 했으나 보통은 황제께 허락을 구하는 게 먼저다. 질책을 담아 그를 노려본 시종이 이미 알현실 안으로 들어간 다니엘의 등을 바라보며 한 박자 늦게 그의 도착을 알렸다.

"리, 리하르트 공작께서 도착하셨습니다!"

다니엘이 들어서자 알현실 안은 팽팽한 긴장감에 휩싸였다. 예상보다 이른 그의 등장에 놀란 빈더만 자작은 밖으로 향하던 발길을 돌려 황급히 황제의 곁으로 되돌아왔다.

지난여름에 있었던 리하르트 공작과의 치욕스러운 대련을 기억하는 기사 몇은 다니엘을 보자마자 힘줄이 도드라질 정도로 팔에 불끈 힘을 주었다. 기사들은 다니엘이 알현을 청한 자의 예법대로 무기를 들고 오지 않았음을 확인한 후에도 불안을 감추지 못했다.

황태후를 따라온 시녀들은 얌전히 고개를 조아린 채 황제를 향해 걸어오는 리하르트 공작을 슬쩍슬쩍 흘깃댔다. 거의 다섯 해 만에 쉔달 성에 나타난 리하르트 공작이었다. 기품 있는 귀족 여인들의 호기심 어린 시선들이 소란하지 않게, 그러나 나름 분주히 움직였다.

'살이 좀 빠진 거 같지 않아?'

'그런가? 아무튼 여전히 근사하긴 하네.'

'여전하다니. 무슨 소리! 더 멋있어졌잖아.'

시녀들은 점잖고 단아한 미소 속에 목소리를 감춘 채 눈빛을 주고받으며 열렬히 수군거렸다. 그사이, 어깨 위에 걸친 망토를 펄럭펄럭 흩날리며 빠르게 알현실 안을 가로지른 다니엘이 황제 앞에 도착했다. 감정이 느껴지지 않는 고요한 낯으로 황제와 황태후에게 한 번씩 눈인사를 건넨 그는 레오폴드 앞에 한쪽 무릎을 꿇었다.

"유트레히트의 영주 다니엘 요하네스 리하르트, 제국의 태양이신 황제 폐하를 뵙습니다."

지나치게 정중하고 격을 갖춘 인사가 가증스러워 픽 실소가 터졌다. 씰룩이는 입술을 갈무리한 레오폴드는 팔을 뻗어 다니엘의 어깨를 툭툭 도닥였다.

"인사는 그만하면 충분하니 일어나세요, 형님. 먼 길 오느라 고생 많으셨습니다."

레오폴드의 입에서 '형님'이라는 단어가 나오자 황태후 마그리트가 눈살을 살짝 찌푸렸다. 누구보다 이성을 중요시하는 모친의 본능적인 반응에 또 웃음이 터질 뻔했다. 레오폴드는 뒤를 돌아 왕좌가 있는 대리석 계단을 올랐다.

"황태후 폐하께도 인사 올립니다."

등 뒤에서 다니엘이 모친에게 인사를 전하는 소리가 들렸다. 오직 황제에게만 허락된 의자에 앉은 레오폴드는 안 본 사이 더 날카로워진 다니엘의 얼굴을 찬찬히 살폈다. 마지막으로 봤을 때보다 살이 확연히 빠져 보였다.

"낯빛이 과히 좋지 않으십니다, 형님. 그동안 건강이 많이 안 좋으셨던 겁니까?"

안 좋았겠지. 본심이 어떻든 예의라면 재수 없을 만큼 깍듯이 차리는 인간이 뭰하임 성을 떠나는 황제 일행을 배웅하지 못했을 정도니. 알려진 것보다 더 심각한 상처를 입었던 건지도 모른다. 그런 다니엘을 두고, 자신은 도망치듯 그곳을 빠져나왔다.

그뿐인가. 저 살자고 다니엘이 애지중지하는 아내를 끌어들여 논란의 중심에 세우기까지 했으니 곱게 보일 리가 없다. 평온한 척해도 다니엘의 속에서는 부글부글 분노가 들끓고 있을 게 분명하다.

"심려를 끼쳐 드려 송구합니다, 폐하. 저는 잘 회복되었으니 염려하지 않으셔도 됩니다."

"……다행입니다."

그동안 내내 궁금했다. 대체 그 조그만 여자는 다니엘을 어떻게 설득한 걸까? 뭐라고 했기에 아내를 황제에게 뺏긴 등신이란 모욕적인 소리를 듣고도, 이곳으로 달려오지 않았을까.

다니엘은 자그마치 아홉 달을 죽은 듯이 공작령에 처박혀 있었다. 언제쯤 다니엘이 쉔달 성으로 쳐들어올까 기대하며, 혹은 초조해하며 보냈던 날들이 떠올라 설핏 입꼬리가 비틀렸다. 눈앞에 버티고 있는 모친만 아니라면 묻고 싶은 말이 산더미다. 속을 알 수 없는 고요한 적갈색 눈동자를 응시하던 레오폴드의 시야가 모친의 화려한 머리 장식에 가로막혔다.

"다니엘, 정말 핼쑥해졌구나. 그래도 이리 건강한 모습으로 다시 보게 되어 얼마나 기쁜지 모르겠다."

본인께서 죽이고 싶어 안달 냈던 의붓아들을 부르는 목소리 한번 어찌나 다정하신지. 몇 번째인지 모를 실소가 또 터져 나왔다. 하루 이틀 접하는 것도 아닌 모친의 위선이 역겨워 돌연 구역질이 났다. 팔걸이에 접어 세운 손에 머리를 기댄 레오폴드는 메스꺼운 속을 달래며 덤덤히 말했다.

"어머니께서 형님을 많이 기다리셨습니다. 허구한 날 전쟁터로 내몰 땐 언제고, 이제 와 없던 애정이 새록새록 솟기라도 하시는 건지 원."

감추려 노력하지 않으니 감정이 좀처럼 숨겨지지 않는다. 패륜에 가까운 황제의 무례를 지적하는 대신 여기저기서 꼴깍거리며 침 삼키는 소리가 들렸다. 레오폴드는 제게 파란 눈동자를 물려준 모친의 얼굴을 빤히 바라보았다. 감정을 감춘 잔잔한 표정이 다니엘과 판박이다.

'누가 친아들인지 모르겠네.'

레오폴드가 눈을 피하지 않고 마주 보자 결국 황태후가 먼저 아들의 눈길을 피해 고개를 돌렸다. 어머니가 만약을 대비해 레오폴드의 뒤를 이을 자를 물색하고 있다는 건 이미 아는 사실.

황제가 후사를 잇지 못해서라는 건 구실일 뿐이고, 누구든 입맛에 맞는 자를 이 자리에 앉히고 싶었겠지. 천년만년 바이첸의 부귀영화를 유지시켜 줄 꼭두각시를.

알면서도 몸을 사려 왔다. 아버지처럼 어떤 병에 걸린 줄도 모르고 비참히 생을 마감하게 될지도 모른다는 두려움 때문에. 제 반 토막이나 될까 싶은 여자에게 대차게 혼이 나기 전까지는 그랬었다.

"폐하 말씀은 내일 죽을지 모르니 오늘은 얌전히 처박혀 있어야 한단 말인가요? 아니요. 전 그렇게 무의미하게 살지 않을 겁니다. 막말로 내일 죽는다면 오늘이 내 마지막 날이라는 건데 더 열심히 살아야죠."

마지못해 끌려온 주제에 무슨 일에든 팔을 걷어붙이고 나서는 프리다 덕에 레오폴드에게도 세력이라는 게 생겼다. 바이첸이라는 견고한 어머니의 벽을 무너트릴 수 있는 레오폴드의 편이.

자신이 무슨 짓을 하는 줄도 모른 채 그저 열심히, 야금야금 레오폴드의 위상을 높여 주던 프리다. 그리고 그런 프리다에게 어떻게 맞서야 할지 몰라 당황하던 어머니. 기막힌 두 여인의 대치를 떠올리며 피식대고 있는 레오폴드 옆으로 빈더만 자작이 다가왔다.

"황후 폐하께서 뵙기를 청하십니다."

부부 사이가 소원해진 지 오래라 웬만해선 먼저 그를 찾아오는 법이 없는 황후가 이 시간에 어쩐 일이실까. 혹, 무념무상 하게 세상을 사는 황후마저 다니엘이 궁금했던 건가? 레오폴드가 가볍게 고개를 끄덕이자 알현실의 문이 양쪽으로 활짝 열렸다.

멀리 보이는 하늘은 어느새 어둑어둑. 주위를 환하게 밝힌 벽등을 지나오는 황후를 보던 레오폴드의 미간이 서서히 좁혀졌다. 황후를 맞기 위해 뒤로 물러났던 다니엘 또한 눈을 가늘게 떴다. 루이즈 황후는 혼자가 아니었다. 사뿐사뿐 황후의 뒤를 따라 걸어오는 또 한 사람. 프리다가 다니엘과 눈이 마주치자 살포시 웃었다.

'놀고 있네.'

두 사람이 은밀히 시선을 주고받는 모습을 응시하던 레오폴드는 조용히 욕을 씹어 삼켰다.


알현실 안으로 들어오는 황후와 프리다를 보며 다니엘은 소리 없이 중얼거렸다.

'어이가 없군.'

자신이 겪고 있는 상황을 표현할 말이 이것 말고는 딱히 떠오르지 않았다. 땅이고 사람이고, 온통 낯선 것들로 가득해 어색하기만 하던 영지에 비하면 쉔달 성은 마치 태어나 오래 머물던 고향 같다. 익숙한 건물, 익숙한 그림, 익숙한 사람들. 이 빌어먹을 쉔달 성에서 안정감을 느끼게 되는 날이 오다니. 레오폴드와 황태후는 말할 것도 없고, 그 옆을 지키는 시종에 근위대원, 황태후의 시녀들, 심지어 황후까지.

우습게도 낯익은 얼굴들이 득실득실한 이곳에서 유일하게 모르는 이가 제 아내다. 이런 걸 두고 '어이없다'는 말 외에 뭐라고 설명할 수 있을까. 속내를 숨긴 다니엘의 차분한 눈길이 루이즈 황후를 따라 들어오는 프리다를 좇아 함께 움직였다.

무슨 조화를 부린 건지 모르겠지만 벽등을 밝힌 불빛이 아내의 드레스에 닿을 때마다 대낮의 햇살이 닿은 호수의 수면처럼 옷이 반짝거렸다. 그런 쪽으로는 문외한인 다니엘이 보기에도 금색으로 빛나는 옅은 노란빛 드레스가 새하얀 프리다의 피부와 무척 잘 어울렸다.

숱이 많은 새하얀 머리칼을 우아하게 틀어 올린 프리다는 그와 눈이 마주치자 싱긋 보란 듯이 눈짓을 보냈다. 그의 아내는 여리게 생긴 외모와 달리 보기보다 과감한 면이 있는 여자인지도.

아내와 눈 맞춤을 끝낸 다니엘의 시선이 드레스 위로 드러난 목을 훑어 올라갔다. 자국이 쉽게 남을 듯한 하얀 목이 어찌나 가는지. 손안에 쥐면 한 줌이나 될까 싶은 가녀린 목선을 보고 있으려니 별안간 눈이 시렸다.

'뭐가 이렇게…… 유혹적이야?'

마음의 안정을 찾으려면 당장 손에 뭔가를 움켜쥐어야 할 것만 같았다. 다니엘은 알현실에 들기 전 도미닉에게 주고 온 검자루를 찾아 의미 없이 허리춤을 뒤졌다.

쿵쿵쿵.

'돌겠네.'

적어도 그녀가 제 아내이고, 두 사람이 제법 사이좋은 부부로 지냈다는 주변의 얘기는 거짓말은 아닌 듯하다. 프리다를 발견한 순간부터 나대던 심장이 점점 속도를 올리는 걸 보면. 황제 앞에 도착한 황후가 남편에 이어 황태후에게 차례차례 예를 갖춘 후 다니엘에게도 인사를 건넸다.

"어서 오세요, 리하르트 공작. 이리 건강하신 모습으로 다시 뵙게 되어 정말 기쁩니다."

"감사합니다, 황후 폐하. 저야말로 뵙게 되어 기쁘기 그지없습니다."

다니엘의 인사를 받은 루이즈 황후가 뒤편에 서 있던 프리다의 손을 잡아 제 옆으로 슬그머니 끌어당겼다.

"한시라도 빨리 뵙고 싶으실 것 같아서 제가 공작 부인에게 같이 오자고 청했어요. 두 분 너무 오랜만이잖아요. 공작 부인께서 남편을 얼마나 그리워했는지 몰라요."

어제는 눈물이 마를 새가 없던 프리다의 볼에 수줍은 홍조가 피어났다.

"내 머릿속에서 많은 기억이 사라졌어요. 그래서 당신의 도움이 꼭 필요합니다."

"다니엘. 나를…… 잊은 거예요?"

"그게…… 완전히 잊은 건 아니고."

아니긴. 새까맣게 잊어버려 놓곤 그녀의 우는 얼굴에 놀라 등신같이 얼버무렸다. 왜 아내 앞에만 서면 저답지 않은 행동을 하게 되는 건지 도통 영문을 모르겠다.

"당신과 보냈던 시간이 기억나질 않습니다. 우리가 지난봄에 어떻게 지냈고, 황제와 어떤 대화를 나눴는지…… 그런 사소한 일들이요. 내일 황제 앞에서 실수하지 않으려면 미리 알아 둬야 할 것 같아서……."

급한 마음에 두서없이 주절댄 것도 그답지 않기는 마찬가지. 프리다가 대답한 말이 떠올라 미소를 머금어 버린 지금도 매한가지다.

"다정했어요. 다니엘. 당신은 제게 정말 다정한 남편이었어요."

다니엘 리하르트가 다정한 남편이었다니. 살다 살다 그토록 우습고 기가차게 황당한 얘기는 처음 들었다. 하지만 어쩌겠는가. 자신이 그랬다는데. 머리로는 잊었을지 몰라도, 이 얼빠진 심장은 아내를 뚜렷하게 기억하고 있다는데. 뚜벅뚜벅 프리다 앞으로 걸어간 다니엘은 하늘거리는 치맛단 위에 다소곳이 모아 쥔 프리다의 손을 잡았다.

"늦게 와서 미안해, 프리다."

보아하니 어지간히도 낯간지러운 짓을 하고 다닌 것 같은데 흉내 내는 건 어렵지 않았다.

"나를 많이 아껴 줬어요. 내가 아프면 밤새 간호를 해 줬고. 밤마다 함께 별을 보며 얘기도 들려줬어요."

그녀가 짚어 준 일 하나하나가 모두 아버지가 어머니께 종종 해 주시던 일들이다. 아버지가 하셨던 일을 아들인 제가 하지 못할 리 없지. 프리다의 작은 손을 들어 올린 다니엘이 아내의 손등 위에 입술을 꾹 눌렀다 뗐다. 고개를 들어 보니 프리다의 눈가가 촉촉하게 젖어 들고 있었다.

"내가 잘못했어, 프리다."

보는 눈이 많은 것 또한 문제 될 것 없었다. 아니, 오히려 차라리 잘됐다. 아내를 쳐다보는 레오폴드 자식의 눈알을 파 버리고 싶다는 충동을 느끼던 차였으니까. 부드럽게 프리다의 뺨을 감싼 그가 엄지로 눈물을 쓸며 속삭였다.

"이제 두 번 다시 당신을 혼자 두지 않을게."

하아…….

그의 말이 끝나자 알현실 안에 있던 여인들의 뜻 모를 한숨이 한꺼번에 터졌다.

-3권에서 계속-